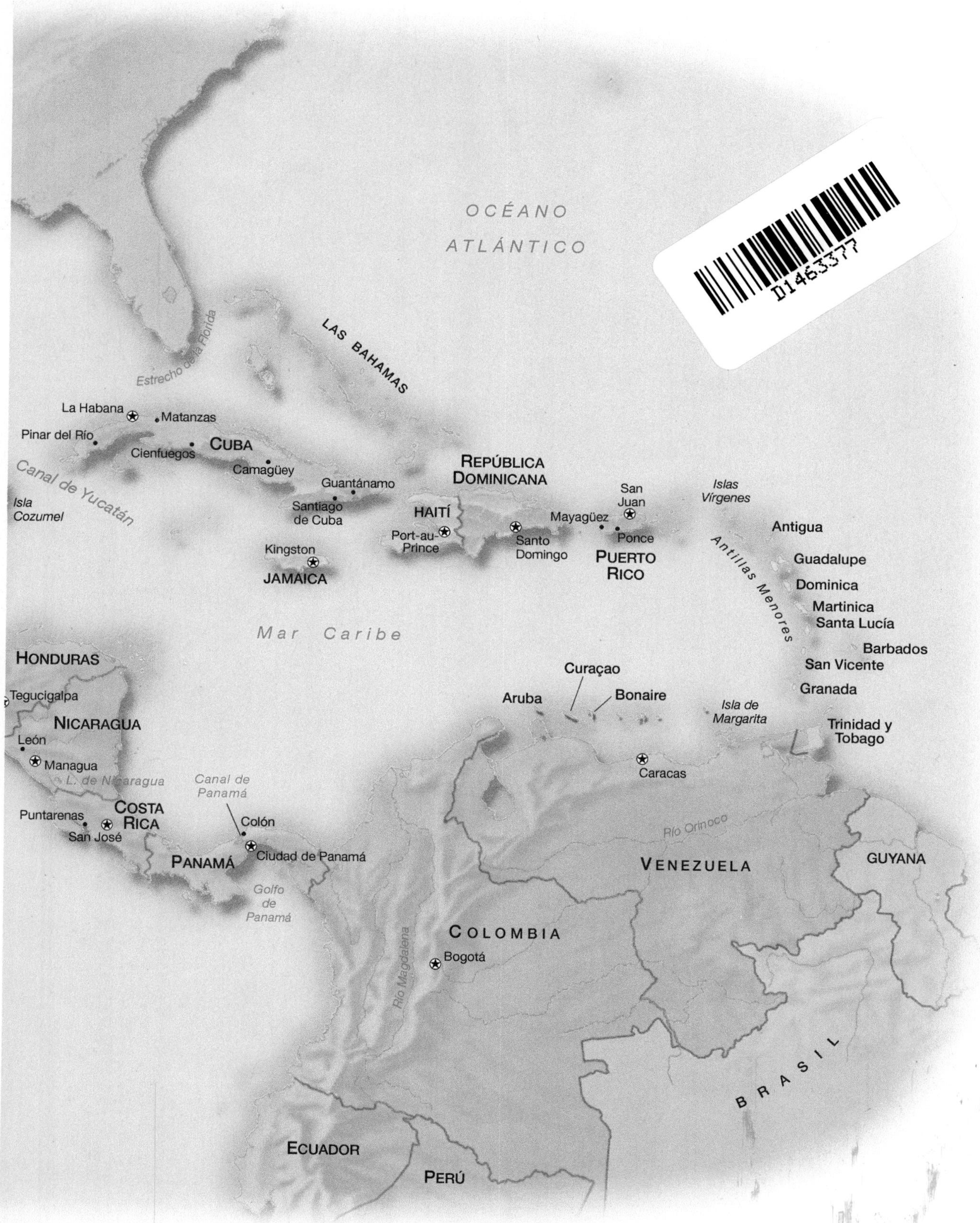

OCÉANO

ATLÁNTICO

LAS BAHAMAS

Estrecho de la Florida

La Habana · Matanzas
Pinar del Río · CUBA
Cienfuegos · Camagüey
Canal de Yucatán
Isla Cozumel
Guantánamo
Santiago de Cuba
HAITÍ
Port-au-Prince
Kingston
JAMAICA

REPÚBLICA DOMINICANA

San Juan
Mayagüez · Ponce
Santo Domingo
PUERTO RICO

Islas Vírgenes

Antigua

Guadalupe

Dominica

Martinica
Santa Lucía

Barbados
San Vicente

Granada

Antillas Menores

Mar Caribe

HONDURAS
Tegucigalpa
NICARAGUA
León
Managua
L. de Nicaragua
Canal de Panamá
Puntarenas
COSTA RICA
San José
PANAMÁ
Colón
Ciudad de Panamá
Golfo de Panamá

Curaçao
Aruba · Bonaire
Isla de Margarita
Trinidad y Tobago

Caracas

Río Orinoco

VENEZUELA

GUYANA

COLOMBIA
Río Magdalena
Bogotá

BRASIL

ECUADOR

PERÚ

A GUIDE TO MOSAICOS ICONS

 Readiness Check

This icon, located at the beginning of the first *Funciones y formas* section, reminds students to take the Readiness Check in MySpanishLab to test their understanding of the English grammar related to the Spanish grammar concepts in the chapter. A Study Plan with English Grammar Tutorials is generated for those topics students might need to review.

 eText Activities

This icon indicates that a version of the activity is available in MySpanishLab. eText activities are automatically graded and provide detailed feedback on incorrect answers.

 Video

This icon indicates that a video segment is available for the *¡Cineastas en acción!* video that accompanies the *Mosaicos* program. The video is available on DVD and in MySpanishLab.

 Text Audio Program

This icon indicates that recorded material to accompany *Mosaicos* is available online. In addition, audio for all in-class listening activities and *En directo* dialogues is available on CD.

 Pair Activity

This icon indicates that the activity is designed to be done by students working in pairs.

 Group Activity

This icon indicates that the activity is designed to be done by students working in small groups or as a whole class.

 Interactive Globe

This icon indicates that additional cultural resources in the form of videos, web links, interactive maps, and more, relating to a particular country, are organized on an interactive globe online.

 Art Tour

This icon accompanies the works of art highlighted in each chapter opener. It links to a virtual art tour and interactive activity in MySpanishLab about the work of art.

 MediaShare

This icon, presented with all *Situación* activities, refers to the video-posting feature available online.

Mosaicos:
Spanish as a World Language

It's time to talk! …and have a cultured conversation. Providing the truly communicative, deeply culture-focused approach professors believe in along with the guidance and tools students need to be successful using a program with highly communicative goals—with **Mosaicos**, there is no need to compromise. Recognizing the primacy of the relationship between culture and language, the new Sixth Edition of **Mosaicos** places culture up front and center, and everywhere in-between!

. Over 1,000 language instructors have partnered with Pearson to create solutions that address the needs of today's students and instructors.

. 100 Faculty Advisors have reviewed, tested, and collaborated with colleagues across North America to make Pearson's **MyLanguageLabs™** the most effective online learning and assessment college language learning system available today.

Challenge:

8 out of 10 language instructors told us that better tools are needed to help students develop oral proficiency so that they will be confident in speaking Spanish.

Solution:

- Almost 1,000,000 students have used Pearson's **MyLanguageLabs** to help them succeed in learning Spanish, French, Italian, German, Russian, Chinese, Portuguese, and Latin.
- **MyLanguageLabs** helps to **improve student results** by offering a robust set of tools that allow students to hear native speakers, and practice their speaking. We include pronunciation guides, Blackboard™ Voice, videos, and audio recordings and are the only online learning and assessment system that includes Versant™ Test of Spanish and MediaShare.

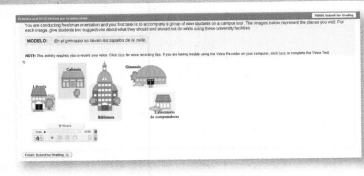

Students love the recording aspect of MyLanguageLabs, which allows them to listen to their own pronunciations, compare, and adjust to match the native speakers. Students' communicative skills have improved significantly with MyLanguageLabs.

—Charles Hernando Molano Álvarez

MyLanguageLabs automates teaching chores that are non-meaningful. Let MyLanguageLabs grade homework and quizzes. This gives you time to spend on meaningful pedagogical activities like engaging and interacting with your students.

—Anne Prucha, University of Central Florida

Challenge:

8 out of 10 language instructors voiced that they are teaching more students than ever before, and consequently feel that they no longer have time to provide students with careful guidance to foster speaking and writing skills.

Solution:

- **MyLanguageLabs** allows instructors to easily create the course syllabus, and assign and grade homework, providing you with the time to work with individual students, helping them **achieve higher proficiency levels** in speaking and writing, in particular.

Did you know that...?

- **100% of College Students are internet users**
- **50% are online more than 6 hours every week**
- **Community College Students are even more likely than those at 4 year institutions to use mobile devices**
- **71% of students would prefer to use digital learning materials over print**

Zou, J.J. (2011, July 19). Gadgets, study finds. *Chronicle of Higher Education*

Challenge:

6 of 10 college language programs either have completed or are planning to complete an Introductory Spanish Course Redesign, which will likely result in less face-to-face class time and greater numbers of hybrid or fully online classes.

Solution:

- Pearson Education is the undisputed leader in Higher Education Course Redesign.
- Pearson is an **experienced partner** with over 1150 faculty selecting Pearson to implement a Course Redesign.
- **Evidence-based ongoing Case Studies and Success Stories** demonstrate improved student performance in Course Redesigns that implemented **MyLanguageLabs**.
- **MyLanguageLabs** offers the most extensive opportunities for course personalization that enables instructors to modify instruction according to individual needs, teaching style, grading philosophies, and more, which results in a more **engaging experience** for students.

Redesigning courses around MyLanguageLabs has been a success. The curriculum and course requirements are uniform across all sections so students receive a consistent learning experience. Because MyLanguageLabs automates the grading process, instructors report that they have more time to offer students one-on-one assistance. When I examine the data from before and after MyLanguageLabs, it is clear to me what a great success MyLanguageLabs is and how useful it is for our students.

—Jason Fetters, Purdue University

MyLanguageLabs
in Action:
Proven Performance

PEARSON

LEARN SMARTER

Boost performance with powerful, personalized learning!

Powered by **amplifier** and accessible in MySpanishLab, new Dynamic Study Modules combine leading brain science with big-data adaptivity to engage students, drive proficiency, and improve outcomes like never before.

As the language learning and teaching community moves to digital learning tools, Pearson is supercharging its Spanish content and optimizing its learning offerings with personalized Dynamic Study Modules, powered by **amplifier** and MySpanishLab. And, we're already seeing significant gains. Developed exclusively for *Mosaicos*, each study module offers a differentiated digital solution that consistently improves learning results and increases levels of user confidence and engagement with the course materials.

Language instructors observe that they are able to maximize their effectiveness, both in and out of the classroom, because with they are freed from the onerous task of basic knowledge transfer and empowered to:

› reclaim up to 65% more class time for peer to peer communication in the target language;
› tailor presentation and focused practice to address only the most prevalent student knowledge gaps;
› enable livelier, more engaged classrooms.

How does *amplifire* improve learning?

 Dynamic Study Modules consist of a comprehensive online learning process that starts with modules of 25 vocabulary and grammar questions that drive deep, contextual knowledge acquisition and understanding.

Based on a Test–Learn–Retest adaptive module, as students respond to each question the tool assesses both knowledge and confidence to identify what students do and don't know. Asking students to indicate their level of confidence engages a different part of the brain than just asking them to answer the question.

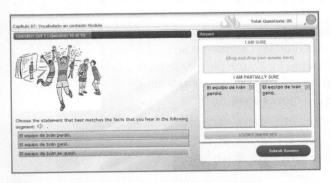

 amplifire results, embedded explanations, and review opportunities are extremely comprehensive and ideal for fast learning and long-lasting retention.

After completing the first question set, students are given embedded and detailed explanations for their correct answers, as well as why other answer choices were incorrect. This approach, taken directly from research in cognitive psychology, promotes more accurate knowledge recall. Embedding the learning into the application also saves students valuable study time because they have the learning content at their fingertips!

 Dynamic Study Modules cycle students through learning content until they demonstrate mastery of the information by answering all questions confidently and correctly two times in a row.

Once students have reviewed the first set answers and explanations, modules *amplifire* presents them with a new set of questions. The *amplifire* methodology cycles students through an adaptive, repetitive process of test-learn-retest, until they achieve mastery of the material.

RESULTS!

Based on GAMING and LEARNER ENGAGEMENT techniques, AMPLIFIRE DYNAMIC STUDY MODULES take basic knowledge transfer out of the classroom and improve performance.

Improved student performance and long-term retention of the material ensures students are not only better prepared for their exams, but also for their future classes and careers.

PEARSON ALWAYS LEARNING

Matilde Olivella de Castells • Elizabeth E. Guzmán
Paloma Lapuerta • Judith E. Liskin–Gasparro

Mosaicos
Spanish as a World Language

Volume 1
Second Custom Edition for Miami Dade College

Taken from:
Mosaicos: Spanish as a World Language, Sixth Edition,
by Matilde Olivella de Castells, Elizabeth E. Guzmán,
Paloma Lapuerta, and Judith E. Liskin–Gasparro

¡Anda! Curso Elemental, Second Edition,
by Audrey L. Heining-Boynton and Glynis S. Cowell, with
Jean LeLoup, María del Carmen Caña Jiménez

Cover Art: Courtesy of FatSprat, clodio, Vanish_Point, Emeraldchik, fazon1/iStockphoto.

Taken from:

Mosaicos: Spanish as a World Language, Sixth Edition,
by Matilde Olivella de Castells, Elizabeth E. Guzmán, Paloma Lapuerta, and Judith E. Liskin–Gasparro
Copyright © 2015, 2010, 2006, 2002 by Pearson Education, Inc.
Published by Prentice Hall
Boston, Massachusetts 02116

¡Anda! Curso Elemental, Second Edition,
by Audrey L. Heining-Boynton and Glynis S. Cowell, with Jean LeLoup,
María del Carmen Caña Jiménez
Copyright © 2013 by Pearson Education, Inc.
Published by Prentice Hall
Boston, Massachusetts 02116

This special edition published in cooperation with Pearson Learning Solutions.

All trademarks, service marks, registered trademarks, and registered service marks are the property of their respective owners and are used herein for identification purposes only.

Pearson Learning Solutions, 501 Boylston Street, Suite 900, Boston, MA 02116
A Pearson Education Company
www.pearsoned.com

Printed in the United States of America

000200010271883901

SR

ISBN 10: 1-269-87569-8
ISBN 13: 978-1-269-87569-1

BRIEF CONTENTS

Taken from: *Mosaicos: Spanish as a World Language,* Sixth Edition, by Castells, Guzmán, Lapuerta, and Liskin-Gasparro

Taken from: *¡Anda! Curso Elemental*, Second Edition, by Audrey L. Heining-Boynton and Glynis S. Cowell, with Jean LeLoup, María del Carmen Caña Jiménez

SCOPE & SEQUENCE

Capítulo	Learning Outcomes	Culture
Preliminar Bienvenidos 2	• Introduce yourself, greet others, and say good-bye • Identify people and classroom objects and tell where they are in the classroom • Listen to and respond to classroom expressions and requests • Spell names and addresses and share phone numbers • Express dates, and tell time, and comment on the weather • Share information about the Spanish language and where it is spoken	**Enfoque cultural:** *El mundo hispano* 3
1 ¿Qué estudias? 30	• Talk about studies, campus, and academic life • Describe daily routines and activities • Specify gender and number • Express location and states of being • Ask and answer questions • Talk about Spain in terms of products, practices, and perspectives • Share information about student life in Hispanic countries and compare cultural similarities	**Enfoque cultural:** *España* 31 **Mosaico cultural:** *La vida universitaria en el mundo hispano* 41
2 ¿Quiénes son tus amigos? 64	• Describe people, places, and things • Express origin and possession • Talk about where and when events take place • Describe what someone or something is like • Express emotions and conditions • Identify what belongs to you and others • Discuss the people, things, and activities you and others like and dislike • Present information about Hispanic influences in the United States	**Enfoque cultural:** *Estados Unidos* 65 **Mosaico cultural:** *Los estereotipos y la cultura hispana* 75

Capítulo	Learning Outcomes	Culture
3 ¿Qué hacen para divertirse? 100	• Describe free-time activities and food • Plan your daily activities and express intentions • Identify prices and dates • State what and whom you know • Talk about places to visit in Peru • Share information about free-time activities in Hispanic countries and identify cultural similarities	**Enfoque cultural:** *Perú 101* **Mosaico cultural:** *Los hispanos y la vida social 110*
4 ¿Cómo es tu familia? 136	• Talk about family members and their daily routines • Express opinions, plans, preferences, and feelings • Express obligation • Express how long something has been going on • Talk about Colombia in terms of its products, practices, and perspectives • Share information about families and family life in Hispanic countries and compare cultural similarities	**Enfoque cultural:** *Colombia 137* **Mosaico cultural:** *Las familias de la televisión 146*
5 ¿Dónde vives? 170	• Talk about housing, the home, and household activities • Express ongoing actions • Describe physical and emotional states • Avoid repetition in speaking and writing • Point out and identify people and things • Compare cultural and geographic information of Nicaragua, El Salvador, and Honduras	**Enfoque cultural:** *Nicaragua, El Salvador y Honduras 171* **Mosaico cultural:** *Las viviendas en centros urbanos 181*

Capítulo	Learning Outcomes	Culture
6 ¿Qué te gusta comprar? 204	• Talk about shopping and clothes • Talk about events in the past • Indicate to whom or for whom an action takes place • Express likes and dislikes • Describe people, objects, and events • Share information about shopping practices in Hispanic countries and compare cultural similarities	**Enfoque cultural:** *Venezuela* 205 **Mosaico cultural:** *Las tiendas de barrio* 215
7 ¿Cuál es tu deporte favorito? 240	• Talk about sports • Emphasize and clarify information • Talk about past events • Talk about practices and perspectives on sports in Argentina and Uruguay • Share information about sporting events in Hispanic countries and compare cultural similarities	**Enfoque cultural:** *Argentina y Uruguay* 241 **Mosaico cultural:** *Los hinchas y el superclásico* 250
8 ¿Cuáles son tus tradiciones? 276	• Discuss situations and celebrations • Describe conditions and express ongoing actions in the past • Tell stories about past events • Compare people and things • Talk about Mexico in terms of practices and perspectives • Share information about celebrations in Hispanic countries and compare cultural similarities	**Enfoque cultural:** *México* 277 **Mosaico cultural:** *Los carnavales y las tradiciones* 285

NEW to *Mosaicos*, Sixth Edition

Students and instructors will benefit from a wealth of new content and features in this edition. Detailed, contextualized descriptions are provided in the features walk-through that follows.

- **amplifire Dynamic Study Modules,** available in MySpanishLab, are designed to improve learning and long-term retention of vocabulary and grammar via a learning tool developed from the latest research in neuroscience and cognitive psychology on how we learn best. Students master critical course concepts online with **amplifire,** resulting in a livelier classroom experience centered on meaningful communication.

- *¡Cineastas en acción!,* a new video program created especially for *Mosaicos,* **sixth edition,** brings together five young filmmakers from different Spanish-speaking countries to attend a summer program at the Los Angeles Film Institute. As part of the program, each will produce documentaries on Hispanic culture in the United States or abroad while competing for a prestigious scholarship for best documentary. Who will win? Students using the *Mosaicos* program will decide!

  And, of course, our five young filmmakers will not only learn about making documentaries, but will also learn about each other, and create new bonds as they experience the diversity of Hispanic cultures in Los Angeles.

- Each chapter begins with a robust and interesting two-page cultural section—*Enfoque cultural*—which introduces students to the country of focus and starts the cultural integration that continues throughout the chapter.

- Midway through the chapter, *Mosaico cultural* provides a journalistic, thematic cultural presentation. The focus is not on a specific country, but rather on the chapter's theme and how it is reflected in different Spanish-speaking countries, including Hispanic communities in the United States.

- Relevant and interesting cultural information is presented as the introduction to many activities through brief *Cultura* sections. Rather than just a boxed aside, the cultural information presented through text and photographs forms the precursor to the activity, making clear and direct connections between language and culture. Accompanying *Comparaciones, Conexiones,* or *Comunidades* questions encourage meaningful communication and cross-cultural reflection.

- Teacher notes provide **additional cultural information** relevant to specific activities that the instructor may wish to highlight to further enrich the cultural aspect of the activities.

- **Learning Outcomes** are provided at the beginning of the chapter giving students a clear idea of the expected performance goals.

- Care has been taken to ensure that the **ACTFL Performance Descriptors**—Presentational, Interpretive, and Interpersonal—are put to consistent use throughout the chapter. A boxed Teacher's Note at the beginning of each chapter details precisely which activities fulfill the requirements for each mode. Additionally, the *Mosaicos* skills section is organized around the modes.

- **Advance organizers** accompany the *Situación* role plays, providing guidance for students to increase their success in communicating. Each grammar module now culminates with one rather than two *Situaciones* activities with careful attention given to the activity's "situation" being realistic and encouraging meaningful communication among students. Additional *Situación* activities are available in MySpanishLab and via the *Situaciones* mobile app including rubrics for activities intended to be completed in real time with Pearson's network of native speakers from around the world.

- The **visual aspect** of the vocabulary presentation has been enhanced providing even more contextualization for the new vocabulary.

- Guided **Vocabulary Tutorials** are provided within **MySpanishLab.** Students work through a series of word recognition activities, most of which culminate with a pronunciation activity in which students compare their pronunciation to that of a native speaker.

- **Pronunciation presentation and practice** is provided for each chapter within MySpanishLab with accompanying text and audio followed by activities.

- Each vocabulary section now begins with an input-based comprehension check. The first vocabulary presentation is followed by an audio-based activity, *Escucha y confirma*. *Para confirmar* follows the second two vocabulary presentations, providing students with the first step towards achieving comprehension.

- A new form-focused activity, *¿Comprendes?*, follows the presentation of each grammatical structure. This quick, form-focused activity provides students with the opportunity to test themselves in order to ensure they have understood the form of the structure before moving on. *¿Comprendes?* activities are also available to be completed online in MySpanishLab.

- *En directo* boxes, which provide colloquial expressions for specific activities making speech more native-like, now include **audio** so that students can listen to the expressions used in realistic conversational contexts.

- The *Mosaicos* skills section has been edited to make it more manageable for students. Some of the readings for the *Lee* section have been updated, ensuring consistently high-interest readings at the appropriate level. Additionally, the texts featured in the *Lee* section of chapters 13–15 are now pieces of **authentic literature** including stories and a poem.

- *Comprueba lo que sabes,* found in MySpanishLab is interactive and encourages students to self-check their mastery of chapter content. Additional practice and games that reinforce chapter vocabulary and grammar is available online.

- **Annotated Scope and Sequence** The authors share their thinking through annotations in the Scope and Sequence of the Annotated Instructor's Edition, explaining the rationale of the grammar scope and sequence.

MOSAICOS

Spanish as a World Language

It has been twenty years since **Mosaicos** first appeared in 1994, ushering in a new and evolved vision of how the elements that comprise basic language instruction could be combined in a highly communicative, culturally based language program. Its vision was complete and synthetic, both in the integrity of each element as well as the gathering of these elements into an integrated, connected whole. This vision of wholeness was transformed to become a sound and compelling approach, reflecting the nature of language and how it is learned. The **Mosaicos** title was carefully chosen to reflect the principles upon which it was founded and the manner in which it was structured.

The most basic elements of this approach were the following:

- A **guided communicative approach** based on solid methodological principles combined with years of empirical classroom experience, creating an informed and sensible pedagogy that works not only in theory, but also in practice.
- Learning **language in context** with a **focus on meaning.**
- The **integration of culture** as an essential part of language and of the experience of learning it.
- A **synthetic and focused approach** to listening, speaking, reading, and writing.
- The interweaving throughout the program of these elements.

The innovative and evolved approach taken in **Mosaicos** set a new standard for language programs and changed basic language publishing. Most important, **Mosaicos** has continued to evolve in response to current standards of language teaching, the recommendations of our many reviewers and their experiences in the classroom, as

well as the new technologies that transform the potential for achieving more and better communication in the classroom. The new sixth edition of **Mosaicos** is more solid and more integrated than ever before, creating for students a multifaceted experience of the intricate mosaic of the Spanish language and its cultures.

Over the past twenty years, many new and reimagined Beginning Spanish programs have appeared, but **Mosaicos, sixth edition** continues to offer a unique approach for this reason:

Mosaicos *offers instructors the truly communicative, deeply culture-focused approach they seek while providing the guidance and tools students need to be successful using a program with highly communicative goals. With Mosaicos, there is no need to compromise.*

This inclusiveness of **Mosaicos, sixth edition** extends to the broad range of students often found in many Spanish-language classrooms. Accommodating the needs and abilities of all students, from struggling learners to gifted ones, without compromising either group, is a perpetual dilemma for instructors. **Mosaicos, sixth edition** provides a highly communicative program with an articulated focus on culture, built in such a way that all students receive the guided learning support they need to succeed and become accomplished learners as they benefit from the rich program and opportunities for communication. Even the struggling student's individual possibilities for learning and communication are not shortchanged; the **Mosaicos, sixth edition** program offers the opportunity for achieving more than these students may have thought possible, allowing them to fulfill their true potential.

MOSAICOS
SPANISH AS A WORLD LANGUAGE
CASTELLS   GUZMÁN   LAPUERTA   LISKIN-GASPARRO

HOW DOES MOSAICOS DO THIS?

[Integrated Culture] [Context] [Communication and Guidance] [Four-Skills Synthesis]

These words have appeared in many programs, but we believe the sixth edition of **Mosaicos** meticulously elaborates those simple words into a beautifully conceived, tightly woven, highly articulated program.

CULTURE

Up front and center, and everywhere in between!

All language is enveloped by and imbued with culture—it is the very substance of language. Culture is found both at the forefront and embedded throughout every chapter in **Mosaicos, sixth edition.** From its first edition, the authors of **Mosaicos** emphasized the link between culture and language and, in response to the broad and emphatic desire from our many users and reviewers, the new sixth edition has taken this coverage to new levels. Let's look at the many ways in which culture is integrated throughout the new **Mosaicos, sixth edition** program by looking at examples from Chapter 4.

NEW! *Enfoque cultural:* Each chapter begins with a robust and interesting two-page cultural section that

introduces students to the country of focus, giving students a real sense of the vibrancy and uniqueness of the Hispanic cultures. The cultural presentation has been significantly increased at the beginning of the chapter for two reasons. First, many students lack cultural knowledge of the countries in focus, including their geographic location, and thus benefit from this orientation before delving into the chapter. Second, leaving the main cultural presentation for the end of the chapter (as many programs do) makes culture look like an afterthought that is separate from the language itself.

Maps provide geographic location and shared borders with surrounding countries, along with visuals of some cultural and geographic features.

A **work of art** from the country in focus is provided, along with cultural information about the work, and it is enhanced online with a fully **Interactive Art Tour** in MySpanishLab. These tours, developed by experts in language and culture, feature Spanish narrations, offer an in-depth look at the work of art, and enable students to zoom in on details they couldn't otherwise see. At the same time, the tours provide further cultural information.

The **Interactive Globe**, located in the **Enfoque cultural** sections and found in MySpanishLab, allows students to further explore the country of focus and the cultural theme of each chapter through **Vistas culturales** videos and popular newspapers and magazines.

NEW! *¿Qué te parece?* Far from a dry list of statistics, these interesting and memorable cultural facts, serve to pique students' interest and begin to give shape to the individual countries.

NEW! A full page is devoted to a country-focused, cultural photomontage with captioned readings, giving students a sense of the richness and the accomplishments of the country's culture and facilitates a discussion around culture. Language is carefully controlled, which ensures that students can comfortably comprehend the content. Vocabulary and grammar from previous chapters are recycled, but no new structures are introduced. Any new, non-active vocabulary is either a cognate or is glossed. The photographs also provide context with visual clues.

Al igual que en Estados Unidos y en muchos países del mundo, la familia ocupa un lugar importante en los programas televisivos. La telenovela *Los Reyes* es una de las más famosas de la televisión colombiana. Esta serie es sobre una familia de clase media que tiene que trabajar mucho para tener una vida tranquila. Los diálogos de esta telenovela son realistas y las situaciones también.

Los Reyes es una crítica social, habla de los conflictos de clase y de los problemas de la sociedad colombiana. Sin embargo, usa a la familia como núcleo de esa discusión. La serie muestra que Colombia es un país moderno y complejo.

Naturalmente, estos conflictos no son exclusivos de Colombia.

En México, Argentina y España, este tipo de programa es también muy popular. En España, por ejemplo, la serie *Los Serrano* cuenta la historia de Diego Serrano, un viudo (*widower*) con tres hijos. La historia se complica cuando

Diego se casa con Lucía, madre divorciada con dos hijas. Las dos familias tienen que adaptarse para convivir juntas. Al final, como es el caso en muchas familias, la convivencia requiere paciencia y comprensión entre todos los miembros.

▲ La familia ve otro episodio divertido de la serie *Los Reyes*.

▼ El elenco (*cast*) de la serie *Los Serrano*

Compara

1. ¿Qué familias famosas hay en la televisión de tu país? ¿Cuál es tu favorita?

2. Escoge a una familia de una serie televisiva que te gusta. Describe a esta familia.

3. Compara la familia de la serie televisiva con tu propia familia. ¿Qué tienen en común? ¿Qué diferencias hay entre ellas?

146 Capítulo 4

▲ El carnaval de Barranquilla se celebra cada año cuatro días antes de la Cuaresma (*Lent*). Atrae a personas de todas partes que desean disfrutar de las tradiciones, la música y el baile colombianos.

ENFOQUE cultural

▲ El escritor colombiano y ganador del Premio Nobel de Literatura, Gabriel García Márquez, cuenta con grandes éxitos literarios, entre ellos, su obra maestra, *Cien años de soledad* (*One Hundred Years of Solitude*).

Bogotá, la capital de Colombia, está situada en el centro del país, a 2.600 metros sobre el nivel del mar. Es una ciudad moderna, y a la vez tradicional.

▶ Dieciocho millones de bombillos multicolores iluminan el paseo del río Medellín. Este espectáculo de luces dura (*lasts*) desde el 1 de diciembre hasta el 7 de enero.

▬ ▬ ▬ ▬ ▬ ▬ ▬ ▬
¿CUÁNTO SABES?

Completa estas oraciones (*sentences*) con la información correcta.

1. Ecuador, _____ y Brasil están al sur de Colombia.

2. Las casas pintadas de diferentes colores son típicas en la ciudad de _____.

3. _____ es un pintor colombiano.

4. El 95% de las _____ del mundo y el 12% del _____ vienen de Colombia.

5. En Barranquilla se celebra _____ con música y baile en las calles.

138 Capítulo 4

NEW! Chapter theme, learning outcomes, and culture all come together in ***Mosaico cultural***. Midway through the chapter (between the vocabulary and grammar sections), ***Mosaico cultural*** provides a journalistic, thematic, cultural presentation. The focus here is not on a specific country but rather on different cultural aspects of the Hispanic world, including Latinos in the United States, which are relevant to the chapter theme. The communicative *Compara* questions that follow the readings provide the opportunity for cross-cultural reflection.

NEW! *¿Cuánto sabes?* Brief questions on the two chapter-opening cultural pages serve as a classroom warm-up and help ensure that students are accountable and that they read for meaning.

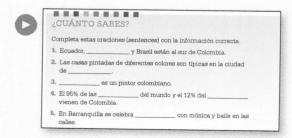

▬ ▬ ▬ ▬ ▬ ▬ ▬ ▬
¿CUÁNTO SABES?

Completa estas oraciones (*sentences*) con la información correcta.

1. Ecuador, _____ y Brasil están al sur de Colombia.

2. Las casas pintadas de diferentes colores son típicas en la ciudad de _____.

3. _____ es un pintor colombiano.

4. El 95% de las _____ del mundo y el 12% del _____ vienen de Colombia.

5. En Barranquilla se celebra _____ con música y baile en las calles.

NEW! *Cultura* Relevant and interesting cultural information is presented when appropriate as the introduction to an activity. The cultural input through text and photographs forms the first step to doing the activity, making the clear and direct connection between language and culture. Accompanying *Comparaciones, Conexiones,* or *Comunidades* questions encourage meaningful communication and cross-cultural reflection.

Cultura

La familia real española

Spain is the only Spanish-speaking country that is a parliamentary system with a constitutional monarchy. The Spanish Royal Family consists of King Juan Carlos, Queen Sofía, and their children Prince Felipe, Infanta Elena and Infanta Cristina. The monarchy is part of the Bourbon Dynasty and has been in Spain since the year 1700.

Conexiones. ¿Sabes qué otros países tienen una monarquía hoy? Busca información en Internet sobre una de ellas y describe a los miembros de su familia para presentar en clase.

4-5

¿Quién es y cómo es?
PREPARACIÓN. Escojan (*Choose*) un miembro de una familia famosa (los Obama, los Jackson, los Kennedy, los Kardashian, etc.) y preparen su árbol familiar.
INTERCAMBIOS. Túrnense (*Take turns*) para describir el árbol familiar de esta persona.

MODELO EL PRÍNCIPE FELIPE
E1: *Es el hijo de los Reyes de España. Su esposa es Letizia. Tienen dos hijas.*
E2: *Sus hijas se llaman Leonor y Sofía. Elena y Cristina son las hermanas mayores del Príncipe Felipe.*

4-6

El arte de preguntar. PREPARACIÓN. Túrnense para preparar las preguntas a estas respuestas.

MODELO Mi madre se llama Dolores.
¿Cómo se llama tu madre?

1. Tengo dos hermanos.
2. Vivo con mi madre y mi padrastro.
3. Tengo dos abuelas y un abuelo.
4. Mis abuelos no viven con nosotros.
5. Tengo muchos primos.
6. Tengo una media hermana, pero no vive con nosotros.

INTERCAMBIOS. Ahora háganse (*ask each other*) preguntas para obtener información sobre la familia de su compañero/a. Después, compartan (*share*) esta información con la clase.

Cultura

Los apellidos

In Hispanic culture, people officially use two surnames, the first is their father's and the second is their mother's. For example, in Pablo's family, his father's name is Jaime Méndez and his mother's name is Elena Sánchez. Pablo's official name, then, is Pablo Méndez Sánchez.

Comparaciones. ¿Cuántos nombres y apellidos tienes? En la cultura hispana, ¿cuál sería (*would be*) tu nombre oficial?

4-7

Mi familia. Busca fotos de tus familiares en tu celular o en Facebook. Luego, muéstrale las fotos a tu compañero/a y describe a tus familiares.

1. nombre y apellido
2. relación familiar
3. personalidad
4. actividades que haces con la persona

142 Capítulo 4

Culture Integrated within Activities: Chapter-relevant culture is often integrated within the activities. In this example, the activities for learning to "express obligation with *tener que* + infinitive" are related to the culture of Colombia.

4-27

Un viaje (*trip*) a Colombia. PREPARACIÓN. Tu familia va a viajar a Colombia. Selecciona la mejor recomendación para cada persona. Después añade (*add*) algo que quieres hacer tú y explica por qué.

1. _____ Mi hermana quiere visitar un lugar religioso muy original.
2. _____ A mis padres les gustaría ver joyas (*jewels*) precolombinas.
3. _____ Mi prima quiere escuchar música colombiana.
4. _____ Mis abuelos prefieren las actividades al aire libre.

a. Tiene que asistir a un concierto de Los Príncipes del Vallenato.
b. Tiene que ir a la Catedral de Sal.
c. Tienen que ir al Museo del Oro.
d. Tienen que conocer el Parque Ecológico El Portal.

INTERCAMBIOS. Busca información en Internet y prepara una breve descripción de uno de los lugares, grupos o eventos siguientes. Incluye la ubicación (*location*) y las actividades asociadas con el lugar, el grupo o los eventos. Luego, comparte la información con la clase.

1. Los Príncipes del Vallenato
2. la Catedral de Sal
3. el Museo del Oro
4. el Parque Arqueológico de San Agustín

VIDEO

cineasta 1. com. Persona que se dedica al cine, especialmente como director.

¡Cineastas en acción!: *Where people and cultures come together!*

The Cast
All aspiring documentary filmmakers

Esteban [Costa Rica]

Artistic, free-spirited surfer

Yolanda [Mexico]

Vegan. Green. Hipster.

Esteban's good looks catch her eye, but Federico tries to touch her heart.

Vanesa [Spain]

Madrileña. Trasnochadora. Full of fun and high spirits. Who cannot love fashionista Vanesa?

Federico [Argentina]

Meat lover. A little macho and full of himself. Can he win over vegan Yolanda who finds him just plain annoying?

Héctor [Peru]

The nice guy and everyone's friend.

THE LOCATION

The Los Angeles Film Institute

Our protagonists' rendezvous point: Blanca's house, their home for the summer

The city of Los Angeles and a myriad of sites throughout the Hispanic world

THE SET-UP

Our five aspiring young filmmakers attend the Los Angeles Film Institute's summer program on documentary filmmaking. Each explores, learns, and then documents the wealth of Hispanic culture in the United States and abroad as part of their course work. Each has also brought previously shot footage from Spanish-speaking countries around the world. Lots of cultural exchange goes on among these new friends as they share aspects of their native cultures and personal experiences through video.

However, our friendly *amigos* are in competition with each other for a prestigious scholarship—spending the next academic year at the Institute—awarded to the student who produces the best work over the course of the summer. Who decides who deserves to win the coveted *beca*? Students using the **Mosaicos, sixth edition** program will decide!

Put five eclectic young filmmakers together and of course some drama will ensue—friendships, rivalries, and maybe even some romance. Watch the dramas unfold!

Technology also opens up further cultural exchange. The filmmakers are able to virtually share their various projects using tablets and smartphones. In addition, when Vanesa's cousin contacts her on Skype from Guatemala, they hop onto her Facebook page to view her photo album of Guatemala while she narrates her experiences working there. *¡El mundo se convierte en un pañuelo!*

THE PEDAGOGY

The central theme of each video segment expands on the overarching theme of each **Mosaicos, sixth edition** chapter. In the chapter *¿Qué hacen para divertirse?*, we'll visit a Peruvian restaurant in Los Angeles where the chef shares her recipe for *pescado encebollado*. We learn through Federico's eyes what his neighborhood and house in Buenos Aires look like in the chapter *¿Dónde vives?*. In *¿Qué te gusta comprar?*, we'll view a Latino fashion show in Los Angeles and in *¿Cuáles son tus tradiciones?*, we get a close-up look at the exuberance of the La Mercé festival in Barcelona. Tapas culture in Spain, gay marriage in Argentina, surfing in Perú—just a few of the many worlds our friends explore and share!

- Dialogues reinforce each chapter's vocabulary and grammar.

- In-text activities in the **En acción** section of the chapter provide pre-, during, and post-viewing activities (continuing the process approach of the **Mosaicos** four-skills section).

- Instructors can—at their discretion and reflecting their own methodology—choose whether Spanish captions are available to students. A variety of different types of auto-graded interactive activities are provided within MySpanishLab that assess listening comprehension and cultural knowledge.

- Additional culturally-based video activities are found in MySpanishLab.

CONTEXT

Vocabulary and grammar where they belong—in communicative and cultural context!

In addition to presenting language in the context of culture, one of the hallmarks of **Mosaicos** has always been the presentation of vocabulary and grammar in context through a communicatively rich format.

Vocabulario en contexto

New vocabulary is presented in contexts that reflect the chapter theme. Vocabulary is chunked into three modules per chapter so students can learn and practice a manageable amount. Language samples, photos, line drawings, and realia are used to present new material, rather than word lists and translations. Vocabulary is then consistently **recycled in new contexts,** within and across the chapters, blending it with new words and structures.

Boldface type is used within the language samples to highlight key words and phrases that students will need to learn to use actively. Audio icons remind students that recorded versions of the language samples are available online or on CD. A convenient list of these words and phrases with their translation is provided at the end of the chapter with accompanying audio.

NEW! Learning Outcomes clearly listed at the beginning of the chapter give students a clear idea of their goals for this section.

Strategically placed *Lengua* boxes provide students with succinct information right at the point of need to support self-expression.

NEW! Online Vocabulary Tutorials. Guided online vocabulary tutorials offer students opportunities to work through a series of word recognition activities that help them tie words to images. Most tutorials culminate with a pronunciation activity where students compare their pronunciation to that of a native speaker.

En otras palabras boxes give examples of regional variations of the language.

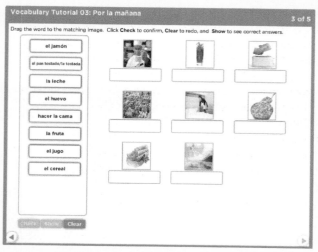

NEW! Pronunciation Presentation and Practice. Within MySpanishLab, a pronunciation topic is presented with accompanying text and audio, followed by three sets of activity types: *Identificación, Las palabras que faltan, Repetición.* In the Annotated Instructor's Edition, notes indicate the specific pronunciation topic covered in that chapter.

Funciones y formas

In *Mosaicos,* **sixth edition,** grammar is presented as a means to effective communication, **moving from meaning to form** and providing an understanding that is both functional and structural. Students are first presented with new structures in meaningful contexts through visuals and brief language samples. The new structures are highlighted in boldface type.

NEW! Audio is provided in MySpanishLab for all of the language samples.

A short, comprehension-based *Piénsalo* activity follows each language sample. These activities form part of the presentation of grammar in context. Students use comprehension and reasoning skills to figure out the answers, by focusing on the connection between meaning (*función*) and the new grammatical structure (*forma*).

Charts and bulleted explanations—clear, concise, and easy to understand—are designed to be studied at home or used for reference in class.

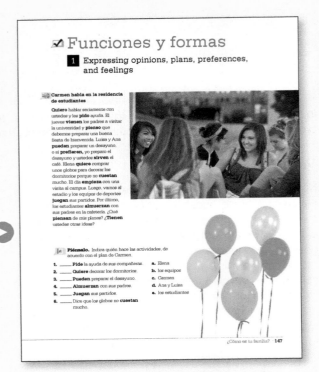

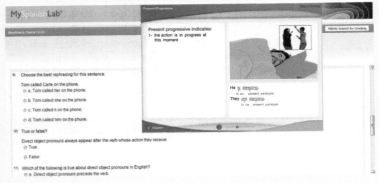

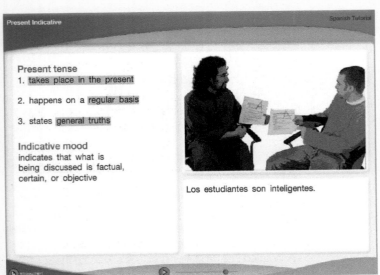

Online English Grammar Readiness Checks and Tutorials: Online English Grammar Readiness Checks assess students' understanding of the English Grammar topics needed to successfully understand the Spanish ones in the chapter and provide personalized remediation via animated English Grammar Tutorials in MySpanishLab. Understanding English grammar terminology greatly facilitates learning of the corresponding Spanish concepts. Instructors no longer need to spend valuable class time talking about the language of language . . . they can instead use the language in meaningful ways.

Online Spanish Grammar Tutorials: Online interactive grammar tutorials in MySpanishLab offer narrated explanations and illustrated examples to help students further comprehend the concepts they are learning. The tutorial ends with an auto-scored comprehension check.

These multiple and complementary means of grammar presentation provide students with different portals for understanding, while serving different learning styles and ensuring that students grasp the concepts.

COMMUNICATION AND GUIDANCE

Providing students the guidance they need to express themselves with confidence!

Just as language and culture are inseparable in **Mosaicos, sixth edition,** communication and the guidance provided to foster communication are inseparable as well. Since both the vocabulary and grammar sections contribute unique aspects to the guidance provided, we will look at each one.

With **Mosaicos, sixth edition,** almost all of the activities provided in the textbook are communicative in nature. Discrete point practice is primarily provided online through MySpanishLab or in the printed Student Activities Manual. Classroom time is devoted to communicative practice.

The progression within each activity set moves the student along gradually from comprehension to open-ended expression. This carefully stepped progression ensures students are guided through the process and not rushed to produce before they are ready.

COMMUNICATING AND PRACTICING WITH VOCABULARY

NEW! *Escucha y confirma:* A listening activity follows the first of the three vocabulary presentations per chapter. This input-based comprehension check gives students listening practice while allowing them to assess their understanding of the vocabulary and determine if they are ready to move on to additional vocabulary practice in meaningful contexts.

4-1

Escucha y confirma. Listen to the following questions about Pablo's family and select the correct response based on his family tree.

	A	B
1.	su abuelo	su padre
2.	su prima	su hermana
3.	su hijo	su nieto
4.	Elena	María
5.	Jorge	Jaime

NEW! *Para confirmar:* The first activity of the second two vocabulary presentations is always an input-based comprehension check allowing students to ensure their grasp of the vocabulary before moving on to additional vocabulary practice in meaningful contexts.

NEW! Brief *Cultura* presentations introduce selected vocabulary activities to raise awareness of the cultural contexts in which language is used. Accompanying *Comparaciones, Conexiones,* or *Comunidades* questions encourage meaningful communication and cross-cultural reflection.

The activity sequence fosters the use of new and previously learned vocabulary in natural, thematically relevant contexts. Activities foster personalization as students are encouraged to talk about what is known to them, themselves, and the people they know and gradually increase in expectation of output as students become comfortable using the new vocabulary. The vast majority of the activities are done in pairs or groups so that students spend their classroom time in conversation.

COMMUNICATING AND PRACTICING WITH GRAMMAR

NEW! *¿Comprendes?* A new form-focused activity follows the grammar presentation. Students can do the activity in class with the instructor or as graded online homework before coming to class as all *¿Comprendes?* activities are auto-graded and include immediate feedback when completed within MySpanishLab. In these quick, form-focused activities students check that they are able to produce the new grammatical forms before moving to the contextualized and communicative activities.

¿COMPRENDES?

Usa la información en paréntesis para completar la respuesta a la siguiente pregunta:
¿Cuánto tiempo hace que estas personas estudian español?

1. (tres semanas)
   _____ Juan y Daniel estudian español.
2. (un semestre)
   _____ nosotros estudiamos español.
3. (un año)_____ tú estudias español.
4. (tres días)
   _____ mi amigo estudia español.

MySpanishLab
Learn more using Amplifire Dynamic Study Modules, Grammar Tutorials, and Extra Practice activities.

The continuing activity sequence moves students gradually from meaningful, form-focused activities towards production of open-ended, personalized communication. The activities focus attention on the communicative purpose of the linguistic structures while invoking culturally relevant contexts. All activities require students to process meaning as well as form so that they develop skill in using their linguistic knowledge to gather information, answer questions, and resolve problems. For example, even the form-focused activities require students to process meaning, not just fill in the blank with the correct response, making the connection between meaning and form. For good reason, the grammar section is called *Funciones y formas*—a hallmark of the *Mosaicos* approach.

Instructor annotations offer suggestions on how to personalize and expand the activities, guide students through multi-stage activities, and encourage students to engage in metalinguistic processing.

NEW! Brief **Cultura** presentations introduce selected grammar activities to raise awareness of the cultural contexts in which language is used. Accompanying *Comparaciones, Conexiones,* or *Comunidades* questions encourage meaningful communication and cross-cultural reflection.

Cultura

La quinceañera

In Hispanic culture, teen girls celebrate their 15th birthday in a special way. The celebration is called a **quinceañera**, and it marks the girl's transition into adulthood. This tradition is celebrated in nearly all Spanish-speaking countries except Spain.

Comparaciones. ¿Cómo se celebra el *sweet sixteen* en tu cultura? ¿Quiénes asisten?

4-22

Una reunión. Ustedes quieren ayudar a su amiga Celeste a organizar una reunión para celebrar el cumpleaños número dieciséis de su prima. Decidan lo siguiente:

1. lugar y hora en que prefieren la reunión
2. número de personas que van a participar
3. comida y bebidas que piensan servir
4. actividades que quieren organizar

Situación

PREPARACIÓN. Lean esta situación. Luego, compartan ejemplos de vocabulario, gramática y otra información que necesitan para desarrollar la conversación.

Role A. You and a family member are planning to visit Colombia. Your friend has heard about your plans and calls with some questions. Answer your friend's questions in detail.

Role B. Your friend is planning to go to Colombia with a relative. Call to find out:
a. when he/she is planning to go;
b. with whom;
c. what places in the country he/she wants to visit and why; and
d. when they are returning.

En directo

These expressions help maintain the flow of conversation:

¡Cuánto me alegro!
I am so happy for you!

Claro, claro...
Of course . . .

¡Qué bien/bueno!
That's great!

Listen to a conversation with these expressions.

	ROLE A	ROLE B
Vocabulario	Family member Travel dates	Question words
Funciones y formas	Discussing plans: *Pensar* + infinitive Expressing preferences: *Querer* + infinitive	Discussing plans: *Pensar* + infinitive Expressing preferences: *Querer* + infinitive

INTERCAMBIOS. Practica la conversación con tu compañero/a incorporando el vocabulario y las funciones de *Preparación.* Luego, represéntenla ante la clase.

152 Capítulo 4

NEW! The *En directo* boxes, which provide colloquial expressions for the activity, now include **audio** so that students can listen to the expressions used in meaningful conversational context.

NEW! *Situación* **Advance Organizers.** The encompassing goal of these activities has always been embraced by our users. To provide students with guidance to increase their success in communicating through open-ended role plays, the authors have provided advance organizers for the *Situación* activities. Each student prepares by listing specifics for the indicated topics of vocabulary, grammar, and culture (where appropriate) that will facilitate their conversation with their classmate.

NEW! *Situaciones app.* Additional *Situación* role-play activities are available in MySpanishLab and via a mobile app that can be easily accessed on tablets and smartphones.

Situación. Another of the hallmarks of *Mosaicos* has always been the culminating role-play activities for each grammar section. Students have the opportunity to converse in realistic contexts by putting together everything they have learned. These open-ended communicative activities prompt students to integrate relevant grammatical structures, vocabulary, and culture with contexts drawn from the chapter theme. Students also have the opportunity to complete activities and communicate "live" with native speakers around the world.

NEW! Each grammar module now culminates with one rather than two *Situación* activities with careful attention to creating realistic situations for the students to enact.

FOUR-SKILLS SYNTHESIS

Bringing it ALL together!

Mosaicos* section:** Not only are listening, speaking, reading, and writing practiced throughout the chapters of ***Mosaicos,* sixth edition** but the final culminating section of each chapter—*Mosaicos*—is devoted to the development and practice of each of these communication skills in a highly focused manner. True to the synthetic nature of this section, the chapter's thematic content and vocabulary are brought together with its linguistic structures and cultural focus. Hence the name, *Mosaicos,* whereby students have the opportunity to bring it ***all together into a coherent whole.

To enhance the development of these skills, **guidance** is provided for each section. First, specific **strategies** are presented for each of the four skills. The strategies build on each other within and across the chapters. Activities are designed so that students systematically practice implementing the strategies presented. Second, a **process approach**, with pre-, during-, and post-activities, is applied for all four skills through the *Preparación* and *Un paso más* steps. The cumulative effect of the fifteen *Mosaicos* sections throughout the text will greatly increase students' abilities to effectively listen, speak, read, and write.

NEW! *Comprueba* boxes provide a self-check guide for students to help them determine if they have covered the main points accurately and sufficiently.

NEW! Each set of activities is now organized around the three ACTFL Performance Descriptors of the three Modes of Communication: Presentational, Interpretive, and Interpersonal. This organization maximizes learning as three parts of a single goal: communication. By consistently using all three interrelated modes, students' opportunity to use the language in relation to the theme is multiplied. Instructor annotations indicate the mode for each activity.

NEW! Based on pre-revision survey feedback from our users, some readings for the Lee section have been

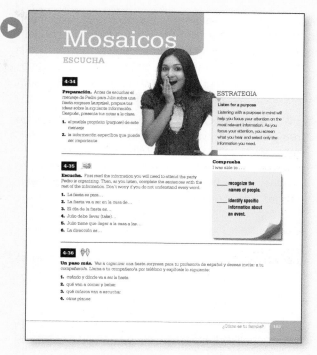

updated, ensuring consistently **high-interest readings at the appropriate level.** Additionally, the last three chapters, 13–15, now introduce students to **authentic literature,** enriching the program while giving those students who go on to the intermediate level an introduction to reading and interpreting literature.

If students need more practice with any of the four skills, **additional practice** is provided for each skill within the Student Activities Manual, available in print or in Pearson's award-winning online learning and assessment MySpanishLab platform.

CHAPTER SELF-ASSESSMENT

A check to ensure that all the pieces are firmly in place!

Within the MySpanishLab online learning and assessment system, at the end of each chapter, students can check their mastery of chapter content through further practice in a variety of activities, resources, and games that reinforce chapter vocabulary, grammar, and culture in different ways. Examples of available resources are:

- **NEW! amplifire Online Dynamic Study Modules** are designed to improve learning and long-term retention of vocabulary and grammar. With **amplifire** study modules, students not only master critical concepts, but they **study faster, learn better, and remember longer.** Based on the latest research in neuroscience and cognitive psychology on how we learn best, learners cycle through a process of test/learn/retest until they achieve mastery of the content. The result is a personalized, adaptive approach—tailored to individual students' needs.

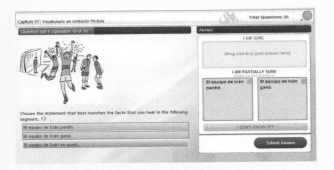

amplifire is the only assessment available that is able to quickly and effectively pinpoint knowledge gaps and areas of misinformation—where learners were confident but incorrect about their answer choices. Instructors can use the results to determine what information the learners retained and where misinformation and gaps still exist, and adjust their curricula accordingly.

- **Vocabulary Flashcards** with audio recordings by a native speaker help students review words and quiz themselves on the active vocabulary. Flashcards can be accessed via mobile devices for practice on the go.
- **NEW! Games** are a painless, enjoyable, and effective way to practice new skills. Games vary from *Concentration* (flip cards to match words to visuals), to *Soccer* (provide the appropriate word in a context), to a *Quiz Show* game in which students choose the appropriate response in a multiple-choice format. Questions are contextualized and move beyond simple form-based exercises to more meaningful, engaging activities.
- **Oral Practice:** Provides two oral activities. Students record their response to the activity and submit it for instructor grading.
- **NEW!** The **Practice Test with Study Plan** is an auto-scored, full-length test that reviews chapter vocabulary and grammar. Students are given a study plan based on their performance. The study plan refers them to explanations in the eText, extra practice activities, and tutorials to help them review concepts where they need additional practice.

Informed by National Standards

The National Standards for Foreign Language Learning: Preparing for the 21st Century, whose five goal areas (Communication, Cultures, Connections, Comparisons, and Communities) have served as an organizing principle for language instruction for more than a decade, inform the pedagogy of the sixth edition of **Mosaicos.** Marginal notes throughout the Annotated Instructor's Edition draw attention to the way specific activities and other elements of the program help students develop proficiency in the five goal areas. A number of strategies have been implemented to achieve success.

Communication. Students are prompted to engage in meaningful conversations throughout the text, providing and obtaining information, expressing their opinions and preferences, and sharing their experiences. Readings and listening activities invite them to interpret language on a variety of topics, while *presentaciones* and writing assignments call on them to present information and ideas in both written and oral modes. The **ACTFL Performance Descriptors of the three Modes of Communication**—Presentational, Interpretive, and Interpersonal—are used consistently throughout the chapters and are the organizing principle for the *Mosaicos* skills' section. By consistently using all three modes, students' opportunity to use the language in relation to the theme is multiplied.

Cultures. Many features of the **Mosaicos** program give students an understanding of the relationship between culture and language: The **Enfoque cultural** opening spread; the maps, the art, and the accompanying Art Tour; the **Mosaico cultural** section; the cultural vignettes in the *¡Cineastas en acción!* video; the *Cultura* sections; and the culture integrated within the activities.

Connections. Ample opportunities are provided for students to makes connections with other disciplines through realia, readings, the **Enfoque cultural** section, the **Mosaico cultural** section, the *Conexiones* questions which accompany the *Cultura* sections, the diverse cultural vignettes of the *¡Cineastas en acción!* video, and the conversation activities throughout the text. Students gain information and insight into the distinctive viewpoints of Spanish speakers and their culture.

Comparisons. *Lengua* and *En otras palabras* boxes, the *Compara* questions in each **Mosaico cultural** section, and the *Comparaciones* questions in the *Cultura* sections—all provide students with points of comparison between English and Spanish (and among the varieties of Spanish spoken in different parts of the world). Readings and activities frequently juxtapose U.S. and Hispanic cultural products, practices, and perspectives.

Communities. Students are encouraged to extend their learning through guided research on the Internet and/or other sources, and many of the topics explored in **Mosaicos** can stimulate exploration, personal enjoyment, and enrichment beyond the confines of formal language instruction. *Comunidades* questions which accompany many of the *Cultura* sections encourage reaching out to the community and cross-cultural reflection.

The Complete *Mosaicos* Program

Mosaicos is a complete teaching and learning program that includes a variety of resources for students and instructors, including an innovative offering of online resources.

FOR THE STUDENT

Student Text (ISBN 10: 0-205-25540-X)

The *Mosaicos*, **sixth edition** Student Text is available in a complete, hardbound version, consisting of a preliminary chapter followed by Chapters 1 through 15. The program is also available as three paperback volumes rather than the single hardcover version. Volume 1 of the paperback series contains the preliminary chapter plus Chapters 1 to 5; Volume 2, Chapters 5 to 10; and Volume 3, Chapters 10 to 15. All three volumes include the complete front and back matter.

Student Activities Manual (ISBN 10: 0-205-24796-2)

The Student Activities Manual (SAM), thoroughly revised for this edition, includes workbook activities together with audio- and video-based activities, all designed to provide extensive practice of the vocabulary, grammar, culture, and skills introduced in each chapter. The organization of these materials parallels that of the student text and include a *Repaso* section at the end that provides additional activities designed to help students review the material of the chapter as well as to prepare for tests.

The online Student Activities Manual found in MySpanishLab now features premium content which includes a variety of interactive activities not available in print.

Answer Key to Accompany Student Activities Manual (ISBN 10: 0-205-25544-2)

An Answer Key to the Student Activities Manual is available separately, giving instructors the option of allowing students to check their homework. The Answer Key now includes answers to all SAM activities.

Audio CDs to Accompany Student Text (ISBN 10: 0-205-25542-6)

A set of audio CDs contains recordings of the *Vocabulario en contexto* and *Funciones y formas* language samples, the *Mosaico cultural* reading passages, and the audio material for the *Escucha y confirma* listening activities included in the student text. These recordings are also available online.

Audio CDs to Accompany Student Activities Manual (ISBN 10: 0-205-25541-8)

A second set of audio CDs contains audio material for the listening activities in the Student Activities Manual. These recordings are also available online.

Video on DVD (ISBN 10: 0-205-25545-0)

¡Cineastas en acción! is a newly shot video filmed to accompany the sixth edition of *Mosaicos.* Vocabulary and grammar structures of each chapter are used in realistic situations while gaining a deeper understanding of Hispanic cultures.

Pre-viewing, viewing, and post-viewing activities are found in the *¡Cineastas en acción!* sections of the textbook and the Student Activities Manual. The video is available for student purchase on DVD, and it is also available within MySpanishLab.

MySpanishLab with Pearson eText, Access Card, for *Mosaicos*: Spanish as a World Language (multi-semester access) (ISBN 10: 0-205-99724-4)

MySpanishLab, part of our MyLanguageLabs suite of products, is an online homework, tutorial, and assessment product designed to improve results by helping students quickly master concepts, and by providing educators with a robust set of tools for easily gauging and addressing the performance of individuals and classrooms. **MyLanguageLabs** has helped almost one million students successfully learn a language by providing them everything they need: full eText, online activities, instant feedback, **amplifire** dynamic study modules, and an engaging collection of language-specific learning tools, all in one online program. For more information, including case studies that illustrate how MyLanguageLabs improves results, visit www.mylanguagelabs.com.

FOR THE INSTRUCTOR

Annotated Instructor's Edition (ISBN 10: 0-205-25543-4)

The Annotated Instructor's Edition contains an abundance of marginal annotations designed especially for novice instructors, instructors who are new to the *Mosaicos* program, or instructors who have limited time for class preparation. The format allows ample space for annotations alongside full-size pages of the student text. Marginal annotations suggest warm-up and expansion exercises and activities and provide teaching tips, additional cultural information, and audioscripts for the in-text listening activities. Answers to discrete-point activities are printed in blue type for the instructor's convenience.

Instructor's Resource Manual (available online)

The Instructor's Resource Manual (IRM) contains complete lesson plans for all chapters, integrated syllabi for regular and hybrid courses, as well as helpful suggestions for new and experienced instructors alike. It also provides videoscripts for all episodes of the *¡Cineastas en acción!* video, audioscripts for listening activities in the Student Activities Manual, and a complete guide to all *Mosaicos* supplements. The Instructor's Resource Manual is available to instructors online at the *Mosaicos* Instructor Resource Center and in MySpanishLab.

Supplementary Activities (available online)

Available in MySpanishLab, the Supplementary Activities ancillary consists of a range of engaging activities that complement the vocabulary and grammar themes of each chapter. It offers instructors additional materials that can serve to energize and enrich their students' classroom experience.

Testing Program (available online)

The Testing Program has been thoroughly revised and expanded for this edition. The testing content correlates with the vocabulary, grammar, culture, and skills material presented in the student text. For each chapter of the text, a bank of testing activities is provided in modular form; instructors can select and combine modules to create customized tests tailored to the needs of their classes. Two complete, ready-to-use tests are also provided for each chapter. The testing modules are available to instructors online in MySpanishLab for those who wish to create computerized tests (MyTest) or in the *Mosaicos* Instructor Resource Center as downloadable Word documents.

Testing Audio CD (ISBN 10: 0-205-25549-3)

A special set of audio CDs, available to instructors only, contains recordings corresponding to the listening comprehension portions of the Testing Program.

PowerPoint™ Presentations (ISBN 10: 0-205-99712-0)

A PowerPoint™ Presentation is available for each chapter of the text. These dynamic, visually engaging presentations allow instructors to enliven class sessions and reinforce key concepts. The presentations are available to instructors online in MySpanishLab or in the *Mosaicos* Instructor Resource Center.

Situaciones adicionales (available online)

The downloadable *Situaciones adicionales* provide instructors with additional opportunities for reinforcing and assessing students' speaking skills. The activities are also available via the *Situaciones* mobile app.

Instructor Resource Center

Several of the instructor supplements listed above—the Instructor's Resource Manual, the Testing Program, the PowerPoint™ Presentations,—are available for download at the access-protected *Mosaicos* Instructor Resource Center (www.pearsonhighered.com/mosaicos). An access code will be provided at no charge to instructors once their faculty status has been verified.

ONLINE RESOURCES

MySpanishLab with Pearson eText— Access Card—for *Mosaicos*: Spanish as a World Language

MySpanishLab, part of our MyLanguageLabs suite of products, is an online homework, tutorial, and assessment product designed to improve results by helping students quickly master concepts, and by providing educators with a robust set of tools for easily gauging and addressing the performance of individuals and classrooms. **MyLanguageLabs** has helped almost one million students successfully learn a language by providing them everything they need: full eText, online activities, instant feedback, **amplifire** dynamic study modules, and an engaging collection of language-specific learning tools, all in one online program. For more information, including case studies that illustrate how MyLanguageLabs improves results, visit www.mylanguagelabs.com.

COMPANION WEBSITE

The open-access Companion Website (www.pearsonhighered.com/mosaicos) includes audio to accompany listening activities and sample language from the textbook and audio to accompany the listening activities in the Student Activities Manual.

Acknowledgments

Mosaicos is the result of a collaborative effort among the authors, our publisher, and our colleagues. In particular, the cultural content of the sixth edition has been enhanced by the work of the contributors who created content and activities for the program: María Lourdes Casas, Óscar Martín, Frances Matos-Shultz, Sergio Salazar, Kristine Suárez, Lilián Uribe, and U. Theresa Zmurkewycz. We also extend our thanks to Alicia Muñoz Sánchez and Raúl J. Vázquez-López, who wrote ancillary materials. We are also indebted to the members of the Spanish teaching community for their time, candor, and insightful suggestions as they reviewed drafts of the sixth edition of **Mosaicos.** Their critiques and recommendations helped us to sharpen our pedagogical focus and improve the overall quality of the program. We gratefully acknowledge the contributions of the following reviewers:

Sissy Alloway,
Morehead State University

Debra Ames,
Valparaiso University

Ashlee S. Balena,
University of North Carolina at Wilmington

Fleming L. Bell,
Valdosta State University

Talia Bugel,
Indiana University-Purdue University, Fort Wayne

Stephen Buttes,
Indiana University-Purdue University, Fort Wayne

Sara Casler,
Sierra College

Jens Clegg,
Indiana University-Purdue University Fort Wayne

Hilda Coronado,
Glendale Community College

Lisa DeWaard,
Clemson University

Neva Duffy,
Chicago State University

Ari Gutman,
Auburn University

Crista Johnson,
University of Delaware

Keith Johnson,
California State University, Fresno

Maribel Manzari,
Washington & Jefferson College

Bryan Miley,
Glendale Community College

John Andrew Morrow,
Ivy Tech Community College

Margarita Orro,
Miami Dade College, North Campus

Claudia Ospina,
Wake Forest University

Leon Palombo,
Miami Dade College, North Campus

Yelgy Parada,
Los Angeles City College

Kristina Primorac,
University of Michigan

Terri Rice,
University of South Alabama

Lee J. Rincón,
Moraine Valley Community College

Pamela Rink,
Tulsa Community College

Angelo J. Rodriguez,
Kutztown University of Pennsylvania

Felipe E. Rojas,
Chicago State University

Anita Saalfeld,
University of Nebraska at Omaha

Michael Sawyer,
University of Central Missouri

Rachel Showstack,
Wichita State University

Gayle Vierma,
University of Southern California

Maida Watson,
Florida International University

Amanda Wilcox,
Auburn University

Kelley L. Young,
University of Missouri-Kansas City

Hilma-Nelly Zamora-Breckenridge,
Valparaiso University

U. Theresa Zmurkewycz,
Saint Joseph's University

Mosaicos Advisory Board

Silvia Arroyo,
Mississippi State University

Donna Binkowski,
Southern Methodist University

Joelle Bonamy,
Columbus State University

Robert Cameron,
College of Charleston

Susana Castillo-Rodríguez,
University of New Hampshire

Juliet Falce-Robinson,
University of California, Los Angeles

Ronna Feit,
Nassau Community College, SUNY

Chris Foley,
Liberty University

Leah Fonder-Solano,
University of Southern Mississippi

Muriel Gallego,
Ohio University

Kathryn Grovergrys,
Madison Area Technical College

Marie Guiribitey,
Florida International University

Todd Hernández,
Marquette University

Yun Sil Jeon,
Coastal Carolina University

Lauri Kahn,
Suffolk County Community College

Rob Martinsen,
Brigham Young University

Teresa McCann,
Prairie State College

Eugenia Muñoz,
Viriginia Commonwealth University

Michelle Orecchio,
University of Michigan

Susana García Prudencio,
Pennsylvania State University

Bethany Sanio,
University of Nebraska, Lincoln

Virginia Shen,
Chicago State University

Julie Sykes,
University of Oregon

Kelley L. Young,
University of Missouri - Kansas City

Gabriela C. Zapata,
University of Southern California

Nancy Zimmerman,
Kutztown University

We are also grateful for the guidance of Celia Meana and Scott Gravina, the Developmental Editors, for all of their work, suggestions, attention to detail, and dedication to the text. Their support and efficiency helped us achieve the final product. We are very grateful to the many other members of the Pearson World Languages team who provided guidance, support, and fine attention to detail at all stages of the production process: Samantha Alducin, Senior Digital Product Manager, and Regina Rivera, Media Editor, for helping us produce the new MySpanishLab program, the new video, audio programs, and Companion Website. Thanks to Jonathan Ortiz and Millie Chapman, Editorial Assistants, for their hard work and efficiency in managing the reviews and attending to many editorial details.

We are very grateful to our World Languages Consultants, Denise Miller, Yesha Brill, and Mellissa Yokell, for their creativity and efforts in coordinating marketing campaigns and promotion for this edition. Thanks, too, to our program and project management team, Nancy Stevenson and Lynne Breitfeller, who guided *Mosaicos, sixth edition,* through the many stages of production; to our partners at PreMediaGlobal, especially Jenna Gray, for her careful and professional production services and to the PreMediaGlobal design team for the gorgeous interior. A special thank you to Kathryn Foot, Senior Art Director and designer Michael Black of Black Sun for their creative work on the cover. Finally, we would like to express our sincere thanks to Steve Debow, Senior Vice President for World Languages, Bob Hemmer, Editor in Chief, Tiziana Aime, Senior Acquisitions Editor, and Kristine Suárez, Director of Market Development, for their guidance and support through every aspect of this new edition.

About the Authors

Elizabeth with her husband in Petra, Jordan

ELIZABETH E. GUZMÁN

I did my graduate studies in Spanish Applied Linguistics at the University of Pittsburgh.

One of my proudest teaching moments was... when my former students have shown me what a difference I can make in my students through my love of teaching.

My favorite vacation spots in the Hispanic world are... the lake regions of my native Chile and Peru.

I can't live without... my laptop and Pandora radio.

My favorite feature in Mosaicos is... that it opens the doors to the fascinating Spanish-speaking world, its people, and its diverse cultures.

My favorite activities are... traveling, gardening, and listening to music.

The people closest to my heart are... my family, my friends, and the people who value freedom and justice as much as I do.

What makes me happy is... knowing that my work transcends me.

The people I admire are... those from whom I can learn something.

My favorite classroom is... one in which students and I become part of one community working toward common goals.

Judy with student Jia and her first apple pie

JUDITH E. LISKIN-GASPARRO

My Ph.D. is from... the University of Texas–Austin

My research area is... classroom-based second language acquisition.

One of my proudest teaching moments was... when my doctoral student won the ACTFL-MLJ Birkmaier Award for Doctoral Dissertation Research. There have been four proudest moments, because four of my SLA students have won this award since 2007.

My favorite vacation spot in the Hispanic world is... For its mystery and sheer beauty, Machu Picchu. For the lifestyle and amazing *tortillas de patatas*, San Sebastián.

I can't live without my... laptop.

My favorite feature in Mosaicos is... its clickability (my made-up word). It invites students and instructors to challenge linear patterns of learning.

My public talent is... baking cookies—all kinds, and for all occasions. I also give pie workshops.

My secret talent is... making up cool games to play with toddlers.

I am thrilled when... people think I am a native speaker of Spanish.

PALOMA LAPUERTA

My Ph.D. is from... Université de Genève, Switzerland, but I did my "licenciatura" in Universidad de Salamanca, Spain.

My research area is... Spanish Language and Peninsular Literature.

One of my proudest teaching moments was... when I noticed that everybody was having a good time... and learning!

My favorite vacation spot in the Hispanic world is... I have two: Castellón, Spain, which is by the sea, and Pereira, Colombia, which is near the Andes.

I can't live without my... Moleskine®.

My favorite feature in Mosaicos is... that it takes you to places beyond the textbook.

The movie I have seen most often is... *Volver*, by Pedro Almodóvar.

My favorite activity is... to travel.

The site that I found most beautiful was... Machu Picchu.

The landscape I found most impressive was... Namibia.

Paloma in Istanbul, Turkey

mosaicos

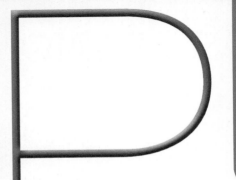

Preliminar

Bienvenidos

¡Hola! pan hasta
soy los gastos
el trabajo español
saludos muy la madre
el estudiante

LEARNING OUTCOMES

By the end of the chapter, you will be able to:

- introduce yourself, greet others, and say good-bye
- identify people and classroom objects and tell where they are in the classroom
- listen to and respond to classroom expressions and requests
- spell names and addresses and share phone numbers
- express dates, tell time, and comment on the weather
- share information about the Spanish language and where it is spoken

Estados Unidos 44,4
España 41,8
Cuba 11,2
República Dominicana 10,1
México 103,5
Puerto Rico 3,8
Guatemala 9,2
El Salvador 6,1
Honduras 7,9
Nicaragua 5
Venezuela 28
Costa Rica 4,3
Colombia 43,3
Panamá 2,6
Guinea Ecuatorial 1
Ecuador 13,2
Perú 23,7
Bolivia 4,3
Paraguay 4
Chile 15,5
Uruguay 3,2
Argentina 39,6
Filipinas 3

Personas que hablan español (en millones) ▶

Enfoque cultural

To learn more about the Spanish-speaking world, go to MySpanishLab to view the *Vistas culturales* videos.

¿QUÉ TE PARECE?

- Spanish is a highly phonetic language, which means that in most cases if you can spell a word, you can pronounce it.

- Minor differences exist between the Spanish in Latin America and the Spanish in Spain but not enough to get in the way of communication.

- Historically, Latin and Arabic have had the biggest influence on the Spanish language. Today, Spanish has adopted hundreds of words relating to technology and pop culture from English.

- Since 1904, there have been eleven Nobel Prizes for Literature in Spanish.

- It is projected that by 2050, the United States will become the largest Spanish-speaking country in the world.

▲ Bienvenidos al mundo hispano.

El mundo hispano es muy grande y diverso:

◀ desde el río Grande al norte de México,

hasta Tierra del Fuego al sur de Argentina; ▶

▲ desde la ciudad de Barcelona en el Mediterráneo, al este de España,

▲ hasta las islas Galápagos en el Pacífico, al oeste de Ecuador.

Vamos a explorar este mundo y aprender (*learn*) más.

¿CUÁNTO SABES?

Use the information in the map, the photos and captions to determine whether each statement is true (**Cierto**) or false (**Falso**).

1. _____ Más de (*More than*) 350 millones de personas hablan español en el mundo.

2. _____ El español se habla en 23 países (*countries*).

3. _____ El río Grande separa México de España.

4. _____ Las islas Galápagos están en el mar Mediterráneo.

5. _____ En Estados Unidos hablan español más personas que (*more than*) en Argentina.

Vocabulario en contexto

Making introductions and talking about the classroom

 Las presentaciones

MySpanishLab

Learn more using Amplifire Dynamic Study Modules, Pronunciation, and Vocabulary Tutorials.

ANTONIO: **Me llamo** Antonio Mendoza. **Y tú, ¿cómo te llamas?**

BENITO: Me llamo Benito Sánchez.

ANTONIO: **Mucho gusto.**

BENITO: **Igualmente.**

- Spanish has more than one word meaning *you*. Use **tú** when talking to someone on a first-name basis (a child, close friend, or relative).

LAURA: María, **mi amigo** José.

MARÍA: Mucho gusto.

JOSÉ: **Encantado.**

- Use **usted** when talking to someone you address in a respectful or formal manner; for example, **doctor/doctora; profesor/profesora; señor/señora.** Also use **usted** to address people you do not know well.

- People of college age or younger normally use **tú** when speaking to each other.

PROFESOR: **¿Cómo se llama usted?**

ISABEL: Me llamo Isabel Contreras.

PROFESOR: Mucho gusto.

- **Mucho gusto** is used by both men and women when they are meeting someone for the first time. A man may also say **encantado,** and a woman, **encantada.**

- You may respond to **mucho gusto** with either **encantado/a** or **igualmente.**

PRÁCTICA

P-1   **Presentaciones. PREPARACIÓN.** With a partner complete the following conversation with the appropriate expressions from the list.

| Encantado Igualmente mi amigo Pedro Mucho gusto |

ALICIA: Me llamo Alicia. Y tú, ¿cómo te llamas?

ISABEL: Isabel Pérez. _____.

ALICIA: _____.

ALICIA: Isabel, _____.

ISABEL: Mucho gusto.

PEDRO: _____.

 INTERCAMBIOS. Move around the classroom, introducing yourself to several classmates and introducing classmates to each other.

P-2

Escucha y confirma. PREPARACIÓN. Before you listen to four brief conversations in which people greet each other, complete the following chart with the pronoun you think you would use in each case. Compare your answers with those of a classmate and explain why you chose **tú** or **usted**.

ESCUCHA. As you listen to the four conversations, mark (✓) the appropriate column to indicate whether the greetings are formal (with **usted**) or informal (with **tú**).

WHEN TALKING TO YOUR . . .	TÚ	USTED
1. brother or sister		
2. doctor		
3. coach		
4. parent		

FORMAL	INFORMAL
1.	
2.	
3.	
4.	

■ ■ ■ ■ ■ ■
LENGUA

When you talk to people, you address them with various degrees of formality, depending on how well you know the person and the context of the conversation. For example, when you talk to a professor, you probably use more formal language than when you talk to classmates or friends. In Spanish, one way to mark this difference is by using **tú** (informal) and **usted** (formal).

Los saludos y las despedidas

SEÑOR GÓMEZ:	**Buenos días, señorita** Rivas.
SEÑORITA RIVAS:	Buenos días. **¿Cómo está usted, señor** Gómez?
SEÑOR GÓMEZ:	**Bien, gracias,** ¿y usted?
SEÑORITA RIVAS:	**Muy** bien, gracias.

MARTA:	**¡Hola,** Inés! **¿Qué tal? ¿Cómo estás?**
INÉS:	**Regular,** ¿y tú?
MARTA:	**Bastante** bien, gracias. Bueno, **hasta mañana.**
INÉS:	**Chao.**

Los saludos

- Use **buenos días** until lunchtime.

- Use **buenas tardes** from noon until nightfall. After nightfall, use **buenas noches** (*good evening, good night*).

- **¿Qué tal?** is less formal than **buenos días, buenas tardes,** etc.

- Use **está** with **usted** and **estás** with **tú.**

SEÑORA MOYA:	**Buenas tardes,** Clara. ¿Cómo estás?
CLARA:	Bien, gracias. Y usted, ¿cómo está, **señora?**
SEÑORA MOYA:	**Mal,** Clara, mal.
CLARA:	¡Qué lástima!

Las despedidas

Use the following expressions to say good-bye:

adiós	*good-bye*
chao	*good-bye*
hasta luego	*see you later*
hasta mañana	*see you tomorrow*
hasta pronto	*see you soon*

■ **Adiós** is generally used when you do not expect to see the other person for a while. It is also used as a greeting when people pass each other but have no time to stop and talk.

■ **Chao** (also spelled **chau**) is an informal way of saying good-bye and when passing on the street, similar to **adiós**. It is popular in South America.

Expresiones de cortesía

Here are other expressions of courtesy:

por favor	*please*
gracias	*thanks, thank you*
de nada	*you're welcome*
lo siento	*I'm sorry (to hear that)*
con permiso	*pardon me, excuse me*
perdón	*pardon me, excuse me*

■ **Con permiso** and **perdón** may be used before the fact, as when asking a person to allow you to go by or when trying to get someone's attention. Only **perdón** is used after the fact, as when you have stepped on someone's foot or have interrupted a conversation.

PRÁCTICA

P-3

Para confirmar. Alternate greetings (**buenos días, buenas tardes, buenas noches**) with your classmate according to the time given.

1. 9:00 A.M.

2. 11:00 P.M.

3. 4:00 P.M.

4. 8:00 A.M.

5. 1:00 P.M.

6. 10:00 P.M.

P-4

Despedidas. With a classmate, create short two-line exchanges for the following situations.

 You run into a good friend on campus.

> E1: *Adiós.*
>
> E2: *Chao.*

1. You'll see your friend tomorrow.

2. You arrange to meet your classmate at the library in ten minutes.

3. Your roommate is leaving for a semester abroad.

¿Perdón o con permiso? Would you use **perdón** or **con permiso** in these situations? Decide with a classmate which is more appropriate. Then create a similar situation to act out for the class.

1.   2.   3.

4.   5.

P-6

Despedidas y expresiones de cortesía. With a classmate, decide which expression is best for each situation. Then create another situation and act it out.

Adiós.	Gracias.
Por favor.	De nada.
Hasta luego.	¡Qué lástima!
Lo siento.	

1. Someone thanks you.
2. You say good-bye to a friend you will see later this evening.
3. You ask if you can borrow a classmate's notes.
4. You hear that your friend is sick.
5. You receive a present from your cousin.
6. …

Cultura

When saying *hello* or *good-bye* and when being introduced, Spanish-speaking men and women almost always shake hands, embrace, or kiss each other on the cheek. Girls and women most often kiss each other on the cheek, as do men and women who are close friends or acquaintances. In Spain they kiss on both cheeks. Men who are close friends normally embrace and pat each other on the back while in Argentina, it is common for them to kiss each other on the cheek.

Comunidades. What are common greetings in your culture? Do you greet your family and your friends in the same way?

P-7

Encuentros (*Encounters*). Create short conversations with the following people, whom you meet on the street. Then switch roles.

1. tu (*your*) amigo Miguel
2. tu profesor/a
3. tu amiga Isabel
4. tu doctor/a

¿Qué hay en el salón de clase?

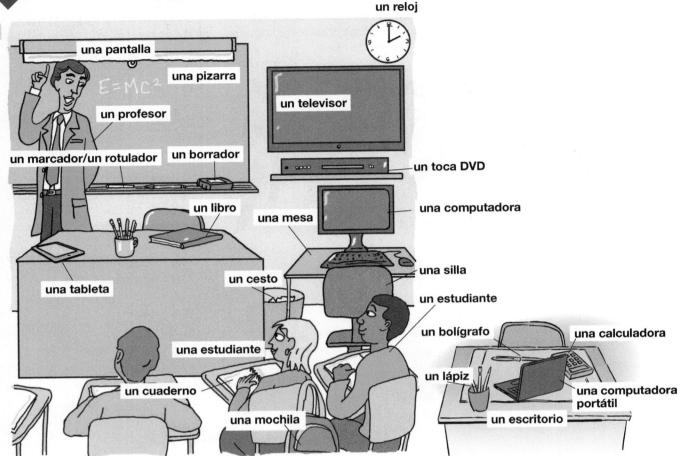

un reloj

una pantalla

una pizarra

un profesor

un marcador/un rotulador

un borrador

un televisor

un toca DVD

una computadora

un libro

una mesa

una silla

un estudiante

un cesto

una tableta

un bolígrafo

una calculadora

una estudiante

un lápiz

un cuaderno

una mochila

un escritorio

una computadora portátil

$E = Mc^2$

PRÁCTICA

P-8

Para confirmar. With a partner, identify the items on this table and then tell him/her which of the items you have.

MODELO E1: *Tengo una mochila.*
E2: *Tengo...*

a. _____

b. _____

c. _____

d. _____

e. _____

f. _____

g. _____

h. _____

Para la clase de español.
Write down a list of the things you need for this class. You and your partner should then compare your lists.

P-10

¿Qué hay en el salón de clase? Use the clues below to complete the crossword puzzle in Spanish. Working with a partner, compare your responses, then look around the room and take turns telling each other what objects you see.

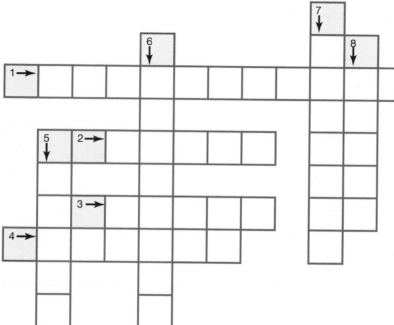

1. It is essential for your math problems.
2. Without it, you cannot write.
3. Waste material goes here.
4. You need them to study.
5. You sit on it.
6. You write your notes on it.
7. You pack and carry your books in it every morning.
8. It tells the time.

◆ Los meses del año y los días de la semana

Los meses del año

enero	*January*
febrero	*February*
marzo	*March*
abril	*April*
mayo	*May*
junio	*June*
julio	*July*
agosto	*August*
septiembre	*September*
octubre	*October*
noviembre	*November*
diciembre	*December*

Los días de la semana

lunes	*Monday*
martes	*Tuesday*
miércoles	*Wednesday*
jueves	*Thursday*
viernes	*Friday*
sábado	*Saturday*
domingo	*Sunday*

Days of the week and months of the year are not generally capitalized in Spanish, but sometimes they are capitalized in advertisements and invitations.

- Monday (**lunes**) is normally considered the first day of the week.
- To ask what day it is, use **¿Qué día es hoy?** Answer with **Hoy es…**
- To ask about today's date, use **¿Qué fecha es?** or **¿Cuál es la fecha?** Respond with **Hoy es el 14 de octubre.**
- To give a date for an event, say **La fiesta es el 5 de mayo.**
- Express *on + a day of the week* as follows:

el lunes	*on Monday*
los lunes	*on Mondays*
el domingo	*on Sunday*
los domingos	*on Sundays*

- Cardinal numbers are used with dates (e.g., **el dos, el tres**), except for the first day of the month, which is **el primero.** In Spain the first day is also referred to as **el uno.**
- Hoy es **el primero** de julio.

CALENDARIO — ENERO

lunes	martes	miércoles	jueves	viernes	sábado	domingo
		AÑO NUEVO 1	2	3	4	5
6 LOS SANTOS REYES	7	8	9	10	11	12
13	14	15	16	17	18	19
20	21	22	23	24	25	26
27	28	29	30	31		

PRÁCTICA

Cultura

El calendario hispano

In Spanish-speaking countries, the first day of the week on a calendar is Monday. Sunday appears at the end of the week and it is generally marked by red numbers. Many calendars bear the saint's name for each day.

Comparaciones. What dates are typically highlighted on your calendar?

P-11

Para confirmar. Using the calendar, take turns asking: **¿Qué día de la semana es…?** Then tell your partner your favorite day of the week.

1. el 2
2. el 5
3. el 22
4. el 18
5. el 10
6. el 13
7. el 28
8. el…

P-12

Preguntas. Take turns asking and answering these questions.

1. ¿Qué día es hoy?
2. Hoy es… ¿Qué día es mañana?
3. Hoy es el… de… ¿Qué fecha es mañana?
4. ¿Hay clase de español los domingos? ¿Y los sábados?
5. ¿Qué días hay clase de español?

LENGUA

When dates are written using only numerals, the day normally precedes the month: *11/8 =* **el 11 de agosto.**

P-13

Fechas importantes. Take turns asking your partner the dates on which these events take place.

 MODELO la reunión de estudiantes (10/9)

E1: *¿Cuándo es la reunión de estudiantes?*

E2: *(Es) el 10 de septiembre.*

1. el concierto de Juanes (12/11)
2. el aniversario de Carlos y María (14/4)
3. el banquete (1/3)
4. la graduación (22/5)
5. la fiesta de bienvenida (24/8)

P-14

El cumpleaños (*birthday*). Find out when your classmates' birthdays are. Write their names and birthdays in the appropriate spaces in the table.

 MODELO E1: *¿Cuándo es tu cumpleaños?*

E2: *(Es) el 3 de mayo.*

LENGUA

You may have noticed that the word **tú** (meaning *you*) has a written accent mark, and that the word **tu** (meaning *your*) does not. In this book, boxes similar to this one will help you focus on when to use accent marks. You will find all the rules for accentuation in Appendix 1.

CUMPLEAÑOS			
enero	febrero	marzo	abril
mayo	junio	julio	agosto
septiembre	octubre	noviembre	diciembre

◆ El tiempo

 Hoy hace sol. Hace buen tiempo.

 Hoy llueve. Hace mal tiempo.

■ Use **¿Qué tiempo hace?** to inquire about the weather. To answer, you may use the following expressions that start with **hace:**

Hace buen tiempo. *The weather is good.*

Hace mal tiempo. *The weather is bad.*

■ To express that it is sunny or that it is raining use the following:

Hace sol. *It is sunny.*

Llueve./Está lloviendo. *It is raining.*

PRÁCTICA

Cultura

■ ■ ■ ■

El tiempo y los hemisferios

Seasons in the northern and southern hemispheres are inverted. That is, when it is winter in the United States, it is summer in Argentina. This applies to the school year as well. In Argentina for example, the academic year starts in March and ends in December, right before Christmas. The Christmas holidays are often spent on the beach or outdoors.

Conexiones. Why do you think the academic year is arranged in that way in the southern hemisphere? Would it be a good idea to change this arrangement?

P-15

¿Qué tiempo hace hoy? Take turns with your partner asking about the weather in these cities. Then ask about the weather in your city.

MODELO Miami:

E1: *¿Qué tiempo hace en Miami?*

E2: *En Miami hace buen tiempo. Hace sol.*

1. Madrid: ☀
2. Quito: ☁🌧
3. Lima: ☁🌧
4. Ciudad de México: ☀
5. Bogotá: ☁🌧
6. Nueva York: ☀
7. (your city:)

Expresiones útiles en la clase

 ▲ La tarea, por favor.

 ▲ Ve a la pizarra.

 ▲ Contesta.

 ▲ Repite.

 ▲ Levanta la mano.

 ▲ Escribe.

 ▲ Lee.

■ When asking two or more people to do something, the verb forms are **ve → vayan, contesta → contesten, repite → repitan.**

■ Although you may not use all of these expressions, it is useful to recognize them and to know how to respond. Other expressions that you may hear or say in the classroom include the following:

Expressions in plural

¿Comprenden?	*Do you understand?*
¿Tienen preguntas?	*Do you have any questions?*
Contesten, por favor.	*Please answer.*
Vayan a la pizarra.	*Go to the board.*
Túrnense.	*Take turns.*
Hablen (sobre...)	*Talk (about ...)*

Expressions with *tú*

¿Comprendes?	*Do you understand?*
¿Tienes preguntas?	*Do you have any questions?*
Contesta, por favor.	*Please answer.*
Ve a la pizarra.	*Go to the board.*
Dile a tu compañero/a...	*Tell your partner ...*

Other useful expressions

Más despacio, por favor.	*More slowly, please.*
Más alto, por favor.	*Louder, please.*
¿En qué página?	*On what page?*
¿Cómo se dice... en español?	*How do you say ... in Spanish?*
Otra vez.	*Again.*
Presente.	*Here.*
No comprendo.	*I don't understand.*
No sé.	*I don't know.*

PRÁCTICA

 P-16

Las expresiones útiles. Match the following expressions with their pictures and compare your answers with those of a classmate. Then take turns telling your partner three things he/she needs to do and your partner will act them out.

1. _____ Ve a la pizarra.

2. _____ Abre el libro.

3. _____ Pregúntale a tu compañero.

4. _____ Repite.

5. _____ Siéntate.

6. _____ Lee.

a.

b.

c.

d.

e.

f.

El alfabeto

a	a	**j**	jota	**r**	erre
b	be	**k**	ka	**s**	ese
c	ce	**l**	ele	**t**	te
d	de	**m**	eme	**u**	u
e	e	**n**	ene	**v**	uve
f	efe	**ñ**	eñe	**w**	uve doble
g	ge	**o**	o	**x**	equis
h	hache	**p**	pe	**y**	ye, i griega
i	i	**q**	cu	**z**	zeta

- The Spanish alphabet includes **ñ**, a letter that does not exist in English. Its sound is similar to the pronunciation of *ni* and *ny* in the English words *onion* and *canyon*.

- The letters **ch** and **ll** were considered independent letters in the Spanish alphabet until 1994.

- The letters **k** and **w** appear mainly in words of foreign origin.

PRÁCTICA

EN OTRAS PALABRAS

Like English speakers, Spanish speakers have different accents that reflect their region or country of origin. For example, the letter **c** before vowels **e** and **i** and the letter **z** are pronounced like **s** except in certain regions of Spain, where they are similar to the English *th*.

P-17

Para confirmar. Take turns spelling the name of the street where you live in Spanish. Then check if your partner wrote it correctly.

CALLE DE FRANCISCO PIZARRO

P-18

Los nombres. You are at the admissions office of a university in a Spanish-speaking country. Spell your first or last name for the clerk. Take turns.

MODELO
E1: *¿Cómo se llama usted?*
E2: *Me llamo Jill Robinson.*
E1: *¿Cómo se escribe Robinson?*
E2: *erre-o-be-i-ene-ese-o-ene*

☑ Funciones y formas

1 Identifying and describing people

CARLOS: **¿Quién es ese chico?**

SANDRA: **Es** Julio.

CARLOS: **¿Cómo es** Julio?

SANDRA: **Es** romántico y sentimental.

LUIS: ¿Quién es **esa chica**?

QUIQUE: Es Carmen.

LUIS: ¿Cómo es Carmen?

QUIQUE: Es activa y muy seria.

 Piénsalo. Indicate (✔) the true statements.

1. _____ El chico se llama Carmen.

2. _____ Julio es romántico.

3. _____ Carmen es muy seria.

4. _____ Carmen no es activa.

Singular forms of *ser*

The verb **ser** is used to identify and describe.

Esa chica **es** Carmen.	*That girl is Carmen.*
Es activa y muy seria.	*She is active and very serious.*
Rodolfo **es** su amigo.	*Rodolfo is her friend.*
Es atractivo.	*He is attractive.*

Here are the forms of **ser** you will use in this chapter.

SER (*to be*)			
yo	**soy**	*I*	*am*
tú	**eres**	*you*	*are*
Ud.	**es**	*you*	*are*
él, ella	**es**	*he, she*	*is*

To make a sentence negative, place **no** before the appropriate form of **ser.** When responding negatively to a question, say **no** twice.

Ella es inteligente. → Ella **no** es inteligente.

¿Es rebelde? → **No, no** es rebelde.

Cognates

Cognates (*Cognados*) are words from two languages that have the same origin and are similar in form and meaning. Since English and Spanish have many cognates, you will discover that you already recognize many Spanish words. Here are some cognates that you may use to describe people.

The following cognates use the same form to describe a man or a woman.

arrogante	importante	optimista	popular
eficiente	independiente	paciente	responsable
elegante	inteligente	perfeccionista	sentimental
idealista	interesante	pesimista	tradicional

The following cognates have two forms. The **-o** form is used to describe a male, and the **-a** form to describe a female.

activo/a	creativo/a	introvertido/a	romántico/a
ambicioso/a	dinámico/a	moderno/a	serio/a
atlético/a	extrovertido/a	nervioso/a	sincero/a
atractivo/a	generoso/a	pasivo/a	tímido/a
cómico/a	impulsivo/a	religioso/a	tranquilo/a

Some words appear to be cognates but do not have the same meaning in both languages. These are called false cognates. **Lectura** (*Reading*) and **éxito** (*success*) are examples. You will find other examples in future chapters.

 ¿COMPRENDES?

Describe the following people using the appropriate form of **ser**.
1. Yo _____ inteligente.
2. Usted _____ interesante.
3. Él _____ cómico.
4. Isabel _____ atlética.
5. Tú _____ paciente.
6. Carlos _____ sincero.

MySpanishLab

Learn more using Amplifire Dynamic Study Modules, Grammar Tutorials, and Extra Practice activities.

PRÁCTICA

P-19

Yo soy... Ask your partner about his/her personality. Use the cognates provided or others that you know.

 MODELO
E1: *¿Eres pesimista?*
E2: *No, no soy pesimista.*
E1: *¿Cómo eres?*
E2: *Soy activo, optimista y creativo.*

generoso/a optimista
independiente responsable
inteligente tímido/a
nervioso/a

P-20

Descripciones. Ask each other about your classmates. Describe them by using cognates.

 MODELO
E1: *¿Cómo es...?*
E2: *Es...*

2 Locating people and things

¿Dónde está la profesora?

¿Está **sobre** la mesa? No.

¿Está **debajo de** la mesa? No.

¿Está **entre** Juan y María? No.

¿Está **al lado de** María? No.

¿Está **enfrente de** María? Sí, la profesora está **enfrente de** María.

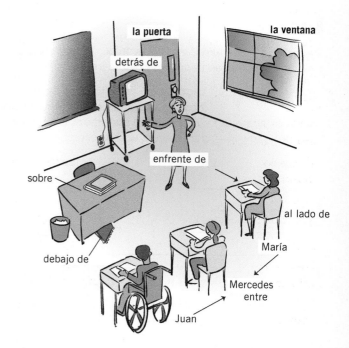

Piénsalo. For each pair, select the sentence that is true according to the drawing.

1. _____ El cuaderno está al lado de la mesa.

_____ El cuaderno está debajo de la mesa.

2. _____ La puerta está detrás de la profesora.

_____ La puerta está delante de la profesora.

3. _____ Mercedes está enfrente de María.

_____ Mercedes está al lado de María.

Estar + location

To express location the verb **estar** is used:

El libro **está** sobre la mesa.	*The book is on the desk.*
María **está** en la clase.	*Maria is in the classroom.*

To ask about the location of a person or an object, use **dónde + está.**

¿Dónde está la profesora?	*Where is the professor?*
Está en la clase.	*She is in class.*
¿Dónde está el libro?	*Where is the book?*
Está sobre la mesa.	*It is on the table.*

Here are some expressions that describe location:

al lado de	*next to*
debajo de	*under*
detrás de	*behind*
enfrente de	*in front of, facing*
entre	*between*
sobre	*on, on top of*

¿COMPRENDES?

Complete the following sentence with the appropriate option based on the position of people in the drawing.

1. _____ La profesora está...
2. _____ Juan está...
3. _____ El libro está...
4. _____ Mercedes está...

a. al lado de Mercedes.
b. enfrente de María.
c. entre Juan y María.
d. sobre el escritorio.

MySpanishLab

Learn more using Amplifire Dynamic Study Modules, Grammar Tutorials, and Extra Practice activities.

PRÁCTICA

P-21

Personas y lugares. PREPARACIÓN. Take turns telling your partner the location of three people or objects in the classroom scene.

  ESCUCHA. Listen to the statements about the location of people and objects in the classroom scene. Indicate (✓) whether each statement is true (**Cierto**) or false (**Falso**). Compare your answers with those of a classmate.

el profesor Fernández

Miguel   Elisa   Marcos

CIERTO	FALSO		CIERTO	FALSO
1. _____	_____	4. _____	_____
2. _____	_____	5. _____	_____
3. _____	_____	6. _____	_____

P-22

En la clase. Look at the student name tags in Professor Gallegos's class below. Ask your partner where Juan, Pedro, Cristina, Mercedes, and Roberto are sitting and he/she will ask you about María, Susana, Carlos, and Profesor Gallegos.

MODELO E1: *¿Dónde está Roberto?*
E2: *Está al lado de Mercedes.*

P-23

¿Dónde está? Take turns asking where several items in your classroom are. Answer by giving their position in relation to a person or another object.

MODELO E1: *¿Dónde está el libro?*
E2: *Está sobre el escritorio.*

P-24

¿Quién es? Based on what your partner says regarding the location of another student, guess who the student is.

MODELO E1: *Está al lado de Juan. ¿Quién es?*
E2: *Es María.*

Profesor Gallegos

María   Mercedes   Roberto

Susana   Juan   Cristina   Pedro   Carlos

3 Using numbers

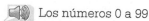 Los números 0 a 99

0	**cero**	11	**once**	22	**veintidós**
1	**uno**	12	**doce**	23	**veintitrés**
2	**dos**	13	**trece**	30	**treinta**
3	**tres**	14	**catorce**	31	**treinta y uno**
4	**cuatro**	15	**quince**	40	**cuarenta**
5	**cinco**	16	**dieciséis**	50	**cincuenta**
6	**seis**	17	**diecisiete**	60	**sesenta**
7	**siete**	18	**dieciocho**	70	**setenta**
8	**ocho**	19	**diecinueve**	80	**ochenta**
9	**nueve**	20	**veinte**	90	**noventa**
10	**diez**	21	**veintiuno**		

e **Piénsalo.** Match the word to the correct number.

1. _____ dieciocho   **a.** 60
2. _____ veintiuno   **b.** 9
3. _____ treinta y uno   **c.** 21
4. _____ sesenta   **d.** 31
5. _____ nueve   **e.** 18

Numbers 0 to 99

Numbers from sixteen through twenty-nine are usually written as one word. Note the spelling changes and the written accent on some forms.

18: **dieciocho**   22: **veintidós**

Beginning with thirty-one, numbers are written as three words.

31: **treinta y uno**   45: **cuarenta y cinco**

The number *one* has three forms in Spanish: **uno, un,** and **una.** Use **uno** when counting: **uno, dos, tres...** Use **un** or **una** before nouns.

un borrador
una mochila
veintiún libros
veintiuna mochilas

Use **hay** for both *there is* and *there are.*

Hay un libro sobre la mesa.   *There is one book on the table.*
Hay dos libros sobre la mesa.   *There are two books on the table.*

e **¿COMPRENDES?**

Write the numerals for the following words.
1. diez _____
2. treinta _____
3. noventa y cuatro _____
4. sesenta y seis _____
5. veinticinco _____

MySpanishLab
Learn more using Amplifire Dynamic Study Modules, Grammar Tutorials, and Extra Practice activities.

PRÁCTICA

P-25

¿Qué número es? Your instructor will read a number from each group. Circle the number you hear. Then compare your responses with those of your partner and tell him/her your favorite number.

a. 8	4	3	5
b. 12	9	16	6
c. 37	59	41	26
d. 54	38	76	95
e. 83	62	72	49
f. 47	14	91	56

P-27

Problemas. Take turns solving the following arithmetic problems. Use **y** (+), **menos** (−), and **son** (=). Then create a new arithmetic problem and ask your partner to solve it.

 MODELO 12 − 5 =

> *Doce menos cinco son siete.*

a. 11 + 4 = _____

b. 8 + 2 = _____

c. 13 + 3 = _____

d. 20 − 6 = _____

e. 39 + 50 = _____

f. 80 − 1 = _____

g. 50 − 25 = _____

h. 26 + 40 = _____

i. ... _____

P-26

Para la oficina. You and your partner have to check a shipment of equipment and supplies delivered to the Spanish department. Take turns asking your partner how many of each there are. Then ask each other about the items without a number and respond with your own amount.

 MODELO 4 relojes E1: *¿Cuántos relojes hay?*
E2: *Hay 4 relojes.*

- 10 teléfonos
- 12 escritorios
- 20 cestos
- 95 bolígrafos
- 70 rotuladores
- 34 libros
- ... diccionarios
- ... cuadernos

Cultura

■ ■ ■ ■ ■

In Spanish-speaking countries, the name of the street precedes the house or building number. Sometimes a comma is placed before the number.

Calle (*Street*) Bolívar, 132   Avenida (*Avenue*) de Gracia, 18

Telephone numbers are generally not stated as individual numbers, but in groups of two, depending on how the numbers are written or on the number of digits, which varies from country to country.

12–24–67: **doce, veinticuatro, sesenta y siete**

2–43–89–07: **dos, cuarenta y tres, ochenta y nueve, cero siete**

Comunidades. How do you say or write a street address in your language? How do you say a phone number?

P-28

Los números de teléfono y las direcciones (*addresses*). Take turns asking each other the phone numbers and addresses of the people listed in the following directory. Then ask your partner for his/her address and phone number (real or imaginary).

■ Cárdenas Alfaro, Joaquín	General Páez 40	423–4837
■ Cárdenas Villanueva, Sara	Avenida Bolívar 7	956–1709
■ Castelar Torres, Adelaida	Paseo del Prado 85	218–3642
■ Castellanos Rey, Carlos	Colón 62	654–6416
■ Castelli Rivero, Victoria	Chamberí 3	615–7359
■ Castillo Montoya, Rafael	Santa Cruz 73	956–3382

 MODELO Castellanos Rey, Carlos

E1: *¿Cuál es la dirección de Carlos Castellanos Rey?*

E2: *Calle Colón, número 62.*

E1: *¿Cuál es su número de teléfono?*

E2: *(Es el) 6–54–64–16.*

4 Expressing time in Spanish

▲ Es la una.

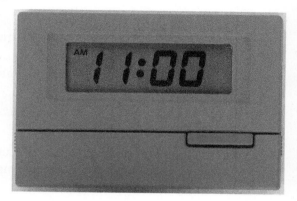

▲ Son las once.

▲ Son las siete y diez.

▲ Son las dos menos diez.
Es la una y cincuenta.

▲ Son las ocho y media.

e Piénsalo. Match the following times.

1. _____ Las dos y cinco.   **a.** 1:30
2. _____ Las tres.   **b.** 3:50
3. _____ La una y media.   **c.** 3:00
4. _____ Las cuatro menos diez. **d.** 2:05

Telling time

Use **¿Qué hora es?** to inquire about the time. To tell time, use **Es la...** and **Son las...** with the other hours.

Es la una.	*It is one o'clock.*
Son las tres.	*It is three o'clock.*

To express the quarter hour, use **y cuarto** or **y quince**. To express the half hour, use **y media** or **y treinta.**

Es la una **y media.**	*It is one-thirty.*
Es la una **y treinta.**	
Son las dos **y cuarto.**	*It is two-fifteen.*
Son las dos **y quince.**	

To express time after the half hour, subtract minutes from the next hour, using **menos** for analog clocks. It is becoming more common, especially with digital clocks, to use **y + minutos**.

Son las cuatro **menos** diez.	*It is ten to four.*
Son las tres **y cincuenta.**	*It is three fifty.*

Add **en punto** for the exact time and **más o menos** for approximate time.

Es la una **en punto.**	*It is one o'clock on the dot/sharp.*
Son las cinco menos cuarto, **más o menos.**	*It is about a quarter to five.*

For A.M. and P.M., use the following:

de la mañana	(from midnight to noon)
de la tarde	(from noon to nightfall)
de la noche	(from nightfall to midnight)

|e **¿COMPRENDES?**

Give the time in numerals.

1. Son las tres y cinco
   _____.

2. Son las seis y cuarenta y cinco _____.

3. Es la una y cuarto
   _____.

4. Son las once en punto

5. Son las cinco menos veinte _____.

MySpanishLab

Learn more using Amplifire Dynamic Study Modules, Grammar Tutorials, and Extra Practice activities.

PRÁCTICA

P-29

¿Qué hora es en...? Take turns telling your partner what time it is in the following cities. Then draw another time clock and ask your partner to give you the time.

México, P.M.

San Juan, A.M.

Buenos Aires, P.M.

Madrid, P.M.

Cultura

In Spanish-speaking countries, events such as concerts, shows, classes, and professional meetings generally begin on time. Medical appointments are also kept at the scheduled hour. However, informal social functions, such as parties and private gatherings, do not usually begin at the announced time. In fact, guests are expected to arrive at least 30 minutes after the appointed time. When in doubt, you may ask **¿En punto?** to find out whether you should be punctual.

Comparaciones. What is the convention in your culture regarding the time you should get to someone's house for a social gathering? Is it polite to arrive right on time, or should you arrive later? In what other situations are you expected to be punctual?

P-30

El horario de María. Take turns asking and answering questions about María's schedule. Then write down your own Monday schedule, omitting the time each class meets. Exchange schedules with your partner, and find out what time each of his/her classes starts.

 MODELO E1: *¿A qué hora es la clase de español?*

E2: *Es a las nueve.*

LUNES	
9:00	la clase de español
10:00	la clase de matemáticas
11:00	la clase de psicología
12:00	el laboratorio
1:00	el almuerzo
2:30	la clase de física
5:00	la clase de tenis

LENGUA

To ask the time at which an event takes place or something happens, use **¿A qué hora es...?** To answer, use **Es a la(s)...** or simply **A la(s)...**

¿A qué hora es la clase de español? *At what time is Spanish class?*
(Es) a las nueve y media. *It is at 9:30.*

En este capítulo...

Comprueba lo que sabes

Go to *MySpanishLab* to review what you have learned in this chapter. Practice with the following:

 Vocabulario

LAS PRESENTACIONES
Introductions

¿Cómo se llama usted?   *What's your name? (formal)*

¿Cómo te llamas?   *What's your name? (familiar)*

Encantado/a.   *Pleased/nice to meet you.*

Igualmente.   *Likewise.*

Me llamo...   *My name is ...*

Mucho gusto.   *Pleased/nice to meet you.*

LOS SALUDOS
Greetings

bastante   *rather*

bien   *well*

buenas tardes/buenas noches   *good afternoon/good evening, good night*

buenos días   *good morning*

¿Cómo está?   *How are you? (formal)*

¿Cómo estás?   *How are you? (informal)*

hola   *hi, hello*

mal   *bad*

muy   *very*

regular   *fair*

¿Qué tal?   *What's up? What's new? (informal)*

LAS DESPEDIDAS
Leavetaking

adiós   *good-bye*

chao/chau   *good-bye*

hasta luego   *see you later*

hasta mañana   *see you tomorrow*

hasta pronto   *see you soon*

EN EL SALÓN DE CLASE
In the classroom

el bolígrafo   *ballpoint pen*

el borrador   *eraser*

la calculadora   *calculator*

el cesto   *wastebasket*

la computadora   *computer*

la computadora portátil   *laptop*

el cuaderno   *notebook*

el toca DVD   *DVD player*

el escritorio   *desk*

el lápiz   *pencil*

el libro   *book*

el marcador/el rotulador   *marker*

la mesa   *table*

la mochila   *backpack*

la pantalla   *screen*

la pizarra   *chalkboard*

la puerta   *door*

el reloj   *clock*

la silla   *chair*

la tableta   *tablet*

el televisor   *television set*

la ventana   *window*

EXPRESIONES DE CORTESÍA
Courtesy expressions

con permiso   *pardon me, excuse me*

de nada   *you're welcome*

gracias   *thanks*

lo siento   *I'm sorry (to hear that)*

perdón   *pardon me, excuse me*

por favor   *please*

LAS PERSONAS
People

el amigo/la amiga   *friend*

el chico/la chica   *boy/girl*

el doctor/la doctora   *doctor*

él   *he*

ella   *she*

el/la estudiante   *student*

el profesor/la profesora   *professor, teacher*

el señor (Sr.)   *Mr.*

la señora (Sra.)   *Ms., Mrs.*

la señorita (Srta.)   *Ms, Miss*

tú   *you (familiar)*

usted   *you (formal)*

yo   *I*

See page 20 for cognates.
See page 23 for numbers.
See page 26 for telling time.

LA POSICIÓN
Position

al lado (de)   *next to*
debajo (de)   *under*
detrás (de)   *behind*
enfrente (de)   *in front of*
entre   *between, among*
sobre   *on, above*

EL TIEMPO

Hace buen/mal tiempo.
   The weather is good/bad.
Hace sol.   *It's sunny.*
Llueve./Está lloviendo.
   It's raining.
¿Qué tiempo hace?
   What's the weather like?

VERBOS
Verbs

eres   *you are* (familiar)
es   *you are* (formal), *he/she is*
está   *he/she is, you are* (formal)
estás   *you are* (familiar)
hay   *there is, there are*
soy   *I am*

EXPRESIONES ÚTILES EN LA CLASE

¿Cómo se dice... en español?   *How do you say ... in Spanish?*
¿Comprenden?/¿Comprendes?   *Do you understand?*
Contesten, por favor./Contesta, por favor.   *Please answer.*
¿En qué página?   *On what page?*
Dile a tu compañero/a...   *Tell your partner...*
Escribe.   *Write.*
Hablen (sobre...)   *Talk (about ...)*
Lee.   *Read.*
Levanta la mano.   *Raise your hand.*
Más alto, por favor.   *Louder, please.*
Más despacio/lento, por favor.   *More slowly, please.*
No comprendo.   *I don't understand.*
No sé.   *I don't know.*
Otra vez.   *Again.*
Presente.   *Here (present).*
Repite./Repitan.   *Repeat.*
Túrnense.   *Take turns.*
La tarea, por favor.   *Homework please.*
¿Tienen preguntas?/¿Tienes preguntas?   *Do you have any questions?*
Vayan a la pizarra./Ve a la pizarra.   *Go to the board.*

PALABRAS Y EXPRESIONES ÚTILES
Useful words and expressions

a   *at, to*
el año   *year*
¿Cómo es?   *What is he/she/it like?*
el día   *day*
¿Dónde está...?   *Where is ... ?*
el/la   *the*
en   *in*
ese/a   *that* (adjective)
el/la   *the*
hoy   *today*
la mañana   *morning*
mañana   *tomorrow*
más o menos   *more or less*
el mes   *month*
mi(s)   *my*
¿Quién es...?   *Who is ... ?*
la semana   *week*
sí   *yes*
tu(s)   *your* (familiar)
un/una   *a, an*
y   *and*

LOS MESES DEL AÑO
Months of the year

enero   *January*
febrero   *February*
marzo   *March*
abril   *April*
mayo   *May*
junio   *June*
julio   *July*
agosto   *August*
septiembre   *September*
octubre   *October*
noviembre   *November*
diciembre   *December*

LOS DÍAS DE LA SEMANA
Days of the week

lunes   *Monday*
martes   *Tuesday*
miércoles   *Wednesday*
jueves   *Thursday*
viernes   *Friday*
sábado   *Saturday*
domingo   *Sunday*

1

¿Qué estudias?

LEARNING
OUTCOMES

You will be able to:

- talk about studies, campus, and academic life
- describe daily routines and activities
- specify gender and number
- express location and states of being
- ask and answer questions
- talk about Spain in terms of products, practices, and perspectives
- share information about student life in Hispanic countries and compare cultural similarities

Museo Guggenheim

FRANCIA

Santiago de Compostela

Bilbao

E S P A Ñ A

Barcelona

Universidad de Salamanca

Segovia

Paella valenciana

OCÉANO ATLÁNTICO

PORTUGAL

Salamanca

Madrid ✦

Valencia

Plaza de toros

Mar Mediterráneo

Córdoba

Sevilla

Granada

La Alhambra

Enfoque cultural

To learn more about Spain, go to MySpanishLab to view the *Vistas culturales* videos.

◀ Un fresco del siglo XVI en la Universidad de Salamanca

¿QUÉ TE PARECE?

- Muchos turistas visitan España; es el cuarto (4°) país más visitado del mundo.

- El fútbol es muy popular en España; España es el campeón de la Copa Mundial (2010) y Real Madrid ha ganado la Copa de Europa nueve (9) veces.

- En España se hablan castellano (español), catalán, gallego y euskera (vasco).

- España produce mucho vino; es el tercer (3er) productor de vino en el mundo.

- España forma parte de la Unión Europea.

◄ La influencia musulmana es evidente en la Mezquita–catedral de Córdoba.

El acueducto de Segovia es un monumento romano del siglo I. Tiene 760 metros de largo. ▼

Málaga es una ciudad moderna y antigua. La Plaza de Toros es parte de la tradición española. El Museo Picasso de Málaga se funda en el año 2003.

▼

▲ Antoni Gaudí, el arquitecto modernista, diseña el Parc Güell, uno de los parques más grandes de Europa. El parque está en Barcelona. Gaudí recicla productos de cerámica para la decoración del parque.

¿CUÁNTO SABES?

Match the following items based on the information from the map, text, and photos.

1. _____ la capital de España
2. _____ el arquitecto del Parc Güell
3. _____ construcción romana
4. _____ producto importante
5. _____ ejemplo de la influencia musulmana
6. _____ un artista importante de Málaga

a. acueducto de Segovia
b. Picasso
c. vino
d. Madrid
e. Antoni Gaudí
f. Mezquita–catedral de Córdoba

Vocabulario en contexto

◆ Los estudiantes y los cursos

 Me llamo Rosa Pereda. **Estudio sociología** en la **Facultad de Humanidades** de la **Universidad** de Salamanca. Mis clases son muy temprano. **Llego** a la universidad a las ocho y media. Este semestre mis cursos son **economía, ciencias políticas, psicología, antropología** y **estadística.** Mi clase **favorita** es economía. La clase de estadística es **difícil, pero** el profesor es muy **bueno.** La clase de psicología es **fácil** y muy **interesante.** Por las tardes **trabajo** en una **oficina.**

 Este chico es mi amigo. Se llama David Thomas. Es **norteamericano** y estudia español en mi universidad. **También** estudia **literatura, historia** y **geografía.** David es un chico muy responsable y **estudioso.** Generalmente llega a la universidad a las diez. **Practica** español **todos los días** con sus **compañeros** de clase, sus profesores y sus amigos de la universidad. Por la tarde, **escribe** sus **tareas** en la computadora, estudia en el **laboratorio** con uno de sus compañeros y **escucha** música o **mira** programas en español en la televisión.

PRÁCTICA

1-1

Escucha y confirma. Listen to the statements about Rosa and David, then answer **sí** or **no** based on what you have read.

1. **a.** sí   **b.** no
2. **a.** sí   **b.** no
3. **a.** sí   **b.** no
4. **a.** sí   **b.** no
5. **a.** sí   **b.** no
6. **a.** sí   **b.** no

1-2

¿Qué sabes de los estudiantes? Decide if the following information refers to Rosa (**R**) or David (**D**).

1. _____ Llega temprano a la universidad.
2. _____ Practica español en el laboratorio.
3. _____ Estudia geografía.
4. _____ Escucha música por la tarde.
5. _____ Su clase favorita es economía.
6. _____ Escribe tareas en la computadora.

1-3

Preguntas. Take turns asking and answering the following questions.

1. ¿Quién es Rosa Pereda?
2. ¿Qué estudia Rosa?
3. ¿Cuál es su clase favorita?
4. ¿Cómo se llama el amigo de Rosa?
5. ¿Dónde estudian los estudiantes?
6. ¿Quién practica español en el laboratorio?

1-4

¿Qué sabes de tu compañero/a? Use **¿Cuál es...?** to ask each other the following information.

 MODELO   E1: *¿Cuál es...?*
            E2: *Es...*

1. tu nombre completo
2. el nombre de tu universidad
3. tu clase más (*most*) difícil
4. tu clase más fácil
5. el nombre de tu profesor favorito/profesora favorita

1-5

Más información. To learn more about your partner, take turns asking him/her the following questions.

1. ¿De dónde eres?
2. ¿A qué hora llegas a la universidad?
3. ¿Dónde está la universidad?
4. ¿Cómo es la universidad?
5. ¿Cómo es tu profesor favorito/profesora favorita?

◆ La universidad

 Carlos y Carmen hablan de sus clases.

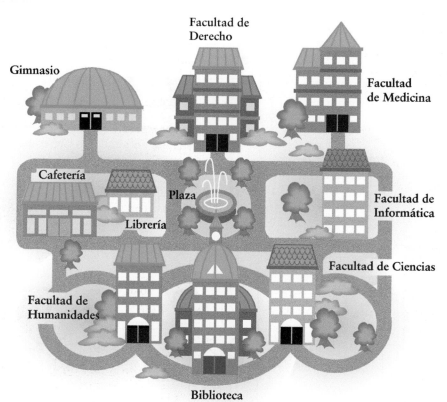

CARLOS: Hola, Carmen. ¿Cómo estás?

CARMEN: Hola, Carlos. **¿Cómo te va?**

CARLOS: Bueno… bastante bien, pero tengo problemas con mi clase de **informática.**

CARMEN: ¿Quién es tu profesor?

CARLOS: Se llama Pedro Hernández. Es inteligente y dedicado, pero la clase es **aburrida** y **saco malas notas.**

CARMEN: ¡Vaya! Lo siento. ¿Estudias suficiente?

CARLOS: Estudio mucho.

CARMEN: **¡Qué lástima!** Mis cinco clases son **excelentes.** Y tú, **¿cuántas clases tienes?**

CARLOS: **Tengo solo** cuatro.

CARMEN: ¡Uy! Son las once. Tengo un **examen** de economía **ahora.** Hasta luego.

CARLOS: Hasta pronto. **¡Buena suerte!**

Mapa de la universidad

Gimnasio

Facultad de Derecho

Facultad de Medicina

Cafetería

Plaza

Librería

Facultad de Informática

Facultad de Humanidades

Facultad de Ciencias

Biblioteca

PRÁCTICA

Cultura

The famous novel *Don Quijote de la Mancha*, by the Spanish novelist and playwright Miguel de Cervantes Saavedra (1547–1616), is one of the most important works of literature. It is a parody of the tales of chivalry. The main character is Alonso Quijano, an older man who has read so many of those tales that he believes himself to be a heroic knight. He dubs himself "Don Quijote de la Mancha" and sets off to fight injustice.

Conexiones. Name a famous literary character in your culture. In your opinion, who is the most famous writer in your language?

1-6

Para confirmar. Match the words with the appropriate class.

1. _____ *Don Quijote* (Cervantes)
2. _____ números
3. _____ mapa digital
4. _____ animales
5. _____ Freud
6. _____ Napoleón

a. geografía
b. biología
c. literatura
d. historia
e. matemáticas
f. psicología

1-7

¿Qué clases toman? Write the subjects next to the school where they are offered.

Historia medieval	Química I
Administración electrónica	Creación de páginas web
Fisiología II	Derecho romano
Biología	Anatomía humana
Filosofía clásica	Laboratorio de física
Literatura latinoamericana	Criminología

FACULTAD DE CIENCIAS	
FACULTAD DE HUMANIDADES	
FACULTAD DE DERECHO	
FACULTAD DE MEDICINA	
FACULTAD DE INFORMÁTICA	

1-8

¿En qué facultad estudian? PREPARACIÓN. Match the names of the university students pictured with the school where they study.

1. _____ Juan
2. _____ Carmen
3. _____ Lorena
4. _____ Álvaro

a. Facultad de Medicina
b. Facultad de Informática
c. Facultad de Humanidades
d. Facultad de Ciencias

 INTERCAMBIOS. Exchange information with a classmate and indicate two classes that each student is probably taking.

MODELO E1: *¿Dónde estudia Carmen?*

E2: *Carmen estudia en la Facultad de…*
Probablemente tiene clases de… y de…

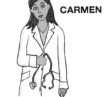

CARMEN

JUAN

LORENA

ÁLVARO

LITERATURA

Mis clases. PREPARACIÓN. Make a list of your classes. Indicate the days and time each class meets and whether it is easy or difficult, interesting or boring. A list of some common courses follows.

Algunas materias o asignaturas:

Artes plásticas	Contabilidad	Historia del arte
Astronomía	Economía	Informática
Bioquímica	Estadística	Negocios
Cálculo	Filosofía	Seminario de…
Comunicaciones	Física	Sociología

CLASE	DÍAS	HORA	¿CÓMO ES?

 INTERCAMBIOS. Tell your partner about your classes. Take turns completing the following ideas.

1. Mis clases comienzan (*start*) a la(s)…
2. Mi clase favorita es…
3. El profesor/La profesora se llama…
4. La clase es muy…
5. Practico español en…
6. En mi clase de español hay…

■ ■ ■ ■ ■

EN OTRAS PALABRAS

Words related to computers and computing are often borrowed from English (e.g., **software, e-mail**), and they vary from country to country. As you have already learned, one word for *computer* is **la computadora,** used mainly in Latin America, along with **el computador.** Computer is **el ordenador** in Spain. *Computer science* is **la informática** in Spain and **la computación** in some countries in Latin America.

Las clases de mis compañeros/as. PREPARACIÓN. Use the following questions to interview your partner. Then switch roles.

1. ¿Qué estudias este semestre?
2. ¿Cuántas clases tienes?
3. ¿Cuál es tu clase favorita?
4. ¿Qué día y a qué hora es tu clase favorita?
5. ¿Cómo es tu clase de español? ¿Es fácil o difícil? ¿Es interesante o aburrida?
6. ¿Sacas buenas notas?
7. ¿Tienes muchos exámenes?

 INTERCAMBIOS. Introduce your partner to another classmate and state one piece of interesting information about him/her. Your classmate will ask your partner about his/her classes.

MODELO E1: *Él es Pedro. Estudia ciencias políticas y tiene cuatro clases este semestre.*

E2: *Mucho gusto. ¿…?*

Las actividades de los estudiantes

 En la biblioteca

Unos **alumnos** estudian en la biblioteca. **Toman apuntes** y trabajan en sus tareas. A veces **buscan** palabras en el **diccionario.** Frecuentemente **conversan** sobre sus clases.

 Los fines de semana

Los estudiantes **toman algo** en un **café.**

Miran televisión en **casa.**

Bailan en una **discoteca** con amigos.

Ignacio **camina** en la **playa.**

Luciana **monta** en bicicleta.

 En la librería

ESTUDIANTE:	**Necesito comprar** un diccionario para mi clase de literatura española.
DEPENDIENTE:	**¿Grande** o **pequeño?**
ESTUDIANTE:	Grande, y completamente en español.
DEPENDIENTE:	**Este** diccionario es muy **bueno.**
ESTUDIANTE:	**¿Cuánto cuesta?**
DEPENDIENTE:	Cuarenta y ocho **euros.**

PRÁCTICA

1-11

Para confirmar. Complete the following sentences with the correct option to indicate what students do. Then ask your partner about his/her activities.

MODELO E1: *Los estudiantes buscan palabras en* el *diccionario. ¿Y tú?*

E2: *Yo, en Internet.*

1. Los estudiantes _____ en la biblioteca.
   a. toman café   c. hablan
   b. estudian

2. Miran televisión en _____.
   a. la biblioteca   c. casa
   b. la playa

3. Montan en bicicleta _____.
   a. los fines de semana   c. en una discoteca
   b. en el café

4. Practican deportes como el básquetbol en _____.
   a. el laboratorio   c. la Facultad de Artes
   b. el gimnasio

1-12

Otra conversación. PREPARACIÓN. Read the conversation between a student and a clerk. Then complete the sentences.

ESTUDIANTE: Necesito comprar un diccionario para mi clase de literatura española.

DEPENDIENTE: Aquí hay un diccionario muy bueno.

ESTUDIANTE: ¿Cuánto cuesta?

DEPENDIENTE: Cuarenta y ocho euros.

1. El estudiante necesita… _____.
2. Es un diccionario… _____.
3. Es para su clase de… _____.
4. El diccionario cuesta… _____.

INTERCAMBIOS. With a partner, change the conversation to role play a similar situation.

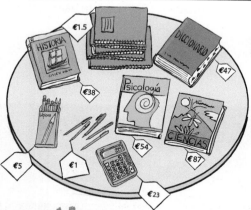

1-13

¿Cuánto cuesta? During your semester in Spain, you go to the university bookstore. Take turns with a partner asking how much the pictured items cost and responding as the salesclerk.

MODELO ESTUDIANTE: *¿Cuánto cuesta el diccionario?*

DEPENDIENTE/A: *Cuesta cuarenta y siete euros.*

Cultura

■ ■ ■ ■ ■

Since 2002, the euro has been the official monetary unit of the Eurozone, which includes France, Germany, Greece, Ireland, Italy, and Spain, among others. The euro currency sign is € and the banking code is EUR.

Comunidades. What are the advantages and disadvantages of several countries sharing the same currency?

Entrevista (Interview). Ask where and when your classmate does each of the following activities. Then share your findings with the class.

 MODELO practicar básquetbol

> E1: *¿Dónde practicas básquetbol?, ¿y cuándo?*
>
> E2: *Practico básquetbol en el gimnasio por la tarde.*

ACTIVIDAD	DÓNDE	CUÁNDO
1. estudiar para un examen difícil		
2. mirar televisión		
3. tomar café		
4. conversar con tus amigos		
5. escuchar música		
6. comprar unos libros para tus clases		

Las actividades de tus compañeros.

PREPARACIÓN. Go around the classroom and interview three people. Take notes to report back to the class.

1. ¿Qué haces (*do you do*) los fines de semana?

2. ¿Dónde miras tu programa de televisión favorito?

3. ¿Qué compras en la librería?

4. ¿Dónde estudias normalmente?

5. ¿Trabajas los fines de semana? ¿Dónde trabajas?

INTERCAMBIOS. Now share with the class two pieces of information you got from your classmates.

 MODELO *María estudia normalmente en casa. No trabaja los fines de semana.*

¿Qué hacen? (*What do they do?*)

PREPARACIÓN. You will hear three people talking about their activities during the week and on weekends. Before you listen, list your own activities in the chart. Ask your partner if he/she does the same things. What do you have in common?

MIS ACTIVIDADES DIARIAS (*DAILY*)	MIS ACTIVIDADES DEL FIN DE SEMANA

ESCUCHA. Now pay attention to the general idea of what is said in the conversation. Then write the number of the speaker (1, 2, 3) next to each topic.

_____ los estudios

_____ el tiempo libre (*free time*)

_____ el trabajo

¿Cómo es tu universidad? ¿Tiene un campus grande? ¿Hay residencias para los estudiantes? Hay muchas diferencias entre la vida de los estudiantes universitarios en los países hispanos y en Estados Unidos. Normalmente, las universidades de España y Latinoamérica no tienen un campus sino que (*but rather*) tienen diferentes edificios o facultades en la ciudad.

▲ **Universidad de Oviedo, España**

▲ **Universidad de Viña del Mar, Chile**

Las residencias de estudiantes no son comunes en el mundo hispano. Muchas veces, los jóvenes viven en la casa de sus padres o alquilan (*rent*) una habitación en casa de una familia cerca de la universidad. Otros jóvenes buscan apartamentos con otros estudiantes.

Otra diferencia importante son las actividades extracurriculares como los deportes y las organizaciones estudiantiles. La universidad hispana no tiene fraternidades. En general, la vida deportiva no es tan importante como en las universidades de Estados Unidos. Los estudiantes practican los deportes en su tiempo libre.

Por supuesto (*of course*), existen diferencias entre las universidades según el país. Por ejemplo, en las universidades latinoamericanas, las relaciones con los profesores son más formales que en Estados Unidos. Sin embargo (*Nevertheless*), en España las relaciones son mucho más informales. Los estudiantes usan el "tú" cuando hablan con los profesores y usan el nombre de los profesores, ¡no el apellido!

Compara

1. ¿Qué aspectos son similares entre tu universidad y las universidades del mundo hispano?

2. ¿Qué aspectos son diferentes?

3. ¿Qué actividades extracurriculares hay para los estudiantes en tu universidad?

▼ **Universidad de Guanajuato, México**

☑ Funciones y formas

1 Talking about academic life and daily occurrences

REPORTERO: Hola, buenos días, soy Pablo Brito del canal 6. ¿Su nombre, por favor?

SARA: Yo soy Sara González y ella es Marta Figueroa.

REPORTERO: ¿Tienen ustedes una vida muy activa?

MARTA: Sí, nosotras somos (*are*) atletas. **Practicamos** muchos deportes (*sports*). Sara **participa** en maratones y **practica** tenis. Yo **practico** fútbol y baloncesto.

SARA: Y los fines de semana **montamos** en bicicleta.

REPORTERO: ¡Qué interesante! Muchas gracias.

Piénsalo. Indicate which statements are true (**Cierto**) or false (**Falso**), based on the reporter's interview with Sara and Marta.

1. _____ Pablo es un reportero de radio.

2. _____ Marta y Sara **practican** muchos deportes.

3. _____ Marta **participa** en maratones.

4. _____ Marta **practica** fútbol.

5. _____ Sara **practica** baloncesto.

6. _____ Sara y Marta **montan** en bicicleta.

Present tense of regular -*ar* verbs

To talk about actions, feelings, and states of being, you need to use verbs. In both English and Spanish, the infinitive is the base form of the verb that appears in vocabulary lists and dictionaries. In English, infinitives are preceded by *to: to speak*. Infinitives in Spanish belong to one of three groups, depending on whether they end in **-ar, -er,** or **-ir.** Verbs ending in **-ar** are presented here, and verbs ending in **-er** and **-ir** are presented in the next section.

HABLAR (*to speak*)			
yo	habl**o**	nosotros/as	habl**amos**
tú	habl**as**	vosotros/as	habl**áis**
él, ella, Ud.	habl**a**	ellos, ellas, Uds.	habl**an**

■ Use the present tense to express what you and others generally or habitually do or do not do. You may also use the present tense to express an ongoing action. Context will tell you which meaning is intended.

Ana **trabaja** en la oficina.   *Ana works in the office.*
Ana is working in the office.

Luis **practica** el piano todos los días.   *Luis practices the piano every day.*

- Here are some expressions you may find useful when talking about the frequency of actions.

siempre	always	muchas veces	often
todos los días/meses	every day/ month	a veces	sometimes
todas las semanas	every week	nunca	never

- Here are some common **-ar** verbs and expressions.

bailar	to dance	mirar	to look (at)
buscar	to look for	montar (en bicicleta)	to ride (a bicycle)
caminar	to walk	necesitar	to need
comprar	to buy	participar	to participate
conversar	to talk	practicar	to practice
escuchar	to listen (to)	sacar buenas/ malas notas	to get good/ bad grades
estudiar	to study	tomar apuntes/ notas	to take notes
llegar	to arrive	trabajar	to work

PRÁCTICA

1-17

Preferencias. PREPARACIÓN. Rank these activities from 1 to 9, according to your preferences (1 = most interesting, 9 = least interesting).

_____ bailar en una discoteca

_____ mirar televisión en casa

_____ estudiar otras culturas

_____ comprar DVD y CD

_____ caminar en la playa

_____ montar en bicicleta cuando hace sol

_____ escuchar música rock

_____ conversar con los amigos por mensajes de texto

_____ bajar (download) música de Internet

INTERCAMBIOS. Now compare your answers with those of a classmate. Follow the model.

 MODELO E1: _Para mí, bailar en una discoteca es la actividad número 1. ¿Y para ti?_

E2: _Para mí, caminar en la playa es número 1._

1-18

Mi rutina. PREPARACIÓN. Indicate (✓) the activities that are part of your routine at school.

1. _____ Llego a la universidad a las nueve de la mañana.

2. _____ Llamo a mis amigos por teléfono.

3. _____ Nunca tomo notas en las clases.

4. _____ Hablo con mis compañeros en Facebook.

5. _____ Estudio en la biblioteca por la mañana.

6. _____ Trabajo en mis tareas todas las noches.

7. _____ Miro dramas policiacos en la televisión.

8. _____ A veces practico un deporte con mis amigos/as.

INTERCAMBIOS. Now compare your answers with those of a classmate. Report your findings to the class.

 MODELO _Daniel y yo somos parecidos_ (similar). _Miramos dramas policiacos en la televisión._

Ben y yo somos diferentes. Yo estudio por la mañana; él estudia por la tarde.

1-19

A preguntar. PREPARACIÓN. Find four different classmates, each of whom does one of the following activities. Write each name on the appropriate line. The *En directo* expressions will help you.

 MODELO mirar televisión por la tarde

E1: *¡Oye! ¿Miras televisión por la tarde?*

E2: *No, no miro televisión por la tarde. Miro televisión por la noche.*

INTERCAMBIOS. Now report to the class your findings about your classmates' activities.

PERSONA	ACTIVIDAD
_____	estudiar español todos los días
_____	llegar a clase a las 9:30 de la mañana
_____	escuchar música en español
_____	trabajar en una oficina por la tarde

En directo ▪ ▪ ▪ ▪ ▪

To get someone's attention:

¡Oye! *Hey! (to someone your age or younger)*

Oiga, por favor. *Excuse me. (to someone older than you or someone you do not know)*

To interrupt to ask a question:

Perdón, tengo una pregunta. *Sorry, I have a question.*

To agree to answer:

Con mucho gusto. *It would be a pleasure.*

 Listen to a conversation with these expressions.

1-20

Mis actividades. PREPARACIÓN. Indicate (✓) how often you do the following activities:

ACTIVIDADES	A VECES	MUCHAS VECES	SIEMPRE	NUNCA
estudiar con amigos				
usar Internet para hacer investigación				
montar en bicicleta los fines de semana				
mirar videos en YouTube				
bailar los sábados				
tomar café				

 INTERCAMBIOS. Now tell each other how often you do these activities, and then ask your partner where he/she does them.

 MODELO E1: *Yo estudio con mis amigos a veces. ¿Y tú?*

E2: *Yo siempre estudio con mis amigos.*

E1: *¿Dónde estudian ustedes?*

E2: *Estudiamos en la biblioteca.*

Cultura

■ ■ ■ ■ ■

A popular social activity in Spain is **ir de tapas** (to go out for *tapas*). **Tapas** are small portions of different dishes that are served in most bars with wine or beer. They range from a piece of bread with an anchovy to elaborate appetizers. People usually walk from bar to bar tasting different tapas.

Comparaciones. Do you know of other cultures in which small portions are shared among friends or family in restaurants or bars?

1-21

Un día típico en la vida de Luisa. Take turns describing what Luisa does on a typical day. Then select two of the times to tell your partner what you do at those times.

 Luisa llega a la oficina a las nueve menos diez.

1.

2.

3.

4.

Situación

PREPARACIÓN. Read the following situation with your partner. Then brainstorm the vocabulary, structures, and other information you will need for both roles in the conversation.

Role A. Besides studying, your new friend works. Ask:

a. where he/she works;
b. the days of the week and the hours he/she works; and
c. if the job (**trabajo**) is interesting/boring/difficult/easy. Then answer your friend's questions about your job.

Role B. Answer your friend's questions about your job. Then ask similar questions about his/her job (**trabajo**).

	ROLE A	ROLE B
Vocabulario	Routine work activities Places Days of the week and time Adjectives to describe one's work Question words	Routine work activities Places Days of the week and time Adjectives to describe one's work Question words
Funciones y formas	Asking and answering questions Giving an opinion Present tense of *ser* Present tense	Asking and answering questions Giving an opinion Present tense of *ser* Present tense

INTERCAMBIOS. Using the information in *Preparación*, act out the conversation with your partner.

2 Talking about academic life and daily occurrences

REPORTERO: Hola, buenas tardes. Estoy entrevistando a jóvenes estudiantes. ¿Qué hacen ustedes durante el día?

PEDRO: Antonio estudia ciencias en la universidad. **Asiste** a sus clases y luego **corre** al laboratorio, donde trabaja todos los días. Habla con el profesor y **aprende** (*learns*) mucho. Los estudiantes de ciencias **leen** mucho, **escriben** trabajos de investigación y sacan buenas notas. Yo soy un estudiante de arquitectura, y mis compañeros y yo **leemos** y **escribimos** mucho también. Yo casi (*almost*) **vivo** (*live*) en la biblioteca cuando estudio para los exámenes.

Pedro

Piénsalo. Indicate which statements are true (**Cierto**) or false (**Falso**), based on the reporter's interview with Pedro.

1. _____ Antonio estudia arquitectura.

2. _____ Antonio trabaja en el laboratorio y **aprende** mucho.

3. _____ Los estudiantes **leen** y **escriben** mucho.

4. _____ Antonio no **asiste** (*attends*) a sus clases porque trabaja mucho.

5. _____ Los estudiantes de ciencias sacan buenas notas.

6. _____ Pedro estudia arquitectura.

7. _____ Pedro casi **vive** en el laboratorio.

Present tense of regular -*er* and -*ir* verbs

■ You have learned in this chapter that the present tense is used to express activities and ongoing actions. You have also learned the present tense forms for verbs whose infinitives end in -**ar.** Now you will learn those forms for verbs whose infinitives end in -**er** and -**ir.**

APRENDER (*to learn*)			
yo	aprend**o**	nosotros/as	aprend**emos**
tú	aprend**es**	vosotros/as	aprend**éis**
él, ella, Ud.	aprend**e**	ellos, ellas, Uds.	aprend**en**

■ Note that -**er** and -**ir** verbs have the same endings, except for the **nosotros/as** and **vosotros/as** forms.

VIVIR (*to live*)			
yo	viv**o**	nosotros/as	viv**imos**
tú	viv**es**	vosotros/as	viv**ís**
él, ella, Ud.	viv**e**	ellos, ellas, Uds.	viv**en**

- Other common **-er** and **-ir** verbs are:

comer	to eat	**responder**	to respond
comprender	to understand	**asistir**	to attend
correr	to run	**escribir**	to write
leer	to read		

- The verb **ver** has an irregular **yo** form:

VER (*to see*)			
yo	v**eo**	nosotros/as	v**emos**
tú	v**es**	vosotros/as	v**eis**
él, ella, Ud.	v**e**	ellos, ellas, Uds.	v**en**

Veo películas los fines de semana.   *I see movies on weekends.*

- Use **deber** + *infinitive* to express that you should/must/ought to do something.

Los atletas **deben beber** mucha agua.

Athletes should drink a lot of water.

e **¿COMPRENDES?**

Provide the forms of **comer** and **escribir** to complete the following ideas.

1. Los estudiantes _____ con sus amigos en un restaurante en el campus todos los días.
2. Yo _____ en casa porque cuesta dinero comer en los restaurantes.
3. Y tú, ¿ _____ tu almuerzo (*lunch*) en casa o en la cafetería de la universidad?
4. La profesora _____ los exámenes en su computadora portátil.
5. Mis amigos y yo _____ la tarea de español en la computadora.

MySpanishLab

Learn more using Amplifire Dynamic Study Modules, Grammar Tutorials, and Extra Practice activities.

PRÁCTICA

1-22

Mi profesor/a modelo. PREPARACIÓN. Indicate (✓) which of the following activities are part of the routine of an ideal instructor inside and outside the classroom.

INTERCAMBIOS. Compare your answers with those of a classmate. Together write two more activities typical of an ideal instructor.

	SÍ	NO
1. Lee el periódico (*newspaper*) en clase.	_____	_____
2. Escucha los problemas de los estudiantes.	_____	_____
3. Bebe café y come en la clase.	_____	_____
4. Escribe buenos ejemplos en la pizarra.	_____	_____
5. Nunca prepara sus clases.	_____	_____
6. Siempre asiste a clase.	_____	_____
7. Responde a las preguntas de los estudiantes.	_____	_____
8. Habla con los estudiantes en su oficina.	_____	_____

1-23

Para pasarlo bien (*To have a good time*).

PREPARACIÓN. Indicate (✓) which of the following activities you do to have a good time.

1. _____ Leo libros en español todas las semanas.

2. _____ Escribo mensajes de texto.

3. _____ Practico deportes con los amigos.

4. _____ Asisto a clase a las ocho de la mañana.

5. _____ Corro en el gimnasio y en el parque.

6. _____ Veo películas y programas de televisión en casa.

7. _____ Charlo con mis amigos y con mi familia por Skype.

8. _____ Bebo solo Coca-Cola en las fiestas.

 INTERCAMBIOS. Compare your answers with those of a classmate. Then exchange information with another pair about the activities you all do to have a good time. Use the expressions in *En directo*.

 MODELO E1: *Nosotros bailamos en discotecas para pasarlo bien. ¿Y ustedes?*

E2: *Bebemos café y conversamos con los amigos.*

1-24

Lugares y actividades. Ask what your classmate does in the following places. He/She will respond with one of the activities listed. Then ask what your classmate does not do in those places.

 MODELO en la clase

E1: *¿Qué haces en la clase?*

E2: *Veo películas en español.*

E1: *¿Qué no haces en la clase?*

E2: *No leo mensajes de texto.*

LUGARES	ACTIVIDADES
en la playa	beber cerveza
en un café	caminar
en una discoteca	bailar salsa
en una fiesta	mirar televisión
en el cine	leer el periódico (*newspaper*)
en la casa	ver películas de horror
en un restaurante	escribir mensajes de texto
en la biblioteca	comer un sándwich y tomar un café

1-25

A preguntar. PREPARACIÓN. Find four different classmates, each of whom does one of the following activities. Write each name on the appropriate line.

 MODELO ver videos en la computadora

E1: *¿Ves videos en la computadora?*

E2: *Sí, veo videos en la computadora.*

PERSONA	ACTIVIDAD
_____	asistir a conciertos de música rock
_____	beber café todos los días
_____	vivir en casa con tu familia
_____	escribir mensajes de texto por la noche

INTERCAMBIOS. Now report to the class your findings about your classmates' activities.

1-26

¿Qué deben hacer? Take turns giving advice to the people in the following situations. Then create your own situation and your partner will give you advice.

MODELO Maricela desea sacar buenas notas.
Debe estudiar todos los días.

1. Carlos desea aprender sobre cine español.
2. Luisa y Jorge beben muchos refrescos.
3. Los estudiantes desean comer tapas.
4. Óscar desea aprender a bailar.
5. Carolina desea preparar tacos y enchiladas.
6. …

Situación

PREPARACIÓN. Read the following situation with your partner. Then brainstorm the vocabulary, structures, and other information you will need for both roles in the conversation.

Role A. You see a classmate at a coffee shop with a laptop and books spread out on the table. Ask if he/she:

a. drinks coffee in the coffee shop every day;
b. how often (**con qué frecuencia**) he/she studies there; and
c. whether he/she reads the newspapers (**los periódicos**) there.

Role B. You are sitting at a table with your laptop and books at your favorite coffee shop. A classmate walks over, greets you, and starts a conversation. Answer your classmate's questions about what you usually do there.

	ROLE A	ROLE B
Vocabulario	Greetings After class activities Question words	Greetings After class activities
Funciones y formas	Asking questions Present tense Addressing someone your age	Answering questions Present tense Addressing someone your age

INTERCAMBIOS. Using the information in *Preparación*, act out the conversation with your partner.

3 Specifying gender and number

MANUEL: Hola, Rocío. Tengo **un** plan.
¿Estudiamos español en **la** universidad
esta tarde? Necesitamos **un** diccionario
para **la** tarea.

ROCÍO: ¡Buena idea! ¿En **la** biblioteca? **El** profesor
de español es bueno, pero es **una** clase
difícil. ¿Invitamos a Marcos?

MANUEL: Fenomenal. Usamos **la** pizarra
y **el** escritorio **del** salón 12 de **la**
biblioteca.

Manuel

Rocío

 Piénsalo. Match the words with the correct article. Use the conversation and the endings of the
nouns as clues.

1. _____ clase   **a.** el

2. _____ diccionario de español   **b.** la

3. _____ pizarra   **c.** un

4. _____ escritorio   **d.** una

5. _____ universidad

Articles and nouns

Gender

■ Nouns are words that name a person, place, or thing. In English all nouns use the same definite article, *the*,
and all singular nouns use the indefinite articles *a* and *an*. Spanish nouns, whether they refer to people or
to things, have either masculine or feminine gender. Masculine singular nouns use **el** or **un** and feminine
singular nouns use **la** or **una.**

■ The terms *masculine* and *feminine* are used in a grammatical sense and have nothing to do with biological
gender.

	Masculine	Feminine	
Singular Definite Articles	**el**	**la**	*the*
Singular Indefinite Articles	**un**	**una**	*a/an*

■ Generally, nouns that end in **-o** are masculine and require **el** or **un,** and those that end in **-a** are feminine
and require **la** or **una.**

    el/un libr**o**   **el/un** cuadern**o**   **el/un** diccionari**o**

    la/una mes**a**   **la/una** sill**a**   **la/una** ventan**a**

■ Nouns that end in **-dad, -ción, -sión** are feminine and require **la** or **una.**

    la/una universi**dad**   **la/una** lec**ción**   **la/una** televi**sión**

- Nouns that end in **-ma** are generally masculine.

  el/un progra**ma**   **el/un** proble**ma**

  el/un dra**ma**   **el/un** poe**ma**

- In general, nouns that refer to males are masculine, and nouns that refer to females are feminine. Masculine nouns ending in **-o** change the **-o** to **-a** for the feminine; those ending in a consonant add **-a** for the feminine.

  el/un amig**o**   **la/una** amig**a**

  el/un profeso**r**   **la/una** profesor**a**

- Nouns ending in **-ante** and **-ente** may be feminine or masculine. Gender is signaled by the article (**el/la estudiante**).

- Use definite articles with titles when you are talking about someone. Do not use definite articles when addressing someone directly.

  La señorita Andrade es **la** secretaria en el Departamento de Lenguas Europeas. **El** profesor Campos es **el** director del departamento.   *Ms. Andrade is the secretary in the Department of European Languages. Professor Campos is the chair of the department.*

  Todos los días, **el** profesor Campos dice "Buenos días, señorita Andrade".   *Every day, Professor Campos says "Good morning, Ms. Andrade."*

  Ella contesta: "Buenos días, profesor Campos".   *She responds, "Good morning, Professor Campos."*

Number

	Masculine	Feminine	
Plural Definite Articles	**los**	**las**	*the*
Plural Indefinite Articles	**unos**	**unas**	*some*

- Add **-s** to form the plural of nouns that end in a vowel. Add **-es** to nouns ending in a consonant.

  la sill**a** → las silla**s**   el cuadern**o** → los cuaderno**s**

  la actividad**d** → las actividad**es**   el seño**r** → los señor**es**

- Nouns that end in **-z** change the **z** to **c** before **-es.**

  el lápi**z** → los lápi**ces**

- To refer to a mixed group, use masculine plural forms.

  los chic**os**   *the boys and girls*

|e   **¿COMPRENDES?**

Provide the correct definite article and indefinite article as indicated for the following nouns.

Definite articles: **el, la, los, las**   Indefinite articles: **un, una, unos, unas**

1. _____ compañera   6. _____ mesa
2. _____ escritorio   7. _____ señor
3. _____ clases   8. _____ universidades
4. _____ profesores   9. _____ relojes
5. _____ mochila   10. _____ mapa

MySpanishLab

Learn more using Amplifire Dynamic Study Modules, Grammar Tutorials, and Extra Practice activities.

PRÁCTICA

Conversaciones incompletas. PREPARACIÓN. Complete the conversations. Then, compare answers with a classmate.

1. Supply the definite articles (**el, la, los, las**).

En la universidad

E1: ¿Dónde está María?

E2: Está en _____ clase de _____ profesora Sánchez.

E1: ¡Qué lástima! Necesito hablar con ella. Es urgente. ¿A qué hora llega?

E2: Llega a _____ dos, más o menos.

2. Supply the indefinite articles (**un, una, unos, unas**).

En la librería

E1: Necesito comprar _____ lápices.

E2: Y yo necesito _____ cuaderno. ¿Qué más compro?

E1: Para el curso de español, _____ profesores usan _____ diccionario electrónico.

INTERCAMBIOS. With a partner, select one of the conversations to create and act out a similar situation.

¿Qué necesitan? Take turns saying what these classmates need. Then tell your partner what you should do and he/she will tell you what you need.

 E1: *Alicia debe buscar unas palabras.*

E2: *Necesita un diccionario.*

1. Mónica debe tomar apuntes en la clase de historia.

2. Carlos y Ana deben hacer la tarea de matemáticas.

3. Alfredo debe estudiar para el examen de geografía.

4. Isabel debe escribir una composición para su clase de inglés.

5. Blanca y Lucía deben buscar las capitales de Sudamérica.

6. David debe marcar las partes importantes del libro de texto.

7. Yo debo…

Situación

PREPARACIÓN. Read the following situation with your partner. Then brainstorm the vocabulary, structures, and other information you will need for both roles in the conversation.

Role A. You have missed the first day of class. Ask a classmate:
a. what time the class meets;
b. who the professor is; and
c. what you need for the class.

Role B. Tell your classmate:
a. the time the class meets;
b. the name of the professor and what he/she is like; and
c. at least three items that your classmate needs for the class.

	ROLE A	ROLE B
Vocabulario	Time Question words	Time Class materials Words to describe a person
Funciones y formas	Asking questions Thanking someone Getting the attention of an acquaintance	Answering questions Telling the time Describing someone Definite and indefinite articles Reacting to what someone says

INTERCAMBIOS. Using the information in *Preparación,* act out the conversation with your partner.

4 Expressing location and states of being

ELISA: ¿Humberto? Te habla Elisa.

HUMBERTO: ¡Elisa! ¡Qué sorpresa! ¿Dónde **estás?**

ELISA: **Estoy** en el aeropuerto de Barajas, en Madrid. ¿Y tú?

HUMBERTO: Mi padre y yo **estamos** de vacaciones en Nueva York. En este momento, mi padre **está** en la tienda Best Buy. ¿Y cómo **están** todos en tu familia?

ELISA: Todos **estamos** muy bien. ¡Qué bueno escucharte! Lo siento, Humberto, pero el vuelo (*flight*) sale (*leaves*) pronto. Hablamos más mañana. Adiós.

Piénsalo. Indicate whether each statement is true (**Cierto**) or false (**Falso**), based on the conversation.

1. _____ Humberto **está** en el aeropuerto.

2. _____ Elisa **está** de vacaciones en Nueva York.

3. _____ Humberto **está** en una ciudad grande con una persona de su familia.

4. _____ La tienda Best Buy de esta conversación **está** en Madrid.

5. _____ Elisa y Humberto **están** contentos de hablar por teléfono.

Present tense of *estar*

- You have already been using some forms of **estar.** Here are all the present tense forms of this verb.

ESTAR (*to be*)			
yo	**estoy**	nosotros/as	**estamos**
tú	**estás**	vosotros/as	**estáis**
Ud., él, ella	**está**	Uds., ellos, ellas	**están**

- Use **estar** to express the location of persons or objects.

  ¿Dónde **está** Humberto? — *Where is Humberto?*

  Está en Nueva York. — *He is in New York.*

- Use **estar** to talk about states of health or being.

  ¿Cómo **está** la familia de Elisa? — *How is Elisa's family?*

  Está muy bien. — *They are very well.*

PRÁCTICA

1-29

En la cafetería. Complete the conversation between Roberto and Carlos, using the correct forms of **estar.** Then indicate in parentheses if **estar** signals location (**L**) or a state of being (**S**). Compare answers with a classmate and create a similar conversation.

ROBERTO: Hola, Carlos. ¿Qué tal? ¿Cómo _____?

CARLOS: _____ muy bien. ¿Y tú?

ROBERTO: Muy bien, muy bien. ¿Y cómo _____ tu hermana (*sister*) Ana?

CARLOS: Bien, gracias. Ella y mamá _____ en España ahora.

ROBERTO: ¡Qué suerte! Y nosotros _____ en la universidad, ¡y en la semana de exámenes!

1-30

Horas y lugares favoritos. PREPARACIÓN. Choose two different times of day and ask your partner where he/she usually is at that time.

 MODELO E1: *¿Dónde estás generalmente a las 10:00 de la mañana?*

E2: *Estoy en…*

E1: *¿Y dónde estás a la 1:00 de la tarde?*

INTERCAMBIOS. Compare your responses with those of your partner. Identify the similarities and/or differences in your schedules.

1-31

Conversación. Ask a classmate where any of the people in these drawings are and what they are doing. Then draw where you would like to be and your partner will say where you are and what you do there.

 MODELO María Luisa

E1: *¿Dónde está María Luisa?*

E2: *Está en la biblioteca.*

E1: *¿Qué hace?*

E2: *Estudia.*

María Luisa

Berta   Lorena

Marcelo

Eduardo

Carlos   El Dr. Núñez

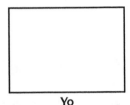

Yo

Situación

PREPARACIÓN. Read the following situation with your partner. Then brainstorm the vocabulary, structures, and other information you will need for both roles in the conversation.

Role A. You are a new student at the university, and you do not know where some of these buildings are located. Introduce yourself to a classmate and ask where the following buildings are:

a. la biblioteca   c. la Facultad de Ciencias
b. la cafetería   d. la Facultad de Humanidades

Role B. You meet a new student on campus. Answer his/her questions about the location of certain buildings.

	ROLE A	ROLE B
Vocabulario	Places on campus Question words	Places on campus Words to express location
Funciones y formas	Introducing oneself Using *estar* to talk about location	Reacting to what you hear Answering questions Giving information about location

INTERCAMBIOS. Using the information in *Preparación,* act out the conversation with your partner.

5 Asking and answering questions

Andrea Pérez conversa con su consejera (*advisor*) en la Universidad de Salamanca. La consejera debe rellenar (*fill out*) algunos formularios con información sobre Andrea. Aquí están algunas de las preguntas de la consejera, y en la columna de la derecha, las respuestas de Andrea.

Consejera	Andrea
¿**Cómo** se llama tu residencia estudiantil?	Se llama Residencia Oviedo.
¿**Dónde** está?	Está en la calle San Narciso.
¿**Cuándo** son tus clases?	Por la mañana y por la tarde.
¿**Cuánto** cuesta tu pase de autobús al mes?	Aproximadamente 35 euros.
¿**Quién** es tu compañera de cuarto?	Cristina Zapatero.
¿**Por qué** deseas (*want to*) estudiar psicología?	Para ayudar (*help*) a otras personas.

Piénsalo. Match Andrea's responses with other questions her advisor asked her.

1. _____ Es el profesor Agustín Reyes Torres.

2. _____ Se llama Cristina Zapatero.

3. _____ En la Residencia Oviedo.

4. _____ 400 euros al mes.

5. _____ Por la tarde.

a. ¿**Dónde** vives?

b. ¿**Cuándo** es tu clase de psicología?

c. ¿**Quién** es tu profesor favorito?

d. ¿**Cómo** se llama tu compañera de cuarto?

e. ¿**Cuánto** cuesta vivir en la residencia?

Interrogative words

■ Interrogative words are used to ask questions or to obtain specific information. You have already been using many of these words.

¿**cómo?**	*how/what?*	¿**cuál(es)?**	*which?*
¿**qué?**	*what?*	¿**quién(es)?**	*who?*
¿**cuándo?**	*when?*	¿**cuánto/a?**	*how much?*
¿**por qué?**	*why?*	¿**cuántos/as?**	*how many?*
¿**dónde?**	*where?*	¿**para qué?**	*why?/what for?*

■ If a subject is used in a question, it normally follows the verb.

¿Dónde trabaja **Elsa?**   *Where does Elsa work?*

- Use **por qué** to ask *why* and **porque** to answer *because*.

¿**Por qué** está Pepe en la biblioteca?	*Why is Pepe at the library?*
Porque necesita estudiar.	*Because he needs to study.*

- Use **qué + ser** when you want to ask for a definition or an explanation.

¿**Qué es** la sardana?	*What is the sardana?*
Es un baile típico de Cataluña.	*It is a typical dance of Catalonia.*

- Use **cuál(es) + ser** when you want to ask which one(s).

¿**Cuál es** tu mochila?	*Which (one) is your backpack?*
¿**Cuáles son** tus papeles?	*Which (ones) are your papers?*

- Questions that may be answered with **sí** or **no** do not use a question word.

¿Trabajan ustedes los sábados?	*Do you work on Saturdays?*
No, no trabajamos.	*No, we do not.*

- Another way to ask a question is to place an interrogative tag after a statement.

Tú hablas inglés, ¿**verdad?**	*You speak English, don't you?*
David es norteamericano, ¿**no?**	*David is American, isn't he?*

|e ¿COMPRENDES?

Complete the following questions with the appropriate interrogative word.

1. ¿ _____ te llamas?
2. ¿ _____ es tu clase favorita?
3. ¿ _____ es la clase, por la mañana o por la tarde?
4. ¿ _____ personas viven en la residencia?
5. ¿ _____ estudias en esta (*this*) universidad?

MySpanishLab

Learn more using Amplifire Dynamic Study Modules, Grammar Tutorials, and Extra Practice activities.

PRÁCTICA

1-32

Preguntas. First look at the cues after each question and then complete each question with **quién, cuándo, cuántos/as, cuál,** or **por qué** as logical. Use your questions to interview two people as you walk around the room.

1. ¿ _____ clases tomas? Tomo…
2. ¿ _____ son tus clases? Por la…
3. ¿ _____ es tu clase favorita? La clase de…
4. ¿ _____ es tu profesor/a favorito/a? El profesor/La profesora…
5. ¿ _____ estudias español? Porque…
6. ¿ _____ estudiantes hay en tu clase de español? Hay…

Entrevista. Take turns asking each other questions to find out the following information. Use appropriate phrases to express disbelief, interest, etc.

MODELO razón para estudiar español

¿Por qué estudias español?

1. número de clases que toma este semestre
2. tu clase favorita y razón (por qué)
3. número de alumnos en la clase favorita
4. nombre del profesor favorito/de la profesora favorita
5. lugar donde estudia generalmente y cuántas horas estudia por (*per*) día
6. lugar donde trabaja

Situación

PREPARACIÓN. Read the following situation with your partner. Then prepare examples of the vocabulary, structures, and other information you will need for your role in the conversation.

Role A. It is the beginning of the term, and you need to add a history class. One of your friends is in a class that looks promising. Ask:

a. who the professor is;
b. where the class is;
c. if there is a lot of homework;
d. when the class meets; and
e. how many exams the class has.

Role B. Your friend wants some information about your history class. Reply as specifically as possible to all of his/her questions. Then offer some additional information about the class.

	ROLE A	ROLE B
Vocabulario	Expressions related to school and people at school	Expressions related to school and people at school
	Question words	
Funciones y formas	Asking questions with appropriate interrogative words	Answering questions with appropriate information
	Thanking someone for information provided	Reacting to what you hear

INTERCAMBIOS. Using the information in *Preparación,* act out the conversation with your partner.

EN ACCIÓN ▶
Saludos

1-34 Antes de ver

Los buenos estudiantes. In this video segment, you will be introduced to five college students. Mark (✓) the activities that you associate with a responsible college student.

1. _____ Asiste a clase todos los días.
2. _____ Llega tarde a sus clases.
3. _____ Habla con sus profesores.
4. _____ Usa su teléfono en clase.
5. _____ Levanta la mano y participa.
6. _____ Saca buenas notas.
7. _____ Escucha música en clase.
8. _____ Estudia para los exámenes.

1-35 Mientras ves

Un curso de verano. As you watch the video, indicate whether the following statements refer to Esteban (**E**), Yolanda (**Y**), Federico (**F**), or Vanesa (**V**).

1. _____ Es de Costa Rica.
2. _____ Es de Buenos Aires.
3. _____ Es de México.
4. _____ Es de España.
5. _____ Estudia arte.
6. _____ Baila y escucha música.
7. _____ Hace *surf*.

1-36 Después de ver

¿De qué hablan? PREPARACIÓN. Mark (✓) the topics that the students discuss in this video segment.

1. _____ la competición por la beca (*scholarship*)
2. _____ los países (*countries*) de origen
3. _____ el profesor de cine
4. _____ los estudios
5. _____ las familias
6. _____ las universidades

 INTERCAMBIOS. Take turns describing the two university campuses shown in the video, la UNAM and la Universidad VERITAS. In what ways are they similar or different from your campus?

Mosaicos

ESCUCHA

1-37

Preparación. You will hear two college students talking about their classes. Before you listen, think about the topics they may talk about and make a list of the things you may expect to hear, based on your experience as a student. Present your ideas to the class.

ESTRATEGIA

Listen for the gist

You can get the gist of what others are saying by relying on what you do understand, your knowledge of the topic, and your expectations of what happens in different types of conversations. You will find these techniques helpful when listening to Spanish.

1-38

Escucha. Listen to the conversation between Ana and Mario and indicate whether each statement is true (**Cierto**) or false (**Falso**).

1. _____ Mario y Ana estudian en la misma (*same*) universidad este semestre.
2. _____ Mario toma clases de ciencias y humanidades.
3. _____ Ana lee en la biblioteca para sus clases.
4. _____ Mario realmente visita otros países en una de sus clases.
5. _____ Ana toma clases por la tarde.

Comprueba

I was able to …

_____ recognize the names of academic subjects.

_____ recognize places at the university.

_____ identify actions that refer to students' routines.

1-39

Un paso más. Ask your classmate what he/she usually does on the following days and times. Then switch roles. Talk to the class about the activities that you and your classmate do during the week. Explain if you do activities at similar or different times.

LUNES	MARTES	MIÉRCOLES	JUEVES	VIERNES
8:00 DE LA MAÑANA	3:00 DE LA TARDE	5:00 DE LA TARDE	9:00 DE LA TARDE	1:00 DE LA TARDE

 MODELO E1: *¿Qué clases tienes los lunes a las 8:00?*

E2: *Los lunes a las 8:00 estudio en la biblioteca.*

HABLA

1-40

Preparación. Write the questions answered by the clerk at your campus bookstore.

1. _____ La dirección de la librería es Calle Mayor, número 50.

2. _____ Sí, tengo libros de historia de España en español.

3. _____ Sí, tengo diccionarios en español.

4. _____ El diccionario bilingüe cuesta 40 euros.

1-41

Habla. Read the ad and make a list of five items you need for your classes that you may be able to buy in this bookstore. Then take turns playing the following roles with your partner.

Role A. Call the bookstore and ask if they have those items, and how much they cost.

Role B. You are the bookstore clerk. Answer your client's questions. Ask for details.

En directo

To answer the phone in Spain:
¿Diga?/¿Sí?

To greet someone formally:
Buenos días./Buenas tardes.

To ask if he/she has what you need:
Necesito/Busco un/una…/
¿Tiene(n)…?

 Listen to a conversation with these expressions.

Comprueba

In my conversation …

_____ I used question words appropriately.

_____ I gave relevant information when answering.

_____ I incorporated chapter vocabulary.

_____ I used verbs accurately.

LIBRERÍA CERVANTES

Papelería • Fotocopias • Accesorios de informática

Libros de texto • Revistas

Casa especializada en cartuchos y toners

Plaza Constitución, 3
29005   Málaga
Teléfono 221 19 99

1-42

Un paso más. Write an e-mail to your best friend explaining the things that you need to buy for your classes, where to find them, and how much they cost.

LEE

1-43

Preparación. Discuss with a classmate which courses from the list students in the following majors (**carreras**) should take.

MEDICINA	BELLAS ARTES	FARMACIA	PSICOLOGÍA	FILOLOGÍA

Anatomía

Conflictos sociales

Diseño gráfico

Drogas tóxicas

Estructura del español

Fisiología

Historia de la lengua

Medicinas alternativas

Muralistas mexicanos

ESTRATEGIA

Identify the format of a text

You have lots of reading experience in your first language with different types of texts. Before you start to read a text in Spanish, look at the illustrations, headings, and layout to help you make educated guesses about the content of the text.

1-44

Lee. Choose the word or phrase that best completes each statement, based on the information of the text below.

1. Esta es una…

   a. página de un libro.

   b. página web.

2. El logo indica que esta institución es…

   a. muy nueva.　　**b.** muy antigua.

3. Este texto presenta una lista de…

   a. carreras.　　**b.** clases.

4. La información de este texto es…

   a. muy específica.

   b. muy general.

5. Esta institución tiene…

   a. una facultad.

   b. más de una facultad.

Comprueba

I was able to …

_____ **make informed guesses.**

_____ **recognize important words.**

_____ **recognize contexts.**

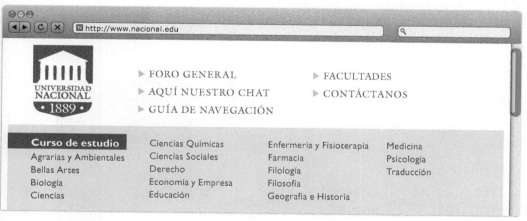

```
⬤⬤⬤
◀ ▶ C ✕    N http://www.nacional.edu                    🔍
```

▸ FORO GENERAL

▸ AQUÍ NUESTRO CHAT

▸ GUÍA DE NAVEGACIÓN

▸ FACULTADES

▸ CONTÁCTANOS

UNIVERSIDAD NACIONAL • 1889 •

Curso de estudio			
Agrarias y Ambientales	Ciencias Químicas	Enfermería y Fisioterapia	Medicina
Bellas Artes	Ciencias Sociales	Farmacia	Psicología
Biología	Derecho	Filología	Traducción
Ciencias	Economía y Empresa	Filosofía	
	Educación	Geografía e Historia	

1-45

Un paso más. Use the Internet to access the Universidad de Salamanca website and explore the **Servicio Central de Idiomas** page. Explain to your classmates: a) what languages you can study in Salamanca; b) what the address of this office is; and c) why you would or wouldn't like to study at this university in Spain. Your classmates should ask you questions.

ESCRIBE

1-46

Preparación. For your Spanish class, you have to respond to an e-mail from a university student in Spain. Read the e-mail and write four questions to ask the student about his college life in Spain.

Hola, me llamo Pedro. Estudio historia en la universidad. Tengo cuatro clases. Por las tardes practico deportes en el gimnasio.

¡Hasta pronto!
Pedro

ESTRATEGIA

Brainstorm key ideas before writing

Brainstorming helps you come up with good ideas for your writing. To brainstorm, write down a topic or a concept that you want to write about. Then list words and phrases that come to mind. Once you see your ideas laid out on paper, you can start to organize them for your writing.

1-47

Escribe. Now write the Spanish student an e-mail about life at your college or university. Do the following:

■ Introduce yourself.

■ Describe your school and your classes.

■ Describe your daily routine at school, what you do after classes and on weekends, etc.

■ Ask some questions about college life in Spain.

Comprueba

I was able to ...

_____ present main ideas clearly with adequate details.

_____ use a wide range of vocabulary words.

_____ use correct gender and number agreement with nouns and adjectives.

_____ conjugate verbs correctly and make them agree with their subjects.

_____ use accurate spelling, capitalization, and punctuation.

1-48

Un paso más. Exchange your e-mail with a classmate. Then respond with a brief note and ask two additional related questions.

En este capítulo...
Comprueba lo que sabes

Go to **MySpanishLab** to review what you have learned in this chapter. Practice with the following:

Flashcards | Games | Oral Practice | Practice Test / Study Plan

Amplifire Dynamic Study Modules | Tutorials | Videos | Extra Practice

Vocabulario

LAS MATERIAS O ASIGNATURAS
Subjects

la antropología *anthropology*
la arquitectura *architecture*
las ciencias políticas *political science*
la economía *economics*
el español *Spanish*
la estadística *statistics*
la geografía *geography*
la historia *history*
la informática/la computación *computer science*
la literatura *literature*
la psicología *psychology*
la sociología *sociology*

LOS LUGARES
Places

la biblioteca *library*
el café *cafe, coffee shop*
la cafetería *cafeteria*
la casa *house, home*
la discoteca *dance club*
el gimnasio *gymnasium*
el laboratorio *laboratory*
la librería *bookstore*
la oficina *office*
la playa *beach*
la plaza *plaza, square*
la universidad *university*

LAS FACULTADES
Schools, Departments

de Ciencias *of Sciences*
de Derecho *of Law*
de Humanidades *of Humanities*
de Informática *of Computer Science*
de Medicina *of Medicine*

LAS PERSONAS
People

el alumno/la alumna *student*
el compañero/la compañera *partner, classmate*
el dependiente/la dependienta *salesperson*
ellos/ellas *they*
nosotros/nosotras *we*
ustedes *you* (plural)
vosotros/as *you* (plural)

LAS DESCRIPCIONES
Descriptions

aburrido/a *boring*
antiguo/a *old*
bueno/a *good*
difícil *difficult*
estudioso/a *studious*
excelente *excellent*
fácil *easy*
favorito/a *favorite*
grande *big*
interesante *interesting*
malo/a *bad*
norteamericano/a *North American*
pequeño/a *small*

EXPRESIONES DE FRECUENCIA
Expressions of frequency

a veces *sometimes*
muchas veces *many times*
nunca *never*
siempre *always*
todas las semanas *every week*
todos los días/meses *every day/month*

PALABRAS Y EXPRESIONES ÚTILES
Useful words and expressions

ahora *now*
algo *something*
¡Buena suerte! *Good luck!*
¿Cómo te va? *How is it going?*
con *with*
¿Cuántas clases tienes? *How many classes do you have?*
¿Cuánto cuesta? *How much is it?*
el diccionario *dictionary*
este/a *this*
el examen *test*
el euro *euro*
el fin de semana *weekend*
el mapa *map*
para *for, to*
pero *but*
porque *because*
¡Qué lástima! *What a pity!*
solo *only*
también *also*
la tarea *homework*
tengo/tienes *I have/you have*
¿verdad? *right?*

PALABRAS INTERROGATIVAS
Interrogative words

¿cómo? *how?/what?*
¿cuándo? *when?*
¿cuál(es)? *which?*
¿cuánto/a? *how much?*
¿cuántos/as? *how many?*
¿dónde? *where?*
¿para qué? *why?/what for?*
¿por qué? *why?*
¿qué? *what?*
¿quién(es)? *who?*

VERBOS
Verbs

aprender *to learn*
asistir *to attend*
bailar *to dance*
beber *to drink*
buscar *to look for*
caminar *to walk*
comer *to eat*
comprar *to buy*
comprender *to understand*
conversar *to talk, to converse*
correr *to run*
deber *should*
escribir *to write*
escuchar *to listen (to)*
estar *to be*
estudiar *to study*
hablar *to speak*
leer *to read*
llegar *to arrive*
mirar *to look (at)*
montar (en bicicleta) *to ride (a bicycle)*
necesitar *to need*
participar *to participate*
practicar *to practice*
responder *to respond*
sacar buenas/malas notas *to get good/bad grades*
tomar *to take, to drink*
tomar apuntes/notas *to take notes*
trabajar *to work*
ver *to see*
vivir *to live*

2

¿Quiénes son tus amigos?

LEARNING OUTCOMES

You will be able to:

- describe people, places, and things
- express origin and possession
- talk about where and when events take place
- describe what someone or something is like
- express emotions and conditions
- identify what belongs to you and others
- discuss the people, things, and activities you and others like and dislike
- present information about Hispanic influences in the United States

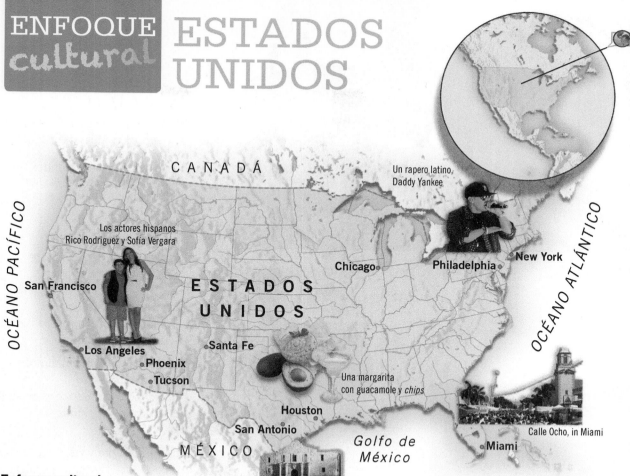

C A N A D Á

Un rapero latino, Daddy Yankee

OCÉANO PACÍFICO

Los actores hispanos Rico Rodríguez y Sofía Vergara

San Francisco

Chicago

Philadelphia

New York

E S T A D O S U N I D O S

OCÉANO ATLÁNTICO

Los Angeles

Santa Fe

Phoenix

Tucson

Una margarita con guacamole y *chips*

Houston

Calle Ocho, in Miami

San Antonio

M É X I C O

Golfo de México

Miami

El Álamo, San Antonio, Texas

Enfoque cultural

To learn more about Hispanics in the United States, go to MySpanishLab to view the *Vistas culturales* videos.

¿QUÉ TE PARECE?

- El español es la segunda lengua del mundo y la más estudiada en las universidades de Estados Unidos.

- Muchos estudiantes estudian español para su futuro trabajo, para conversar con otras personas y para los viajes y vacaciones.

- En 1988 el presidente Reagan declaró el período entre el 15 de septiembre y el 15 de octubre el Mes de la Hispanidad, días dedicados a celebrar la herencia y cultura hispanas en Estados Unidos.

- Los hispanos en Estados Unidos son el grupo minoritario más grande del país. El 63% de la población hispana es de México.

Este cuadro anónimo representa el mundo bilingüe en el que vive mucha gente en Estados Unidos.

◀ El barrio Pilsen de Chicago cuenta con numerosos murales inspirados en el movimiento muralista mexicano. Los murales coloridos de Francisco Mendoza representan escenas de la vida diaria de esta comunidad hispana.

Narciso Rodríguez es un diseñador cubanoamericano. Aquí está con la actriz Jessica Alba. Isabel Toledo es otra famosa diseñadora cubanoamericana. Michelle Obama es cliente de los dos.

▲ Don Pedro Menéndez de Avilés es el fundador de San Agustín (St. Augustine), en el norte de Florida. Es la ciudad más antigua de Estados Unidos.

▲ Pitbull (Armando Pérez) es cubanoamericano. En esta fotografía recibe el premio Lo Nuestro, presentado por Univisión, la cadena de televisón en español con más audiencia en todo el mundo.

¿CUÁNTO SABES?

Using the map, photos, and accompanying text, provide the following information.

1. Un cantante hispano famoso
   a. Armando Pérez
   b. don Pedro Menéndez de Avilés
   c. Narciso Rodríguez

2. Se celebra las dos últimas semanas de septiembre y las dos primeras de octubre.
   a. el Mes de la Hispanidad
   b. los premios Lo Nuestro
   c. fiesta en la Calle Ocho

3. Una ciudad de los tiempos coloniales
   a. Pilsen
   b. Miami
   c. St. Augustine

4. Patrocinador de los premios Lo Nuestro
   a. Francisco Mendoza
   b. Univisión
   c. el mundo bilingüe

5. El 63%
   a. el porcentaje de estudiantes que estudian español
   b. el porcentaje de personas bilingües en Estados Unidos
   c. el porcentaje de hispanos de Estados Unidos de origen mexicano

Vocabulario en contexto

Describing yourself and others

 Mis amigos y yo

¿Quiénes somos?

Me llamo Mario Quintana. Soy de Puerto Rico y **tengo** veintidós **años. Me gusta** escuchar música y mirar televisión. Estudio en una universidad de Nueva York y **deseo** ser profesor de historia. Los chicos en estas fotografías son mis amigos. Ellos también son **hispanos** y estudian en la universidad. **Todos** somos **bilingües.**

Esta chica es Amanda Martone. Es **alta, delgada** y **morena.** Tiene los **ojos** de color café y el **pelo negro** y muy **largo.** Amanda es una chica muy **agradable.** Estudia **mucho** y desea ser economista. Su familia es dominicana, pero vive en Estados Unidos.

Esta chica se llama Ana Villegas. No es alta ni baja. Es **de estatura mediana** y usa **lentes de contacto.** Es **pelirroja** y tiene los ojos **oscuros.** Ana es **callada, trabajadora** y muy inteligente. Sus padres son cubanos.

Esta chica es Marta Chávez Conde. Es española y tiene veintiún años. Es **rubia,** tiene los ojos **azules** y es muy **divertida.** Este año está en Estados Unidos con su familia.

Este chico se llama Ernesto Fernández. Ernesto es moreno y tiene los ojos **castaños** y el pelo **corto.** Es **bajo, fuerte,** muy **conversador** y **simpático. Le gusta usar** la computadora para conversar con sus amigos de aquí y de México.

PRÁCTICA

2-1

Escucha y confirma. Listen to the following people describe their friends. Then, decide whether the statements are true (**Cierto**) or false (**Falso**).

1. _____ Pedro es callado y estudia mucho.

2. _____ Elena es rubia y alta.

3. _____ Juan y Roberto son muy trabajadores.

4. _____ Patricia es hispana y bilingüe.

5. _____ Rosa María es muy divertida.

2-2

Asociaciones. Match the descriptions on the left with the person they describe.

1. _____ Tiene el pelo largo.

2. _____ Tiene veintidós años.

3. _____ Es de España.

4. _____ Es bajo y fuerte.

5. _____ Usa lentes de contacto.

6. _____ Habla mucho.

7. _____ Tiene los ojos de color café.

8. _____ Tiene el pelo negro y es muy agradable.

9. _____ Tiene los ojos azules y el pelo rubio. Es muy divertida.

10. _____ Desea ser profesor de historia.

a. Mario Quintana

b. Amanda Martone

c. Ernesto Fernández

d. Ana Villegas

e. Marta Chávez Conde

2-3

¿Quién es? PREPARACIÓN. With a partner, write a list of eight expressions to describe people, including physical appearance (height, hair, eye color, etc.) and personality traits (shy, fun, etc.).

INTERCAMBIOS. Without mentioning his/her name, describe a classmate. The rest of the group will try to guess who this person is.

 E1: *Es delgado y de estatura mediana. Tiene el pelo negro. Es fuerte y callado.*
E2: *¿Es...?*

◾ ◼ ◻ ◼ ◾ ▲

LENGUA

Depending on the region or country, people use **moreno/a** or **negro/a** to refer to African ancestry and skin color or to hair color. The word **trigueño/a** (from **trigo**, wheat) is used to describe light brown skin color. **Corto/a** generally refers to length (**pelo corto**), while **bajo/a** refers to height (**Ella es baja**).

2-4

¿Qué me gusta? Tell your classmate if you like each of the following activities. Then compare your responses.

 estar en casa por la noche
E1: *¿Te gusta estar en casa por la noche?*
E2: *Sí, me gusta.*

◾ bailar los sábados por la noche
◾ comer en restaurantes italianos
◾ escribir mensajes de texto
◾ estudiar español
◾ practicar tenis/fútbol/béisbol
◾ tener animales en casa
◾ tomar café por la noche
◾ trabajar los fines de semana

2-5

Mi ídolo. Select a well-known person or celebrity and describe him/her to your partner. Your partner will ask questions until he/she guesses the name.

Las descripciones

 ¿Cómo son estas personas?

triste   alegre

simpático   antipático

trabajador   perezoso

pobre   rica

fuerte   débil

lista   tonto

joven   vieja/mayor

casado   soltero

Este perro es gordo y feo, pero muy cariñoso. Esta gata es bonita pero está demasiado delgada.

LENGUA

The word **la pierna** (*leg*) is used with humans. A human foot is **el pie**. For animals and furniture, **la pata** is used to express both leg and foot.

 ¿Cómo son estos animales?

Este perro es **gordo** y **feo**, pero muy cariñoso.

Esta gata es **bonita** pero está demasiado **delgada**.

¿De qué color son estas cosas?

Este auto es **rojo** y es muy bueno.

Esta **flor** es **amarilla** y **blanca.** Es muy bonita.

La silla **azul** es alta.

La silla **verde** es baja.

 Otros colores

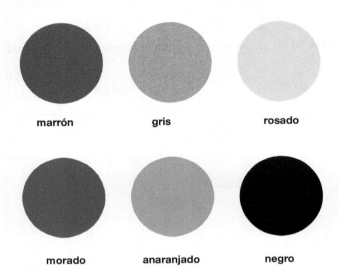

marrón

gris

rosado

morado

anaranjado

negro

PRÁCTICA

2-6

Para confirmar. Complete the following statements about these famous people. Then describe yourself to your partner in two affirmative and two negative statements.

> **MODELO** Shakira no es mayor, es *joven.*

1. _____ Penélope Cruz no es gorda, es…

2. _____ Sofía Vergara no es perezosa, es…

3. _____ Jennifer López no es antipática, es…

4. _____ Madonna no es tonta, es…

5. _____ Bill Gates no es pobre, es…

6. _____ Enrique Iglesias no es feo, es…

7. _____ Yo soy…, no soy…

a. trabajadora

b. lista

c. delgada

d. rico

e. guapo

f. simpática

¿De qué color son estas banderas (*flags*)?

PREPARACIÓN. Read each description and then write the name of the country under its flag. Check your answers with a partner.

a. _____

b. _____

c. _____

1. La bandera de Bolivia es roja, amarilla y verde.
2. La bandera de Estados Unidos es roja, blanca y azul.
3. La bandera de España es roja y amarilla.
4. La bandera de México es verde, blanca y roja.
5. La bandera de Colombia es amarilla, azul y roja.

d. _____

e. _____

INTERCAMBIOS. Invent a flag of different colors and describe it to your partner. He/She will recreate it based on your description. Limit your colors to the pens, pencils, markers, etc. that you and your partner have available. He/She will recreate it based on your description. Write the name of the colors on the flag if necessary.

2-8

Vamos a describir. Take turns describing the people in these photos. Then describe your best friend to your partner.

Eva

Alicia y Raquel

Alejandro

José Luis

2-9

¿Quién soy? Write a brief description of yourself including at least three physical traits, two personality traits, and two activities you like to do. Do not include your name on the paper.

El origen

 ¿De dónde son...?

▲ Marc Anthony y Pitbull en los Latin Grammys

Marc Anthony y Pitbull (o Armando Pérez) son de Estados Unidos, pero la familia de Marc Anthony es **puertorriqueña** y la familia de Pitbull es **cubana.** Marc Anthony y Pitbull son bilingües; cantan en inglés y en español.

▲ Shakira y Gerard Piqué

Shakira es de Colombia, es **colombiana.** Su **esposo** Gerard Piqué no es colombiano, es **español.** Es futbolista en el equipo de Barcelona.

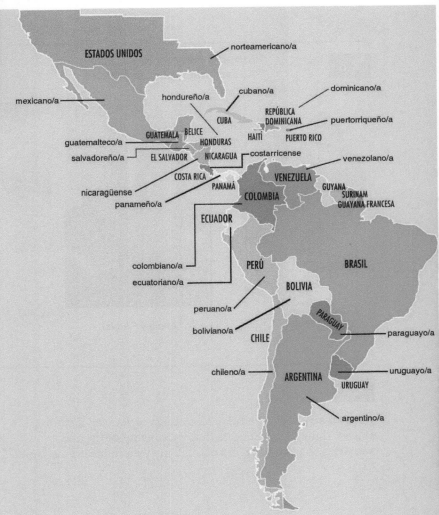

LENGUA

These are other examples of nationalities:

alemán/alemana (*German*), **canadiense, francés/francesa, japonés/japonesa, marroquí, nigeriano/a, polaco/a, portugués/portuguesa.**

Map labels:
ESTADOS UNIDOS, norteamericano/a, mexicano/a, hondureño/a, cubano/a, dominicano/a, CUBA, REPÚBLICA DOMINICANA, HAITÍ, PUERTO RICO, puertorriqueño/a, GUATEMALA, BELICE, HONDURAS, guatemalteco/a, salvadoreño/a, EL SALVADOR, NICARAGUA, costarricense, venezolano/a, nicaragüense, COSTA RICA, PANAMÁ, VENEZUELA, GUYANA, SURINAM, GUAYANA FRANCESA, panameño/a, COLOMBIA, ECUADOR, colombiano/a, ecuatoriano/a, PERÚ, BRASIL, BOLIVIA, peruano/a, boliviano/a, PARAGUAY, CHILE, paraguayo/a, chileno/a, ARGENTINA, uruguayo/a, URUGUAY, argentino/a

PRÁCTICA

2-10   *e*

Para confirmar. PREPARACIÓN. Indicate the origin of the following people. Check your answers with a partner.

 MODELO Mónica Puig es una famosoa tenista de Puerto Rico.
Es *puertorriqueña.*

1. Hanley Ramírez es un jugador de béisbol de República Dominicana. Es _____.

2. Sofía Vergara es una modelo y actriz de Colombia, protagonista de la serie *Modern Family.* Es _____.

3. Rigoberta Menchú es una activista de Guatemala, Premio Nobel de la Paz, 1992. Es _____.

4. El Dr. José Manuel Pérez, de Puerto Rico, investiga el uso de la nanotecnología para detectar el cólera. Es _____.

5. Isabel Allende es escritora, originaria de Chile, autora de *La casa de los espíritus.* Es _____.

6. Jorge Ramos es un presentador de noticias (*news*) de México. Es _____.

7. Gabriel García Márquez es un escritor de Colombia, autor de *Cien años de soledad,* Premio Nobel, 1982. Es _____.

8. Enrique Iglesias es un cantante de España. Es _____.

INTERCAMBIOS. Tell your partner why one of the people in *Preparación* is interesting to you.

MODELO *Para mí, Enrique Iglesias es interesante. Es un cantante bilingüe.*

2-11

Adivinanzas (Guesses). Think of a well-known person. A classmate will try to guess the person by asking you questions.

MODELO E1: *¿De dónde es?*
E2: *Es de Estados Unidos.*
E1: *¿Cómo es?*
E2: *Es moreno y muy cómico.*
E1: *¿Qué es? / ¿En qué trabaja?*
E2: *Es actor.*
E1: *¿Es Jack Black?*
E2: *¡Sí!*

En directo

To explain why a person might interest you:

Me gustan sus libros. *I like his/her books.*

Escribe novelas fascinantes. *He/She writes fascinating novels.*

Trabaja por los pobres. *He/She works for/helps the poor.*

Es muy guapo/bonita/elegante. *He is handsome./She is pretty/elegant.*

Baila muy bien. *He/She dances very well.*

 Listen to a conversation with these expressions.

Cultura

Puerto Rico

Puerto Rico was a Spanish colony for almost four centuries until it was ceded to the United States following the Spanish–American War in 1898. Puerto Rico is a commonwealth (**estado libre asociado**) of the United States, and its people have been U.S. citizens since 1917. However, Puerto Rico remains geographically and culturally part of Latin America and almost all of its residents speak Spanish as their primary language. English is also widely spoken. Being bilingual opens doors to better economic opportunities in Puerto Rico and on the mainland.

Comunidades. What other Hispanic groups have an important presence in the United States? Where is that presence evident—in business, music, art, food?

PRÁCTICA

2-12

Entrevista. PREPARACIÓN. Prepare at least five questions to interview a classmate and get the following information.

1. his/her name
2. his/her age
3. what he/she is like (his/her personality)
4. the things he/she likes to do
5. where he/she is from

 INTERCAMBIOS. Interview your classmate. Then share your findings with the class. Finally, write a short description of your classmate.

2-13

¡Hola! PREPARACIÓN. You will hear a student introduce and describe himself to his new classmates. Before you listen, mark (✔) in the *Antes de escuchar* column the information you think you will hear. Then tell your partner what other information you would give about yourself.

	ANTES DE ESCUCHAR	DESPUÉS DE ESCUCHAR
1. name		
2. age		
3. parents' names		
4. physical description		
5. nationality		
6. place where he intends to work		

🔊 **ESCUCHA.** As you listen, pay attention to the general idea of what is said. Then, in the *Después de escuchar* column, indicate what information the speaker provided.

▲ **¿Comes hamburguesas todos los días?**

¿Es verdad que los estadounidenses comen hamburguesas todos los días, que todos tienen armas y que no les gusta el ejercicio? Por otra parte, ¿es cierto que muchos españoles son toreros (*bullfighters*), que los mexicanos comen solo (*only*) tacos y enchiladas o que todos los argentinos solo bailan tango? La respuesta a las dos preguntas es, ¡de ninguna manera (*absolutely not*)!

Una sola característica no define una cultura completamente. Este tipo de comentarios causa conflictos en la comunicación entre culturas, especialmente en casos donde las personas viven en la misma (*same*) comunidad. Para comprender la diversidad cultural es necesario evitar (*avoid*) ideas clichés porque no representan la totalidad de una comunidad o cultura.

▲ **¿Eres torero?**

El diálogo honesto entre las personas de diferentes culturas es una manera de terminar con los estereotipos. Recuerda (*Remember*) que existen muchos españoles que no asisten a las corridas de toros (*bullfights*), muchos argentinos que no bailan tango y muchos estadounidenses que no comen hamburguesas todos los días.

Compara

1. ¿Cuáles son algunos adjetivos que en tu opinión describen a una persona típica de Estados Unidos? Prepara una lista en español.

2. De tu lista, ¿qué adjetivos sirven también para describir a un hispano típico?

3. ¿Son siempre negativos los estereotipos? Explica con ejemplos.

▲ **¿Bailas el tango?**

☑ Funciones y formas

1 Describing people, places, and things

🔊 Ana, Patricia y Teresa estudian mucho. Son inteligent**es** y trabajador**as.** Son de España.

🔊 Eduardo es atlétic**o** y fuerte. Es de Colombia. Adriana es muy elegant**e.** Es peruan**a.**

🔊 Carlos, Luis y Carmen son sociabl**es** y activ**os.** Conversan y bailan mucho en las discotecas.

e **Piénsalo.** Complete the descriptions of the people in the drawings by supplying their names.

1. _____ es pelirroj**a** y joven.

2. _____ es rubi**o** y alt**o.**

3. _____, _____ y _____ son estudios**as** y responsabl**es.**

4. _____, _____, y _____ son simpátic**os** y popular**es.**

5. _____ es colombian**o.**

6. _____, _____, y _____ son español**as.**

Adjectives

Adjectives are words that describe people, places, and things. Like articles (**el, la, los, las**) and nouns (**chica, chicas; libro, libros**), they generally have more than one form. In Spanish an adjective must agree in gender (masculine or feminine) and number (singular or plural) with the noun or pronoun it describes. Adjectives that describe characteristics usually follow the noun.

Most masculine adjectives end in **-o,** and most feminine adjectives end in **-a.** To form the plural, these adjectives add **-s.**

	MASCULINE	FEMININE
singular	el chic**o** alt**o**	la chic**a** alt**a**
plural	los chic**os** alt**os**	las chic**as** alt**as**

Adjectives that end in **-e** and some adjectives that end in a consonant have the same form for both masculine and feminine. To form the plural, adjectives that end in **-e** add **-s;** those that end in a consonant add **-es.**

	MASCULINE	FEMININE
singular	un libr**o** interesant**e**	una revist**a** interesant**e**
	un cuadern**o** azul	una mochil**a** azul
plural	unos libr**os** interesant**es**	unas revist**as** interesant**es**
	unos cuadern**os** azul**es**	unas mochil**as** azul**es**

Other adjectives that end in a consonant add **-a** to form the feminine and **-es** or **-as** to form the plurals.

	MASCULINE	FEMININE
singular	el alumn**o** españo**l**	la alumn**a** español**a**
	el alumn**o** hablado**r**	la alumn**a** hablador**a**
plural	los alumn**os** español**es**	las alumn**as** español**as**
	los alumn**os** hablador**es**	las alumn**as** hablador**as**

Adjectives that end in **-ista** are both masculine and feminine. To form the plurals, add **-s.**

Pedro es muy optim**ista,**
pero Alicia es pesim**ista.**
Ellos no son material**istas.**

Pedro is very optimistic,
but Alicia is pessimistic.
They are not materialistic.

PRÁCTICA

e ¿COMPRENDES?

Complete each sentence with the correct form of the adjective.

1. Los habitantes de Puerto Rico son _____ . (puertorriqueño)
2. Ariana vive en Madrid. Es _____ . (español)
3. Los alumnos estudian mucho. Son muy _____ . (trabajador)
4. El color favorito de Javier es el negro. Su mochila también es _____ . (negro)
5. Mis clases de economía no son interesantes; son muy _____ . (aburrido)
6. Me gusta mucho mi profesora de historia. Es muy _____ . (inteligente)

MySpanishLab

Learn more using Amplifire Dynamic Study Modules, Grammar Tutorials, and Extra Practice activities.

Cultura

■ ■ ■ ■ ■

Hispanos

In Spanish-speaking countries, the adjective **hispano/a** emphasizes the common background among peoples, cultures, and countries where Spanish is spoken. In the United States, the word has come to mean somebody with roots in Spain or the Spanish-speaking countries of Latin America. In the Southwest, it refers to people who trace their ancestry to Spaniards who settled there when that area was part of Mexico. **Hispano** is not the same as **español,** which refers either to the Spanish language or to the nationality of people from Spain.

Conexiones. Can you name a famous Hispanic person? A famous Spaniard?

2-14

¿Cómo son estas personas? Choose the correct option to describe the following people. Check your answers with a partner and then share your own opinion about a classmate.

1. Muchos estudiantes de mi universidad son…
   a. latinoamericano.
   b. hispanos.
   c. norteamericanas.
   d. mexicana.

2. Mi profesora favorita es muy…
   a. jóvenes.
   b. activo.
   c. inteligente.
   d. delgado.

3. Mi amigo Nicolás es…
   a. español.
   b. dominicana.
   c. peruanos.
   d. mexicana.

4. Las dos chicas más inteligentes de la clase son…
   a. activos y sociables.
   b. trabajadoras y estudiosas.
   c. altos y morenos.
   d. interesante y optimista.

5. Para mí, el/la estudiante más… es…

Cultura

■ ■ ■ ■ ■

Bilingüismo

While Spanish is the common language spoken in Spain and most of Latin America, other languages are also spoken. In Spain, people in different regions speak Galician, Basque or Catalan. In Latin America, large communities speak indigenous languages in Mexico, Guatemala, Peru, and Bolivia. Paraguay is officially a bilingual country, and most of the people speak both Spanish and Guarani.

Conexiones. Do you know somebody who is bilingual? What are the advantages of being bilingual?

Señal de tráfico de estacionamiento en euskera (vasco) y castellano.

2-15

Cualidades necesarias. Your school has hired some recent graduates who were language majors. Mark (✓) the qualities these new employees have and describe them to your partner. Your partner will mention additional qualities.

MODELO dos empleados bilingües en inglés y español

E1: *Los empleados bilingües hablan bien inglés y español. Son activos y extrovertidos.*

E2: *Sí. Son simpáticos, no son antipáticos. Hablan con los estudiantes y los padres de los estudiantes.*

1. dos especialistas en computadoras para el laboratorio de lenguas

_____ activos   _____ pasivos   _____ extrovertidos

_____ bilingües   _____ agradables   _____ trabajadores

_____ competentes   _____ callados   _____ listos

2. una recepcionista para la Oficina de Admisiones

_____ imparcial   _____ simpática   _____ interesante

_____ perezosa   _____ habladora   _____ perfeccionista

2-16

Personas importantes. PREPARACIÓN. Take turns reading the descriptions of the people in the photos. Then add one or two more sentences with additional details about them.

Jimmy Smits es un actor famoso de cine (*movies*) y televisión.

Tish Hinojosa es una cantante mexicoamericana. Canta y escribe canciones también.

Miguel Cabrera es un jugador de béisbol muy bueno. Es venezolano.

Julia Álvarez es una novelista y poeta dominicana. También es profesora.

INTERCAMBIOS. Now take turns describing someone important in your life. Your classmates will ask questions to get more information about that person.

Cultura

■ ■ ■ ■

Llamadas de teléfono

Although there are differences among countries, as a general rule people in Spanish-speaking countries do not usually call each other before 9:00 A.M. but they may often call after 9:00 P.M. In the case of Spain or Argentina, it may be acceptable to call people as late as 10:30 or 11:00 P.M.

Comparaciones. What's a reasonable time to call a friend in the United States in the morning or at night? What do these telephone practices tell us about hours and schedules in daily life?

En directo ■ ■ ■ ■ ■

To address someone you don't know on the phone:

Hola, buenos días/buenas tardes.

To respond:

Buenos días /Buenas tardes…

To greet someone you know on the phone:

Hola, ¿qué tal?

Soy María…/Habla María…

To respond:

Ah, ¡hola!

¿Qué tal, María?/¿Cómo estás?

 Listen to a conversation with these expressions.

PREPARACIÓN. Read the following situation with your partner. Then brainstorm the vocabulary, structures, and other information you will need for both roles in the conversation.

Role A. Your friend calls to tell you that he/she is dating someone new. Ask:

a. where your friend's new boyfriend/girlfriend (**novio/a**) is from;

b. what he/she is like;

c. what he/she studies; and

d. if he/she has a car, what it is like.

Role B. You call your friend to talk about your new boyfriend/girlfriend. Your friend asks a lot of questions. Answer in as much detail as possible.

	ROLE A	ROLE B
Vocabulario	Adjectives to describe people and things Adjectives of nationality Colors School subjects Question words	Adjectives to describe people and things Adjectives of nationality Colors School subjects
Funciones y formas	Asking questions Noun–adjective agreement Present tense *Ser (de)* Using *tú* to talk to a friend	Giving information Noun–adjective agreement Present tense *Ser (de)* Using *tú* to talk to a friend

INTERCAMBIOS. Using the information in *Preparación,* act out the conversation with your partner.

2 Identifying and describing; expressing origin, possession, location of events, and time

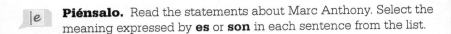

Marc Anthony **es** un artista neoyorquino muy talentoso y versátil. **Es** cantante y actor. Sus padres **son** de Puerto Rico. También **es** compositor. Canta y escribe canciones de salsa, pop y pop latino, y **es** un actor de cine y teatro muy bueno. Sus (*His*) conciertos **son** en Estados Unidos y en **muchos** países latinoamericanos.

Piénsalo. Read the statements about Marc Anthony. Select the meaning expressed by **es** or **son** in each sentence from the list.

1. _____ Marc Anthony **es** de ascendencia puertorriqueña.

2. _____ El próximo (*next*) concierto de Marc Anthony **es** en California.

3. _____ Las películas de Marc Anthony **son** muy populares.

4. _____ Este álbum de Marc Anthony **es** de Daniel. Es su álbum favorito.

5. _____ Marc Anthony **es** un cantante de salsa muy famoso.

a. identificación

b. descripción

c. nacionalidad/origen

d. posesión

e. eventos (localización, hora)

Present tense of *ser*

■ You have practiced some forms of **ser** and have used them for identification (**Esta señora es la profesora de historia**) and to tell time (**Son las cuatro**). Here are other uses of this verb.

Ser (*to be*)			
yo	**soy**	nosotros/as	**somos**
tú	**eres**	vosotros/as	**sois**
Ud., él, ella	**es**	Uds., ellos/as	**son**

■ As you have seen, **ser** is used with adjectives to describe an intrinsic feature of a person, place, or thing.

¿Cómo **es** ella?

Es atlética y extrovertida.

¿Cómo **es** el apartamento?

El apartamento **es** pequeño pero **es** muy cómodo.

What is she like?

She is athletic and outgoing.

What is the apartment like?

The apartment is small, but it is very comfortable.

■ **Ser** is used to express nationality.

Gonzalo **es** chileno.

Adriana **es** venezolana.

Gonzalo is Chilean.

Adriana is Venezuelan.

- **Ser + de** is used to express origin.

¿De dónde **son** Gonzalo y Adriana?	*Where are Gonzalo and Adriana from?*
Gonzalo **es** de Chile.	*Gonzalo is from Chile.*
Adriana **es** de Venezuela.	*Adriana is from Venezuela.*

- **Ser + de** is used to express possession. The equivalent of the English word *whose?* is **¿de quién?**

¿De quién es el apartamento?	*Whose apartment is it?*
El apartamento **es de** Marta.	*The apartment is Marta's.*

LENGUA

De + el contracts to **del**, but **de + la** and **de + los/las** do not contract.

El diccionario **es del** profesor, no **es de la** estudiante.	*The dictionary is the professor's, not the student's.*

- **Ser + de** is also used to express the material of which something is made.

El reloj **es de** oro.	*The watch is (made of) gold.*
Las sillas **son de** madera.	*The chairs are made of wood/wooden.*

- **Ser** is also used to express where an event takes place or the time of an event.

El concierto **es** en el estadio.	*The concert is (takes place) in the stadium.*
La clase **es** a las nueve.	*The class is (takes place) at nine.*

|e ¿COMPRENDES?

Complete the sentences with the correct form of the verb **ser.**

1. Muchos jugadores de béisbol _____ de República Dominicana.
2. Nosotros _____ de la Ciudad de Guatemala. ¿De dónde _____ tú?
3. Mi amiga _____ extrovertida y habladora.
4. Las esculturas (*sculptures*) del artista _____ de madera.
5. El concierto de música clásica _____ mañana a las 8:00.
6. Estos libros _____ de Jorge.

MySpanishLab

Learn more using Amplifire Dynamic Study Modules, Grammar Tutorials, and Extra Practice activities.

PRÁCTICA

2-17

¿Cómo somos? PREPARACIÓN. Look at the following statements and indicate if the descriptions are true for you.

	Sí	No
1. Yo soy muy estudioso/a y trabajador/a.	_____	_____
2. A veces soy callado/a.	_____	_____
3. Soy norteamericano/a.	_____	_____
4. Mis abuelos son de otro (*another*) país.	_____	_____
5. Mi familia es muy religiosa y tradicional.	_____	_____
6. Mi mejor amigo/a es extrovertido/a y conversador/a.	_____	_____
7. Mis amigos y yo somos sociables y activos.	_____	_____
8. Mis clases este semestre son interesantes.	_____	_____

 INTERCAMBIOS. Now compare your answers with those of your partner. Ask questions to get additional information.

2-18

¿Cómo es? Ask what the following people, places, and objects are like.

 MODELO tu profesor/a de inglés

> E1: *¿Cómo es tu profesor de inglés?*
>
> E2: *Es alto, moreno y muy simpático.*

1. tus amigos
2. tu cuarto (*bedroom*)
3. tu compañero/a de cuarto (*roommate*)
4. el auto de tu mejor amigo/a
5. los salones de clase de la universidad

 2-19

¿Qué es esto? Take turns describing an object and its location in the classroom. Your partner will ask you questions and guess what it is.

 MODELO
> E1: *Es grande, es de plástico, está al lado de la ventana…*
>
> E2: *¿De qué color es?*
>
> E1: *Es roja.*
>
> E2: *¿Es la mochila de Juan?*

▪ ▪ ▪ ▪ ▪ ▪

L E N G U A

Madera (*wood*), **plástico, tela** (*fabric*), **metal, oro** (*gold*), and **vidrio** (*glass*) are some words used to describe the material things are made of.

 2-20

Eventos y lugares. You are working at the university's information desk, and a visitor (your classmate) stops by. Answer his/her questions. Then switch roles.

 MODELO la exposición de fotografía

> E1: *Perdón, ¿dónde es la exposición de fotografía?*
>
> E2: *Es en la biblioteca.*
>
> E1: *¿Dónde está la biblioteca?*
>
> E2: *Está enfrente de la Facultad de Ciencias.*

1. el concierto de música
2. la conferencia sobre el arte mexicano
3. la fiesta para los estudiantes internacionales
4. la reunión de los exalumnos
5. la ceremonia de graduación

Situación

PREPARACIÓN. Read the following situation with your partner. Then brainstorm the vocabulary, structures, and other information you will need for both roles in the conversation.

Role A. A friend has invited you to a party at his/her house on Saturday. Ask:

a. where the house is located;
b. what it looks like (so you can find it easily); and
c. the time of the party.

Role B. You have invited a friend to a party at your house on Saturday. Answer your friend's questions. Then explain that the house belongs to your parents (**padres**), and tell your friend why your parents are not at home that weekend.

	ROLE A	ROLE B
Vocabulario	Question words Greetings Adjectives to describe the house	Time expressions Greetings
Funciones y formas	*Ser* for events *Estar* to express location Asking questions Accepting an invitation appropriately	Expressing the time of an event *Ser* for events *Estar* to express location *Ser* to express possession Giving information Extending an invitation appropriately

INTERCAMBIOS. Using the information in *Preparación,* act out the conversation with your partner.

---

3 Expressing qualities, emotions, and conditions

 Todos los estudiantes **están** aburridos porque la profesora **es** aburrida.

Piénsalo. Read the statements below and classify them as to whether they describe either **a)** a personality trait/physical characteristic or **b)** a feeling or perception that may change.

1. _____ La película (*movie*) **es** aburrida. No tiene mucha acción.

2. _____ Sofía **está** delgada en esa foto.

3. _____ Los estudiantes **están nerviosos.** Tienen un examen difícil hoy.

4. _____ Normalmente, las modelos **son** altas y muy delgadas.

5. _____ Hoy los niños **están** contentos. Van (*They are going*) al parque.

6. _____ Roberto **es** estudioso y trabajador. Estudia mucho todos los días.

Ser and *estar* with adjectives

Ser and **estar** are often used with the same adjectives. However, the choice of verb determines the meaning of the sentence.

- **Ser** + *adjective* states the norm—what someone or something is like.

Jorge **es** delgado.	*Jorge is thin.* (He is a thin man.)
Sara **es** muy nerviosa.	*Sara is very nervous.* (She is a nervous person.)
El libro **es nuevo.**	*The book is new.* (It is a new book.)

- **Estar** + *adjective* expresses a change from the norm, a condition, or how the speaker feels about or perceives the person or object.

Jorge **está** delgado.	*Jorge is/looks thin.* (He lost weight recently, or he looks thin in a picture or because of the clothes he is wearing.)
Sara **está** muy nerviosa.	*Sara is very nervous.* (She is feeling nervous.)
El libro **está** nuevo.	*The book is/looks new.* (It is used, but it seems like a brand new book.)

- The adjectives **contento/a, cansado/a, enojado/a** are always used with **estar**.

Ella **está contenta** ahora.	*She is happy now.*
Los niños **están cansados.**	*The children are tired.*
Carlos **está enojado.**	*Carlos is angry.*

- Some adjectives have one meaning with **ser** and another with **estar**.

Ese señor **es** malo.	*That man is bad/evil.*
Ese señor **está** malo.	*That man is ill.*
La chica **es** lista.	*The girl is clever/smart.*
La chica **está** lista.	*The girl is ready.*
La manzana **es** verde.	*The apple is green.*
La manzana **está** verde.	*The apple is not ripe.*
La profesora **es** aburrida.	*The professor is boring.*
La profesora **está** aburrida.	*The professor is bored.*

[e] **¿COMPRENDES?**

Complete the sentences with the correct form of **ser** or **estar**.

1. Nosotros _____ aburridos en la clase de física.
2. El profesor de la clase _____ malo.
3. Las manzanas Granny Smith _____ verdes. Es su color natural.
4. Isabela y Martín _____ muy listos. Sacan buenas notas en todas sus materias.
5. Julia, ¿ _____ cansada?
6. Mis amigos _____ enojados porque no hablo mucho con ellos.

MySpanishLab

Learn more using Amplifire Dynamic Study Modules, Grammar Tutorials, and Extra Practice activities.

PRÁCTICA

2-21

¿Qué pasa aquí? Look at the drawing and then complete the description in each paragraph with the appropriate form of **ser** or **estar**. Check your answers with a partner. Take turns explaining why you chose **ser** or **estar** in each case.

1. Esteban (1) _____ un joven listo y estudioso. Este semestre saca buenas notas, excepto en la clase de economía. (2) _____ una clase muy difícil. Esteban (3) _____ nervioso porque mañana hay un examen sobre la Unión Europea, pero él no (4) _____ listo. Debe estudiar toda la noche.

2. ¡Pobres niños! (*Poor children!*) La fruta (5) _____ buena y saludable (*healthful*), pero estas manzanas (6) _____ verdes, no (7) _____ buenas. Ahora los niños no (8) _____ contentos. Una niña (9) _____ mala porque le duele el estómago (*her stomach hurts*).

2-22

¿Cómo está ahora? You and your partner know the people mentioned in the table. One of you will describe a person, using an adjective from the list. The other explains how the person has changed and why. Then switch roles.

MODELO Arturo, fuerte/por su enfermedad (*illness*)

E1: *Arturo es fuerte.*

E2: *Pero por su enfermedad, ahora está muy débil.*

PERSONAS	CARACTERÍSTICAS	RAZONES
1. Ramón	alegre	por sus problemas
2. Laura y Gustavo	callado/a	por la dieta
3. Cristina	conversador/a	por el ejercicio
4. Andrés	débil	por el exceso de estudio
5. Ana y Sofía	extrovertido/a	por la falta (*lack*) de motivación
6. Teresa	feliz	por su depresión
	fuerte	por sus buenas notas
	introvertido/a	
	optimista	
	perezoso/a	
	pesimista	
	trabajador/a	
	triste	

2-23

Termómetro emocional. PREPARACIÓN. Indicate (✓) how you feel in each situation.

LUGARES	ABURRIDO/A	CONTENTO/A	TRANQUILO/A	TRISTE	RELAJADO/A	NERVIOSO/A
en la cafetería con mis compañeros						
en los exámenes finales						
en la oficina de un/a profesor/a						
en un concierto con mis amigos						
en una fiesta formal						
en mi casa por la noche						

INTERCAMBIOS. Talk with your partner about how you each feel in the situations given in *Preparación*. Then write a brief paragraph in which you compare your feelings and reactions.

 MODELO *Yo estoy nervioso/a en un concierto, pero mi compañero/a está tranquilo/a.*

Situación

PREPARACIÓN. Read the following situation with your partner. Then brainstorm the vocabulary, structures, and other information you will need for both roles in the conversation.

Role A. Show your classmate a photo (from your phone or the Internet). Identify the people and give some information about them. Then respond to your friend's questions and react to his/her comments about them.

Role B. After your classmate tells you about the people in the photo, ask and comment about:

a. how they seem to be feeling, based on their facial expressions or what they are doing; and
b. where they appear to be.

	ROLE A	ROLE B
Vocabulario	Adjectives to describe people Professions	Question words Adjectives to describe people
Funciones y formas	Giving information *Ser* with adjectives to describe people *Estar* with adjectives to express perceptions about people *Estar* to express location	Asking questions *Estar* with adjectives to express perceptions about people *Estar* to express location

INTERCAMBIOS. Using the information in *Preparación,* act out the conversation with your partner.

4 Expressing ownership

Mis amigos y yo

🔊 **Mi** nombre es Pablo Ramos. Soy estudiante en la universidad. Soy simpático, listo y sincero; por eso tengo muchos amigos. Estos son **mis** amigos. **Mi** mejor amigo se llama Luis. Tiene pelo corto y es muy guapo. En esta foto está entre Carmen y Teresa. **Nuestras** amigas de la universidad son activas y muy trabajadoras. Al lado de Teresa está **su** amigo Juan, con la camiseta rosa. Juan estudia en otra universidad. Por último está **nuestra** amiga Ángela. Es la hermana (*sister*) de Luis. Es muy divertida. Y **tus** amigos, ¿cómo son?

Piénsalo. Complete the following statements about Pablo and his friends.

1. Pablo Ramos es estudiante. En la foto están _____ .

   a. Carmen y Ramón   **b.** sus amigos   **c.** sus hermanas

2. Ángela es _____ de Luis.

   a. la hermana   **b.** la amiga   **c.** la profesora

3. _____ amiga Teresa es muy trabajadora.

   a. Tu   **b.** Su   **c.** Mi

4. Pablo tiene una foto de Carmen y Luis porque son _____ amigos.

   a. mis   **b.** sus   **c.** nuestros

Possessive adjectives

Possessive adjectives modify nouns to express possession. They always precede the noun they modify.

mi amigo   **tu** familia

POSSESSIVE ADJECTIVES	
mi(s)	*my*
tu(s)	*your* (familiar)
su(s)	*your* (formal), *his, her, its, their*
nuestro(s), nuestra(s)	*our*
vuestro(s), vuestra(s)	*your* (familiar plural)

■ Possessive adjectives change number to agree with what is possessed, not with the possessor.

mi clase   **mis clases**

■ The **nosotros/as** and **vosotros/as** forms must agree also in gender.

nuestro profesor   **nuestros amigos**

nuestra profesora   **nuestras amigas**

■ **Su** and **sus** have multiple meanings. To ensure clarity, you may use **de** + *the name of the possessor* or *the appropriate pronoun* instead of **su/sus**. For example, the multiple meanings of **su compañera** can be expressed as follows:

	de ella (la compañera de Elena)
	de él (la compañera de Jorge)
la compañera +	**de usted**
	de ustedes
	de ellos (la compañera de Elena y Jorge)
	de ellas (la compañera de Elena y Olga)

PRÁCTICA

2-24

¿De quién es? Explain to your partner to whom each sentence refers. Follow the model.

 MODELO Su libro es muy difícil. (Laura)

El libro de Laura es muy difícil.

1. Sus bicicletas son nuevas. (ellos)

2. Su clase de química es en el laboratorio. (Eva y Rosa)

3. Su coche es viejo pero es muy bueno. (Mario)

4. Su mochila está en el escritorio. (ella)

5. Sus amigas toman café juntas (*together*) todos los días. (ellas)

2-25

Mi mundo (*world*). PREPARACIÓN. Write down two things you own (**pertenencias**) and two people you value. You may use the words in the box or choose others.

Pertenencias:	Personas:
un carro	un/a amigo/a
una computadora portátil	un/a profesor/a ideal
un iPad	un actor/una actriz

 INTERCAMBIOS. Take turns describing your selections. Then share with the class the similarities and differences between you and your classmate.

Pertenencias

E1:   *Yo tengo un auto. Es rápido y moderno. Y tu auto, ¿cómo es?*

E2:   *Mi auto es rojo y muy viejo.*

Personas

E1:   *Mi madre es importante en mi vida (life). Es muy alegre. Y tu mamá, ¿cómo es?*

E2:   *Mi madre es tranquila y muy inteligente.*

2-26

¿Cómo es/son...? Which of these statements apply to you and which apply to your friends? Mark (✓) your answers in the spaces under **Yo.** Then interview a classmate.

	Yo	Mi compañero/a
1. El carro de mi mejor amiga es blanco.	_____	_____
2. Mi compañero/a de cuarto es colombiano/a.	_____	_____
3. Mis amigos hablan español.	_____	_____
4. Nuestro deporte favorito es el tenis.	_____	_____
5. Nuestra ciudad es muy grande.	_____	_____
6. Mis amigos son aburridos.	_____	_____

■ ■ ■ ■ ■

EN OTRAS PALABRAS

The word for *car* in Spanish varies. The most widely accepted word is **el auto,** commonly used in the southern half of South America. **El coche** is used in Spain, Cuba, and Chile, and in most other places, **el carro** is frequently used.

2-27

Nuestra universidad.

PREPARACIÓN. With a partner, list some words that generally describe the following aspects of your university: **los profesores, las clases, los estudiantes, el campus, los equipos** (*teams*) **de fútbol, baloncesto, béisbol,** etc.

 INTERCAMBIOS. Now write one or two sentences about each topic in *Preparación*. Present your sentences to the class. The class will decide which sentences a) describe the school most accurately and b) present an appealing view of the school for prospective students.

Situación

PREPARACIÓN. Read the following situation with your partner. Then brainstorm the vocabulary, structures, and other information you will need for both roles in the conversation.

Role A. Call your best friend from high school and tell him/her about your new friends on campus. Describe each of them, including their ages, appearance, personalities, the things you do together, and your favorite places.

Role B. Your best friend from high school calls you to tell you about his/her new friends in college. Ask questions about them and about their favorite activities and places.

	ROLE A	ROLE B
Vocabulario	Age Adjectives to describe people Activities	Age Adjectives to describe people Activities Question words
Funciones y formas	Giving information about people, activities, and places	Asking questions

 INTERCAMBIOS. Using the information in *Preparación,* act out the conversation with your partner.

5 Expressing likes and dislikes

◀ Marisa, una estudiante mexicana, chatea con Carla por Internet. Carla es mexicoamericana y vive en El Paso, Texas.

Piénsalo. Indicate whether each statement refers to Marisa (**M**) or Carla (**C**).

1. _____ **Me gustan** las posibilidades académicas que ofrece Estados Unidos.

2. _____ **Me gusta** vivir en la capital de México.

3. _____ **Me gusta** ser bilingüe.

4. _____ **Me gustan** las actividades al aire libre (*open air*).

5. _____ **Me gusta** el arte.

Marisa: Hola. ¿Quién eres? ¿Cómo te llamas?

Carla: Carla Chandía. Mucho gusto, Marisa.

Marisa: Y tú, ¿de dónde eres? ¿Dónde vives?

Carla: Mi familia y yo somos de Guanajuato, pero vivimos en El Paso, Texas.

Marisa: ¿**Te gusta** vivir en Estados Unidos?

Carla: **Me gusta** este país y en particular El Paso. Hay muchas actividades interesantes para los jóvenes. **A mí me gusta** hablar español e inglés con mis amigos. **Me gustan** las oportunidades para estudiar y trabajar. Y tú, ¿dónde vives?

Marisa: Vivo en la Ciudad de México y **me gusta** mucho vivir aquí. El D.F. es una ciudad enorme y muy bonita. **Me gusta** caminar por el parque Chapultepec y jugar con mi perro, Lassie.

Carla: ¿Qué **te gusta hacer** en tu tiempo libre?

Marisa: **Me gustan** muchas cosas, como escuchar música, ir a los museos, mirar tele y más…

Gustar

- To express what you like to do, use **me gusta** + *infinitive*. To express what you don't like to do, use **no me gusta** + *infinitive*.

Me gusta hablar español.	*I like to speak Spanish.*
No me gusta mirar televisión.	*I don't like to watch television.*
Me gusta practicar deportes y salir con mis amigos.	*I like to play sports and go out with my friends.*

- To express that you like something or someone, use **me gusta** + *singular noun* or **me gustan** + *plural noun*.

Me gusta la música clásica.	*I like classical music.*
Me gustan las personas alegres.	*I like happy people.*

- To ask a classmate what he/she likes, use **¿Te gusta(n)...?** To ask your instructor, use **¿Le gusta(n)...?**

  ¿Te gusta/Le gusta tomar café?

  Do you like to drink coffee?

  ¿Te gustan/Le gustan los chocolates?

  Do you like chocolates?

- To state what another person likes, use **a** + *name of person* + **le gusta(n)...** When you are talking about the preferences of more than one person, use **a** + *names* + **les gusta(n)...**

  A Diego le gustan las fiestas.

  Diego likes parties.

  A Carlos le gusta el fútbol.

  Carlos likes soccer.

  A Diego y a Carlos les gusta ir de vacaciones con sus padres.

  Diego and Carlos like to go on vacation with their parents.

PRÁCTICA

2-28 **Mis preferencias.** PREPARACIÓN. Indicate (✓) your preferences in the following chart.

ACTIVIDAD	ME GUSTA MUCHO	ME GUSTA UN POCO	NO ME GUSTA
escribir correos electrónicos en español			
comer en restaurantes de comida mexicana			
bailar salsa			
escuchar música rock en español			
aprender sobre la cultura de otros países			
visitar lugares históricos			

 INTERCAMBIOS. Compare your answers with those of a classmate. Share with the class one similarity and one difference in your preferences.

2-29

¿Te gusta...? PREPARACIÓN. Ask a classmate if he/she likes the following. Be sure to ask follow-up questions as appropriate.

1. el gimnasio de la universidad
2. la informática
3. los autos híbridos
4. los gatos
5. los conciertos de música clásica
6. la clase de español

INTERCAMBIOS. Write a brief note to another classmate in which you share two pieces of information about yourself and two pieces of information you discovered about your partner.

| e | **¿COMPRENDES?**

Complete the mini-conversations about people's likes and dislikes with the appropriate phrase: **me gusta(n), te gusta(n),** or **le gusta(n).**

1. LAURA: ¿_____ el básquetbol, Gonzalo?
   GONZALO: Sí, _____ todos los deportes.
2. JULIÁN: A Carmen _____ bailar salsa y merengue.
   ALEJANDRA: A mí no _____ bailar.
3. FRANCISCO: ¿_____ mirar televisión, Horacio?
   HORACIO: Un poco. _____ las comedias y las telenovelas.

MySpanishLab

Learn more using Amplifire Dynamic Study Modules, Grammar Tutorials, and Extra Practice activities.

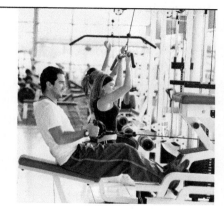

2-30

¿Qué te gusta hacer? PREPARACIÓN. Write down some questions that you would ask a classmate to find out the following.

1. what he/she likes to do in his/her free time
2. in what restaurants he/she likes to eat with his/her friends

INTERCAMBIOS. Interview two classmates and ask each of them the questions you prepared in *Preparación*. Compare their responses and share your conclusions with the class.

Situación

PREPARACIÓN. Read the following situation with your partner. Then brainstorm the vocabulary, structures, and other information you will need for both roles in the conversation.

Role A. You are at a park where you hear someone giving commands to a dog in Spanish. Break the ice and introduce yourself. Ask:

a. the person's name;
b. the dog's name and age; and
c. if the dog is friendly (**manso**).

Compliment the dog (smart, strong, very pretty, etc.). Tell the person that you like dogs very much and that you also like cats. Answer the questions this person asks.

Role B. You are in the park with your dog and someone approaches. Answer this person's questions and:

a. ask if he/she has a dog, and if so, what it looks like;
b. say that you don't like cats and say why you don't like them; and
c. ask where this person is from and where he/she is studying Spanish.

	ROLE A	ROLE B
Vocabulario	Greetings and introductions	Greetings and introductions
	Adjectives to describe pets	Adjectives to describe pets
	Likes and dislikes	Likes and dislikes
	Question words	Question words
Funciones y formas	Asking questions	Giving information
	Giving information	Asking questions
	Describing animals	Describing animals
	(No) Gustar to express likes and dislikes	*(No) Gustar* to express likes and dislikes

INTERCAMBIOS. Using the information in *Preparación*, act out the conversation with your partner.

EN ACCIÓN

Entre amigos en Los Ángeles

2-31 Antes de ver

La cultura hispana. Mark (✓) the items typically associated with Hispanic culture in the United States.

1. _____ el guacamole
2. _____ la lasaña
3. _____ la salsa
4. _____ el 4 de julio
5. _____ el festival de la Calle Ocho
6. _____ el lacrosse
7. _____ los tostones
8. _____ el español

2-32 Mientras ves

Dos ciudades. As you watch, first mark (✓) the qualities that describe Los Angeles according to the characters in the video.

1. _____ Es una ciudad muy grande.
2. _____ Tiene mercados con productos latinos.
3. _____ Es una ciudad colonial.
4. _____ La mitad (*half*) de la población es hispana.
5. _____ Hay muchos puertorriqueños.
6. _____ Tiene edificios muy antiguos.

Then, make a list of the activities that Blanca likes to do when she returns to San Juan, Puerto Rico.

_____

_____

_____

2-33 Después de ver

¿Quién es? PREPARACIÓN. After watching the video, indicate whether the following statements refer to Esteban (**E**), Yolanda (**Y**), Federico (**F**), or Blanca (**B**).

1. _____ Es estudiosa.
2. _____ Es muy hablador.
3. _____ Es listo y simpático.
4. _____ Es vegana.
5. _____ Es puertorriqueña.
6. _____ Está triste.

INTERCAMBIOS. Take turns describing your best friend to your partner. Include two personality traits, two physical characteristics, and at least one activity that he/she likes to do.

Mosaicos

ESCUCHA

2-34

Preparación. You will listen to a student tell her mother about how different her two roommates are. Before listening to their conversation, write the name(s) of your two best friends and a sentence that describes each one.

2-35

Escucha. Listen to the conversation between a student and her mother. Mark (✓) the appropriate column(s) to indicate whether the following statements describe Rita or Marcela.

	RITA	MARCELA
1. Estudia economía.		
2. Le gusta bailar.		
3. Es alta, morena y tiene los ojos negros.		
4. Es muy seria, baja y delgada.		
5. Estudia arte moderno.		

ESTRATEGIA

Listen for specific information

When you ask someone questions, he/she may provide not only the answers you need, but also additional information. To listen effectively, focus on the information you requested. This will help you remember it afterwards.

Comprueba

I was able to …

_____ **recognize the names of people.**

_____ **associate specific information to each person.**

_____ **hear and remember descriptive words.**

_____ **recognize words that refer to actions.**

2-36

Un paso más. Ask a classmate what his/her friends are like, what they like to do, and what they study. Then complete the following sentences with the information you gathered and report to the class.

1. Los mejores amigos de mi compañero/a son…

2. A ellos les gusta…

3. Sus amigos y yo somos semejantes/diferentes porque…

HABLA

2-37

Preparación. Find photos and research information online about one of the following public figures.

1. Shakira
2. Eva Longoria
3. Selena Gómez
4. Marco Rubio
5. William Levy
6. Sonia Sotomayor

En directo

To introduce information about physical characteristics:

En cuanto a lo físico…/ Físicamente, es…

To introduce information about personality:

Es una persona…/Tiene un carácter…

 Listen to a conversation with these expressions.

2-38

Habla. Share information with your partner about the person you researched. Then switch roles. Describe the physical characteristics and personality traits of this person. Be prepared to respond to your partner's questions and comments.

2-39

Un paso más. Write a paragraph describing the person your classmate has described to you.

ESTRATEGIA

Describe a person

Descriptions are most effective when they are well organized. For example, you may want to include demographic information (e.g., age, nationality/origin), physical characteristics, personality traits, and accomplishments. A well-organized description presents information by category, beginning with an introductory statement to orient your listener.

Comprueba

In my conversation …

_____ my description was well organized.

_____ I used a variety of descriptive words.

_____ I made nouns and adjectives agree in gender and number.

_____ I asked questions that were clear and easy to answer.

_____ I gave clear information in response to questions.

LEE

2-40

Preparación. Read the title of the text and examine its format. What type of text is it: a series of e-mail messages, personal ads, or ads for items for sale? Then with a classmate mark (✓) the qualities that you appreciate most in a partner/friend and say why.

a. _____ sociable

b. _____ simpático/a

c. _____ divertido/a

d. _____ perfeccionista

e. _____ mayor

f. _____ flexible

g. _____ trabajador/a

h. _____ ocupado/a

2-41

Lee. Read the ads on the next page and scan them for the information needed in the form below. In some cases, it may not be possible to provide all of the information requested.

	PERSONA 1	PERSONA 2	PERSONA 3	PERSONA 4
nombre				
edad				
nacionalidad				
estado civil				
personalidad (uno o dos adjetivos)				
le gusta…				

ESTRATEGIA

Scan a text for specific information

When you read in Spanish, you can search for particular pieces of information you think will be in the text. Often the comprehension questions after the text will help you decide what information to search for as you read. This approach to reading, called *scanning,* works best if you a) focus on the information you are seeking, and b) read the text through quickly at least twice, looking for specific information each time.

Comprueba

I was able to …

_____ identify the type of text.

_____ find the information I was looking for in each text.

_____ recognize important words.

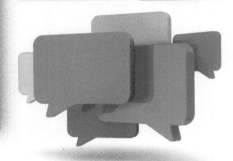

Amigos sin fronteras

Soltera, sin hijos y sin compromiso. Me llamo Susana y tengo 24 años. Soy guatemalteca. Busco amigos extranjeros, solteros, separados o divorciados, jóvenes o mayores. Soy amable, cariñosa y muy trabajadora. Por mi trabajo, viajo mucho, pero me gusta la compañía de otras personas. Soy bilingüe. Hablo español e inglés. Escriban a sincompromiso@yahoo.net.

Soy Ricardo Brown. 21 años, sincero, dedicado. Me gustan las fiestas. Soy soltero. Deseo conocer a una chica de unos 23 años, preferiblemente venezolana como yo. Prefiero una mujer activa e independiente. Me gusta practicar deportes y explorar lugares nuevos. Escríbanme a amigosincero@hotmail.org.

Me llamo Pablo Sosa, tengo 31 años, y soy chileno. Soy agradable y muy trabajador. Me gusta hacer mi trabajo a la perfección, pero soy tolerante. Los autos convertibles son mi pasión. Deseo mantener correspondencia por correo electrónico con jóvenes del extranjero para intercambiar información sobre los convertibles europeos o americanos. Mi dirección electrónica es locoporlosautos@yahoo.com.

Soy Xiomara Stravinsky, decoradora y fotógrafa argentina. Me gusta el arte, especialmente el impresionismo. Tengo 27 años y soy divorciada. Soy dinámica, agradable y generosa, pero tengo pocos amigos porque tengo dos trabajos y paso muchas horas con mis clientes. Necesito un cambio en mi vida. ¿Deseas ser mi amigo/a? Por favor, escríbeme a xiomarastravinsky@hotmail.com.

2-42

Un paso más. Find the best match for Susana, Ricardo, Pablo, and Xiomara from the following responses received. Then write your own personal ad including a description of your personality and the things you like to do. Share your ad with the class.

1. Tengo 22 años y me gustan todos los deportes. Mis padres viven en Caracas pero yo vivo en Miami.

2. Enseño arte en la escuela secundaria. Tengo tiempo para mis amigos los fines de semana.

3. Soy de Nicaragua. Soy muy sociable y deseo perfeccionar mi inglés.

4. Trabajo para *Autos de hoy,* una revista de Internet.

■ ■ ■ ■ ■
LENGUA

The letter **y** changes to **e** when it precedes a word beginning with the *i* sound (which may include words that start with *hi*): **inglés y español,** but **español e inglés; inteligente y agradable,** but **agradable e inteligente.**

ESCRIBE

ESTRATEGIA

Use adjectives to enrich your descriptions

You may enrich a description by using a variety of descriptive adjectives. When describing objects you may use adjectives to describe shapes or colors. When describing people you may refer to their looks or the way they are. Make sure the adjectives agree in gender and number with the objects and people they describe.

2-43

Preparación. Read the following personal ad and indicate the adjectives used to describe the author's physical appearance or personality traits.

> Soy un fanático del cine y necesito amigos para conversar sobre películas los fines de semana. Tengo 24 años y estudio cinematografía. Me fascinan las películas de acción y también las románticas. Soy fuerte, activo, atlético y aventurero. Me gusta practicar deportes, especialmente el tenis y el esquí. Siempre estoy muy ocupado, pero tengo unas horas todas las semanas para conversar sobre películas. Interesados, favor de enviar correo electrónico a **fanaticodelcine@yahoo.com**.

2-44

Antes de escribir. Before starting your e-mail in response to the ad from fanaticodelcine, prepare a list of:

1. adjectives that describe you physically
2. adjectives that describe your personality
3. activities that you like to do
4. the kinds of movies you like

2-45

Escribe. Write an e-mail to fanaticodelcine in response to the ad.

Comprueba

I was able to …

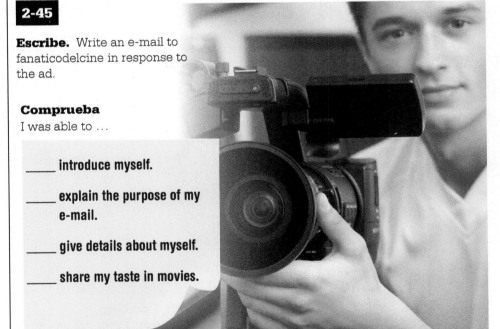

_____ introduce myself.

_____ explain the purpose of my e-mail.

_____ give details about myself.

_____ share my taste in movies.

2-46

Un paso más. Exchange e-mails with your partner and write a possible response from fanaticodelcine. Include the following and follow up with other information.

1. a greeting
2. the description of a film you would like to discuss
3. whether you like the film or not, and why

En este capítulo...

Comprueba lo que sabes

Go to *MySpanishLab* to review what you have learned in this chapter. Practice with the following:

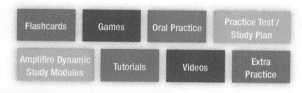

Flashcards · Games · Oral Practice · Practice Test / Study Plan · Amplifire Dynamic Study Modules · Tutorials · Videos · Extra Practice

Vocabulario

LAS DESCRIPCIONES
Descriptions

agradable   *nice*
alegre   *happy, glad*
alto/a   *tall*
antipático/a   *unpleasant*
bajo/a   *short (in stature)*
bilingüe   *bilingual*
bonito/a   *pretty*
callado/a   *quiet*
cansado/a   *tired*
casado/a   *married*
contento/a   *happy, glad*
conversador/a   *talkative*
corto/a   *short (in length)*
de estatura mediana
    average, medium height
débil   *weak*
delgado/a   *thin*
divertido/a   *funny, amusing*
enojado/a   *angry*
feo/a   *ugly*
fuerte   *strong*

gordo/a   *fat*
guapo/a   *good-looking, handsome*
hispano/a   *Hispanic*
joven   *young*
largo/a   *long*
listo/a   *smart; ready*
mayor   *old*
moreno/a   *brunette*
nervioso/a   *nervous*
nuevo/a   *new*
oscuro/a   *dark*
pelirrojo/a   *redhead*
perezoso/a   *lazy*
pobre   *poor*
rico/a   *rich, wealthy*
rubio/a   *blond*
simpático/a   *nice, charming*
soltero/a   *single*
tonto/a   *silly, foolish*
trabajador/a   *hardworking*
triste   *sad*
viejo/a   *old*

LOS COLORES
Colors

amarillo/a   *yellow*
anaranjado/a   *orange*
azul   *blue*
blanco/a   *white*
castaño/a   *brown*
gris   *gray*
marrón   *brown*
morado/a   *purple*
negro/a   *black*
rojo/a   *red*
rosado/a, rosa   *pink*
verde   *green*

LAS NACIONALIDADES
Nationalities

alemán/alemana   *German*
argentino/a   *Argentinian*
boliviano/a   *Bolivian*
canadiense   *Canadian*
chileno/a   *Chilean*
chino/a   *Chinese*
colombiano/a   *Colombian*
costarricense   *Costa Rican*
cubano/a   *Cuban*
dominicano/a   *Dominican*
ecuatoriano/a   *Ecuadorian*
español/a   *Spanish*
estadounidense   *U.S. citizen*
francés/francesa   *French*
guatemalteco/a   *Guatemalan*
hondureño/a   *Honduran*
japonés/japonesa   *Japanese*
marroquí   *Moroccan*
mexicano/a   *Mexican*
nicaragüense   *Nicaraguan*
nigeriano/a   *Nigerian*
panameño/a   *Panamanian*
paraguayo/a   *Paraguayan*
peruano/a   *Peruvian*
polaco/a   *Polish*
portugués/
    portuguesa   *Portuguese*
puertorriqueño/a   *Puerto Rican*
salvadoreño/a   *Salvadoran*
uruguayo/a   *Uruguayan*
venezolano/a   *Venezuelan*

VERBOS
Verbs

desear   *to wish, to want*
ser   *to be*
usar   *to use*

PALABRAS Y EXPRESIONES ÚTILES
Useful words and expressions

el auto, el coche, el carro   *car*
de   *of, from*
¿de quién?   *whose?*
del   *of the (contraction of de+ el)*
el esposo/la esposa   *husband/wife*
la flor   *flower*
le gusta(n)   *you (formal) like*
los lentes de contacto   *contact lenses*
me gusta(n)   *I like*
mucho (adv.)   *much, a lot*
mucho/a (adj.)   *many*
el ojo   *eye*
el pelo   *hair*
te gusta(n)   *you (familiar) like*
Tengo... años.   *I am ... years old.*
tiene   *he/she has; you (formal) have*
todos/as   *everybody*

See page 87 for possessive adjectives.

3

¿Qué hacen para divertirse?

LEARNING
OUTCOMES

You will be able to:

- describe free-time activities and food
- plan your daily activities and express intentions
- identify prices and dates
- state what and whom you know
- talk about places to visit in Peru
- share information about free-time activities in Hispanic countries and identify cultural similarities

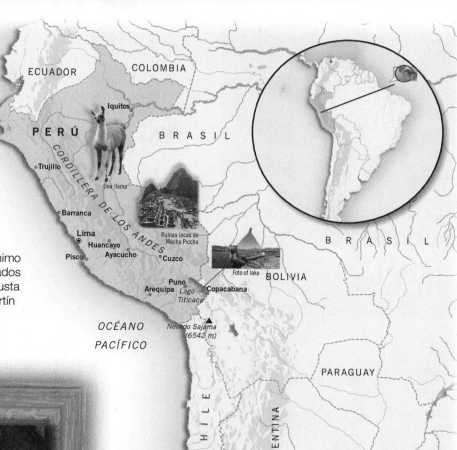

PERÚ

Enfoque cultural

To learn more about Peru, go to MySpanishLab to view the *Vistas culturales* videos.

En este detalle de un cuadro anónimo del siglo XVIII, vemos a unos invitados a la boda entre la princesa inca Ñusta Beatriz y un noble español, D. Martín de Loyola.

▼

¿QUÉ TE PARECE?

- La papa es original de Perú. Existen más de 3.000 variedades de este tubérculo.

- Desde la época de los incas hasta ahora, Perú es el principal productor de oro en el mundo.

- El periódico *El Peruano,* fundado por Simón Bolívar en 1825, es el más antiguo de Latinoamérica.

- Inca Kola es el refresco más popular en Perú por su sabor y vibrante color amarillo producido por infusiones de diferentes hierbas naturales.

- El surf es uno de los deportes más populares en Perú. La playa de Punta Hermosa, en el sur, atrae a surfistas de todas partes.

Machu Picchu es una de las ruinas arqueológicas más importantes del mundo. Fue construida en el siglo XV como fortaleza y santuario religioso para los emperadores incas. El mundo recibe las primeras noticias de este lugar en 1911 por medio del explorador Hiram Bingham.

La marinera es uno de los bailes más hermosos y populares que existen en Perú. Todos los años se realiza un festival de marinera en la ciudad de Trujillo (en la costa norte del país), donde compiten parejas para ganar el título de rey y reina de la marinera del año. ▼

El lago Titicaca se encuentra entre los territorios de Perú y Bolivia a una altura de 12.500 pies sobre el nivel del mar. Allí se encuentran 36 islas flotantes (artificiales) construidas de totora (*reeds*), que abunda en el lago. En las islas flotantes de Uro, Taquile y Amantaní viven comunidades indígenas que mantienen sus costumbres ancestrales.

¿CUÁNTO SABES?

Using the map, photos, and accompanying text, complete the sentences with the correct word.

1. _____ es una antigua e importante ciudad inca en Perú.

2. El lago Titicaca está localizado entre _____ y _____.

3. _____ es un animal que vive en los andes peruanos.

4. Inca Kola es un _____ de color _____.

5. Mario Vargas Llosa recibe _____ en el 2010 por ser un prestigioso escritor.

6. En Perú existen más de 3.000 variedades de _____.

El escritor, novelista, periodista y político peruano Mario Vargas Llosa recibe el Premio Nobel de Literatura en el año 2010. Publica su primera obra, *Los jefes*, a los veintitrés años. Llega a la fama mundial con la novela *La ciudad y los perros*. Sus obras reflejan su percepción de la sociedad peruana y sus experiencias personales.

Vocabulario en contexto

Talking about free-time activities, plans, and food

❖ ## Las diversiones

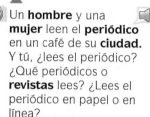

 En todos los **países** hispanos hay **fiestas** y **reuniones**. Los **jóvenes** bailan, escuchan **música** o conversan. A veces **tocan la guitarra** y **cantan canciones** populares.

Muchas personas van a la playa en su **tiempo libre** y también **durante** las **vacaciones**. Aquí en la playa Mancora en Perú, estas personas **toman el sol** y **descansan mientras otras** personas **nadan en el mar**, corren o caminan por la playa.

Un **hombre** y una **mujer** leen el **periódico** en un café de su **ciudad**. Y tú, ¿lees el periódico? ¿Qué periódicos o **revistas** lees? ¿Lees el periódico en papel o en línea?

Muchos **jóvenes** van al **cine**, especialmente los fines de semana. También es común **alquilar** DVD o bajar películas de Internet.

PRÁCTICA

3-1

Escucha y confirma. Indicate the places where people do the activities you hear.

	🏠	⛱	🎭
1.			
2.			
3.			
4.			
5.			
6.			

3-2

Asociaciones. Match the places to the activities you most likely do there. Compare your answers with those of a classmate and say what other activities you do in those places.

1. _____ la playa
2. _____ la discoteca
3. _____ el cine
4. _____ la biblioteca
5. _____ la casa

a. ver una película
b. leer el periódico
c. caminar por la arena
d. mirar televisión
e. bailar y conversar

3-3

Nuestro tiempo libre. What do you do in the following places? Take turns asking one another, and take notes on the responses. Then prepare a report to share with the class about the most popular activities in your group.

 MODELO en las vacaciones

E1: *¿Qué haces en tus vacaciones?*

E2: *En mis vacaciones generalmente voy a la playa. ¿Y tú?*

	COMPAÑERO/A 1	COMPAÑERO/A 2	COMPAÑERO/A 3	YO
1. en la universidad después de clase				
2. en la biblioteca pública de tu ciudad				
3. en casa el fin de semana				
4. en un parque de tu ciudad				
5. en la playa durante las vacaciones				
6. en la discoteca con tus amigos				

3-4

¿Qué hacen Pedro y Carmen?

PREPARACIÓN. Look at the drawings and take turns explaining what Pedro and Carmen do on weekends.

INTERCAMBIOS. Each of you will write a message to an e-pal in Peru explaining what you and your friends do on weekends.

Pedro

Hola, Rafael:

¿Cómo estás? Nosotros estamos muy bien. Los fines de semana mis amigos y yo…

¡Hasta pronto!

Carmen

◆ Los planes

 Una conversación por teléfono entre Manuel y Liliana

LILIANA: ¿Aló?

MANUEL: Hola, mi amor, ¡**felicidades** por tu **cumpleaños!**

LILIANA: Ay, gracias, Manuel.

MANUEL: **¿Qué te parece** si **vamos** al cine esta tarde y **después** a un restaurante para **cenar?**

LILIANA: Me parece **fabuloso.** ¿Qué película vamos a ver?

MANUEL: Hay una nueva de Augusto Tamayo.

LILIANA: Muy bien. Me gustan mucho sus películas. ¿Dónde **ponen** la película?

MANUEL: **Cerca de** El Jardín Limeño, tu restaurante favorito.

LILIANA: **Estupendo,** ¿entonces **luego** vamos a cenar allí?

MANUEL: **¡Claro!** ¿Nos vemos en tu casa a las cinco?

PRÁCTICA

■ ■ ■ ■ ■

La puntualidad

Many people in Spain and Latin America have a flexible concept of time when it comes to informal settings. Arriving on time for parties and social gatherings is not expected, and it can even be considered rude. Being thirty minutes late, for example, is acceptable. Since parties usually do not end at a set time, generally speaking people usually leave when they feel it is very late, often in the early hours of the morning.

Comparaciones. What is considered late for a party in your country? What is the host's reaction if you leave a party early?

3-5

Para confirmar. PREPARACIÓN. Using the preceding conversation as a model, call a classmate and invite him/her to join you in a weekend activity. He/She should accept or decline the invitation.

INTERCAMBIOS. Repeat the activity with two other classmates. Then explain to the class your weekend plans and who is joining you.

 El sábado por la tarde, Juan, Verónica y yo vamos al gimnasio para ver un partido de voleibol.

En directo ■ ■ ■ ■ ■

To extend an invitation:
Te llamo/escribo para invitarte a + *infinitive…*
I am calling/writing to invite you to…

To accept an invitation:
¡Estupendo! ¿Dónde quedamos?
Great! Where will we meet?
Sí, gracias/¡Ah, qué bien!/¡Qué buena idea!
Yes, thanks/How great!/What a great idea!
¡Fabuloso! *Fabulous!*

To decline an invitation:
Lo siento, pero no tengo tiempo/tengo mucha tarea… *I'm sorry, but I don't have time/I have too much homework…*
Ese día no puedo, tengo un examen. *I can't on that day, I have an exam.*

 Listen to a conversation with these expressions.

3-6

Un plan para el sábado. Write a text message to a classmate inviting him/her to go to the movies on Saturday. Respond to your classmate's message.

▲ Alejandro González Iñárritu,
Guillermo del Toro y Alfonso Cuarón

Cultura

■ ■ ■ ■ ■

El cine

Traditionally, Mexico, Spain, and Argentina have had important film industries, but films are made in other Spanish-speaking countries as well. Outstanding Spanish-language film directors like Pedro Almodóvar and Icíar Bollaín in Spain, Alfonso Cuarón, Guillermo del Toro, and Alejandro González Iñárritu in Mexico, Sergio Cabrera in Colombia, and Juan Carlos Tabío in Cuba, among others, are internationally known.

Conexiones. What other famous directors (American or foreign-born) can you name? What do you like best about their style?

3-7

¿Adónde vamos? Identify three activities on this page from a newspaper in Lima that you and your classmate find interesting. Then fill in the chart, including time for each activity. Be prepared to share this information with the class.

¿Adónde vamos?	¿Qué vamos a hacer?	¿Cuándo?

AGENDA CULTURAL

La guía de Lima

Cine

Cine arte: Películas de culto, presenta:

1:00 PM. "Dementia" (56'–1955) Dir.: John Parker (Estados Unidos).

4:30 PM. "Homicidio por contrato" (81'–1958) Dir.: Irving Lerner (Estados Unidos).

7:30 PM. Festival de Cine al Este de Lima, presenta: "Milos Forman, lo que no te mata" (100'–2010) Dir.: Miloslav Smidmajer (República Checa).

Ingreso libre.

Libros

Casa de la Literatura Peruana (cll. Jr. Ancash 207–Lima)

11:00 AM. Títeres: "La Achique". Ingreso libre.

7:00 PM. Conversando con mi autor favorito, presenta: Fernando Ampuero. Ingreso libre (previa inscripción: Tlf.: 426–2573, anexo 104 / actividadesliterariascaslit@gmail.com).

Música

Auditorio del Colegio Santa Úrsula (av. Santo Toribio 150–San Isidro)

Música: Temporada de Abono 2013, presenta: "Recital de viola y violín" a cargo de Domenico Nordio y Francesca Dego (Italia); a las 7:30 PM. Entrada general: S/.140

Auditorio del Británico de San Borja (av. Javier Prado Este 2726–San Borja)

Música: "Industrial pop" a cargo de Bocanegra; a las 7:30 PM.

Ingreso libre.

Exposiciones

"NEVADOS" pintura de Alejandro Jaime, en Sala de Arte del Centro Cultural El Olivar (cll. La República 455, El Olivar–San Isidro) de lunes a sábado de 10 AM a 8 PM. Hasta el 28 de mayo.

Teatro

Teatro Nadal (cll. Mártir José Olaya 139, int. 112–Miraflores)

Unipersonal: "Conferencia magistral" de Antón Chéjov (Rusia), a cargo de Carlos Gassols; a las 8:00 PM. Entrada general: S/.45

Teatro de Lucía (cll. Bellavista 512–Miraflores)

Teatro: "De repente el verano pasado" de Tennessee Williams (Estados Unidos), a cargo de Lucía Irurita y Mirna Bracamonter, Dir.: Alberto Isola; a las 8:00 PM. Entrada general: S/.30–Estudiantes: S/.25

Conferencias

Nueva Acrópolis Breña (av. Bolivia 568–Breña)

Charla: "La física cuántica: el lado esotérico de la naturaleza"; a las 8:30 PM. Ingreso libre (previa inscripción: www.acropolisperu.org).

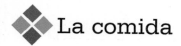

La comida

 En el restaurante. Ahora Liliana y Manuel están en el restaurante El Jardín Limeño para **celebrar** el cumpleaños de Liliana. Hablan con el **camarero.**

CAMARERO: Buenas noches. ¿Qué desean los señores?

MANUEL: Liliana, ¿qué vas a comer?

LILIANA: Para mí, primero una **ensalada** y después **pollo** con **verduras.**

MANUEL: Yo, para empezar, ceviche de **pescado.** Y luego un **bistec** con **papas.**

CAMARERO: ¿Y para beber?

LILIANA: Para mí, **vino** tinto. Y también **agua** con gas, por favor.

CAMARERO: ¿Algo más?

MANUEL: Nada más, gracias.

tamales   frijoles   arroz

yuca frita

aceitunas

ceviche

ESPECIALIDADES DE LA CASA

ENTRADAS

Ensalada de la casa	S/.10
Ceviche de pescado	S/.15
Papa a la huancaína	S/.10
Causa a la limeña	S/.12

PLATOS PRINCIPALES

Chupe de camarones	S/.22
Ají de gallina	S/.18
Lomo saltado	S/.17
Bistec con papas	S/.17
Pollo con verduras	S/.16

POSTRES

Suspiro de limeña	S/.8
Alfajor	S/.8
Mazamorra morada	S/.6

BEBIDAS

Chicha morada	S/.4
Jugo de maracuyá	S/.4
Inca Kola	S/.3

Más comidas y bebidas

el café caliente   el cereal   la leche

el té

los huevos fritos

el pan tostado/ las tostadas

el jugo de naranja

la ensalada de lechuga y tomate

una cerveza fría

el sándwich de jamón y queso

las papas fritas

la hamburguesa   el refresco

la fruta

el agua   el pescado

el pollo   el helado

los espaguetis

los vegetales/ las verduras

la sopa

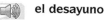 el desayuno

 el almuerzo

la comida/la cena

PRÁCTICA

3-8

Para confirmar. PREPARACIÓN. Decide which item in each group contains the most calories.

1. la sopa de tomate, la hamburguesa, la sopa de pollo
2. el pollo frito, el pescado, la ensalada
3. las verduras, las frutas, las papas fritas
4. la cerveza, la leche desnatada (*skim*), el café
5. el helado de chocolate, el cereal, el arroz

INTERCAMBIOS. Compare with your partner to see if you agree which foods have the most calories. Then, ask each other about your preferences.

MODELO E1: *Frecuentemente como ensaladas y bebo cerveza. ¿Y tú?*

E2: *Yo frecuentemente como hamburguesas con papas fritas y bebo refrescos.*

3-9

Las comidas. PREPARACIÓN. Discuss with your classmate what you usually have for breakfast, lunch, and dinner.

MODELO *En el desayuno, como tostadas y bebo café. ¿Y tú?*

INTERCAMBIOS. Write a paragraph explaining what you and your classmate eat frequently for breakfast, lunch, and dinner.

MODELO *Para desayunar yo frecuentemente como cereal y bebo café con leche. Mi compañero…*

Cultura

La comida rápida

Fast food is popular among young Hispanics, and American-style hamburger places may be found in Hispanic countries. They often adapt to local tastes, and it is not unusual to have hamburgers served with rice and black beans instead of fries. Beer and wine may be sold in addition to soft drinks.

Comunidades. Do you know of any fast food places in your community that are not American style? What types of food do they serve?

▲ Bembos en Lima

MENÚ

SOPAS
Sopa de pollo	S/. 9
Sopa de tomate	S/. 7
Sopa de vegetales	S/. 7
Sopa de pescado	S/. 12

ENSALADAS
Ensalada de lechuga y tomate	S/. 8
Ensalada de pollo	S/. 14
Ensalada de atún	S/. 12

PLATOS PRINCIPALES
Bistec con papas y vegetales	S/. 20
Hamburguesa con papas fritas	S/. 16
Pescado con papas fritas	S/. 18
Arroz con vegetales	S/. 15

3-10

¿Qué debe comer? Take turns asking each other which items from the menu are the best options for the following people.

1. Tu amiga Luisa desea subir de peso (*gain weight*).
2. Tu mamá es alérgica a los mariscos (*seafood*).
3. Tu amigo José necesita bajar de peso (*lose weight*).
4. El profesor Méndez está enfermo (*sick*) del estómago hoy.

3-11

¿Qué te gusta más? Using the words below, discuss with your partner what you each prefer to drink **por la mañana, para el almuerzo, por la noche.** Then explain your partner's preferences to the class.

 MODELO E1: ¿Qué te gusta beber por la mañana, té o café?

E2: Me gusta más beber café.

- agua mineral con gas
- un refresco
- agua mineral sin gas
- un té (helado)
- un batido (*shake*) de yogur y fruta
- un vaso (*glass*) de leche
- una copa de vino
- una cerveza
- un chocolate caliente
- jugo de naranja

3-12

En el café. PREPARACIÓN. It is 9:00 on Saturday morning, and you and a friend are in a café in Lima. Look at the menu and decide what you want to order.

INTERCAMBIOS. Ask your friend what he/she would like to order, then explain your order to a waiter.

MODELO E1: *El desayuno es muy bueno aquí. ¿Qué deseas comer?*

E2: _____ ¿Y tú?

E1: Yo _____ ¿Y qué vas a tomar?

E1: Camarero, mi amigo/a... y yo...

DESAYUNOS

café	S/.3
té	S/.3
café con leche	S/.5
jugo de naranja	S/.5
chocolate	S/.6
tostadas	S/.5
pan con mantequilla	S/.5
pan dulce	S/.6
cereal	S/.8
huevos fritos	S/.10

En directo

Expressions to order food:

Para mí, unas tostadas, café...
For me, some toast, coffee...

Me gustaría/Quisiera comer/tomar... *I would like to eat/drink ...*

Yo quiero/deseo...
I want...

  Listen to a conversation with these expressions.

3-13

Nuestro menú. You and your roommate want to have guests over for dinner tonight. Decide whom each of you is going to invite and what you are going to serve. Finally, compare your menu with that of another pair of classmates.

- Vamos a invitar a

_____

_____

_____

- Vamos a servir

_____

_____

_____

3-14

Un viaje (*trip*). You and your partner are in Peru and are planning a day trip to Machu Picchu. Arrange to take some food and beverages with you.

1. Make a list of the food and beverages that you need to take.

2. Talk in detail about at least five activities that you are going to do.

3-15

¿Qué hacen estos estudiantes?

PREPARACIÓN. Rafael and Miguel talk about their activities and weekend plans. Before you listen, write down three activities you normally do during the week, and three that you plan to do this weekend. Then, ask your partner if he/she is going to do the same things.

  ESCUCHA. Listen to Rafael and Miguel's conversation. Indicate (✓) the activities they say they will do during the weekend.

1. _____ estudiar para los exámenes

2. _____ comer en un restaurante

3. _____ descansar y tomar el sol

4. _____ trabajar en la librería

5. _____ celebrar el cumpleaños de Rafael

Los hispanos utilizan su tiempo libre para hacer actividades en grupo. Los españoles van de tapas, los argentinos y uruguayos organizan grandes asados y los colombianos van a fiestas donde bailan toda la noche. Pero no participan solo en actividades típicas de sus países. La globalización y la influencia de la cultura norteamericana en el mundo hispano han cambiado (*have changed*) la vida social de muchos.

▲ **Salir de tapas en Madrid**

▲ **Asador de carne en Argentina**

Hoy en día, los centros comerciales son un lugar muy importante para las personas jóvenes. Es común ver a grupos de amigos pasear, ir al cine, tomar un café o ir a un restaurante en estos centros después de la escuela o del trabajo. La música también tiene una gran influencia estadounidense. Muchas veces los jóvenes cantan las canciones que suenan en la radio, y bailan al ritmo de la música electrónica en las discotecas.

Sin duda, Internet tiene un impacto muy fuerte en cómo los jóvenes utilizan su tiempo libre. Los jóvenes de 12 a 18 años pasan a veces de tres a cuatro horas al día en Internet. Las redes sociales (*social networks*) son una pasión entre los latinoamericanos. En Argentina, por ejemplo, hay 40 millones de personas; 20 millones utilizan Facebook. Y tú, ¿pasas muchas horas en Facebook? ¿Paseas con tus amigos en los centros comerciales?

▼ **Real Plaza en Lima**

Compara

1. En tu opinión, ¿la cultura hispana influye en (*influences*) la cultura estadounidense? Menciona algunos ejemplos de esta influencia.

2. Menciona dos semejanzas y dos diferencias de cómo pasan el tiempo los jóvenes en Estados Unidos y en el mundo hispano.

☑ Funciones y formas

1 Talking about daily activities

🔊 **Unos nuevos amigos conversan sobre sus actividades**

CAROLINA: Bueno, para conocernos mejor, ¿por qué no jugamos a Decir la verdad? José Manuel, la primera pregunta es para ti. ¿Qué **haces** cuando estás aburrido?

JOSÉ MANUEL: **Pongo** la tele para ver películas. Y tú, Tomás, ¿adónde **sales** cuando tienes tiempo? ¿Y con quién?

TOMÁS: Bueno, **salgo a** comer con mi novia Pilar. Pero cuando tengo exámenes, debo **salir para** la biblioteca. Carolina, cuando **oyes** música salsa, ¿qué **haces?**

CAROLINA: Eso es muy fácil. Siempre bailo cuando **oigo** música salsa. Mi pregunta es para ustedes dos. ¿Qué **hacen** ustedes en casa que no les gusta **hacer?**

TOMÁS: No me gusta, pero **hago la cama** porque me gusta el orden.

JOSÉ MANUEL: Mis hermanitos me **traen** su ropa y lavo su ropa sucia (*dirty*) todo el fin de semana. ¿Y tú, Carolina?

CAROLINA: ¿Yo? Pues, **pongo la mesa** todos los días, pero no me gusta. ¡Qué lata!

e **Piénsalo.** Match each idea with its most logical ending.

1. _____ **Pongo** la tele…
2. _____ **Pongo la mesa**…
3. _____ **Oigo** música…
4. _____ Debo **salir para** la biblioteca…
5. _____ **Hago** la cama…
6. _____ Lavo la ropa que **traen** mis hermanos…

a. porque me gusta el orden.

b. cuando **salgo** con mis amigos.

c. para pasarlo bien (*have a good time*).

d. para ayudar (*help*) en casa.

e. porque me gusta ver películas.

f. porque necesito buscar unos libros.

Present tense of *hacer, poner, salir, traer,* and *oír*

■ In the present tense, the verbs **hacer, poner, salir, traer,** and **oír** have irregular **yo** forms, but are regular in all other forms.

HACER (*to make, to do*)			
yo	**hago**	nosotros/as	**hacemos**
tú	**haces**	vosotros/as	**hacéis**
Ud., él, ella	**hace**	Uds., ellos/as	**hacen**

■ **Hacer** means *to do* or *to make*. It is used frequently in questions to ask in a general sense what someone does, is doing, or likes to do.

¿Qué **haces** para sacar buenas notas?   *What do you do to get good grades?*

Hago la tarea para mis clases todos los días. *I do the homework for my classes every day.*

- **Poner** means *to put*. When used with some electrical appliances, **poner** means *to turn on;* **poner la mesa** means *to set the table.*

PONER (*to put*)			
yo	**pongo**	nosotros/as	**ponemos**
tú	**pones**	vosotros/as	**ponéis**
Ud., él, ella	**pone**	Uds., ellos/as	**ponen**

Por la mañana **pongo** mis libros en mi mochila.	*In the morning I put my books in my backpack.*
Mi abuelo **pone** la televisión después de la cena.	*My grandfather turns on the TV after dinner.*
Yo **pongo la mesa** a la hora de la cena.	*I set the table at dinner time.*

- **Salir** can be used with several different prepositions. To express that you are leaving a place, use **salir de;** to express your destination, use **salir para;** to express with whom you go out or the person you date, use **salir con;** to express intention, use **salir a.**

SALIR (*to leave*)			
yo	**salgo**	nosotros/as	**salimos**
tú	**sales**	vosotros/as	**salís**
Ud., él, ella	**sale**	Uds., ellos/as	**salen**

Yo **salgo de** mi cuarto a las 7:15 de la mañana.	*I leave my room at 7:15 in the morning.*
Salgo para la cafetería.	*I am leaving for the cafeteria.*
Mi mejor amiga **sale con** Mauricio.	*My best friend is dating Mauricio.*
Ellos **salen a** bailar los sábados.	*They go out dancing on Saturdays.*

TRAER (*to bring*)			
yo	**traigo**	nosotros/as	**traemos**
tú	**traes**	vosotros/as	**traéis**
Ud., él, ella	**trae**	Uds., ellos/as	**traen**

Yo siempre **traigo** un postre a estas fiestas.	*I always bring a dessert to these parties.*

- **Oír** means *to hear* in the sense of *to perceive sounds.* Note the spelling and the accent marks in the infinitive, **nosotros/as,** and **vosotros/as** forms.

OÍR (*to hear*)			
yo	**oigo**	nosotros/as	**oímos**
tú	**oyes**	vosotros/as	**oís**
Ud., él, ella	**oye**	Uds., ellos/as	**oyen**

Yo **oigo** música.	*I hear music.*
—¿**Oyes** la alarma?	*—Do you hear the alarm?*
—No, no **oigo** nada.	*—No, I don't hear anything.*

e **¿COMPRENDES?**

Complete the sentences to say what these people do on the weekend.

1. Los sábados, Marcos y Victoria _____ (salir) a la discoteca. _____ (Oír) buena música y bailan mucho.

2. Yo no _____ (salir) mucho los sábados. _____ (Traer) mis libros a casa y _____ (hacer) tareas todo el fin de semana.

3. A veces (*Sometimes*) nosotros _____ (hacer) fiestas en mi apartamento. Mis amigos _____ (traer) comida y nosotros _____ (oír) música o _____ (poner) una película.

MySpanishLab

Learn more using Amplifire Dynamic Study Modules, Grammar Tutorials, and Extra Practice activities.

PRÁCTICA

3-16

La perfección andante (*Perfection in motion*).

PREPARACIÓN. Decide if you are organized, considerate, studious, and punctual. Check (✓) the statements that refer to things you do or don't do regularly.

1. _____ Yo **hago** mi cama temprano por la mañana.
2. _____ Cuando **oigo** que un amigo está triste, lo invito a salir.
3. _____ Siempre **pongo** música rock cuando estudio.
4. _____ Generalmente, **traigo** mi iPad a clase para tomar apuntes.
5. _____ En general, no **traigo** mi iPod porque necesito escuchar al profesor.
6. _____ Por las mañanas, **hago** ejercicio y luego **salgo** para la universidad.

 INTERCAMBIOS. Take turns talking about the activities you both do that show off your best qualities.

 MODELO E1: *Yo soy organizado/a. Siempre hago mi cama por la mañana. ¿Y tú?*

E2: *Pues, yo también…*

3-17

¿Usas bien tu tiempo libre? PREPARACIÓN. Check (✓) the version of each pair of activities that fits you.

1. _____ Pongo la mesa para cenar.
   _____ Como en cualquier lugar de la casa.
2. _____ Hago el desayuno.
   _____ Salgo a desayunar fuera de casa.
3. _____ Hago la cama todos los días.
   _____ Hago la cama una vez por semana.
4. _____ Traigo el periódico a casa.
   _____ Leo el periódico en Internet.
5. _____ Pongo la televisión para ver películas.
   _____ Salgo al cine para ver películas.

 INTERCAMBIOS. Share your answers with a classmate and describe what else you do in that situation.

 MODELO *Pongo la mesa para cenar y traigo las bebidas también.*

3-18

Para pasarlo bien. PREPARACIÓN. Indicate (✓) the activities that, in your opinion, your classmates probably do to have fun. Compare your answers with those of your partner.

1. _____ Alquilan películas los fines de semana.
2. _____ Oyen música y bailan mientras estudian para los exámenes.
3. _____ Frecuentemente hacen fiestas con sus amigos.
4. _____ Asisten a conciertos y exposiciones de arte.
5. _____ Hacen ejercicio en el gimnasio o en el parque.
6. _____ Escuchan programas en la Radio Pública Nacional (*NPR*).
7. _____ Salen a comer en grupo.
8. _____ Hablan por Skype constantemente.

 INTERCAMBIOS. Using the activities you marked in *Preparación*, ask your instructor if he/she does these activities to have fun.

 MODELO E1: *Para pasarlo bien, nosotros asistimos a conciertos de música rock. ¿Usted asiste a conciertos de música rock para pasarlo bien?*

INSTRUCTOR: *No, no asisto a conciertos de música rock. Para pasarlo bien escucho conciertos de música jazz en la radio pública.*

E1: *¡Qué interesante!*

Mi rutina. PREPARACIÓN. Talk about the activities you routinely do. Then ask your classmate about his/her activities.

> **MODELO** tener clases (por la mañana/por la tarde)
>
> E1: *Yo tengo clases por la mañana. ¿Y tú?*
>
> E2: *Yo tengo clases por la mañana y por la tarde.*

1. salir de casa (temprano/tarde) por la mañana
2. poner (el iPod/la computadora) para escuchar música por la mañana
3. hacer la tarea (en casa/en la biblioteca)
4. salir a (comer/ver películas) con amigos por la noche
5. traer muchos (libros/amigos) a casa después de las clases

INTERCAMBIOS. Write a brief paragraph comparing your routine with that of your classmate. In your opinion, who has a more interesting routine, and why? Provide a few reasons.

En directo

To react to what someone has said:

¡Qué interesante! *How interesting!*

¡Qué divertido! *How fun!*

¡Qué aburrido! *How boring!*

¡Qué lata! *What a nuisance!*

Listen to a conversation with these expressions.

Situación

PREPARACIÓN. Read the following situation with your partner. Then brainstorm the vocabulary, structures, and other information you will need for both roles in the conversation.

Role A. You have made a new friend, and you are asking him/her about the things he/she likes to do in his/her free time. Ask him/her:

a. if he/she goes out a lot and where;
b. if he/she does any sports;
c. if he/she goes to parties and what does he/she bring; and
d. if he/she likes to listen to music and what music he/she listens to.

Role B. You are new in town, and you have just met someone who is interested in knowing more about you. Answer the questions in as much detail as possible and ask some questions of your own.

	ROLE A	ROLE B
Vocabulario	Free-time activities Question words Movies, music, or other forms of entertainment	Free-time activities Question words Movies, music, or other forms of entertainment
Funciones y formas	Verbs *hacer, poner, traer, oír* Asking and answering questions Reacting to what one hears	Verbs *hacer, poner, traer, oír* Asking and answering questions Reacting to what one hears

INTERCAMBIOS. Using the information in *Preparación,* act out the conversation with your partner.

2 Expressing movement and plans

Elena, la chica en el centro de la foto, habla de sus amigos

Mis amigos y yo somos diferentes, pero estamos muy unidos. Para mi cumpleaños, nosotros **vamos a** un restaurante todos los años. Los sábados, yo **voy a** la casa de mi amiga Estela, y luego ella **va** conmigo **al** gimnasio para hacer ejercicio. A veces Rafael, Humberto y Rodrigo también **van al** gimnasio con nosotras. Mi amiga Teresa, no sale mucho porque prefiere estudiar. Yo siempre bromeo (*joke*) con ella: "Tere, ¿**vas a** la biblioteca a pasarlo bien?" Fernando es muy tranquilo y le fascina el arte. Con frecuencia él y Estela **van a** la librería a comprar libros.

Piénsalo. Read the following statements about Elena and her friends. Then indicate (✓) if the statement is **Probable** or **Improbable,** based on the information Elena provides.

	Probable	Improbable
1. Elena y sus amigos **van a** restaurantes juntos para celebrar su cumpleaños.	_____	_____
2. Fernando **va a** los conciertos de música rock.	_____	_____
3. Estela afirma: "Frecuentemente, yo **voy a** la librería a comprar libros".	_____	_____
4. Teresa comenta: "Fernando y yo **vamos al** museo de arte esta tarde".	_____	_____
5. Elena no **va a** las fiestas de cumpleaños de sus amigos.	_____	_____

Present tense of *ir* and *ir a + infinitive*

■ After the verb **ir,** use **a** to introduce a noun that refers to a place. When **a** is followed by the article **el,** the two words contract to form **al.**

IR (*to go*)			
yo	**voy**	nosotros/as	**vamos**
tú	**vas**	vosotros/as	**vais**
Ud., él, ella	**va**	Uds., ellos/as	**van**

Voy **a la** fiesta de María.	*I am going to Maria's party.*
Vamos **al** gimnasio.	*We are going to the gym.*

■ Use **¿adónde?** when asking *where (to)?* with the verb **ir.**

¿Adónde vas ahora?	*Where are you going now?*

■ To express a future action or condition, use the present tense of **ir a +** the infinitive form of the verb.

Mis amigos **van a nadar** después.	*My friends are going to swim later.*
¿**Vas a ir** a la fiesta?	*Are you going to go to the party?*

■ The expression **vamos a +** *infinitive* can mean *let's.*

Vamos a cenar en mi casa.	*Let's have dinner at my house.*
Vamos a bailar después.	*Let's go dancing afterward.*

> **LENGUA**
>
> The following expressions denote future time:
>
> **después, más tarde, esta noche, mañana, pasado mañana, la próxima semana, el próximo mes/año.**

Complete the conversation with the correct form of the verb **ir**.

LUIS: Hola, Lorena, ¿adónde (1) _____?

LORENA: Hola, Luis. (2) _____ a la biblioteca porque debo estudiar para el examen de mañana.

LUIS: Ah, pues yo también (3) _____ para allá. ¿Por qué no (4) _____ juntos (*together*)?

LORENA: Sí, claro. Pero ¿qué tal si primero (5) _____ a tomar un café a la cafetería?

MySpanishLab

Learn more using Amplifire Dynamic Study Modules, Grammar Tutorials, and Extra Practice activities.

PRÁCTICA

3-20

¿Adónde van? PREPARACIÓN. Josh and Steve are North American students visiting Peru for their summer vacation. Match the descriptions with the places they plan to see.

a. Machu Picchu   **b.** las líneas de Nazca   **c.** la Universidad de San Marcos   **d.** una peña

1. _____ Steve estudia historia. Por eso, busca una institución prestigiosa. Está en Lima. Va a…

2. _____ Los dos amigos van a visitar uno de los lugares más misteriosos del planeta. Allí hay enormes figuras geométricas trazadas (*drawn*) en la tierra que son visibles solamente desde el aire. Ellos van a…

3. _____ Josh conoce (*meets*) a Susana en Perú. Ella lo invita a un evento folclórico donde las personas oyen poesía, música tradicional y comen y bailan también. Josh y Susana van a…

4. _____ Steve y Josh van a un lugar histórico imposible de ignorar. Es considerado el símbolo del imperio inca. Está cerca de Cuzco. Steve y Josh van a…

INTERCAMBIOS. Now take turns asking your partner where you two will go to do the following in Peru.

1. ¿Adónde vamos para hacer amigos, conversar y bailar ritmos peruanos?

2. ¿Adónde vamos para tomar fotos de los alumnos y el edificio de una universidad muy antigua?

3. ¿Adónde vamos para escalar unas montañas altas de mucha importancia histórica?

3-21

Los horarios. PREPARACIÓN. Your classmate's friends Bob, Juan, Alicia, and Sofía are busy today. Ask your classmate when each friend is leaving the place listed and where he/she is going afterward.

NOMBRE	HORA	LUGAR	DESTINO
Juan	8:00 de la mañana	gimnasio	clase
Alicia	9:30 de la mañana	laboratorio de computadoras	biblioteca
Sofía	8:30 de la mañana	oficina	cafetería
Tú	...	...	...

MODELO
E1: ¿A qué hora sale del trabajo tu amigo Bob?
E2: (Sale) a las seis de la tarde.
E1: ¿Adónde va después?
E2: Va al cine.

INTERCAMBIOS. Exchange information with your partner about what each of you does at the times listed in *Preparación*.

MODELO
E1: ¿Qué haces a las 8:00 de la mañana?
E2: Salgo de mi casa para la universidad.
E1: ¿Adónde vas después?
E2: Voy al gimnasio. ¿Qué haces tú a las 8:00 de la mañana?

3-22

¡Qué desorden! (*What a mess!*) PREPARACIÓN. Cristina had a party at her house, and now her friends are helping her clean up. Match each situation with its probable solution. Compare answers with a partner.

1. _____ Hay muchos platos sucios.

2. _____ Cristina ve mucha comida en la mesa.

3. _____ La casa está desordenada.

4. _____ Cristina y sus amigos necesitan energía para limpiar la casa.

5. _____ Los amigos de Cristina están cansados después de la fiesta.

a. Dos chicos van a ordenar todo.

b. Algunos amigos van a recoger (*pick up*) los platos.

c. Una amiga va a poner la comida en el refrigerador.

d. Una amiga va a preparar café.

e. Van a descansar.

INTERCAMBIOS. Brainstorm how Cristina's parents are going to react when they find out about her party. Some reactions may include: *cancelar su tarjeta de crédito/su teléfono celular, prohibir fiestas/amigos, estar enojados...*

MODELO
E1: *Sus padres no van a estar contentos.*
E2: *Sí, y van a conversar muy seriamente con Cristina.*

3-23

Mi agenda para la semana. Invite six classmates individually to do the following activities with you. They are going to accept or refuse your invitation.

MODELO estudiar en la biblioteca el lunes por la noche

E1: *¿Vamos a estudiar en la biblioteca el lunes por la noche?*

E2: *Lo siento, Miguel, el lunes por la noche voy a ir al cine con David. Pero ¿por qué no estudiamos el martes por la mañana?*

E1: *Buena idea. Vamos a estudiar el martes temprano por la mañana.*

1. ir a un concierto el viernes por la noche

2. mirar una buena película en casa el lunes a mediodía

3. tomar algo en un café el sábado por la mañana

4. estudiar para un examen difícil el miércoles por la tarde

5. bailar en la discoteca el jueves por la noche

6. hacer ejercicio el domingo a mediodía

Los planes de Maribel. PREPARACIÓN. Take turns telling each other what Maribel is going to do at the times indicated.

INTERCAMBIOS. Chat with your classmate about what you are going to do at those times on Friday.

Situación

PREPARACIÓN. Read the following situation with your partner. Then brainstorm the vocabulary, structures, and other information you will need for both roles in the conversation.

Role A. You call to invite a friend to a café tonight where a mutual friend is going to sing. After your friend responds, ask about his/her plans for later in the evening:

a. where he/she is going;
b. with whom; and
c. what time, etc.

Role B. A friend calls to invite you to a café tonight where a mutual friend is going to sing. Inquire about the event to find out:

a. what time and where it will be; and
b. if other friends are going to go.

Accept the invitation and mention your plans for later in the evening.

	ROLE A	ROLE B
Vocabulario	Free-time activities	Free-time activities
Funciones y formas	Making plans Verb *ir* *ir + a + infinitive* Extending an invitation Asking the time Reacting to what one hears	Verb *ir* *ir + a + infinitive* Accepting an invitation Telling time Asking questions

INTERCAMBIOS. Using the information in *Preparación*, act out the conversation with your partner.

3 Talking about quantity

Adriana va a comprar un billete de lotería. Si gana (*If she wins*) dos millones de dólares, va a comprar un boleto de avión por **mil setecientos dólares** para visitar a su familia en Perú. Además va a comprar un carro deportivo por **cuarenta y dos mil cuatrocientos dólares** y muchas cosas más. Y para sus padres, **mil dólares.** Adriana puede imaginar a su padre contando (*counting*) el dinero... **quinientos, seiscientos, setecientos, ochocientos, novecientos...** y a su madre pensando en (*thinking about*) la fiesta que va a preparar.

Piénsalo. Select the numbers that correspond to the cost of the other items Adriana is hoping to buy.

1. _____ una casa por setecientos cincuenta mil dólares
2. _____ una computadora portátil por dos mil ciento diez dólares
3. _____ un teléfono celular por quinientos dólares
4. _____ tres televisores plasma por cinco mil cuatrocientos dólares

a. 500
b. 750.000
c. 5.400
d. 2.110

Numbers 100 to 2,000,000

■ You have already learned the numbers up to 99. In this section you will learn the numbers to talk about larger quantities.

100	**cien/ciento**	1.000	**mil**
200	**doscientos/as**	1.100	**mil cien**
300	**trescientos/as**	2.000	**dos mil**
400	**cuatrocientos/as**	10.000	**diez mil**
500	**quinientos/as**	100.000	**cien mil**
600	**seiscientos/as**	150.000	**ciento cincuenta mil**
700	**setecientos/as**	500.000	**quinientos mil**
800	**ochocientos/as**	1.000.000	**un millón (de)**
900	**novecientos/as**	2.000.000	**dos millones (de)**

■ Use **cien** to say 100 when used alone or when followed by a noun. Use **ciento** for numbers from 101 to 199.

100	**cien**
100 chicos	**cien** chicos
120 profesoras	**ciento** veinte profesoras
177 libros	**ciento** setenta y siete libros

■ Multiples of 100 agree in gender with the noun they modify.

200 periódicos	**doscientos** periódicos
1.400 revistas	**mil cuatrocientas** revistas

- Use **mil** for *one thousand*. Multiples of 1,000 are also **mil.**

1.000	**mil** alumnos, **mil** alumnas
12.000	**doce mil** residentes

- Use **un millón** to say *one million*. Use **un millón de** when a noun follows.

1.000.000	**un millón**
1.000.000 de personas	**un millón de personas**
12.000.000 de dólares	**doce millones de dólares**

- In many Spanish-speaking countries, a period is used to separate thousands, and a comma is used to separate decimals.

$1.000	$19,50

- Numbers higher than one thousand, such as dates or street addresses, are not stated in pairs as they often are in English.

1942 (*nineteen forty-two*)	**mil novecientos cuarenta y dos**

|e| **¿COMPRENDES?**

Complete each sentence with the appropriate number.

1. Aproximadamente _____ de personas hablan español.
2. El dólar tiene _____ centavos.
3. El profesor Hiram Bingham de Yale llega a Machu Picchu por primera vez (*for the first time*) en el año _____ .
4. La Constitución de Estados Unidos tiene más de _____ años.
5. El próximo milenio va a empezar en el año _____ .

a. cien
b. mil novecientos once
c. tres mil uno
d. trescientos cincuenta millones
e. doscientos veinte

MySpanishLab

Learn more using Amplifire Dynamic Study Modules, Grammar Tutorials, and Extra Practice activities.

PRÁCTICA

3-25

Cantidades. Alternate asking each other the following questions. Then report the most surprising amounts to the class.

1. ¿Cuántos mensajes de texto envías (*send*) y recibes al día?
2. ¿Cuánto dinero vas a ganar después de la universidad?
3. ¿Qué cantidad máxima vas a gastar por un coche usado?
4. ¿Qué cantidad máxima vas a pagar para tu boda?
5. ¿Cuánto vas a gastar por tu carrera universitaria?
6. ¿Cuántos estudiantes van a graduarse de tu universidad este año?
7. ¿Cuánto dinero vas a gastar en diversiones este semestre?
8. ¿Cuántas personas viven en la residencia estudiantil más grande de tu universidad?

3-26

Unas vacaciones. PREPARACIÓN. Your classmate has chosen one of the destinations in the ad below for an upcoming vacation. To find out where he/she is going, ask the following questions and react to what you hear. Then switch roles.

1. ¿Adónde vas?
2. ¿Qué lugares vas a ver?
3. ¿Cuántos días vas a estar allí?
4. ¿Cuánto cuesta la excursión?
5. ¿Cuánto dinero vas a necesitar?

INTERCAMBIOS. Based on your classmate's answers, write an e-mail to your instructor informing him/her of your classmate's plans.

AGENCIA MUNDIAL

A SU SERVICIO SIEMPRE
20 años de experiencia, responsabilidad y profesionalidad.

TODOS LOS PRECIOS INCLUYEN PASAJES AÉREOS Y SERVICIOS TERRESTRES POR PERSONA

PERÚ Y BOLIVIA

LIMA, AREQUIPA, CUZCO, MACHU PICCHU, PUNO, LA PAZ, 15 días. La Ruta del Inca. Hoteles de 3 y 4 estrellas. Desayuno incluido.
$2.760

PERÚ

LIMA, CUZCO, MACHU PICCHU, NAZCA, 12 días. Visite fortalezas incas. Vea las misteriosas líneas de Nazca desde el aire. Hoteles de primera. Desayuno y cena incluidos.
$3.150

LIMA, NAZCA, AREQUIPA, LAGO TITICACA, 10 días. Admire la arquitectura colonial de Lima y Arequipa. Vea las líneas de Nazca desde el aire. Navegue en el lago más alto del mundo. Hoteles de primera.
$2.620

ARGENTINA

BUENOS AIRES, BARILOCHE, MENDOZA, 12 días. Disfrute de una gran metrópoli. Esquíe en uno de los lugares más bellos del mundo. Hoteles de 4 y 5 estrellas. Desayuno y cena.
$3.590

CHILE Y ARGENTINA

SANTIAGO, PUERTO MONTT, BARILOCHE, BUENOS AIRES, 12 días. Excursión a Viña del Mar y Valparaíso. Cruce de los Andes en minibús y barco. Hoteles de 3 y 4 estrellas.
$4.075

CARIBE

JAMAICA, 7 días. Happy Inn, todo incluido. Exclusivo para parejas.
$2.480

PUERTO RICO

SAN JUAN, 5 días. Hotel de 5 estrellas. Excursión a Ponce. Visita con guía al Viejo San Juan. Desayuno incluido.
$1.995

MÉXICO

MÉXICO, TAXCO, ACAPULCO, 7 días. Hoteles de 3 y 4 estrellas. Excursión a Teotihuacán. Desayuno bufet incluido.
$1.800

CANCÚN, 5 días. Hotel de 4 estrellas. Excursión a Cozumel. Visita a ruinas mayas. Las mejores playas.
$1.510

Solicite los programas detallados con variantes de hoteles e itinerarios a su agente de viajes.

Tel. 312-785-4455   Fax: 312-785-4456

Situación

PREPARACIÓN. Read the following situation with your partner. Then brainstorm the vocabulary, structures, and other information you will need for both roles in the conversation.

Role A. You have been working hard, and you would like to splurge on a weekend trip to do some special (but expensive) activities, like rent a car, go to a professional sports event or rock concert, eat in good restaurants, and shop (**ir de compras**). Call and invite your friend to go. Explain your plan and be prepared to answer questions about the cost of this weekend adventure.

Role B. Your friend calls to invite you on a weekend trip. It sounds like a lot of fun, but also very expensive.

Accept or refuse your friend's invitation and ask questions to get an idea of the cost. Decide whether you can afford it, and either accept or decline the invitation. Thank your friend for the invitation.

	ROLE A	ROLE B
Vocabulario	Food Free-time activities Numbers	Food Free-time activities Numbers
Funciones y formas	Answering questions Extending an invitation Reacting to what one hears	Accepting and refusing invitations Asking questions Reacting to what one hears

INTERCAMBIOS. Using the information in *Preparación,* act out the conversation with your partner.

4 Stating what you know

ALFREDO: Me gustan mucho los músicos y ella **sabe** cantar muy bien.

ELENA: Sí, es una cantante fabulosa.

MARIO: Luisa, **conoces** a Liliana, ¿no?

LUISA: Sí, las dos estamos en la clase de arte de la profesora Ruiz.

Piénsalo. Indicate (✓) in the appropriate box whether each sentence refers to knowing a fact, knowing how to do something, knowing a person, or being familiar with a place, an event, or a thing.

	knowing a fact	knowing how to do something	knowing a person	being familiar with a place, event, etc.
1. ¿**Conoces** la música afroperuana?	_____	_____	_____	_____
2. Me gusta mucho la música, pero no **sé** bailar.	_____	_____	_____	_____
3. ¿**Sabes** los nombres de esos grupos musicales?	_____	_____	_____	_____
4. ¿**Conoces** a Alfredo Roncal? Toca la guitarra.	_____	_____	_____	_____
5. ¿**Sabes** si hay un club de música hispana en la ciudad?	_____	_____	_____	_____

Saber and *conocer*

- Both **saber** and **conocer** mean *to know*, but they are not used interchangeably.

SABER		CONOCER
yo	**sé**	**conozco**
tú	**sabes**	**conoces**
Ud., él, ella	**sabe**	**conoce**
nosotros/as	**sabemos**	**conocemos**
vosotros/as	**sabéis**	**conocéis**
Uds., ellos/as	**saben**	**conocen**

- Use **saber** to express knowledge of facts or pieces of information.

  Él **sabe** dónde está el club.   *He knows where the club is.*

- Use **saber** + *infinitive* to express knowing how to do something.

  Yo **sé** tocar la guitarra.   *I know how to play the guitar.*

- Use **conocer** to express familiarity with someone or something. **Conocer** also means *to meet* someone for the first time. Remember to use the personal **a** when referring to people.

  Conozco a los músicos.   *I know the musicians.*

  Conozco bien ese club.   *I am very familiar with that club.*

  Ella va a **conocer a** Luis.   *She is going to meet (be introduced to) Luis.*

¿COMPRENDES?

Complete each sentence with the correct form of **saber** or **conocer**.

1. Yo no _____ tocar la guitarra, ¿y tú?
2. Yo no _____ personalmente al presidente de Estados Unidos.
3. Andrés, ¿_____ París?
4. Emilio y Gustavo _____ mucho sobre la historia.
5. Nosotros _____ a muchas personas en esta ciudad.
6. La profesora _____ hablar español muy bien.

MySpanishLab

Learn more using Amplifire Dynamic Study Modules, Grammar Tutorials, and Extra Practice activities.

PRÁCTICA

3-27

Un encuentro entre dos estudiantes. Raúl just arrived on campus, and he asks Sergio some questions. Select the correct words to complete their conversation. Then practice the conversation with a partner to compare your answers and take turns telling each other what you know about your own university. Who knows more?

RAÚL:	Soy un nuevo estudiante y no (1) _____ dónde está la biblioteca.	**a.** sé **b.** conozco
SERGIO:	Es muy fácil. Tú (2) _____ dónde está la cafetería, ¿no? Pues, está al lado.	**a.** sabes **b.** conoces
RAÚL:	Gracias. ¿Y (3) _____ si hay un club de español?	**a.** sabes **b.** conoces
SERGIO:	Sí, claro, y (4) _____ que esta noche tiene una reunión.	**a.** sé **b.** conozco
RAÚL:	Magnífico. Solo (5) _____ a dos o tres personas en la universidad.	**a.** sé **b.** conozco
SERGIO:	Pues allí vas a (6) _____ a muchos estudiantes.	**a.** saber **b.** conocer

3-28

¿Sabes quién es...? Ask your classmate if he/she knows who is being referred to and say what you know about the person. Take turns asking questions.

 MODELO la actriz principal de *Los juegos del hambre*

> E1: *¿Sabes quién es la actriz principal de* Los juegos del hambre?
>
> E2: *Sí, sé quién es; es Jennifer Lawrence.*
>
> E1: *¿Conoces a Jennifer Lawrence en persona?*
>
> E2: *No, no conozco a Jennifer Lawrence pero sé que es muy guapa.*

1. el/la representante de la Cámara de Representantes (*Congress*) de tu distrito
2. el/la decano/a de la Facultad de Humanidades/Ciencias
3. tu profesor/a de español
4. el escritor más famoso de Perú
5. el gobernador de tu estado
6. el vicepresidente de Estados Unidos

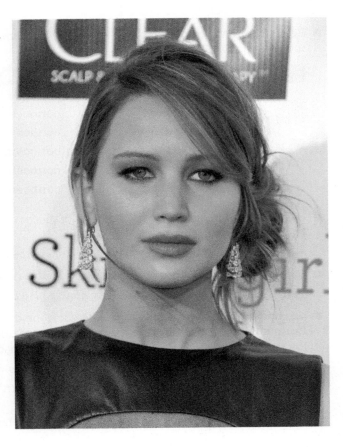

3-29

Adivina, adivinador. In small groups, take turns reading the descriptions and guessing who is being described. Then, create your own description and ask another group to guess.

E1: *Es una chica muy pobre que va a un baile. Allí conoce a un príncipe, pero a las 12:00 de la noche ella debe volver a su casa.*

E2: *Sé quién es. Es Cenicienta (Cinderella).*

1. Es un gorila gigante con sentimientos (*feelings*) humanos. En una película aparece en el edificio Empire State de Nueva York.

2. Es una cantante muy famosa. Tiene el pelo largo y rubio. Canta, baila, escribe canciones y también participa en organizaciones benéficas. Es de Colombia.

3. Es una película de ciencia ficción. Los personajes son altos y azules y viven en los árboles. Es impresionante ver la película en tres dimensiones.

4. Es…

3-30

¿Qué sabes hacer? Ask your classmate if he/she knows how to do the following things. If your classmate says yes, ask more questions to get additional information.

MODELO preparar platos peruanos

E1: *¿Sabes preparar platos peruanos?*

E2: *No, no sé preparar platos peruanos. ¿Y tú?*

1. tocar un instrumento musical

2. cantar karaoke

3. bailar salsa y merengue

4. hablar otras lenguas

5. cantar en español

6. …

3-31

Bingo. To win this game, you have to fill in three boxes (horizontal, vertical, or diagonal) with the names of classmates who answer the questions correctly.

¿Quién sabe dónde está la ciudad de Cuzco?	¿Quién sabe cuál es la capital de Perú?	¿Quién sabe qué es Machu Picchu?
¿Quién sabe quién es el presidente de Bolivia?	¿Quién sabe cuál es la unidad monetaria de Perú?	¿Quién sabe el nombre de un lago importante que está entre Perú y Bolivia?
¿Quién conoce unos platos típicos de la cocina (*cuisine*) peruana?	¿Quién conoce algún país hispanoamericano?	¿Quién sabe cómo se llama la cadena de montañas de Perú?

3-32

Saber y conocer. Complete the conversation with the correct forms of **saber** and **conocer.** Then practice the conversation with your partner to review your answers. Be sure to explain why you selected **saber** or **conocer** in each case.

PACO: ¿(1) _____ a esa chica?

AUGUSTO: Sí, yo (2) _____ a todas las chicas aquí.

PACO: Entonces, ¿(3) _____ dónde vive?

AUGUSTO: No, no (4) _____ dónde vive.

PACO: ¿(5) _____ cómo se llama?

AUGUSTO: Lo siento, pero no (6) _____.

PACO: Pero ¿cómo dices que (7) _____ a la chica? Tú no (8) _____ dónde vive y además (*in addition*), no (9) _____ su nombre.

Situación

PREPARACIÓN. Read the following situation with your partner. Then prepare examples of the vocabulary, structures, and other information you will need to present your role in the conversation.

Role A. You are looking for a new roommate for your apartment. Your partner knows a student from Peru who is looking for a place to live. Ask your partner:

a. the Peruvian student's name;
b. where in Peru he/she is from; and
c. if your partner knows the Peruvian student well.

Also find out if the Peruvian student knows how to cook Peruvian dishes and how to play soccer (**fútbol**).

Role A. Your partner is looking for a new roommate for his/her apartment. Mention that you know a student from Peru who is looking for a place to live. Answer your partner's questions about that person.

	ROLE A	ROLE B
Vocabulario	Food Free-time activities Question words Peruvian food	Food Free-time activities Peruvian food
Funciones y formas	Asking questions Reacting to what one hears Talking about what or who you know (*saber* vs. *conocer*)	Answering questions Reacting to what one hears Talking about what or who you know (*saber* vs. *conocer*)

INTERCAMBIOS. Using the information in *Preparación,* act out the conversation with your partner.

5 Expressing intention, means, movement, and duration

CARLOS: Papá, necesito tu auto **por** una semana. ¿Está bien?

PADRE: ¿**Por** una semana? ¿**Por** qué?

CARLOS: **Porque** mis amigos y yo vamos a ir la playa **para** las vacaciones de primavera.

PADRE: ¡Ni lo pienses!

Piénsalo. Indicate whether each statement is true (**Cierto**) or false (**Falso**) according to the conversation. If the statement is false, supply the correct information.

1. _____ Carlos necesita el auto de su padre **por** una semana.

2. _____ El padre pregunta **por qué** Carlos desea el auto.

3. _____ Carlos desea ir a la playa **para** las vacaciones de primavera.

4. _____ Los amigos de Carlos necesitan el auto **para** trabajar.

5. _____ El padre está alegre **porque** Carlos le pide su auto.

Some uses of *por* and *para*

- **Por** and **para** have different meanings in Spanish, though sometimes they are both translated into English as *for*. The uses presented here include some you have already seen, as well as some new ones.

- **Para** expresses *for* when you mean *intended for* or *to be used for*. It can refer to a person, an event, or a purpose.

Necesito un diccionario **para** la clase.

I need a dictionary for the class.

Este diccionario es **para** David.

This dictionary is for David.

- **Para** + *infinitive* means *in order to.*

Uso el autobús **para** ir a la universidad.

I use the bus (in order) to go to the university.

El restaurante hace publicidad **para** atraer clientes.

The restaurant does advertising (in order) to attract customers.

Complete the conversation with **por** or **para.**

—Hola Ana, ¿(1) _____ dónde vas?

—Hola Juan, voy a montar en bicicleta (2) _____ el parque.

—Tu bicicleta es muy bonita, ¿(3) _____ cuánto la vendes? Es que debo comprar una bicicleta (4) _____ ir a mi trabajo.

—Si quieres, puedes usar esta bicicleta (5) _____ tres días.

MySpanishLab

Learn more using Amplifire Dynamic Study Modules, Grammar Tutorials, and Extra Practice activities.

■ **Por** appears in expressions such as **por favor, por teléfono,** and **por la mañana/tarde/noche.** Other expressions with **por** that you will find useful include the following:

por ciento	*percent*	**por fin**	*finally, at last*
por ejemplo	*for example*	**por lo menos**	*at least*
por eso	*that is why*	**por supuesto**	*of course*

■ **Por** and **para** can also be used to express movement in space and time.

Para indicates movement toward a destination.

Caminan **para** la playa.	*They walk toward the beach.*
Vamos **para** el túnel.	*We are going toward the tunnel.*

■ **Por** indicates movement through or by a place.

Caminan **por** la playa.	*They walk along the beach.*
Vamos **por** el túnel.	*We are going through the tunnel.*

■ You may also use **por** to indicate length of time or duration of an action. Many Spanish speakers omit **por** in this case, or they use **durante.**

Necesito el auto **por** tres días.	*I need the car for three days*

PRÁCTICA

3-33

¿Por o para? With a partner, choose the use of **por** and **para** in the following text with its appropriate meaning from the list. Then ask your partner what he/she does on Friday nights and what he/she does to celebrate a birthday.

Mis amigos y yo siempre estamos ocupados los fines de semana. Los viernes **por**[1] la noche, siempre vamos a un cine cerca de nuestro barrio. Cuando vamos **para**[2] el cine, caminamos **por**[3] el parque. Después del cine, a veces hacemos fiestas en casa. Si es una fiesta de cumpleaños, compro un regalo especial **para**[4] mi amigo. **Para**[5] celebrar, también invito a todos nuestros amigos.

1. por _____   **a.** intended for (person)
2. para _____   **b.** in order to
3. por _____   **c.** length of time
4. para _____   **d.** movement toward a destination
5. Para _____   **e.** movement through or by a place

3-34

¿Para dónde van? Take turns guessing where these people are going. Then find out where your classmate is going after class, and why.

 MODELO Jorge tiene su guitarra.
Va para la fiesta.

1. Es la una de la tarde y Pedro desea comer.
2. Sebastián lleva una mochila con sus libros de química.
3. Lola y Pepe van a consultar unos libros porque tienen un examen.
4. Gregorio va a comprar un libro para su clase de español.
5. Ana María va a ver una película de su actor favorito.
6. Amanda y Clara están muy elegantes y contentas.

3-35

Caminante. Your classmate likes to walk. Ask him/her the following questions. Then switch roles.

1. ¿Te gusta caminar con amigos o solo/a? ¿Por qué?
2. ¿Por dónde caminas cuando quieres estar solo/a?
3. ¿Te gusta caminar por la playa o por un parque?
4. ¿Caminas por la mañana o por la tarde?
5. Cuando sales a caminar, ¿por cuánto tiempo caminas?

3-36

¿Para quiénes son los regalos (gifts)? You are very generous and have bought the following gifts. Your partner asks for whom they are.

 la revista

> E1: ¿Para quién es la revista?
> E2: Es para mi hermana.

1. tres libros de español
2. dos billetes de avión
3. el teléfono celular
4. el iPad
5. la computadora portátil
6. el buen vino chileno

Situación

PREPARACIÓN. Read the following situation with your partner. Then prepare examples of the vocabulary, structures, and other information you will need to present your role in the conversation.

Role A. You run into a friend who is carrying a big gift box. You ask what it is and whom it is for.

Role B. You are walking out of a store carrying a big gift box. You run into a friend who asks you about the gift. Answer and explain to whom you are giving the gift and for what occasion.

	ROLE A	ROLE B
Vocabulario	Gifts and gift-giving occasions	Question words
Funciones y formas	*Por* and *para* Asking questions	*Por* and *para* Answering questions

INTERCAMBIOS. Using the information in *Preparación,* act out the conversation with your partner.

EN ACCIÓN ▶

¡A comer!

3-37 Antes de ver [e]

Comida típica. Match the foods in the left column with the countries most commonly associated with them on the right.

1. _____ paella
2. _____ dulce de leche
3. _____ papas a la huancaína
4. _____ hamburguesas con papas fritas
5. _____ arepas
6. _____ tacos

a. Estados Unidos
b. Perú
c. Venezuela
d. España
e. Argentina
f. México

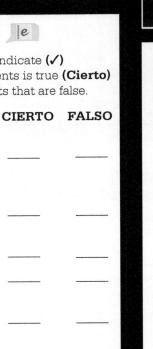

3-38 Mientras ves [🎬] [e]

En el restaurante. As you watch, indicate (✓) whether each of the following statements is true (**Cierto**) or false (**Falso**). Correct the statements that are false.

	CIERTO	FALSO
1. Héctor, Vanesa y Yolanda van a un restaurante para almorzar.	_____	_____
2. Yolanda está contenta porque hay muchos platos vegetarianos en el menú.	_____	_____
3. Una comida típica de Perú es arroz chaufa con vegetales.	_____	_____
4. Vanesa va a comer ceviche.	_____	_____
5. Héctor va a beber chicha morada.	_____	_____
6. La cocinera del restaurante es de Lima.	_____	_____

3-39 Después de ver [e]

¡Qué rico! PREPARACIÓN. After watching the video, indicate whether the following items are associated with Peruvian food (**P**) or with Mexican food (**M**).

1. _____ el ceviche
2. _____ las frutas y verduras frescas
3. _____ las papas
4. _____ las pastas
5. _____ el tallarín saltado con vegetales
6. _____ los tacos

INTERCAMBIOS. You and several classmates have decided to eat at the same restaurant featured in the video. Take turns asking your classmates what they are going to order and why they have made that choice.

Mosaics

ESCUCHA

3-40

Preparación. Before you listen to an ad for the travel agency *ViajaMás,* use what you already know about Latin America to write down the name of one large city in Peru, Argentina, and Venezuela, and the likely cost of a plane ticket to each city. Compare answers with the class.

3-41

Escucha. Now listen to the ad and complete the chart with the information you hear.

Ciudad	Vuelo #	Días	Precio del boleto $
		sábados y domingos	
Buenos Aires	479		
			250
Bogotá			

Comprueba

I was able to …

_____ recognize names of places.

_____ identify numbers.

_____ recognize days of the week.

3-42

Un paso más. Read the following role-plays and take turns practicing each part with a partner. Then write an e-mail to your best friend explaining your travel plans. Include destination, date, time, and cost of your flight.

Role A. You are interested in one of the trips that you heard in the ad. Call the airline customer service center to ask for further details: a) at what time the flight leaves, and b) at what time it arrives at its destination.

Role B. You are the airline agent. Provide the information requested by your client and add further details: a) approximate duration of the flight, and b) if the flights are direct or not.

HABLA

3-43

Preparación. Read the following recommendations provided by an organization that wants to promote healthy habits in the schools, and prepare five related questions to ask students in your university about their own eating habits.

Inform yourself before you do a survey

When preparing to do a survey, it is helpful to gather as much information as you can about the topic to ask questions.

Tabla 1   **Frecuencia de consumo recomendada**

Frutas, verduras, ensaladas, lácteos y pan	**Todos los días.**
Legumbres	**2 a 4 veces por semana.** (2 como primer plato y 2 de acompañamiento)
Arroz, pasta, papas	**2 a 4 veces por semana.** Alternar su consumo.
Pescados y carnes	**3 a 4 veces por semana.** Alternar su consumo.
Huevos	**4 unidades a la semana.** (alternando con carnes y pescados)
Dulces, refrescos, comida rápida	**Ocasionalmente.** Sin abusar.

SOURCE: Eroski Consumer, Fundación Eroski

3-44

Habla. Use your questions to find out what your classmates normally eat and drink and how many times a week.

 MODELO   E1:*¿Cuántas veces por semana bebes refrescos?*

E2: *Bebo refrescos todos los días.*

En directo ■ ■ ■ ▪ ▪ ▪ ■

To express frequency

todos los días *every day*

dos veces por semana *twice a week*

una vez al mes *once a month*

cada día *each day*

 Listen to a conversation with these expressions.

Comprueba

In my conversation …

_____ my questions were easily understood.

_____ I mentioned lots of foods in my responses.

_____ I used expressions of frequency.

3-45

Un paso más. Compare the recommendations with the answers you gathered and present the findings to the class. Include in your report answers to the following questions.

1. ¿Tienen los estudiantes una dieta equilibrada? ¿Por qué?

2. ¿Qué productos comen en exceso? ¿Qué productos consumen poco?

LEE

 3-46

Preparación. The three ads below come from a newspaper in Lima, Peru. Look them over quickly without reading them. Then mark which ad goes with each of the following descriptions. What word(s) in each ad helped you select your responses?

1. _____ un restaurante de comida china

2. _____ actividades para niños

3. _____ un restaurante de comida tradicional peruana

3-47

Lee. Read the ads below to get a sense of what each is about. Then offer a solution for each of the situations that follow. Explain your reasoning to the class.

NIÑOS

CORPORACIÓN CULTURAL DE LIMA. Santa María y Gálvez. 2209451. A las 12 y 16 horas. Bagdhadas. S/. 12.

TEATRO INFANTIL A DOMICILIO. 2390176. El patito feo. Adaptación del cuento de Andersen. Compañía Arcoíris.

CENTRO LIMA. Av. Grau y Velásquez. A las 12, show especial de Navidad.

FANTASÍA DISNEY. Desde las 15. Niños, S/. 8; adultos, S/. 14. Parque de entretenimientos.

EL MUNDO FANTÁSTICO DE MAFALDA. Desde las 10. Entrada general a todos los juegos. Niños, S/. 12. Calle Domingo Sarmiento 358.

PLANETARIO DEL MORRO SOLAR. A las 12, 17 y 19. Gratis para niños; adultos, S/. 15. Circunvalación, Nuevo Perú. Tel. 5620841.

PARQUE DE LAS LEYENDAS (ZOO). De 9 a 19 hrs. Niños y 3ª edad, S/. 5; S/. 10, otro público. Cerro Tongoy, 3701725.

A.

Costa Verde

Sabrosa comida tradicional peruana
Menú especial los fines de semana

- Aperitivo
- Entrada
- Segundo
- Postre
- Café y plus café (crema de café, crema de menta, anisado)

Valor: S/. 75

Carnes, pescados y mariscos preparados por los mejores cocineros del país

Avenida Arequipa 357
Reservas: 428 9654
Fax: 428 9655

B.

El Chifa Lungfung

La más exquisita, variada y exótica carta de comida cantonesa-peruana: finas carnes, pescados y todo tipo de mariscos.

SÁBADOS Y DOMINGOS:

Almuerzos y cenas familiares

...los esperamos

AIRE ACONDICIONADO
MÚSICA AMBIENTAL
CAMAREROS PROFESIONALES
AV. REPÚBLICA DE PANAMÁ 8720
RESERVAS 3817543, 3816532, 3814241

C.

1. Los señores Molina tienen cuatro hijos de entre tres y ocho años. A los niños les fascinan los animales. ¿Adónde van a ir probablemente? ¿Por qué?

2. Carlos está triste porque se fracturó una pierna y no puede (*he can't*) salir de la casa. Su mamá tiene una sorpresa para él. ¿Qué es?

3. Cuatro médicos franceses visitan el Hospital Central. El Dr. Moreira, director del hospital, desea invitar a sus colegas a cenar en un restaurante cómodo con comida tradicional peruana. ¿A qué restaurante va a invitarlos? ¿Por qué?

Comprueba

I was able to ...

_____ **recognize important words.**

_____ **identify the main ideas.**

_____ **recognize contexts.**

Un paso más. With a classmate, answer the following questions about the three ads from Peru on page 133.

1. ¿Cuál de las siguientes actividades desean hacer ustedes en Lima: ir a un parque de atracciones (*amusement park*), comer comida tradicional peruana, ver teatro o comer comida china? ¿Por qué?

2. ¿Cuál de los dos restaurantes sirve comida que a ustedes les gusta más, Costa Verde o Chifa Lungfung? ¿Por qué?

ESCRIBE

3-49

Preparación. Choose a vacation spot that you know well (or find information online) and that you like a lot. Then make a list of words (adjectives) that describe the place, write some enjoyable activities (verbs) that people do there.

ESTRATEGIA

> **Identify your audience**
>
> When you write an e-mail to a friend it is essential to include the parts of the e-mail (To, From, Subject, the salutation or greeting, the body, and the closing farewell). Address your friend with the **tú** form.

3-50

Escribe. Now write an e-mail to your friend, telling about your vacation. Use the information you prepared in *Preparación* and other information that may be of interest to your friend.

3-51

Un paso más. After completing your e-mail, exchange it with a classmate, read his/hers and take notes to answer the following questions: a) where your classmate is spending his/her vacation; and b) what he/she does during the vacation. Inform the class.

En directo ▪ ▪ ▪ ▪ ▪ ▪

Salutations for casual correspondence:

Querido/a…: *Dear...*

Hola…: *Hi...*

Closings for casual correspondence:

Tu amigo/a, *Your friend,*

Hasta pronto, *See you soon,*

 Listen to a recorded message with these expressions.

Comprueba

I was able to …

_____ present main ideas clearly, with some details.

_____ use a wide range of learned vocabulary.

_____ conjugate verbs appropriately and make the right agreements.

_____ use accurate spelling, capitalization, and punctuation.

En este capítulo...

Comprueba lo que sabes

Go to **MySpanishLab** to review what you have learned in this chapter. Practice with the following:

Flashcards   Games   Oral Practice   Practice Test / Study Plan

Amplifire Dynamic Study Modules   Tutorials   Videos   Extra Practice

 ## Vocabulario

LAS DIVERSIONES Y LAS CELEBRACIONES
Entertainment and celebrations

la canción *song*
el cumpleaños *birthday*
la fiesta *party*
la guitarra *guitar*
la música *music*
la película *film*
la reunión *meeting, gathering*
el tiempo libre *free time*
las vacaciones *vacation*

LAS PERSONAS
People

el/la camarero/a *server, waiter/waitress (restaurant)*
el hombre *man*
el/la joven *young man/woman*
la mujer *woman*

LA COMUNICACIÓN
Communication

el periódico *newspaper*
la revista *magazine*
el teléfono *telephone*

LOS LUGARES
Places

el cine *movies*
la ciudad *city*
el mar *sea*
el país *country, nation*

LAS DESCRIPCIONES
Descriptions

caliente *hot*
fabuloso/a *fabulous, great*
frío/a *cold*
frito/a *fried*

VERBOS
Verbs

alquilar *to rent*
bajar *to download*
cantar *to sing*
celebrar *to celebrate*
cenar *to have dinner*
descansar *to rest*
hacer *to do*
hacer la cama *to make the bed*
ir *to go*
nadar *to swim*
oír *to hear*
poner *to put*
poner la mesa *to set the table*
poner una película *to show a movie*
salir *to leave*
tocar (un instrumento) *to play (an instrument)*
tomar el sol *to sunbathe*
traer *to bring*

EN UN CAFÉ O RESTAURANTE
In a coffee shop or restaurant

la aceituna *olive*
el agua *water*
el almuerzo *lunch*
el arroz *rice*
la bebida *drink*
el bistec *steak*
el café *coffee*
la cena *dinner, supper*
el cereal *cereal*
la cerveza *beer*
el ceviche *dish of marinated raw fish*

la comida *food; meal; dinner, supper*
el desayuno *breakfast*
la ensalada *salad*
los espaguetis/los tallarines *spaghetti*
los frijoles *beans*
la fruta *fruit*
la hamburguesa *hamburger*
el helado *ice cream*
el huevo *egg*
el jamón *ham*
el jugo *juice*
la leche *milk*
la lechuga *lettuce*

la naranja *orange*
el pan tostado/la tostada *toast*
la papa *potato*
las papas fritas *French fries*
el pescado *fish*
el pollo *chicken*
el queso *cheese*
el refresco *soda, soft drink*
el sándwich *sandwich*
la sopa *soup*
el té *tea*
el tomate *tomato*
el vegetal/la verdura *vegetable*
el vino *wine*

EXPRESIONES CON POR
Expressions with por/para

por ciento *percent*
por ejemplo *for example*
por eso *for this reason*
por fin *at last*
por lo menos *at least*
por supuesto *of course*

PALABRAS Y EXPRESIONES ÚTILES
Useful words and expressions

¿adónde? *where (to)?*
al (contraction of **a** + **el**) *to the*
¡claro! *of course!*
cerca de *close to, near*
después, luego *after, later*

durante *during*
¡estupendo! *fabulous!*
felicidades *congratulations*
mientras *while*
otro/a *other, another*
¿qué te parece? *what do you think?*
si *if*

See *Lengua* box on page 115 for expressions that denote future time.

See page 119 for numbers from 100 to 2,000,000.

¿Cómo es tu familia?

LEARNING OUTCOMES

You will be able to:

- talk about family members and their daily routines
- express opinions, plans, preferences, and feelings
- express obligation
- express how long something has been going on
- talk about Colombia in terms of its products, practices, and perspectives
- share information about families and family life in Hispanic countries and compare cultural similarities

ENFOQUE cultural COLOMBIA

Las casas pintadas de Cartagena de Indias

Mar Caribe

Barranquilla

Cartagena de Indias

PANAMÁ

VENEZUELA

Medellín

Bucaramanga

Pereira

Río Magdalena

CORDILLERA DE LOS ANDES

★ Bogotá

El Parque Nacional del Café, Departamento El Quindío

Cali

COLOMBIA

Popayán

Pieza antigua del Museo del Oro de Bogotá

OCÉANO PACÍFICO

ECUADOR

BRASIL

Arepas de queso

Cordillera de Los Andes

PERÚ

Enfoque cultural

To learn more about Colombia, go to MySpanishLab to view the *Vistas culturales* videos.

¿QUÉ TE PARECE?

- Medellín recibe el premio a "la ciudad más innovadora del 2012" en reconocimiento de su planificación urbana.

- El 95% (por ciento) de las esmeraldas del mundo vienen de Colombia.

- Colombia es el país más biodiverso por metro cuadrado (*square meter*) del planeta.

- Colombia produce el 12% (por ciento) del café del mundo.

Fernando Botero, uno de los pintores contemporáneos más famosos de Colombia, pinta a unos padres con sus hijos en este cuadro titulado *En familia*.

El carnaval de Barranquilla se celebra cada año cuatro días antes de la Cuaresma (*Lent*). Atrae a personas de todas partes que desean disfrutar de las tradiciones, la música y el baile colombianos.

El escritor colombiano y ganador del Premio Nobel de Literatura, Gabriel García Márquez, cuenta con grandes éxitos literarios, entre ellos, su obra maestra, *Cien años de soledad* (*One Hundred Years of Solitude*).

Dieciocho millones de bombillos multicolores iluminan el paseo del río Medellín. Este espectáculo de luces dura (*lasts*) desde el 1 de diciembre hasta el 7 de enero.

Bogotá, la capital de Colombia, está situada en el centro del país, a 2.600 metros sobre el nivel del mar. Es una ciudad moderna, y a la vez tradicional.

¿CUÁNTO SABES?

Completa estas oraciones (*sentences*) con la información correcta.

1. Ecuador, _____ y Brasil están al sur de Colombia.

2. Las casas pintadas de diferentes colores son típicas en la ciudad de _____.

3. _____ es un pintor colombiano.

4. El 95% de las _____ del mundo y el 12% del _____ vienen de Colombia.

5. En Barranquilla se celebra _____ con música y baile en las calles.

Vocabulario en contexto

 ## Los miembros de la familia

MySpanishLab

Learn more using Amplifire Dynamic Study Modules, Pronunciation, and Vocabulary Tutorials.

 En Colombia, como en otros países hispanos, las familias generalmente son extensas, y muchas veces varias generaciones conviven en una misma casa. Los **abuelos** juegan un papel muy importante y tienen mucho contacto con los **nietos.**

 Aunque tradicionalmente las **madres** hacen el trabajo doméstico, muchos **padres** piensan que la colaboración es necesaria y se ocupan de sus **hijos,** cocinan o lavan los platos.

 En los pueblos pequeños de Colombia no es extraño ver a familias enteras usar una motocicleta como vehículo de transporte familiar. En esta **foto** vemos a los **esposos** con sus **niños.**

 Las reuniones familiares forman parte central en la vida de las familias hispanas. En ocasiones importantes, como los cumpleaños, los **bautizos** o los **matrimonios,** hay comida y, con frecuencia, baile.

Pablo habla de su familia

Me llamo Pablo Méndez Sánchez y vivo con mis padres, mi **hermana** y mis **abuelos** en un apartamento en Bogotá, la capital de Colombia.

Mi **madre** tiene un **hermano,** mi **tío** Jorge. Su **esposa** es mi **tía** María. Tienen tres hijos y viven también en Bogotá. Mi **primo** Jorgito es **el menor.** Mis **primas** Elenita y Ana son **gemelas.** Mis primos son muy simpáticos y **pasamos** mucho tiempo **juntos.**

Mis tíos tienen solo dos **sobrinos** en Bogotá, mi hermana Inés y yo. Su otra **sobrina,** Sofía, vive en Cartagena, al norte del país. Sofía es **la mayor** de todos los primos.

La **nieta** favorita de mis abuelos es mi hermanita Inés. Tiene solo tres años y es la menor de todos sus **nietos.**

don José   doña Olga

María   Jorge   Osvaldo   Gloria   Elena   Jaime

Elenita   Ana   Jorgito   Sofía   Inés   Pablo

■ ■ ■ ■ ■ ■
EN OTRAS PALABRAS

Family terms vary from one region to another: **marido** and **mujer** are preferred in Spain, while **esposo** and **esposa** are used in most other countries. Terms of endearment for mother and father also vary: **mamá** and **papá** (in Spain), **mami** and **papi** (Caribbean), **mamita** and **papito** (Colombia).

 Otros miembros de la familia de Pablo

La única hermana de mi **mamá** es mi tía Gloria. Gloria y Sergio están **divorciados** y tienen una hija, mi prima Sofía. Ahora la tía Gloria está casada con Osvaldo, el **padrastro** de Sofía. Sergio está casado con Paula y tienen un hijo, Roberto. Paula es la **madrastra** de Sofía, y Roberto es su **medio hermano.**

Paula   Sergio   Gloria   Osvaldo

Roberto   Sofía

PRÁCTICA

4-1

Escucha y confirma. Listen to the following questions about Pablo's family and select the correct response based on his family tree.

A	B
1. su abuelo	su padre
2. su prima	su hermana
3. su hijo	su nieto
4. Elena	María
5. Jorge	Jaime

Asociación. Asocia cada expresión con el miembro de la familia que describe. Después, nombra a estos miembros de tu familia.

1. _____ la esposa de mi padre   **a.** mi primo
2. _____ el hermano de mi prima   **b.** mi nieto
3. _____ los padres de mi padre   **c.** mi madre
4. _____ el hijo de mi hijo   **d.** mis abuelos
5. _____ el hermano de mi madre   **e.** mi tío

4-4

¿Cierto o falso? Marca (✓) la columna adecuada de acuerdo con la información sobre la familia de Gloria.

	CIERTO	FALSO
1. La tía Gloria está casada con Sergio.	_____	_____
2. Osvaldo es el papá de Roberto.	_____	_____
3. Paula es la madrastra de Roberto.	_____	_____
4. Gloria es la madre de Sofía.	_____	_____
5. Sofía tiene un medio hermano.	_____	_____

4-3 e

La familia de Pablo. PREPARACIÓN. Con tu compañero/a, completa las oraciones de acuerdo con (*according to*) la información que tienes sobre la familia de Pablo.

1. La hermana de Pablo se llama _____.
2. Don José y doña Olga son los _____ de Pablo.
3. Pablo es el _____ de Jaime.
4. Jaime es el _____ de Pablo, y Elena es su _____.
5. Inés y Ana son _____. Elenita y Ana son _____.
6. Elena es la _____ de Jorgito, Elenita y Ana.
7. Gloria es la _____ de Jorge y Elena.

> **LENGUA**
>
> The ending **-ito/a** (**Elena** → **Elenita**) is very common in Hispanic countries. It can express smallness (**hermanito/a, sillita**), affection, and intimacy (**mi primita**). Names that end in consonants other than I use the ending **-cito/a** (**Carmen** → **Carmencita**).

INTERCAMBIOS. Túrnense (*Take turns*) para hacerse preguntas sobre la familia de Pablo.

MODELO E1: *¿Quién es Osvaldo?*
E2: *Es el esposo de Gloria y el…*

Cultura

■ ■ ■ ■

La familia real española

Spain is the only Spanish-speaking country that is a parliamentary system with a constitutional monarchy. The Spanish Royal Family consists of King Juan Carlos, Queen Sofía, and their children Prince Felipe, Infanta Elena and Infanta Cristina. The monarchy is part of the Bourbon Dynasty and has been in Spain since the year 1700.

Conexiones. ¿Sabes qué otros países tienen una monarquía hoy? Busca información en Internet sobre una de ellas y describe a los miembros de su familia para presentar en clase.

4-5

¿Quién es y cómo es?

PREPARACIÓN. Escojan (*Choose*) un miembro de una familia famosa (los Obama, los Jackson, los Kennedy, los Kardashian, etc.) y preparen su árbol familiar.

INTERCAMBIOS. Túrnense (*Take turns*) para describir el árbol familiar de esta persona.

 EL PRÍNCIPE FELIPE

E1: *Es el hijo de los Reyes de España. Su esposa es Leticia. Tienen dos hijas.*

E2: *Sus hijas se llaman Leonor y Sofía. Elena y Cristina son las hermanas mayores del Príncipe Felipe.*

4-6

El arte de preguntar. **PREPARACIÓN.** Túrnense para preparar las preguntas a estas respuestas.

 Mi madre se llama Dolores.

¿Cómo se llama tu madre?

1. Tengo dos hermanos.

2. Vivo con mi madre y mi padrastro.

3. Tengo dos abuelas y un abuelo.

4. Mis abuelos no viven con nosotros.

5. Tengo muchos primos.

6. Tengo una media hermana, pero no vive con nosotros.

INTERCAMBIOS. Ahora háganse (*ask each other*) preguntas para obtener información sobre la familia de su compañero/a. Después, compartan (*share*) esta información con la clase.

Cultura

■ ■ ■ ■

Los apellidos

In Hispanic culture, people offically use two surnames, the first is their father's and the second is their mother's. For example, in Pablo's family, his father's name is Jaime Méndez and his mother's name is Elena Sánchez. Pablo's official name, then, is Pablo Méndez Sánchez.

Comparaciones. ¿Cuántos nombres y apellidos tienes? En la cultura hispana, ¿cuál sería (*would be*) tu nombre oficial?

4-7

Mi familia. Busca fotos de tus familiares en tu celular o en Facebook. Luego, muéstrale las fotos a tu compañero/a y describe a tus familiares.

1. nombre y apellido

2. relación familiar

3. personalidad

4. actividades que haces con la persona

¿Qué hacen los parientes?

 Mis abuelos viven en una casa al lado del parque. Normalmente, ellos **pasean** por las mañanas y **almuerzan** muy temprano. Después, **duermen la siesta** y por la tarde **visitan** a sus **parientes.**

Jorgito es mi primo favorito. Es **un poco** menor que yo. Nosotros corremos y jugamos mucho **juntos.** También nos gusta ver el fútbol en la televisión y montar en bicicleta los domingos.

 Hace dos años que mi prima Ana tiene **novio,** y **frecuentemente dice** que **quiere casarse** muy pronto. Elenita, su hermana gemela, **piensa** que Ana no debe casarse porque es muy joven.

 Mi tío Jorge es un hombre muy **ocupado.** Sale de casa muy **temprano** y **vuelve tarde** todos los días. Mi tía María, su esposa, dice que él **prefiere** el trabajo a su familia. Pienso que en todas las familias hay problemas. En mi familia también, pero eso es normal.

PRÁCTICA

4-8 *e*

Para confirmar. Contesta (*Answer*) de acuerdo con la información adicional sobre la familia de Pablo.

	CIERTO	FALSO
1. Normalmente los abuelos están muy ocupados.	____	____
2. Jorgito y Pablo montan en bicicleta frecuentemente.	____	____
3. Elenita piensa que su hermana es muy joven para casarse.	____	____
4. El tío Jorge cree que Elenita tiene problemas.	____	____
5. El tío Jorge trabaja mucho.	____	____
6. El tío Jorge llega temprano a su casa.	____	____

4-9

¿Y qué hace tu familia?
Pídele (*Ask for*) la siguiente información a tu compañero/a sobre su familia.

1. número de personas en la casa, edad (*age*) y relación de parentesco (*kinship*)

2. ocupación y descripción (física y de personalidad) de dos miembros de la familia

3. actividades de estas personas en su tiempo libre

4. nombre del pariente favorito, relación familiar y razón (*reason*) de su preferencia

Las rutinas familiares

 En casa de Pablo hay mucha actividad por la mañana.

Los niños **se despiertan** a las siete. **Se levantan, se lavan** y luego **desayunan** en la cocina con sus padres. Después salen para la escuela.

Poco después, la madre **se ducha, se seca, se viste** y **se maquilla.**

Más tarde, el padre **se afeita, se baña** y **se pone la ropa,** y sale de casa a las ocho menos cuarto.

PRÁCTICA

4-10

Para confirmar. Pon (*Put*) en orden cronológico las siguientes oraciones según (*according to*) las escenas.

_____ La madre se maquilla.

_____ Los niños se despiertan a las siete.

_____ El padre se baña y luego se pone la ropa.

_____ La madre se ducha.

_____ El padre sale de casa a las nueve.

_____ Los niños desayunan y después salen para la escuela.

4-11

Las rutinas diarias. Túrnense y contesten las siguientes preguntas sobre la rutina diaria de la familia de Pablo.

1. ¿Con quién desayunan los niños?
2. ¿Quién se maquilla por las mañanas?
3. ¿A qué hora se despiertan los niños?
4. ¿Quién sale de casa a las nueve?
5. ¿Quién se afeita por las mañanas?
6. ¿Qué hace la madre después de ducharse?

4-12

Mañanas ocupadas (busy). Marca (✓) las acciones diarias de los miembros de tu familia. Después, compara la rutina de tu familia con la de tu compañero/a.

	SE DESPIERTA TEMPRANO	SE DUCHA POR LA MAÑANA	SE PONE ROPA ELEGANTE	DESAYUNA CON LA FAMILIA
Mi padre (padrastro)				
Mi madre (madrastra)				
Mi hermano/a				
Mi abuelo/a				
Mi tío/a				

4-13

¿Y tú? Completa el siguiente párrafo con las expresiones de la lista para describir tu rutina. Compara tus respuestas con las de tu compañero/a para ver qué tienen en común.

> me ducho
> salgo para la universidad
> me despierto
> me levanto
> desayuno

Primero _____, luego _____.

Poco después _____, más tarde

_____.

Por último _____.

LENGUA

Use the following expressions to organize time sequentially: **primero, luego, poco después, más tarde,** and **por último.**

4-14

¿A qué hora? Túrnense para hacerse las siguientes preguntas sobre la rutina diaria.

1. ¿Te duchas por la mañana o por la noche?
2. ¿Quién se levanta temprano en tu familia?
3. ¿Te vistes antes o después de desayunar?
4. ¿Te pones ropa elegante o informal para ir a clase?
5. ¿A qué hora te acuestas durante la semana?
6. ¿A qué hora te acuestas los fines de semana?
7. ¿A qué hora te levantas los fines de semana?
8. ¿A qué hora tienes la clase de español?

4-15

La rutina de Gloria. Listen as Gloria describes her family's routine and mark (✓) the actions that she mentions.

1. _____ Nos levantamos temprano durante la semana.
2. _____ Los fines de semana desayunamos juntos.
3. _____ Primero se levanta Osvaldo.
4. _____ Mientras Osvaldo se ducha, Sofía se despierta, se levanta y sale para la escuela.

Al igual que en Estados Unidos y en muchos países del mundo, la familia ocupa un lugar importante en los programas televisivos. La telenovela *Los Reyes* es una de las más famosas de la televisión colombiana. Esta serie es sobre una familia de clase media que tiene que trabajar mucho para tener una vida tranquila. Los diálogos de esta telenovela son realistas y las situaciones también.

Los Reyes es una crítica social, habla de los conflictos de clase y de los problemas de la sociedad colombiana. Sin embargo, usa a la familia como núcleo de esa discusión. La serie muestra que Colombia es un país moderno y complejo.

Naturalmente, estos conflictos no son exclusivos de Colombia.

▲ **La familia ve otro episodio divertido de la serie *Los Reyes*.**

En México, Argentina y España, este tipo de programa es también muy popular. En España, por ejemplo, la serie *Los Serrano* cuenta la historia de Diego Serrano, un viudo (*widower*) con tres hijos. La historia se complica cuando Diego se casa con Lucía, madre divorciada con dos hijas. Las dos familias tienen que adaptarse para convivir juntas. Al final, como es el caso en muchas familias, la convivencia requiere paciencia y comprensión entre todos los miembros.

▼ **El elenco (*cast*) de la serie *Los Serrano***

Compara

1. ¿Qué familias famosas hay en la televisión de tu país? ¿Cuál es tu favorita?

2. Escoge a una familia de una serie televisiva que te gusta. Describe a esta familia.

3. Compara la familia de la serie televisiva con tu propia familia. ¿Qué tienen en común? Qué diferencias hay entre ellas?

☑ Funciones y formas

1 Expressing opinions, plans, preferences, and feelings

🔊 **Carmen habla en la residencia de estudiantes**

Quiero hablar seriamente con ustedes y les **pido** ayuda. El jueves **vienen** los padres a visitar la universidad y **pienso** que debemos preparar una buena fiesta de bienvenida. Luisa y Ana **pueden** preparar un desayuno, o si **prefieren,** yo preparo el desayuno y ustedes **sirven** el café. Elena **quiere** comprar unos globos para decorar los dormitorios porque no **cuestan** mucho. El día **empieza** con una visita al campus. Luego, vamos al estadio y los equipos de deportes **juegan** sus partidos. Por último, los estudiantes **almuerzan** con sus padres en la cafetería. ¿Qué **piensan** de mis planes? ¿**Tienen** ustedes otras ideas?

Piénsalo. Indica quién hace las actividades, de acuerdo con el plan de Carmen.

1. _____ **Pide** la ayuda de sus compañeras.
2. _____ **Quiere** decorar los dormitorios.
3. _____ **Pueden** preparar el desayuno.
4. _____ **Almuerzan** con sus padres.
5. _____ **Juegan** sus partidos.
6. _____ Dice que los globos no **cuestan** mucho.

a. Elena
b. los equipos
c. Carmen
d. Ana y Luisa
e. los estudiantes

Present tense of stem-changing verbs: e → ie, o → ue, and e → i

■ Some common verbs in Spanish undergo a vowel change in all forms of the present tense except **nosotros/as** and **vosotros/as**.

PENSAR (e → ie) (*to think*)		
yo	p**ie**nso	nosotros/as	pensamos
tú	p**ie**nsas	vosotros/as	pensáis
Ud., él, ella	p**ie**nsa	Uds., ellos/as	p**ie**nsan

VOLVER (o → ue) (*to return*)		
yo	v**ue**lvo	nosotros/as	volvemos
tú	v**ue**lves	vosotros/as	volvéis
Ud., él, ella	v**ue**lve	Uds., ellos/as	v**ue**lven

PEDIR (e → i) (*to ask for*)		
yo	p**i**do	nosotros/as	pedimos
tú	p**i**des	vosotros/as	pedís
Ud., él, ella	p**i**de	Uds., ellos/as	p**i**den

■ Other common verbs that have vowel changes in the stem are the following:

e → ie	**o → ue**	**e → i**
cerrar *to close*	**almorzar** *to have lunch*	**repetir** *to repeat*
empezar *to begin*	**costar** *to cost*	**servir** *to serve*
entender *to understand*	**dormir** *to sleep*	
preferir *to prefer*	**encontrar** *to find*	
querer *to want; to love*	**poder** *to be able to, can*	

■ Use **pensar** + *infinitive* to express what you or someone else is planning to do.

Pienso estudiar esta noche.	*I plan to study tonight.*
Pensamos comer a las ocho.	*We are planning to eat at 8:00.*

■ Note the irregular **yo** form in the following **e → ie** and **e → i** stem-changing verbs.

tener (*to have*)	**tengo**, t**ie**nes, t**ie**ne, tenemos, tenéis, t**ie**nen
venir (*to come*)	**vengo**, v**ie**nes, v**ie**ne, venimos, venís, v**ie**nen
decir (*to say, to tell*)	**digo**, d**i**ces, d**i**ce, decimos, decís, d**i**cen
seguir (*to follow*)	**sigo**, s**i**gues, s**i**gue, seguimos, seguís, s**i**guen

■ In the verb **jugar** (*to play a game or sport*) **u** changes to **ue**.

Mario j**ue**ga muy bien al tenis.	*Mario plays tennis very well.*
Nosotros jugamos todas las semanas.	*We play every week.*

PRÁCTICA

4-16

Los planes. PREPARACIÓN. Marca (✔) tus preferencias y planes.

1. ¿Prefieres tener una familia grande o pequeña?

    _____ grande

    _____ pequeña

2. ¿Quieres tomar cursos en el verano o prefieres trabajar?

    _____ Tomar cursos en el verano.

    _____ Prefiero trabajar.

3. ¿Sigues las tradiciones de tu familia o quieres ser más independiente?

    _____ Sigo las tradiciones de mi familia.

    _____ Quiero ser más independiente.

4. Cuando tienes amigos en casa, ¿sirves vino, cerveza o refrescos?

    _____ vino y cerveza

    _____ agua y refrescos

5. Cuando terminas las vacaciones, ¿vuelves a casa deprimido/a o contento/a?

    _____ deprimido/a

    _____ contento/a

 INTERCAMBIOS. Ahora pregúntale a tu compañero/a sobre sus planes y preferencias. Debes pedir más información.

 E1: *¿Prefieres tener una familia grande o pequeña?*

E2: *Prefiero tener una familia pequeña.*

E1: *¿Cuántos hijos quieres tener? o ¿Por qué prefieres una familia pequeña?*

E2:…

Cultura

■ ■ ■ ■ ■

Las bodas hispanas

Weddings are very important celebrations for Hispanic families. Many relatives and friends attend the ceremony, which can be a religious event or a civil union. When a Hispanic woman marries, she does not take her husband's surname but rather continues to use that of her parents.

Comparaciones. En tu cultura, ¿qué apellido usan las mujeres cuando se casan? ¿Qué sistema prefieres y por qué?

4-17

Planes para la boda. Beatriz y Miguel se casan en un mes. Completa la descripción de los planes para la boda con un verbo de la lista y en la forma correcta.

empezar	poder	querer	servir
entender	preferir	seguir	volver

Beatriz y Miguel (1) _____ tener una boda pequeña, pero elegante. La ceremonia (2) _____ a las 7:00. Los sobrinos y primos jóvenes de los novios no asisten a la ceremonia. Ellos no (3) _____ la ceremonia y (4) _____ jugar con una niñera en otra parte de la iglesia. Después de la ceremonia, todos van a un restaurante, donde los invitados (5) _____ bailar y cenar. Los camareros (6) _____ una cena italiana porque los padres de Miguel son de Italia. Después de la cena, la familia (7) _____ a la casa de los padres de la novia. Los invitados (8) _____ en la fiesta, pero Beatriz y Miguel salen para su luna de miel (*honeymoon*) a Colombia.

¿Qué piensan hacer? Túrnense para decir qué piensa hacer cada (*each*) miembro de la familia en las situaciones siguientes.

MODELO Mi hermano quiere estar delgado.

> E1: *Tu hermano probablemente piensa correr mucho.*
>
> E2: *Probablemente piensa empezar una dieta.*
>
> E3: *Y probablemente piensa ir al gimnasio todos los días.*

1. Mi hermana tiene un teléfono celular que no funciona (*works*).
2. Mi mamá trabaja mucho y quiere descansar.
3. Mi tía está enferma, por eso se siente muy débil y cansada.
4. Mis abuelos están de vacaciones en Colombia.
5. Mis primos quieren ir a Cartagena para visitar a los abuelos.
6. Mi tío lee y escucha las noticias sobre Colombia porque quiere aprender más sobre el país.

LENGUA

- **Pensar en** is the Spanish equivalent of *to think about someone or something.*

  ¿Piensas en tu familia cuando estás fuera de casa? *Do you think about your family when you are away from home?*

  Sí, **pienso** mucho **en** ellos. *Yes, I think about them a lot.*

- **Pensar de** is used to ask for an opinion. **Pensar que** is normally used in the answer.

  ¿Qué **piensas de** los planes de ayuda familiar? *What do you think of the plans to help families?*

  Pienso que son excelentes. *I think they are excellent.*

4-19

¿Qué pasa en las reuniones familiares?

PREPARACIÓN. Descríbele las reuniones de tu familia a tu compañero/a. Deben tomar nota de las semejanzas y las diferencias.

MODELO preparar la comida

> E1: *En las reuniones de mi familia, mi abuela prepara mucha comida.*
>
> E2: *En las reuniones de mi familia, tenemos mucha comida también. Pero mi madre y mi tía preparan la comida.*

1. servir la comida
2. jugar con los niños
3. venir de muy lejos
4. dormir en el sofá
5. preferir hablar de deportes (*sports*)
6. volver a casa para el Día de Acción de Gracias

INTERCAMBIOS. Hablen de una semejanza y una diferencia entre las reuniones de sus familias. Compartan la información con la clase.

Cultura

Las comidas

Meal times vary according to the region but, generally, lunch is the largest and most important meal of the day. In the Hispanic world, people have lunch between 1 and 3 P.M. while dinner is a light meal enjoyed between 7 and 10 in the evening.

Comparaciones. ¿Cuál es la comida más importante en tu cultura? ¿Cómo es?

4-20

Entrevista. Túrnense para entrevistarse (*interview each other*). Hablen sobre los siguientes temas (*topics*) y después compartan la información con otro compañero/otra compañera.

1. la hora del almuerzo, qué prefiere comer y dónde
2. los deportes que prefiere practicar o mirar en la televisión
3. a qué hora empieza a hacer la tarea generalmente
4. si duerme una siesta durante el día
5. si vuelve a la casa de sus padres para las vacaciones
6. qué piensa hacer después de graduarse de la universidad

4-21

¿Cuándo y con quién?

PREPARACIÓN. Habla con tu compañero/a para obtener la siguiente información.

1. qué actividades prefiere hacer con miembros de su familia y cuándo
2. qué actividades hace con sus amigos los fines de semana
3. qué actividades hace con sus amigos durante la semana

INTERCAMBIOS. Preparen una lista de las actividades que tienen en común y otra lista de las que son diferentes. Comparen sus listas con las de otra pareja (*pair*).

 MODELO *Durante la semana, almorzamos en la cafetería de la universidad. ¿Y ustedes?*

Cultura

La quinceañera

In Hispanic culture, teen girls celebrate their 15th birthday in a special way. The celebration is called a **quinceañera,** and it marks the girl's transition into adulthood. This tradition is celebrated in nearly all Spanish-speaking countries except Spain.

Comparaciones. ¿Cómo se celebra el *sweet sixteen* en tu cultura? ¿Quiénes asisten?

4-22

Una reunión. Ustedes quieren ayudar a su amiga Celeste a organizar una reunión para celebrar el cumpleaños número dieciséis de su prima. Decidan lo siguiente:

1. lugar y hora en que prefieren la reunión
2. número de personas que van a participar
3. comida y bebidas que piensan servir
4. actividades que quieren organizar

Situación

PREPARACIÓN. Lean esta situación. Luego, compartan ejemplos de vocabulario, gramática y otra información que necesitan para desarrollar la conversación.

Role A. You and a family member are planning to visit Colombia. Your friend has heard about your plans and calls with some questions. Answer your friend's questions in detail.

Role B. Your friend is planning to go to Colombia with a relative. Call to find out:
a. when he/she is planning to go;
b. with whom;
c. what places in the country he/she wants to visit and why; and
d. when they are returning.

	ROLE A	ROLE B
Vocabulario	Family member Travel dates	Question words

Funciones y formas	Discussing plans:
	   Pensar + infinitive
	
	Expressing preferences:
	   Querer + infinitive
		Discussing plans:
		   Pensar + infinitive
		
		Expressing preferences:
		   Querer + infinitive

INTERCAMBIOS. Practica la conversación con tu compañero/a incorporando el vocabulario y las funciones de *Preparación*. Luego, represéntenla ante la clase.

2 Talking about daily routine

Me llamo Óscar Torres. Mi esposa Rosa y yo tenemos una vida muy ocupada. **Nos levantamos** a las seis todos los días.

Yo **me ducho** mientras Rosa **se viste** rápidamente.

Después, Rosa **despierta** a Carlitos y a Roberto, nuestros hijos. Roberto se viste, y Rosa **viste** a Carlitos.

Desayunamos y luego todos **nos lavamos** los dientes y a las siete salimos de la casa.

Piénsalo. Para cada acción, indica si la persona se hace la acción a sí misma (*himself/herself/themselves*) o a otra persona.

ACCIÓN	A SÍ MISMO/A	A OTRA PERSONA
1. Óscar **se ducha** por la mañana.	_____	_____
2. Rosa **despierta** a Carlitos.	_____	_____
3. La madre **viste** al niño porque es muy pequeño.	_____	_____
4. Roberto **se viste** rápidamente.	_____	_____
5. Nosotros **nos lavamos** los dientes después de desayunar.	_____	_____
6. Rosa probablemente **se baña** por la noche, porque no tiene tiempo por la mañana.	_____	_____

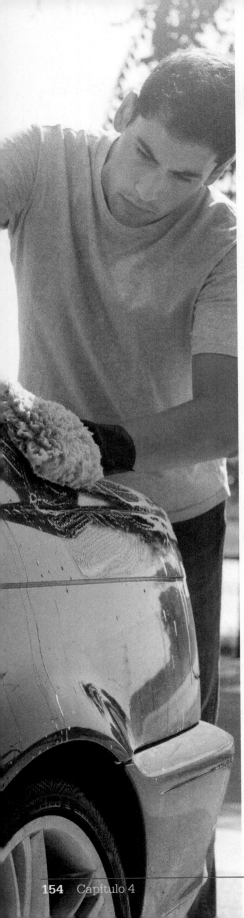

Reflexive verbs and pronouns

- Reflexive verbs express what people do to or for themselves.

LAVARSE (*to wash oneself*)			
yo	**me lavo**	nosotros/as	**nos lavamos**
tú	**te lavas**	vosotros/as	**os laváis**
Ud., él, ella	**se lava**	Uds., ellos/as	**se lavan**

Reflexive:

Mi hermana **se** lava las manos.   *My sister washes her hands.*

Non-Reflexive:

Mi hermana **lava** el auto.   *My sister washes the car.*

- A reflexive pronoun refers back to the subject of the sentence. English sometimes uses the pronouns ending in *-self/-selves* to express reflexive meaning. In many cases, Spanish uses reflexives where English does not.

Yo **me levanto, me ducho,**   *I get up, take a shower, dry*
  me seco y **me visto**   *myself, and get dressed*
  rápidamente.   *quickly.*

- Place reflexive pronouns after the word **no** in negative constructions.

Rosa **no se levanta** temprano   *Rosa does not get up early*
  los fines de semana.   *on weekends.*

- The pronoun **se** attached to the end of an infinitive indicates the verb is reflexive.

vestir   *to dress (someone else)*
vestirse   *to get dressed (oneself)*

- With a conjugated verb followed by an infinitive, place the reflexive pronoun before the conjugated verb or attach it to the infinitive.

Yo **me** voy a levantar a las siete.   *I am going to get up at seven.*
Yo voy a levantar**me** a las siete.

- When referring to parts of the body and articles of clothing, use definite articles rather than possessives with reflexive verbs.

Me lavo **los** dientes.   *I brush my teeth.*
Roberto se pone **la** chaqueta.   *Roberto puts on his jacket.*

- Some verbs change meaning when used reflexively.

dormir	*to sleep*	**dormirse**	*to fall asleep*
levantar	*to raise, to lift*	**levantarse**	*to get up*
llamar	*to call*	**llamarse**	*to be called*
poner	*to put, to place*	**ponerse**	*to put on*
quitar	*to take away*	**quitarse**	*to take off*

■ Here is a list of common reflexive verbs. Note the stem changes that occur in many of them.

acostarse (ue)	to go to bed, to lie down	**lavarse**	to wash (oneself)
afeitarse	to shave (oneself)	**maquillarse**	to put on makeup
bañarse	to take a bath	**peinarse**	to comb (one's hair)
casarse	to get married	**secarse**	to dry (oneself)
conectarse a	to connect to	**sentarse (ie)**	to sit down
despertarse (ie)	to wake up	**sentirse (ie)**	to feel
ducharse	to take a shower	**vestirse (i)**	to get dressed

|e ¿COMPRENDES?

Completa las oraciones con el pronombre reflexivo o el verbo indicado.

me, te, se, nos

1. Yo _____ baño por la mañana.
2. Los estudiantes _____ bañan por la noche.
3. Usted _____ baña después de desayunar.

despertarse

4. Mis abuelos se _____ temprano.
5. Mi hermana y yo nos _____ tarde.
6. Y tú, ¿cuándo te _____?

MySpanishLab

Learn more using Amplifire Dynamic Study Modules, Grammar Tutorials, and Extra Practice activities.

PRÁCTICA

4-23

¿Qué hacemos todos los días? Pon estas actividades en el orden más lógico (1 = primero; 6 = finalmente). Luego, comparte tus respuestas con tu compañero/a. ¿Hace tu compañero/a las actividades en el mismo orden? Comenten las diferencias.

_____ Me duermo.

_____ Me levanto.

_____ Salgo para mis clases.

_____ Me acuesto.

_____ Me ducho y me lavo la cara (*face*).

_____ Desayuno.

4-24

¿Tenemos las mismas rutinas?
Hablen sobre sus actividades diarias.

 despertarse

E1: *Yo me despierto a las siete. ¿Y tú?*

E2: *Generalmente, me despierto a las ocho.*

1. levantarse   4. desayunar
2. ducharse   5. acostarse
3. vestirse   6. dormirse

4-25

Los horarios. Usen la información de la actividad 4-24. Completen la tabla y escriban un párrafo sobre sus horarios. ¿Qué tienen en común? ¿Qué diferencias hay entre sus horarios?

	YO	MI COMPAÑERO/A
despertarse		
levantarse		
ducharse		
vestirse		

Situación

PREPARACIÓN. Lean esta situación. Luego, compartan ejemplos de vocabulario, gramática y otra información que necesitan para desarrollar la conversación.

Role A. You are going to a summer language school (**programa de verano**) in **Bogotá**. Ask the director:

a. where the students live;

b. what time they go to bed and get up; and

c. where and when they eat their meals.

Role B. You are the director of a summer language school (**programa de verano**) in **Bogotá**. Answer the questions of a prospective student, giving as much information as possible.

	ROLE A	ROLE B
Vocabulario	Daily routines Question words	Daily routines

Funciones y formas	Talking about routines:
	    Reflexive verbs
	
	    Stem-changing verbs
		Talking about routines:
		    Reflexive verbs
		
		    Stem-changing verbs

INTERCAMBIOS. Practica la conversación con tu compañero/a incorporando el vocabulario, las funciones y demás información. Luego, represéntenla ante la clase.

3 | Expressing obligation

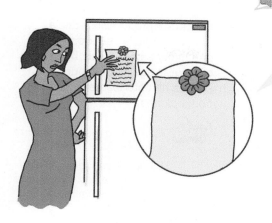

La Sra. Rojas está de mal humor hoy. Se siente muy frustrada con el estilo de vida de su familia. Acaba de poner esta nota en la puerta del refrigerador.

Planes para nuestra familia

De hoy en adelante, todos **tenemos que ser** más organizados. Verónica **tiene que ver** menos televisión. Luis **tiene que practicar** el piano todos los días. Papá **tiene que hacer** más ejercicio. Agustín y Toño **tienen que terminar** su tarea antes de jugar videojuegos. Finalmente, todos **tenemos que ayudar** con las tareas domésticas.

Mamá

Piénsalo. Asocia las situaciones con las obligaciones según la nota de la Sra. Rojas.

1. _____ La madre piensa que la familia debe cambiar su estilo de vida.

2. _____ Verónica mira mucha televisión.

3. _____ El padre tiene una vida sedentaria.

4. _____ Luis no es muy perseverante con la música.

5. _____ Agustín y Toño probablemente prefieren practicar deportes y no estudian.

6. _____ No todos colaboran para mantener la casa limpia (*clean*).

a. Todos **tienen que ayudar** con las tareas domésticas.

b. **Tienen que dedicar** suficiente tiempo a sus estudios.

c. **Tiene que hacer** más actividades físicas.

d. **Tiene que leer** más o **ser** más activa.

e. **Tiene que practicar** regularmente.

f. La familia **tiene que** organizar sus actividades.

Tener que + infinitive

■ Use **tener que** to express what someone *has to, needs to,* or *must* do.

Eliana, **tienes que estudiar más.**   *Eliana, you have to study more.*

Tengo que visitar a mis abuelos este fin de semana.   *I have to visit my grandparents this weekend.*

¿COMPRENDES?

Completa las oraciones con la palabra o expresión correcta.

1. Tengo que _____ a mis abuelos.
2. Mi madre _____ que trabajar.
3. Nosotros tenemos _____ ir de compras.
4. Mis amigos _____ que estudiar.
5. Y tú, ¿qué tienes _____ hoy?

a. tienen
b. que hacer
c. que
d. visitar
e. tiene

MySpanishLab

Learn more using Amplifire Dynamic Study Modules, Grammar Tutorials and Extra Practice activities.

PRÁCTICA

4-26

Mis obligaciones. PREPARACIÓN. Marca (✓) las tareas que tienes que hacer regularmente. Con tu compañero/a, comparen sus obligaciones.

_____ pasear al perro

_____ hacer ejercicio

_____ comprar comida

_____ hacer la tarea para mis clases

_____ llamar por teléfono a mi familia

_____ poner los platos sucios en el lavaplatos (*dishwasher*)

_____ leer y contestar el correo electrónico

_____ ir a la universidad

_____ trabajar por las tardes

_____ conectarme a Skype para hablar con mis padres

INTERCAMBIOS. Ahora dile a tu compañero/a cuándo tienes que hacer estas tareas. Luego, comparen sus obligaciones. ¿Quién de ustedes tiene más obligaciones?

MODELO   E1: *Tengo que pasear al perro todos los días. ¿Y tú?*

E2: *Yo no tengo que pasear al perro, pero tengo que preparar la comida los domingos...*

Cultura
■ ■ ■ ■ ■

El Parque Ecológico El Portal

El Portal is an ecological park near Bucaramanga, Colombia. It is a popular destination for ecotourism. There, tourists can partake in a number of different activities such as mountain biking and hang gliding.

Comunidades. ¿Hay lugares en tu región o país dedicados al ecoturismo? ¿Qué puedes hacer allí?

4-27

Un viaje (*trip*) a Colombia. PREPARACIÓN. Tu familia va a viajar a Colombia. Selecciona la mejor recomendación para cada persona. Después añade (*add*) algo que quieres hacer tú y explica por qué.

1. _____ Mi hermana quiere visitar un lugar religioso muy original.

2. _____ A mis padres les gustaría ver joyas (*jewels*) precolombinas.

3. _____ Mi prima quiere escuchar música colombiana.

4. _____ Mis abuelos prefieren las actividades al aire libre.

a. Tiene que asistir a un concierto de Los Príncipes del Vallenato.

b. Tiene que ir a la Catedral de Sal.

c. Tienen que ir al Museo del Oro.

d. Tienen que conocer el Parque Ecológico El Portal.

INTERCAMBIOS. Busca información en Internet y prepara una breve descripción de uno de los lugares, grupos o eventos siguientes. Incluye la ubicación (*location*) y las actividades asociadas con el lugar, el grupo o los eventos. Luego, comparte la información con la clase.

1. Los Príncipes del Vallenato

2. la Catedral de Sal

3. el Museo del Oro

4. el Parque Arqueológico de San Agustín

4-28

Sugerencias. PREPARACIÓN. ¿Qué tienen que hacer (o no) las personas en estas circunstancias?

 MODELO Luis no tiene dinero (*money*).

> E1: *Tiene que buscar trabajo en Internet.*
>
> E2: *No tiene que perder el tiempo en Facebook.*

1. Mi amigo Juan tiene un examen muy difícil el lunes.
2. Francisco nunca tiene energía. Siempre está cansado.
3. Manuel y Victoria no tienen una buena relación de pareja (*couple*).
4. Mi hermana Marta ve televisión todos los días y saca malas notas en sus clases.
5. Luis y Emilia quieren aprender español.
6. Isabel y Lucía desean visitar un país hispano, pero no hablan español.

INTERCAMBIOS. Escribe tres problemas personales. Explícale tus problemas a tu compañero/a y dile qué tienes que hacer.

 MODELO *Vivo en un apartamento muy feo. Tengo que buscar un apartamento bonito…*

Situación

PREPARACIÓN. Lean esta situación. Luego, compartan ejemplos de vocabulario, gramática y otra información que necesitan para desarrollar la conversación.

Role A. Your parents are angry at you because you a) stay out late; b) do not study enough; c) prefer to spend all your time with your friends; and d) play with your phone at mealtimes. You ask a friend for advice.

Role B. A friend calls you to discuss family problems. Listen and ask appropriate questions, then offer some advice.

	ROLE A	ROLE B
Vocabulario	Family Leisure activities	Family Leisure activities

Funciones y formas	Talking about routines:
	  Stem-changing verbs
	
	  Present tense of verbs
		Asking questions:
		  Stem-changing verbs
		
		Giving advice:
		  Tener + *que* + infinitive

INTERCAMBIOS. Practica la conversación con tu compañero/a incorporando el vocabulario y las funciones de *Preparación.* Luego, represéntenla ante la clase.

¿Cómo es tu familia? **159**

4 Expressing how long something has been going on

PATRICIA: Señora, ¿**cuánto tiempo hace que** practico esta sonata? ¡Estoy muy cansada!

SRA. ESCOBEDO: **Hace dos horas que** trabajas en ella. Pero una vez más, por favor, Patricia. El recital es en dos días.

(*El día del recital*)

SRA. ESCOBEDO: Les presento a Patricia Suárez. Estudia el violín conmigo **hace cinco años.** Ahora va a tocar la Sonata n.° 4 de Mozart.

¿COMPRENDES?

Usa la información en paréntesis para completar la respuesta a la siguiente pregunta:

¿Cuánto tiempo hace que estas personas estudian español?

1. (tres semanas) _____ Juan y Daniel estudian español.

2. (un semestre) _____ nosotros estudiamos español.

3. (un año)_____ tú estudias español.

4. (tres días) _____ mi amigo estudia español.

MySpanishLab

Learn more using Amplifire Dynamic Study Modules, Grammar Tutorials, and Extra Practice activities.

Piénsalo. Indica si las siguientes afirmaciones son ciertas (**C**) o falsas (**F**).

1. _____ **Hace cinco años que** Patricia estudia con la Sra. Escobedo.

2. _____ **Hace tres años que** Patricia aprende la Sonata n.° 4 de Mozart.

3. _____ Patricia conoce a su profesora de violín **hace dos años.**

4. _____ **Hace dos horas que** Patricia practica la sonata de Mozart.

5. _____ **Hace cinco años que** la Sra. Escobedo toca el violín.

6. _____ La Sra. Escobedo enseña clases de violín **hace un año.**

Hace with expressions of time

■ To say that an action/state began in the past and continues into the present, use **hace** + *length of time* + **que** + *present tense*.

Hace dos horas que juegan.   *They have been playing for two hours.*

■ If you begin the sentence with the present tense of the verb, do not use **que**.

Juegan **hace dos horas**.   *They've been playing for two hours.*

■ To find out how long an action/state has been taking place, use **cuánto tiempo** + **hace que** + *present tense*.

¿**Cuánto tiempo hace que** juegan?   *How long have they been playing?*

PRÁCTICA

Este soy yo. PREPARACIÓN. Lee esta descripción de Jaime y completa las oraciones. Compara tus respuestas con las de tu compañero/a.

Me llamo Jaime Caicedo y soy de Cartagena, Colombia. Quiero aprender inglés para poder trabajar en una compañía internacional. Estudio inglés **hace dos años,** pero tengo que estudiar más para hablar correctamente. Siempre miro programas de televisión en inglés. Mi favorito es *NCIS.* **Hace cinco años que** miro este programa y me gusta mucho. Tengo un auto **hace un año,** y salgo en él con mis amigos y también con mi novia. **Hace seis meses que** somos novios. Somos muy felices.

1. Jaime Caicedo es de…

2. Hace dos años que Jaime…

3. Hace seis meses que Jaime…

INTERCAMBIOS. Escribe tu propia descripción, siguiendo el modelo en *Preparación*. Luego, comparte tu descripción con tu compañero/a.

¿Cuánto tiempo hace que…? Túrnense para hacerse las siguientes preguntas. Después, compartan la información con otra pareja.

1. ¿Dónde vive tu familia? ¿Cuánto tiempo hace que vive allí?

2. ¿Dónde trabajas? ¿Cuánto tiempo hace que trabajas allí?

3. ¿Cuánto tiempo hace que estudias en esta universidad? ¿Y por qué estudias español?

4. ¿Practicas algún deporte? ¿Cuánto tiempo hace que juegas al…? ¿Juegas bien?

Situación

PREPARACIÓN. Lean esta situación. Luego, compartan ejemplos de vocabulario, gramática y otra información que necesitan para desarrollar la conversación.

Role A. A friend is visiting you from out of town. Give him/her a tour and then suggest going to the local Colombian restaurant for dinner. Give details about the places you visit and answer your friend's questions.

Role B. You are visiting a friend and he/she gives you a tour. Ask your friend questions: a) how long he/she has lived here; and b) how long the stores, restaurants, and other places you see on the tour have been there.

	ROLE A	ROLE B
Vocabulario	Places in town Length of time	Question words Length of time

Funciones y formas	Expressing length of time of an event or condition:
	    Hace + *time* + que + *present tense verb*
	Making a suggestion
		Asking questions about length of time of an event or condition:
		    ¿Cuánto tiempo + hace que + *present tense verb?*
		    ¿Cuántos años + hace que + *present tense verb?*

INTERCAMBIOS. Practica la conversación con tu compañero/a incorporando el vocabulario y las funciones de *Preparación*. Luego, represéntenla ante la clase.

EN ACCIÓN

Una fiesta en familia

4-31 Antes de ver

¿A solas (*alone*) o en familia? Marca las actividades que haces típicamente a solas (**S**) o en familia (**F**).

1. _____ Celebro mi cumpleaños.
2. _____ Me cepillo los dientes.
3. _____ Almuerzo los domingos.
4. _____ Escucho música en mi teléfono.
5. _____ Me visto.
6. _____ Salgo para mis clases.
7. _____ Duermo la siesta en el sofá.
8. _____ Visito a mis parientes.
9. _____ Converso sobre temas políticos.
10. _____ Me ducho.

4-32 Mientras ves

A celebrar. Marca (✓) la columna adecuada de acuerdo con la información en el segmento de video. Corrige las afirmaciones falsas.

	CIERTO	FALSO
1. Blanca prepara un típico desayuno colombiano.	_____	_____
2. Los estudiantes quieren conocer a la familia de Blanca.	_____	_____
3. Yolanda habla de la celebración de la independencia colombiana en Nueva York.	_____	_____
4. Esteban muestra un video de sus amigos.	_____	_____
5. El hijo de Blanca llega a la fiesta con su esposa.	_____	_____
6. Yolanda quiere comer la carne que prepara Federico.	_____	_____

4-33 Después de ver

Lejos de casa. **PREPARACIÓN.** Marca (✓) los temas que aparecen en este episodio, implícita o explícitamente.

1. _____ La importancia de la familia.
2. _____ Las oportunidades de trabajo en el extranjero.
3. _____ Las tradiciones culturales.
4. _____ La separación física entre los padres y los hijos.
5. _____ La tecnología como medio de comunicación.

 **INTERCAMBIOS.** Comparen sus respuestas de *Preparación* y háganse las siguientes preguntas relacionadas.

1. ¿Qué fiestas celebras siempre en familia? Describe una fiesta típica con tu familia.
2. ¿Qué fiestas prefieres celebrar con tus amigos/as? ¿Son distintas a las fiestas que celebras con tu familia? Explica.
3. Describan cómo celebra la gente la independencia colombiana en Nueva York. ¿De qué manera es similar a la celebración del cuatro de julio? ¿Hay alguna diferencia? Expliquen.

Mosaicos

4-34

Preparación. Antes de escuchar el mensaje de Pedro para Julio sobre una fiesta sorpresa (*surprise*), prepara tus ideas sobre la siguiente información. Después, presenta tus notas a la clase.

1. el posible propósito (*purpose*) de este mensaje

2. la información específica que puede ser importante

ESTRATEGIA

Listen for a purpose

Listening with a purpose in mind will help you focus your attention on the most relevant information. As you focus your attention, you screen what you hear and select only the information you need.

4-35

Escucha. First read the information you will need to attend the party Pedro is organizing. Then, as you listen, complete the sentences with the rest of the information. Don't worry if you do not understand every word.

1. La fiesta es para…

2. La fiesta va a ser en la casa de…

3. El día de la fiesta es…

4. Julio debe llevar (*take*)…

5. Julio tiene que llegar a la casa a las…

6. La dirección es…

Comprueba

I was able to . . .

_____ recognize the names of people.

_____ identify specific information about an event.

4-36

Un paso más. Vas a organizar una fiesta sorpresa para tu profesor/a de español y deseas invitar a tu compañero/a. Llama a tu compañero/a por teléfono y explícale lo siguiente:

1. cuándo y dónde va a ser la fiesta

2. qué van a comer y beber

3. qué música van a escuchar

4. otros planes

4-37

Preparación. Completa las siguientes afirmaciones con los nombres de tus parientes, la relación de parentesco (*kinship*) y sus actividades.

 MODELO *Mi primo David come* en restaurantes los fines de semana.

1. ... mucho y con frecuencia está(n) cansado/a(s).

2. ... en casa los fines de semana. Descansan, leen, escuchan música, etc.

3. ... ejercicio físico tres o cuatro veces por semana.

4. ... con amigos o con la familia en casa el día de su cumpleaños.

5. ... por Skype o Facebook. Se conecta(n) con su familia y amigos cada día.

ESTRATEGIA

Organize information to make comparisons

In *Capítulo 3*, you practiced organizing information for a presentation. Now you will focus on organizing information for a conversation about a specific topic—your family. Follow these steps in organizing your information.

- List the names of family members you are going to talk about.
- Indicate the family relationships.
- Decide on possible categories for your comparisons (**aburridos, divertidos; extrovertidos, tímidos; trabajadores, perezosos**).

4-38

Habla. En grupos pequeños, háganse las siguientes preguntas y comparen la información.

1. ¿Quiénes son tus parientes más artísticos? Expliquen (*Explain*).

2. ¿Quiénes son las personas más activas en tu familia? Expliquen.

3. ¿Qué miembros de la familia pasan mucho tiempo en casa? Expliquen.

En directo ■ ■ ■ ■ ■

To make comparisons and contrasts:

Por un lado... *On the one hand* . . .

Por otro lado... *On the other hand* . . .

En cambio... *On the other hand* . . .

En contraste... *In contrast* . . .

 Listen to a conversation with these expressions.

Comprueba

In my conversation . . .

_____ I used question words appropriately.

_____ I described and compared family members.

_____ I gave relevant information when answering.

_____ I used adjectives accurately.

4-39

Un paso más. En los mismos grupos, comparen sus respuestas y completen un pequeño informe (*report*) con la información anterior. Luego, presenten su informe a la clase.

LEE

Preparación. Lee el título y los subtítulos del artículo en la página siguiente y observa las fotos. Luego, usa la información del título, los subtítulos y las fotos para contestar las siguientes preguntas. Presenta tus respuestas a la clase.

1. ¿Cuál es el tema del artículo?
   a. la comunicación entre amigos
   b. la comunicación entre los miembros de una familia
   c. la comunicación con los colegas en el trabajo

2. En tu opinión, ¿cuáles de las siguientes ideas va a incluir el artículo? (Hay más de una respuesta correcta).
   a. Hoy en día la comunicación entre padres e hijos es mejor que (*better than*) en el pasado.
   b. Los jóvenes no hablan con sus padres sobre sus problemas porque los padres siempre están ocupados.
   c. La vida moderna afecta la comunicación entre padres e hijos.
   d. La tecnología tiende a reducir la comunicación sobre temas importantes.

3. Marca (✓) las actividades de la siguiente lista que asocias con una buena relación entre padres e hijos.
   a. _____ conversar
   b. _____ pasar tiempo juntos
   c. _____ hablar por teléfono
   d. _____ pelear (*to argue*)
   e. _____ escribir correos electrónicos a un miembro de la familia que vive lejos (*far*)
   f. _____ comprar regalos con frecuencia
   g. _____ expresar cariño (*affection*) verbalmente
   h. _____ no hablar de sus problemas con los padres

Lee. Lee el artículo e indica...

1. una palabra asociada con los problemas de comunicación familiares.
2. por qué la tecnología probablemente afecta las relaciones de la familia.
3. dos productos que son ejemplos de cómo la tecnología puede causar problemas en la familia.
4. dos palabras que indican la calidad de la comunicación cuando usamos el correo electrónico o los mensajes de texto.
5. dos formas de usar la tecnología positivamente en la comunicación con la familia.

ESTRATEGIA

Use title and illustrations to anticipate content

Before you start to read, gather as much information about the text as possible. The title, section headings, and illustrations can help you anticipate content, so pay special attention to them. Write down what you think the text is about, and refer to your notes as you are reading, correcting them as necessary. This will help you focus your attention as you read.

Comprueba
I was able to . . .

_____ use headings and photos to identify the main idea.

_____ focus on one piece of information at a time.

_____ write effective notes.

LA IMPORTANCIA DE LA COMUNICACIÓN FAMILIAR

LA FAMILIA EN CRISIS

Los expertos afirman que la familia de hoy está en crisis porque no hay buena comunicación entre sus miembros. También dicen que la comunicación es vital en todas las relaciones, especialmente en las relaciones familiares.

La comunicación crea relaciones familiares fuertes y cariñosas.

AUSENCIA DE LOS PADRES

¿Por qué hay problemas de comunicación en las familias? Hay varias razones. Una razón es que la madre y el padre trabajan largas horas fuera de casa y los hijos están solos mucho tiempo, sin la compañía y la supervisión de sus mayores. La ausencia de los padres puede crear cierta independencia en los hijos y una distancia emocional que causa dificultades en la comunicación entre padres e hijos.

LA TECNOLOGÍA

Un segundo factor es la tecnología. Nuestro mundo está controlado por la tecnología. Evidentemente la tecnología facilita muchas cosas, pero su uso excesivo puede complicar la vida. Muchos jóvenes tienen acceso ilimitado a Internet, sobre todo a los sitios web de comunicación social y entretenimiento, como Facebook y YouTube. Idealmente, el bajo costo de la conexión debería afectar positivamente la comunicación en la familia, pero la realidad indica que la comunicación moderna (por ejemplo, mensajes de texto, entradas de Twitter) tiende a ser más breve y más superficial. Los hijos prefieren no discutir sus problemas por correo electrónico o mensajes de texto. Prefieren hablar directamente con sus padres, si es que sus padres tienen el tiempo.

Lo mismo ocurre con el teléfono celular. Es cierto que los jóvenes usan celulares para llamar a sus padres, pero muy pocos usan el celular para conversar largamente con sus padres sobre temas personales importantes.

CONCLUSIÓN

En conclusión, el tiempo limitado que los padres pueden dar a sus hijos y la tendencia a usar la tecnología para comunicaciones muy breves pueden afectar negativamente las relaciones familiares. Por eso es importante crear oportunidades para una comunicación real y profunda dentro de la familia. Si usas la tecnología de manera positiva para pasar tiempo con tus familiares y para expresar el amor y el cariño que sientes por ellos, tu familia va a ser más fuerte y unida.

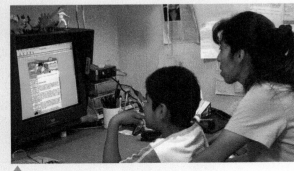

La tecnología puede facilitar la comunicación familiar.

4-42

Un paso más. Habla con tu compañero/a sobre el impacto de la tecnología en la comunicación familiar entre los estudiantes universitarios y sus padres. Fíjate (*Focus*) en los dos temas principales del artículo:

- la separación física entre los padres y los hijos
- el uso de la tecnología como medio de comunicación

ESCRIBE

Preparación. Tu madre está preocupada porque estudias este semestre en la Universidad Javeriana en Bogotá. Lee el correo electrónico que te escribe. Después identifica las preguntas de tu madre que quieres contestar y prepara algunas ideas.

Querido hijo:

¿Qué tal estás? Hace dos semanas que no sabemos nada de ti. ¡No escribes correos electrónicos, no te conectas a Skype o a Facebook! ¿Qué ocurre? ¿Estás desconectado de Internet?

Bueno, sé que es el fin del semestre y debes tener mucho trabajo. ¿Tienes mucho estrés? ¿Duermes bastante? ¿Comes bien en la universidad? ¿Tienes problemas en tus clases?

Tu padre y yo pensamos mucho en ti. ¿Tienes tiempo para pasear por la ciudad y conocer muchos sitios nuevos? Debes visitar el Museo del Oro y el de Botero. Creo que la Candelaria es muy bonita también. Por favor, escribe o llama pronto.

Un beso de papá y mamá,

Tu madre

ESTRATEGIA

Use language appropriate for your reader

Even though you are just starting to learn Spanish, you know enough words and phrases to write e-mails that are polite or casual, depending on who will read your message. Use the expressions in *En directo* when writing to people in your family. When you write an e-mail to your instructor, use salutations like **Estimado profesor Gallegos** and closings like **Atentamente** or **Un cordial saludo.**

Escribe. Ahora responde a la carta de tu madre.

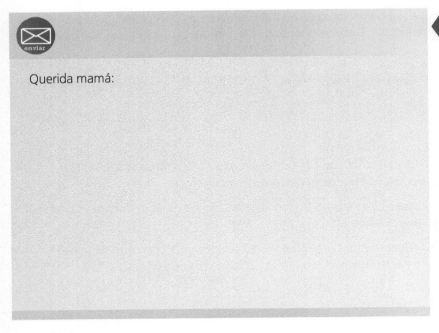

Querida mamá:

Comprueba

I was able to . . .

_____ present main ideas clearly with adequate details.

_____ use a wide range of vocabulary words.

_____ use correct gender and number agreement with nouns and adjectives.

_____ conjugate verbs correctly and make them agree with their subjects.

_____ use accurate spelling, capitalization, and punctuation.

_____ close the message properly.

Un paso más. Lee la respuesta de tu compañero/a a su madre. Escríbanse (*Write to each other*) un correo electrónico en el que hacen una lista de las semejanzas y diferencias entre sus cartas.

En este capítulo...

Comprueba lo que sabes

Go to *MySpanishLab* to review what you have learned in this chapter. Practice with the following:

Flashcards | Games | Oral Practice | Practice Test / Study Plan | Amplifire Dynamic Study Modules | Tutorials | Videos | Extra Practice

 Vocabulario

LA FAMILIA
The family

la abuela *grandmother*
el abuelo *grandfather*
la esposa *wife*
el esposo *husband*
la hermana *sister*
el hermano *brother*
la hija *daughter*
el hijo *son*
la madrastra *stepmother*
la madre *mother*
la mamá *mom*
la media hermana *half-sister*
el medio hermano *half-brother*
la nieta *granddaughter*
el nieto *grandson*
el niño/la niña *child*
la novia *fiancée; girlfriend*
el novio *fiancé; boyfriend*
el padrastro *stepfather*
el padre *father*
los padres *parents*
el papá *dad*
el pariente *relative*
el primo/la prima *cousin*
la sobrina *niece*
el sobrino *nephew*
la tía *aunt*
el tío *uncle*

LAS DESCRIPCIONES
Descriptions

casado/a *married*
divorciado/a *divorced*
gemelo/a *twin*
ocupado/a *busy*

VERBOS
Verbs

acostar(se) (ue) *to put to bed; to go to bed*
afeitar(se) *to shave; to shave (oneself)*
almorzar (ue) *to have lunch*
ayudar *to help*
bañar(se) *to bathe; to take a bath*
casar(se) *to get married*
cerrar (ie) *to close*
conectar(se) *to connect to*
costar (ue) *to cost*
decir (g, i) *to say, to tell*
dedicar *to dedicate*
desayunar *to have breakfast*
despertar(se) (ie) *to wake (someone up); to wake up*
dormir (ue) la siesta *to take a nap*
dormir(se) (ue) *to sleep; to fall asleep*
duchar(se) *to give a shower to; to take a shower*
empezar (ie) *to begin, to start*
encontrar (ue) *to find*
entender (ie) *to understand*
llamar(se) *to call; to be called*
hacer *to do*
jugar (ue) *to play (a game, sport)*
lavar(se) *to wash (oneself)*

levantar(se) *to raise; to get up*
maquillar(se) *to put makeup on (someone); to put makeup on (oneself)*
pasar *to spend (time)*
pasear *to take a walk, to stroll*
pedir (i) *to ask for; to order*
peinar(se) *to comb (someone's hair); to comb (one's hair)*
pensar (ie) *to think*
pensar (ie) + *infinitive* *to plan to + verb*
poder (ue) *to be able to, can*
poner(se) (g) la ropa *to put one's clothes on*
preferir (ie) *to prefer*
querer (ie) *to want*
quitar(se) *to take away; to take off*
repetir (i) *to repeat*
secar(se) *to dry (oneself)*
seguir (i) *to follow, to go on*
sentarse (ie) *to sit down*
sentir(se) (ie) *to feel*
servir (i) *to serve*
tener (g, ie) *to have*
terminar *to finish*
venir (g, ie) *to come*
vestir(se) (i) *to dress; to get dressed*
visitar *to visit*
volver (ue) *to return*

PALABRAS Y EXPRESIONES ÚTILES
Useful words and expressions

el bautizo *baptism, christening*
la foto(grafía) *photo(graph)*
frecuentemente *frequently, often*

juntos/as *together*
el/la mayor *the oldest*
el matrimonio *marriage*
el/la menor *the youngest*
tarde *late*
temprano *early*
un poco *a little*

See *Lengua* box on page 145 for time expressions.
See *Lengua* box on page 150 for other expressions with **pensar**.
See page 160 for time expressions with **hacer**.

5 ¿Dónde vives?

LEARNING OUTCOMES

You will be able to:

- talk about housing, the home, and household activities
- express ongoing actions
- describe physical and emotional states
- avoid repetition in speaking and writing
- point out and identify people and things
- compare cultural and geographic information of Nicaragua, El Salvador, and Honduras

Mar Caribe

BELICE

MÉXICO

GUATEMALA

HONDURAS

Ruinas mayas

Copán

Tegucigalpa

El café

EL SALVADOR

San Salvador

NICARAGUA

Mango verde
con limón y sal

León

Managua

Un edificio de arquitectura colonial

El volcán de Izalco

Granada

OCÉANO PACÍFICO

COSTA
RICA

Enfoque cultural

To learn more
about Nicaragua,
El Salvador, and
Honduras, go to
MySpanishLab
to view the *Vistas
culturales* videos.

Cuadro de Fernando Llort,
pintor de El Salvador

NICARAGUA, EL SALVADOR Y HONDURAS

¿QUÉ TE PARECE?

- El 90% de la población de Honduras es mestiza, el 7% indígena, el 2% negra y el 1% blanca. Los mayas son el principal grupo indígena.

- El Salvador declaró la guerra contra Honduras, en 1969, después de un partido de fútbol. Se conoce como la Guerra de las Cien Horas.

- El café es un producto de exportación importante en esta región.

- El lago Nicaragua es el único lago del mundo donde hay tiburones (*sharks*).

El turismo es la segunda industria más importante de Nicaragua. El número de turistas que visitan Nicaragua aumenta cada año un 15% desde el 2007 y se espera llegar a 2,6 millones de turistas para el año 2020.

Suchitoto y Santa Ana son dos ciudades coloniales de El Salvador. Aquí se encuentran casas coloniales, museos, galerías de arte e iglesias.

En el valle de Copán, en Honduras, se encuentran las ruinas más importantes de la civilización maya. Este antiguo centro de actividad y cultura es ahora el Parque Arqueológico Copán e incluye vestigios de plazas, templos y un estadio para el juego de pelota. Aquí vemos uno de los marcadores (*scoreboards*).

¿CUÁNTO SABES?

Completa estas oraciones con la información correcta.

1. El Salvador tiene frontera con _____, _____ y _____.

2. Hay tiburones en _____.

3. Los mayas son el grupo indígena principal de _____.

4. El pintor Fernando Llort es de _____.

5. La mayor parte de la población de Honduras es _____.

6. El _____ de Honduras se exporta a muchos países.

Vocabulario en contexto

Talking about housing, the home, and household activities

¿Dónde vives?

En las ciudades de Nicaragua, El Salvador y Honduras hay **viviendas** de diferentes **estilos**. La ciudad de Granada, en Nicaragua, tiene **calles** y plazas como esta, con casas coloniales de colores alegres. En Tegucigalpa, la capital de Honduras, hay **edificios** de **apartamentos**. Algunas personas prefieren vivir **cerca** del **centro**. **Creen** que los **barrios** de las **afueras** están muy **lejos** del **trabajo** y de los centros de diversión.

MySpanishLab

Learn more using Amplifire Dynamic Study Modules, Pronunciation, and Vocabulary Tutorials.

▲ Una calle en el centro de Granada, Nicaragua

■ ■ ■ ■ ■
EN OTRAS PALABRAS

Some words for the parts of a house vary from one region to another in the Spanish-speaking world. Here are some examples:

habitación → dormitorio, cuarto, alcoba, recámara

sala → salón, living

planta → piso

piscina → pileta, alberca

¿En qué piso viven?

el décimo: Gómez

el noveno: Peralta

el octavo: Elizondo

el séptimo: Díaz

el sexto: Gómez

el quinto: Lizaur

el cuarto: Sánchez

el tercero: Carreras

el segundo: Iglesias

el primero: Olmos

la planta baja

Cultura

■ ■ ■ ■ ■
La planta baja

In most Hispanic countries the term **planta baja** is used for the American first floor/lobby. **El primer piso** or **primera planta** is usually what in the United States is the second floor, and so on.

Comparaciones. Si presionas el botón "1" en un ascensor (*elevator*) en un país hispano, ¿a qué piso llegas? ¿Y en Estados Unidos?

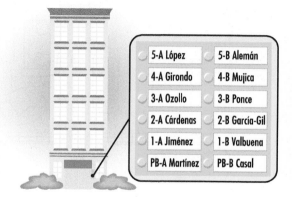

5-A López	5-B Alemán
4-A Girondo	4-B Mujica
3-A Ozollo	3-B Ponce
2-A Cárdenas	2-B García-Gil
1-A Jiménez	1-B Valbuena
PB-A Martínez	PB-B Casal

■ ■ ■ ■
LENGUA

Ordinal numbers are adjectives and agree in gender and number with the noun they modify (e.g., **la segunda casa, el cuarto edificio**). **Primero** and **tercero** drop the final **-o** when used before a masculine singular noun.

el **primer** apartamento   el **tercer** piso

🔊 El apartamento del anuncio

MARTA DÍAZ: Hola, buenos días. Me llamo Marta Díaz. Me gustaría visitar el apartamento del anuncio.

DIEGO LÓPEZ: Sí, claro. Mucho gusto, señorita Díaz. Yo soy Diego López. Pase, pase. Como usted puede ver, el apartamento es muy alegre.

MARTA DÍAZ: ¡Ah, sí! Tiene muchas ventanas y luz natural.

DIEGO LÓPEZ: Esta es la **sala.** Es muy grande. Junto a la sala hay un **comedor** pequeño y al lado está la **cocina.**

MARTA DÍAZ: ¡La cocina es lindísima!

DIEGO LÓPEZ: Sí, todos los **electrodomésticos** son nuevos. A la izquierda del **pasillo** hay dos **habitaciones** y un **baño.**

MARTA DÍAZ: Esta habitación tiene muy buena **vista** a la **piscina** y al **jardín.** Además, los **muebles** son de buena calidad. Me gusta mucho el apartamento. ¿Cuánto es el **alquiler?**

DIEGO LÓPEZ: 12.000 lempiras al mes.

MARTA DÍAZ: Pues, señor López, me encantan el apartamento y esta **zona** céntrica. Y el precio es muy bueno. Voy a decidir esta noche y lo llamo mañana.

DIEGO LÓPEZ: Perfecto, señorita Díaz. Hasta mañana.

ALQUILERES

Categoría: Alquiler apartamentos
Ciudad: Tegucigalpa
Ubicación: Palmira
Descripción: PALMIRA ALQUILER DE APARTAMENTO MUY AMPLIO, CÉNTRICO Y ACCESIBLE, 2 HABITACIONES, SALA–COMEDOR, COCINA, 1 BAÑO, ÁREA DE LAVANDERÍA, ESTACIONAMIENTO, PISCINA.
Precio: $ 12.000

■ ■ ■ ■ ■
EN OTRAS PALABRAS

The Spanish word for *apartment* varies according to the country. **El apartamento** is used in Central America, Colombia, and Venezuela, and **el departamento** is common in Mexico, Argentina, Peru, and Chile. The word used in Spain is **el piso.**

■ ■ ■ ■ ■
EN OTRAS PALABRAS

The expressions **Pase(n)** and **Adelante** invite people to enter a room or a house in many Spanish-speaking countries. In others, like Colombia, the expression **Siga(n)** is preferred.

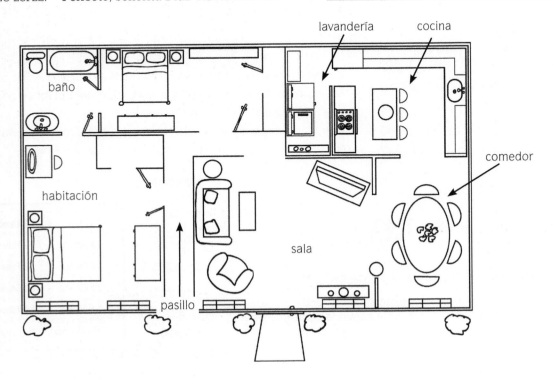

lavandería   cocina

comedor

baño

habitación

sala

pasillo

PRÁCTICA

5-1

Escucha y confirma. Look at the floor plan of the house on page 174 and decide if each of the sentences you hear is cierto (**C**) or falso (**F**).

1. _____   4. _____

2. _____   5. _____

3. _____   6. _____

5-2

Asociación. Indica si las siguientes afirmaciones son ciertas (**C**) o falsas (**F**), según la conversación entre Diego y Marta.

1. _____ Marta Díaz quiere comprar el apartamento.

2. _____ La sala es pequeña.

3. _____ El apartamento tiene dos baños.

4. _____ Los electrodomésticos son nuevos.

5. _____ Los muebles son de buena calidad.

6. _____ A Marta no le gusta la zona céntrica.

5-3

¿En qué piso viven? Túrnense y pregúntense dónde viven las diferentes personas. Tu compañero/a debe contestar de acuerdo con el dibujo (*drawing*) en la página 174.

 MODELO E1: *¿Dónde viven los Girondo?*   E2: *Viven en el cuarto piso, en el apartamento 4-A.*

Cultura

■ ■ ■ ■ ■

Hoteles de lujo

In many Hispanic countries, the tourism industry is one of the most important drivers of the economy. As a result, most beach and ski resorts tend to be similar everywhere, and, with some exceptions, do not reflect local architecture or building styles. A booming tourism industry also sparks controversy. Although it brings jobs to local communities, most of the economic benefits are enjoyed by the multinational companies that own the resorts, not by the communities themselves.

Comparaciones. En Estados Unidos, ¿hay zonas de playa donde hay turismo masivo? ¿Dónde están? En general, ¿son zonas ricas o pobres?

5-4

Un hotel de lujo. Tu amigo/a (tu compañero/a) es un/a arquitecto/a que va a construir un hotel de lujo en la Bahía de Jiquilisco, cerca de San Salvador, y te pide consejo (*advice*) sobre cómo distribuir los siguientes espacios del hotel.

 MODELO el restaurante

    E1: *¿En qué piso vamos a poner el restaurante?*
    E2: *Debe estar en la planta baja.*

1. la discoteca
2. la recepción
3. el gimnasio
4. la oficina de seguridad
5. las habitaciones
6. la piscina
7. la cafetería con vistas a la playa
8. el salón de computadoras

5-5

La casa de alquiler. PREPARACIÓN. Ustedes van a mudarse (*move*) a un apartamento porque la casa donde viven es muy grande y la quieren alquilar. Escriban un anuncio para alquilar su casa. Incluyan la siguiente información:

Exterior de la casa ▶

- número de habitaciones y de baños
- distribución (*layout*) de los cuartos
- color de la sala
- otras características (garaje, jardín, sótano [*basement*], ático, etc.)
- ubicación (*location*) de la casa en relación al centro de la ciudad, a la universidad, etc.
- precio

◀ Interior de la casa

INTERCAMBIOS. Presenten su anuncio a la clase y contesten las preguntas de sus compañeros sobre la casa que quieren alquilar.

Cultura

■ ■ ■ ■ ■

Terremoto en Managua

Managua, the capital of Nicaragua, like many cities, has been shaped by its history, economy and natural disasters. As a result of the devastating earthquake in 1972, most of the city has been rebuilt in the outskirts, which are geographically safer areas. The traditional downtown area, although rebuilt, focuses on government and tourism, but lacks residential and commercial activity.

Conexiones. ¿En qué regiones de tu país ocurren desastres naturales? ¿De qué tipos: huracanes, terremotos (*earthquakes*), tornados? ¿Qué hacen las personas para proteger (*protect*) su vivienda de los desastres naturales?

▲ Casa en el centro de Managua

5-6

Ventajas y desventajas.
Hablen de las ventajas y desventajas de los temas relacionados con las viviendas. Escriban las más importantes y luego compartan sus opiniones con la clase.

	VENTAJAS	DESVENTAJAS
1. vivir en un apartamento		
2. vivir en una casa		
3. tener una piscina		
4. compartir una casa con 3 o 4 compañeros/as		

La casa, los muebles y los electrodomésticos

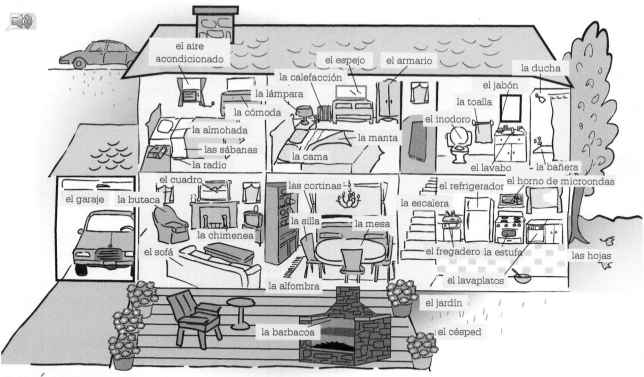

el aire acondicionado
el espejo
el armario
la ducha
la calefacción
el jabón
la lámpara
la toalla
la cómoda
el inodoro
la almohada
las sábanas
la manta
la radio
la cama
el lavabo
la bañera
el cuadro
las cortinas
el refrigerador
el horno de microondas
el garaje
la butaca
la escalera
la silla
la mesa
la chimenea
el sofá
el fregadero la estufa
las hojas
el lavaplatos
la alfombra
el jardín
la barbacoa
el césped

PRÁCTICA

5-7 📄 e

Para confirmar. PREPARACIÓN. Escribe las siguientes palabras en la columna apropiada.

la alfombra	las cortinas	el/la radio
el armario	el cuadro	el refrigerador
la butaca	el horno	las sábanas
la cómoda	el lavaplatos	la silla

APARATOS ELÉCTRICOS	MUEBLES	ACCESORIOS

INTERCAMBIOS. Contesten las siguientes preguntas relacionadas con *Preparación*.

1. Según ustedes, ¿qué aparato eléctrico cuesta más dinero?

2. ¿Qué muebles necesitan todos los días los estudiantes?

3. ¿Qué accesorios tienen ustedes en su cuarto?

4. ¿En qué parte de la casa generalmente están estos accesorios?

5-8

El curioso. Intercambien preguntas para describir los cuartos de la casa/del apartamento de cada uno/a. Traten (*Try*) de obtener la mayor información posible.

 MODELO

E1: *¿Cómo es la sala de tu casa?*

E2: *Es pequeña. Hay una alfombra verde y un sofá blanco grande.*

E1: *¿También hay una mesa de cristal? ¿Y cómo es tu dormitorio?*

Here are some electronics that you may have in your house:

el cargador	*charger*
la consola de videojuegos	*games console*
la impresora	*printer*

5-9

Preparativos. PREPARACIÓN. Vas a mudarte (*move*) a una casa muy grande y tienes que comprar muchas cosas. Organiza tu lista de compras según las siguientes categorías.

	MUEBLES	ACCESORIOS	ELECTRODOMÉSTICOS/ APARATOS ELECTRÓNICOS
para el dormitorio			
para la sala			
para el comedor			
para la cocina			

 INTERCAMBIOS. Comparte tu lista de compras con tu compañero/a. Él/Ella te va a recordar (*remind you about*) otras cosas que probablemente vas a necesitar.

MODELO

E1: *Voy a comprar una cama nueva para el dormitorio.*

E2: *¿No vas a comprar sábanas y mantas? ¿Y no necesitas un sofá?*

5-10

Por catálogo. Miren los objetos del catálogo y elijan (*choose*) un producto de cada categoría. Describan sus preferencias y expliquen dónde van a poner estos accesorios.

barato/a	cómodo/a	grande
bonito/a	de buena calidad	lindo/a
caro/a	de color...	pequeño/a

MODELO

E1: *Me gusta la toalla gris porque no es cara y es muy linda. Es para el cuarto de baño.*

E2: *Yo prefiero la toalla azul porque es más grande. Voy a poner la toalla en mi baño.*

◆ Las tareas domésticas

 Gustavo **lava** los **platos** todos los días.

Beatriz a veces **seca** los platos.

Beatriz **cocina** frecuentemente. Ella usa mucho los electrodomésticos.

Gustavo **limpia** el baño y **pasa** la **aspiradora** una vez por semana.

 Gustavo **saca** la **basura** todas las noches.

 Gustavo **barre** la **terraza** por las tardes.

Beatriz **tiende** la ropa después de lavarla.

Después la **dobla** cuando está **seca**.

Beatriz **plancha** la ropa los sábados.

LENGUA

The following expressions denote frequency:

a veces *sometimes*
frecuentemente *frequently*
los domingos (lunes, martes, …) *on Sundays (Mondays, Tuesdays, …)*
todos los días *every day*
una vez por semana *once a week*
todas las mañanas (tardes, noches) *every morning (afternoon, night)*

PRÁCTICA

5-11

Para confirmar. Pon estas actividades en el orden que las haces por la mañana. Después, compara tus respuestas con las de tu compañero/a. Usa las siguientes expresiones para indicar el orden: **primero, luego, más tarde, después, finalmente.** ¿Hacen las mismas cosas y en el mismo orden?

MODELO E1: *Primero preparo el café. ¿Y tú?*

E2: *Primero hago la cama.*

_____ lavar los platos

_____ preparar el café

_____ salir para la universidad

_____ desayunar

_____ secar los platos

_____ hacer la cama

5-12

Actividades en la casa. Pregúntale a tu compañero/a dónde hace estas actividades normalmente cuando está en casa.

 MODELO E1: *¿Dónde lavas la ropa?*

E2: *Lavo la ropa en la lavandería. ¿Y tú?*

1. dormir la siesta
2. escuchar música
3. ver la televisión
4. pasar la aspiradora
5. estudiar para un examen
6. hablar por teléfono con amigos/as

5-13

¡A compartir las tareas! PREPARACIÓN. Ustedes van a compartir una casa el próximo año académico. Preparen una lista de todas las tareas domésticas que van a hacer.

INTERCAMBIOS. Discutan qué tareas va a hacer cada uno/a de ustedes según sus gustos. Finalmente, hagan un calendario de tareas y compártanlo con el resto de la clase.

 MODELO *A mí me gusta tener la cocina limpia. Por eso, yo voy a lavar los platos todas las noches.*

5-14

El agente de bienes raíces. PREPARACIÓN. The Mena family and their two children live in San Salvador. They have decided to move to a larger place and they are talking to a real estate agent. Before listening, write down with your partner the kind of housing and the characteristics of the neighborhood they may be looking for.

|e 🔊 **ESCUCHA.** As you listen, circle the letter next to the correct information and compare your answers with those of your classmate.

1. Los señores Mena quieren comprar…
   a. una casa.
   b. un apartamento.
2. El señor y la señora Mena prefieren vivir…
   a. en una buena zona.
   b. lejos de un parque.
3. El agente de bienes raíces…
   a. no sabe cómo ayudarlos.
   b. tiene una casa buena para ellos.
4. El agente dice que la casa del barrio La Mascota…
   a. cuesta mucho.
   b. tiene un buen precio.
5. El señor Mena dice que…
   a. los niños necesitan estar al aire libre para jugar.
   b. los niños no necesitan jugar al aire libre.

Cultura

Tareas domésticas

Nowadays it is more common in many Spanish-speaking countries to see male family members doing the household chores traditionally assigned to women, such as shopping for groceries, cooking, cleaning the house, and taking care of the children.

Comparaciones. ¿Hay tareas domésticas solo para hombres o solo para mujeres en tu familia y en otras familias que conoces? Explica con ejemplos.

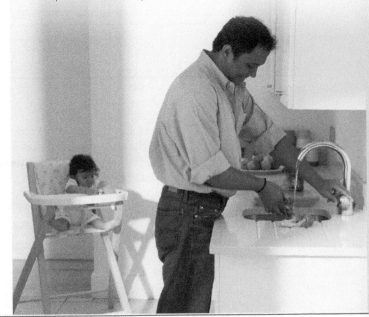

MOSAICO Las viviendas en centros urbanos

Las ciudades del mundo hispano son complejas, multiculturales y un poco caóticas. Debido a la falta de espacio en las áreas metropolitanas, muchas personas viven en apartamentos. Algunas prefieren vivir cerca del centro para disfrutar de la vida cultural de la ciudad: teatros, centros comerciales, centros educativos, etc. En ciudades como Bogotá, Lima, Quito y Buenos Aires, existe una tendencia a construir altos edificios de apartamentos para solucionar el problema de espacio.

▲ **Edificios de apartamentos en Bogotá**

Con el crecimiento (*growth*) de las ciudades, también crece el costo de vida. ¿Sabías que, según un estudio del 2012, comprar vivienda en zonas exclusivas de Bogotá es más caro que comprar un apartamento en Manhattan? Por esta razón, algunas personas deciden vivir en un tipo de vivienda colectiva. En esta vivienda urbana vive una familia o un grupo de amigos, que comparten un baño y la cocina con otros. Estos lugares se llaman *conventillos* en Argentina, *casas de vecindad* en España o *inquilinatos* en Uruguay, Bolivia y Colombia.

En Uruguay y Argentina, por ejemplo, en estos tipos de vivienda residen inmigrantes y trabajadores de pocos recursos. Sin embargo, los conventillos son importantes centros de cultura popular porque reúnen a personas de diferentes nacionalidades, regiones y clases sociales. En los conventillos del barrio de la Boca de Buenos Aires, por ejemplo, se origina el tango.

Compara

1. ¿Cómo son las ciudades en tu región o estado? ¿Hay problemas de espacio?

2. Generalmente, ¿dónde viven las personas en tu ciudad, en casas o en apartamentos? ¿Hay altos edificios de apartamentos como en Bogotá?

3. ¿Existen viviendas colectivas o algo similar en tu ciudad? ¿Dónde están? ¿Quiénes viven allí?

4. Busca fotos de las viviendas típicas de tu ciudad y describe cómo son.

▲ **Conventillo en el barrio de la Boca en Buenos Aires**

☑ Funciones y formas

1 Expressing ongoing actions

ÓSCAR:	¿Aló?
CATALINA:	Hola, Óscar. Te habla Catalina. ¿Qué **estás haciendo?**
ÓSCAR:	Hola, Catalina. ¡**Estoy trabajando** mucho!
CATALINA:	¿Por qué?
ÓSCAR:	Mis padres **están pasando** sus vacaciones en la playa y vuelven mañana. ¡La casa es un desastre total!
CATALINA:	¿Así que **estás limpiando?**
ÓSCAR:	¡Claro! **Estoy barriendo** el piso, **ordenando** la sala, **recogiendo** la ropa… de mi cuarto. Y tú, ¿qué **estás haciendo?**
CATALINA:	¿Yo?… Nada. **Estoy leyendo** el periódico y **tomando** un café.

Piénsalo. Indica a quién o a quiénes se refieren las siguientes afirmaciones. ¿A Catalina (**C**), a Óscar (**O**) o a ambos (**C y O**)?

1. _____ **Está trabajando** mucho.

2. _____ **Está descansando.**

3. _____ **Está limpiando** la casa de sus padres.

4. _____ No está contento porque **está trabajando** mucho en casa.

5. _____ **Está bebiendo** algo.

6. _____ **Están haciendo** actividades diferentes.

Present progressive

- Use the present progressive to emphasize that an action or event is in progress at the moment of speaking, rather than a habitual action.

Óscar **está limpiando** la casa.	*Oscar is cleaning the house.* (at this moment)
Óscar **limpia** la casa.	*Oscar cleans the house.* (habitually)

- Form the present progressive with the present tense of **estar** + *present participle*. To form the present participle, add **-ando** to the stem of **-ar** verbs and **-iendo** to the stem of **-er** and **-ir** verbs.

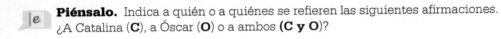

Estar		Present Participle
yo	**estoy**	
tú	**estás**	
Ud., él, ella	**está**	habl**ando**
nosotros/as	**estamos**	com**iendo**
vosotros/as	**estáis**	escrib**iendo**
Uds., ellos/as	**están**	

- When the verb stem of an **-er** or an **-ir** verb ends in a vowel, add **-yendo.**

  leer → leyendo

  oír → oyendo

- Stem-changing **-ir** verbs (**o → ue, e → ie, e → i**) change **o → u** and **e → i** in the present participle.

  dormir (ue) (**o → u**) d**u**rmiendo

  sentir (ie) (**e → i**) s**i**ntiendo

  pedir (i) (**e → i**) p**i**diendo

- Spanish does not use the present progressive to express future time, as English does; Spanish uses the present tense instead.

  Salgo mañana. *I am leaving tomorrow.*

  ¿Te levantas temprano mañana? *Are you getting up early tomorrow?*

PRÁCTICA

 5-15 |e

Un día ocupado. Hoy es un día de mucha actividad para la familia Villa. Asocia las actividades de la izquierda con las explicaciones de la columna de la derecha, para averiguar (*find out*) por qué las están haciendo.

1. _____ La Sra. Villa está preparando una cena deliciosa y un pastel (*cake*) especial.

2. _____ Su hijo Marcelo está barriendo la terraza.

3. _____ Su hija Ana está lavando los platos en el fregadero.

4. _____ Alicia está decorando la mesa.

5. _____ Pedro está hablando por teléfono.

a. Está llamando a su mejor amigo para invitarlo a la fiesta.

b. El lavaplatos no está funcionando.

c. Es una ocasión especial.

d. Es el cumpleaños de su esposo.

e. Está muy sucia (*dirty*) y unos amigos vienen a celebrar el cumpleaños.

5-16

La vida activa. Túrnense para describir qué está haciendo cada persona en estas escenas. Indiquen en qué lugar está y hablen de qué va a hacer más tarde.

Rodrigo **Soledad**

MODELO E1: *Rodrigo y Soledad están cantando en una fiesta. Están en la terraza.*

E2: *Después van a bailar y conversar con sus amigos.*

Pepe

Arturo

Carlos

Catalina

Gonzalo

5-17

Lugares y actividades. Mira las siguientes fotografías de celebraciones y descríbele a tu compañero/a dos o tres actividades que las personas están haciendo en una de las fotos. Tu compañero/a va a hacer lo mismo (*the same*) con otra fotografía.

Situación

PREPARACIÓN. Lean esta situación. Luego, compartan ejemplos de vocabulario, gramática y otra información que necesitan para desarrollar la conversación.

Role A. There is a big family gathering at your aunt's house today, but you are away at school. Call and greet the family member who answers the phone. Explain that you cannot attend, and express your regret for not being there. Ask how everyone is and what each family member is doing at the moment.

Role B. You are at a big family gathering today. A family member calls to say he/she cannot attend. Answer the phone. Greet the caller and answer his/her questions. Finally, tell the caller that everyone says hello (**todos te mandan saludos**) and say good-bye.

	ROLE A	ROLE B
Vocabulario	Words for family relationships Question words	Words for family relationships Activities that family members do at family gatherings
Funciones y formas	Present progressive Expressing regret Asking questions Observing phone etiquette	Present progressive Expressing regret Giving information Observing phone etiquette

INTERCAMBIOS. Practica la conversación con tu compañero/a incorporando el vocabulario y las funciones de *Preparación*. Luego, represéntenla ante la clase.

2 Describing physical and emotional states

Hoy es un día de verano y los Robledo se están mudando. **Tienen prisa** porque ya son las tres de la tarde. El señor Robledo y su hija Isabel **tienen calor** porque hace cuatro horas que trabajan bajo (*under*) el sol. Ella **tiene mucha sed** y está bebiendo agua. El bebé, Nicolás, llora porque **tiene hambre.** La señora Robledo le da de comer mientras la abuelita Rosa duerme la siesta. Después de empacar su ropa y todas sus fotografías, libros y plantas, Rosa **tiene mucho sueño.** ¡Qué día para los Robledo!

Piénsalo. Identifica a la persona (o personas) del dibujo según la descripción de su estado físico.

1. ________________ Va a comer porque **tiene hambre.**
2. ________________ Está tomando agua porque **tiene sed.**
3. ________________ No **tienen frío** porque es verano y hace calor.
4. ________________ Está cansada y **tiene sueño.**
5. ________________ **Tienen calor** porque están trabajando bajo el sol.
6. ________________ **Tienen prisa** porque quieren salir pronto.

Expressions with *tener*

- Spanish uses **tener** + *noun* for many conditions and states where English uses *to be* + *adjective.* You have already seen the expression **tener... años: Eduardo tiene veinte años.** Here are some other useful expressions.

Tener + *noun*			
tener	**hambre**	to be	*hungry*
	sed		*thirsty*
	sueño		*sleepy*
	miedo		*afraid*
	calor		*hot*
	cuidado		*careful*
	frío		*cold*
	suerte		*lucky*
	prisa		*in a hurry/rush*
	razón		*right, correct*

- With these expressions, use **mucho/a** to indicate *very.*

Tengo **mucho** calor (frío, miedo, sueño, cuidado). — *I am very hot (cold, afraid, sleepy, careful).*

Tienen **mucha** hambre (sed, suerte). — *They are very hungry (thirsty, lucky).*

¿COMPRENDES?

Completa las oraciones con **tener** y una expresión lógica para describir cómo está Olivia.

1. Son las 12:00 de la noche. Olivia ________.
2. Hace 95 °F y no puede dormir. __________.
3. Oye ruidos (*noises*) en la casa. __________.
4. Pero los ruidos desaparecen y no vuelven. Olivia piensa que __________.

MySpanishLab
Learn more using Amplifire Dynamic Study Modules, Grammar Tutorials, and Extra Practice activities.

PRÁCTICA

5-18

Asociaciones. Lee las situaciones y luego asocia cada una de ellas con una expresión lógica de la derecha.

1. Mi hermano siempre tiene _____ y, por eso, está comiendo ahora.

2. Mi hermana duerme a todas horas porque siempre tiene _____.

3. En este momento mis primos están visitando la Antártida;
   probablemente tienen _____.

4. Mis abuelos están bebiendo agua en la cocina porque tienen _____.

5. Mi mamá tiene _____; siempre gana (*wins*) cuando juega a la lotería.

6. ¡Uf! Todavía estoy planchando mi blusa y mis amigos van a llegar en
   cinco minutos. Yo tengo _____.

a. sed

b. prisa

c. suerte

d. sueño

e. mucho frío

f. hambre

5-19

¿Qué están haciendo, dónde están y cómo se sienten?

PREPARACIÓN. Túrnense y describan qué están haciendo las personas
en los dibujos. Indiquen dónde están y cómo se sienten.

MODELO *El padre y su hijo están durmiendo en el sofá. Tienen sueño.*

1.

2.

INTERCAMBIOS. Respondan a
las siguientes preguntas sobre
las escenas de *Preparación.*

1. ¿Cuál de los dibujos describe
   mejor cómo se sienten
   ustedes en este momento?

2. ¿Qué dibujo refleja (*reflects*)
   el clima de su región en
   diciembre?

3. ¿A qué hora se sienten
   ustedes como las personas
   del dibujo del modelo?

3.

4.

Estados físicos y estados de ánimo (*moods*). PREPARACIÓN. Termina las siguientes ideas y luego compara tus respuestas con las de tu compañero/a. Usa expresiones con **tener.**

1. Generalmente, cuando mis hermanos y yo hacemos una barbacoa, nosotros . . .

2. Cuando mi madre pasa mucho tiempo limpiando nuestra casa, ella . . .

3. En las mañanas de invierno, yo siempre . . .

4. Cuando yo leo un libro aburrido, siempre . . .

5. Cuando llego a casa y mi compañero/a está preparando mi plato favorito, yo siempre . . .

INTERCAMBIOS. Usando tus apuntes de *Preparación,* escribe una semejanza y una diferencia entre tu compañero/a y tú.

Situación

PREPARACIÓN. Lean esta situación. Luego, compartan ejemplos de vocabulario, gramática y otra información que necesitan para desarrollar la conversación.

Role A. You are staying at a hotel. You call the front desk and say the following:

a. you are very tired, but you cannot sleep because the people in the next room are making a lot of noise (**ruido**);

b. you are cold and need more blankets (**mantas**); and

c. you want to know what time the dining room opens because you are always hungry in the morning.

Role B. You work at the front desk in a hotel. A guest calls you with two complaints and a question. Be as understanding and helpful as possible in responding to the guest.

	ROLE A	ROLE B
Vocabulario	Words that describe physical states	Words and expressions to express reassurance
Funciones y formas	Lodging a complaint Observing phone etiquette	Reacting appropriately to a complaint Using a professional speech style Observing phone etiquette

INTERCAMBIOS. Practica la conversación con tu compañero/a incorporando el vocabulario y las funciones de *Preparación.* Luego, represéntenla ante la clase.

3 Avoiding repetition in speaking and writing

¿Qué hacen estas personas?

El padre lava los platos y los niños **los** secan.

La abuela cuida (*takes care of*) a la niña. **La** cuida todos los días.

Piénsalo. Asocia la descripción con la foto correcta, **A, B** o **C.**

1. _____ La niña está contenta porque su abuela **la** cuida.
2. _____ El padre trabaja y los niños **lo** ayudan.
3. _____ Los cocineros tienen una cocina enorme. **La** usan todos los días.
4. _____ Ellos están preparando mucha comida. Después, los clientes van a comer**la.**
5. _____ La abuela está cuidando a la niña. La abuela **la** quiere mucho.
6. _____ El padre está en la cocina con sus hijos. **Los** mira con cariño y habla con ellos mientras trabajan.

Los cocineros (*cooks*) preparan la comida en la cocina del restaurante y después **la** sirven.

Direct object nouns and pronouns

- Direct objects answer the question *what?* or *whom?* in relation to the verb.

  ¿Qué dobla Pedro?   *What does Pedro fold?*

  (Pedro dobla) **las toallas.**   *(Pedro folds) the towels.*

- Direct objects may be nouns or pronouns. When direct object nouns refer to a specific person, a group of persons, or a pet, the word **a** precedes the direct object. This **a** is called the **a personal** and has no equivalent in English. The **a personal** followed by **el** contracts to **al.**

  Amanda seca **los platos.**   *Amanda dries the dishes.*

  Amanda seca **al perro.**   *Amanda dries off the dog.*

| ¿Ves la piscina? | Do you see the swimming pool? |
| ¿Ves **al** niño en la piscina? | Do you see the child in the swimming pool? |

- The **a personal** is not used with the verb **tener.**

| María tiene un hijo. | María has a child. |

- Since the question word **quién(es)** refers to people, use the **a personal** when **quién(es)** is used as a direct object.

| ¿**A quién** vas a ayudar? | Whom are you going to help? |
| Voy a ayudar **a** Pedro. | I am going to help Pedro. |

- Direct object pronouns replace direct object nouns and are used to avoid repeating the noun while speaking or writing. These pronouns refer to people, animals, or things already mentioned.

Direct Object Pronouns			
me	*me*	**nos**	*us*
te	*you* (familiar, singular)	**os**	*you* (familiar plural, Spain)
lo	*you* (formal, singular), *him, it* (masculine)	**los**	*you* (formal and familiar, plural), *them* (masculine)
la	*you* (formal, singular), *her, it* (feminine)	**las**	*you* (formal and familiar plural), *them* (feminine)

- Place the direct object pronoun before the conjugated verb form.

¿Barre la cocina Mirta?	Does Mirta sweep the kitchen?
No, no **la** barre.	No, she does not sweep it.
¿Cuidas a tu hermanito?	Do you take care of your little brother?
Sí, **lo** cuido.	Yes, I take care of him.

- With compound verb forms (a conjugated verb and an infinitive or present participle), a direct object pronoun may be placed before the conjugated verb, or may be attached to the accompanying infinitive or present participle.

| ¿Vas a ver a Rafael? | Are you going to see Rafael? |

| Sí, **lo** voy a ver mañana.
 Sí, voy a ver**lo** mañana. } | Yes, I am going to see him tomorrow. |

| ¿Están limpiando la casa? | Are they cleaning the house? |

| Sí, **la** están limpiando.
 Sí, están limpiándo**la.** } | Yes, they are cleaning it. |

LENGUA

You have seen that words that stress the next-to-the-last syllable do not have a written accent if they end in a vowel: **lavando.** If we attach a direct object pronoun, we are adding a syllable, so the stress now falls on the third syllable from the end and a written accent is needed: **lavándolo.**

|e ¿COMPRENDES?

Completa las oraciones con el pronombre correcto según la información.

MARIO: Rosario, ¿cuándo vamos a visitar <u>el apartamento</u>?

ROSARIO: (1) _____ vamos a visitar el jueves. ¿Leíste <u>el anuncio</u> del periódico?

MARIO: Sí, (2) _____ leí. El apartamento parece grande pero no sé si tiene <u>lavandería</u>.

ROSARIO: (3) _____ debe tener porque dice el anuncio que <u>los apartamentos</u> que alquilan tienen área de servicio.

MARIO: Sí, debemos (4) visitar_____ todos para estar seguros.

MySpanishLab

Learn more using Amplifire Dynamic Study Modules, Grammar Tutorials, and Extra Practice activities.

PRÁCTICA

La división del trabajo. Tus compañeros Martín, Pedro y Julio comparten un apartamento y tú quieres saber cómo dividen las tareas domésticas entre ellos. Indica la respuesta más apropiada a cada pregunta que le haces a Julio.

1. ¿Quién limpia la nevera?

   a. Yo lo limpio.

   b. Pedro la limpia.

   c. Nosotros las limpiamos.

2. ¿Quién hace las camas?

   a. Pedro la hace.

   b. Yo los hago.

   c. Martín las hace.

3. ¿Quién tiende la ropa?

   a. Los tres lo tendemos.

   b. Pedro los tiende.

   c. Martín la tiende.

4. ¿Quién saca la basura?

   a. Martín lo saca.

   b. Pedro las saca.

   c. Yo la saco.

5. ¿Quién pasa la aspiradora?

   a. Martín y yo las pasamos.

   b. Pedro la pasa.

   c. Ellos lo pasan.

En casa. Adivina (*Guess*) a qué o a quién se refiere tu compañero/a en el contexto de la casa y la familia.

MODELO **Los** lava después de comer
   E1: *Los lava después de comer.*
   E2: *Los platos.*
   E1: *¡Sí, tienes razón!*

1. La madre **la** plancha cuando está seca.

2. Los hijos **lo** ordenan todos los sábados.

3. Los niños **las** hacen después de levantarse.

4. El padre **los** llama porque necesita ayuda.

5. Cada uno **las** limpia en su cuarto para tener más luz natural.

6. El esposo **la** pasa por la alfombra de la sala.

7. El hermano mayor **los** ayuda con su tarea.

¿Qué es lógico? PREPARACIÓN. Mira el dibujo y asocia las situaciones con las acciones más lógicas.

SITUACIÓN

1. _____ Las camas están sin hacer.

2. _____ La ropa está seca.

3. _____ Los dormitorios están desordenados.

4. _____ El aire acondicionado no funciona.

5. _____ Las ventanas están sucias.

6. _____ No pueden poner el auto en el garaje porque hay muchos muebles viejos y cajas con libros.

ACCIÓN

a. Los hijos los van a ordenar.

b. La madre las hace después de leer el periódico.

c. El padre las va a limpiar.

d. La hija va a plancharla.

e. Los hijos lo van a organizar y limpiar.

f. El hijo mayor lo va a reparar (*fix*).

 INTERCAMBIOS. Dile a tu compañero/a cuáles de las afirmaciones de *Preparación* describen mejor tu apartamento o tu casa en este momento.

5-24

Mis responsabilidades en casa. PREPARACIÓN.
Averigua (*Find out*) si tu compañero/a es responsable
de las siguientes tareas domésticas en su casa. Añade
una más.

 MODELO doblar la ropa

E1: *¿Doblas la ropa?*

E2: *Sí, normalmente la doblo. ¿Y tú?*

1. sacar la basura

2. ordenar el garaje

3. limpiar la bañera

4. lavar las sábanas

5. cortar el césped (*grass*)

6. …

 INTERCAMBIOS. Comparen sus respuestas.
Después, díganle a otra pareja cuáles son las
tareas domésticas que ustedes dos hacen y averigüen
si ellos las hacen también.

 MODELO E1: *Nosotros no lavamos los platos en casa porque
tenemos lavaplatos. ¿Y ustedes los lavan?*

E2: *Sí, los lavamos y los secamos también.*

 5-25

El apartamento de mi compañero/a. Vas
a cuidar el apartamento de tu compañero/a por
una semana y quieres saber cuáles van a ser tus
obligaciones y qué cosas tu amigo/a te permite
hacer allí.

 MODELO **Para saber tus obligaciones:**

E1: *¿Debo sacar la basura?*

E2: *Sí, la debes sacar todos los días.*

Para saber qué es permitido (*allowed*):

E1: *¿Puedo lavar mi ropa en tu lavadora?*

E2: *Sí, puedes lavarla.*

1. regar las plantas

2. alquilar películas con tu cuenta de Netflix

3. pasear al perro

4. usar los electrodomésticos

5. limpiar el apartamento

6. hacer una fiesta

7. hacer la tarea en tu computadora

 5-26

Los preparativos para la visita. La familia
Granados está muy ocupada porque espera la
visita de unos parientes. Túrnense para preguntar y
contestar sobre lo que está haciendo cada miembro
de la familia.

MODELO E1: *¿Quién está preparando la comida?*

E2: *La madre está preparándola.*

 5-27

Una mano amiga. PREPARACIÓN. Tu
compañero/a te va a hacer preguntas sobre
tus relaciones con otras personas. Contesta,
escogiendo a una de las personas de la lista.

mi madre	mi novio/a	mi padre
mi mejor amigo/a	mis abuelos	¿…?

 MODELO ayudar económicamente

E1: *¿Quién te ayuda económicamente?*

E2: *Mis padres me ayudan económicamente.*

1. querer mucho

2. escuchar en todo momento

3. llamar por teléfono con frecuencia

4. ayudar con los problemas

5. aconsejar (*advise*) cuando estás indeciso/a

6. entender siempre

INTERCAMBIOS. Dile a tu compañero/a qué haces por las siguientes personas. Indica en qué circunstancias lo haces.

 tu amigo/a

> E1: *Lo/La ayudo cuando está cansado/a.*
>
> E2: *Y yo lo/la escucho cuando tiene problemas en el trabajo.*

1. tu papá
2. tu mamá
3. tu novio/a
4. tus vecinos (*neighbors*)
5. tu compañero/a de cuarto
6. tu mejor amigo/a

Situación

PREPARACIÓN. Lean esta situación. Luego, compartan ejemplos de vocabulario, gramática y otra información que necesitan para desarrollar la conversación.

Role A. You and your brother/sister have to do some chores at home. Since you are older, you tell your sibling three or four things that he/she has to do. Be prepared to respond to complaints and questions.

Role B. You and your older brother/sister have to do some chores at home. Because you are younger, you get some orders from your sibling about what you have to do. You do not feel like working, and you especially do not like being bossed around, so respond to everything you hear with a complaint or a question.

	ROLE A	ROLE B
Vocabulario	Words for house chores Household items	Words for house chores Household items
Funciones y formas	Enlisting the help of another person Telling someone what to do *Deber* + verb infinitive Responding to complaints Direct object pronouns	Reacting to orders from a family member Complaining to a family member Direct object pronouns

En directo

To enlist the help of a friend or family member:

Vamos a + *infinitive*… *Let's…*

Yo voy a… *I'm going to…*

Y tú, ¿por qué no…? *And how about if you…?*

To complain to a friend or family member:

Oye, no me des más órdenes. *Look, don't order me around.*

Basta de órdenes. *Stop ordering me around.*

Yo sé qué debo hacer. *I know what I have to do.*

To respond to a complaint from a friend or family member:

Es importante hacerlo. *It has to be done.*

No te quejes demasiado. *Don't complain so much.*

No seas perezoso. *Don't be so lazy.*

 Listen to a conversation with these expressions.

INTERCAMBIOS. Practica la conversación con tu compañero/a incorporando el vocabulario y las funciones de *Preparación*. Luego, represéntenla ante la clase.

Pointing out and identifying people and things

AGENTE: **Esta** casa blanca es muy moderna y el precio es muy bueno.

CLIENTE: Pero **esa** tiene jardín, ¿verdad?

AGENTE: Es verdad. **Esta** casa y **aquella** no tienen jardín. Por eso, **esa** casa con jardín es más cara.

Piénsalo. El agente les está presentando diferentes tipos de viviendas a sus clientes. Indica si cada descripción se refiere a la imagen de la vivienda que está cerca (**C**), un poco lejos (**P**) o lejos (**L**) del agente.

1. _____ **Esta** casa de dos pisos está en una ciudad. Tiene muchas ventanas en cada piso, pero no tiene jardín.

2. _____ **Aquella** casa donde están la madre y su hija es de material sólido y de un color alegre.

3. _____ **Esa** casa es de construcción sólida y tiene dos pisos y un garaje. Está en una zona muy verde.

Demonstrative adjectives and pronouns

■ Demonstrative adjectives agree in gender and number with the noun they modify. English has two sets of demonstratives (*this, these* and *that, those*), but Spanish has three sets.

Demonstrative Adjectives

Demonstrative Adjectives

this	**este** cuadro **esta** butaca	*these*	**estos** cuadros **estas** butacas
that	**ese** horno **esa** casa	*those*	**esos** hornos **esas** casas
that *(over there)*	**aquel** camión **aquella** casa	*those* *(over there)*	**aquellos** camiones **aquellas** casas

■ Use **este, esta, estos,** and **estas** when referring to people or things that are close to you in space or time.

Este escritorio es nuevo.	*This desk is new.*
Traen el sofá **esta** tarde.	*They will bring the sofa this afternoon.*

■ Use **ese, esa, esos,** and **esas** when referring to events, people, or things that are not relatively close to you. Sometimes they are close to the person you are addressing.

Esa lámpara es muy bonita.	*That lamp is very pretty.*
Ese amigo de Lola vende su auto, ¿verdad?	*That friend of Lola's is selling his car, isn't he?*

■ Use **aquel, aquella, aquellos,** and **aquellas** when referring to people or things that are more distant, or to events that are distant in time.

Aquel edificio es muy alto.	*That building (over there) is very tall.*
En **aquella** ocasión los niños jugaron en el parque.	*On that (long ago) occasion, the children played in the park.*

Demonstrative Pronouns

■ Demonstratives can be used as pronouns to mean *this one/these* or *that one/those,* thus avoiding repetition when speaking or writing.

Demonstrative Pronouns

this	este esta		*these*	estos estas
that one	ese esa		*those*	esos esas
that one *(over there)*	aquel aquella		*those* *(over there)*	aquellos aquellas

■ To refer to a general idea or concept, or to ask for the identification of an object, use **esto, eso,** or **aquello.** These forms are invariable.

Trabajan mucho y **eso** es muy bueno.   *They work a lot, and that is very good.*

¿Qué es **esto**? Es un espejo.   *What is this? It is a mirror.*

Aquello es un edificio de la universidad.   *That (over there) is a university building.*

PRÁCTICA

5-28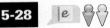

Cerca, relativamente cerca o lejos.
Decide cuál de las opciones debes usar según el lugar donde están los siguientes objetos. Compara tus respuestas con las de tu compañero/a y explica la razón de tu preferencia.

Cerca de ustedes

1. _____ mesa es de Honduras.
   a. Esta   **b.** Esa   **c.** Aquella

2. _____ cuadros también son de Honduras.
   a. Estos   **b.** Esos   **c.** Aquellos

Relativamente cerca de ustedes

3. _____ sofá es muy grande.
   a. Este   **b.** Ese   **c.** Aquel

4. _____ alfombra tiene unos colores muy alegres.
   a. Esta   **b.** Esa   **c.** Aquella

Lejos de ustedes

5. _____ espejo es nuevo.
   a. Este   **b.** Ese   **c.** Aquel

6. _____ lámparas son antiguas.
   a. Estas   **b.** Esas   **c.** Aquellas

5-29

En una mueblería en Managua.
Tu compañero/a y tú deciden vivir juntos/as en Nicaragua y van a una mueblería para comprar muebles y accesorios. Usen las siguientes expresiones para hablar sobre lo que ven. Sigan el modelo.

bonito/a feo/a (no) me gusta(n) cómodo/a caro/a me encanta(n)

MODELO E1: *¿Te gusta el sofá?*
E2: *¿Cuál? ¿Aquel sofá verde?*
E1: *No, ese sofá azul.*
E2: *Sí, me encanta.*

MySpanishLab
Learn more using Amplifire Dynamic Study Modules, Grammar Tutorials, and Extra Practice activities.

5-30

Descripciones. Piensa en tres objetos o muebles y el lugar de la casa donde están. Tu compañero/a va a hacerte preguntas para adivinar qué mueble u objeto es.

 MODELO
E1: *Este mueble está generalmente en el comedor.*
E2: *¿Es grande?*
E1: *Puede ser grande o pequeño.*
E2: *¿Lo usamos para comer?*
E1: *Sí.*
E2: *Es la mesa.*

Situación

PREPARACIÓN. Lean esta situación. Luego, compartan ejemplos de vocabulario, gramática y otra información que necesitan para desarrollar la conversación.

Role A. You want to sublet an apartment for one semester. You answer an ad from a student who is helping two friends sublet their apartments while they are studying abroad. The student has already shown you pictures of one apartment (**ese apartamento**) and is now showing you pictures of the second one (**este apartamento**). Discuss with the person:

a. the rent (**el alquiler**);
b. the number of bedrooms; and
c. the facilities of both apartments, such as the laundry room (**lavandería**), garage, and pool. Say which of the two apartments you want to see and explain why.

Role B. You have agreed to help two friends sublet their apartments for one semester while they are studying abroad. You have already shown a potential subletter pictures of one apartment (**ese apartamento**) and now are showing pictures of a second one (**este apartamento**). Answer his/her questions by saying that:

a. the rent of the first apartment is $900 per month and the second one is $1,100;
b. both apartments have two bedrooms; and
c. the first apartment comes with a one-car garage, while the other one has a two-car garage. Also tell him/her the advantages of each of the two apartments.

	ROLE A	ROLE B
Vocabulario	Rooms of a house/apartment Facilities of a house/apartment Numbers (prices)	Rooms of a house/apartment Facilities of a house/apartment Numbers (prices)
Funciones y formas	Describing a house or apartment Verbs that describe: *ser, tener,* etc. Talking about price of an apartment Expressing a wish to do something Asking and answering questions Observing phone etiquette	Describing a property for rental Verbs that describe: *ser, tener,* etc. Talking about price of an apartment Asking and answering questions Observing phone etiquette

INTERCAMBIOS. Practica la conversación con tu compañero/a incorporando el vocabulario y las funciones de *Preparación.* Luego, represéntenla ante la clase.

EN ACCIÓN ▶

En casa

5-31 Antes de ver |e

¿Qué es? Asocia las palabras de la primera columna con las definiciones a la derecha.

1. _____ el microondas
2. _____ el barrio
3. _____ la aspiradora
4. _____ el baño
5. _____ la cocina

a. Es el cuarto donde te lavas la cara o te duchas.

b. Lo usas para calentar la comida.

c. Es una parte de la ciudad donde vive la gente.

d. Es el cuarto donde preparas la comida.

e. Sirve para limpiar las alfombras.

5-32 Mientras ves |e

La casa de Federico. Indica si las siguientes afirmaciones sobre la casa de Federico y su barrio son ciertas (**C**) o falsas (**F**). Corrige las afirmaciones falsas.

1. _____ La casa de Federico está cerca del puerto en un barrio de Buenos Aires.

2. _____ El barrio de Federico es principalmente una zona residencial.

3. _____ El Puente de la Mujer es una obra del arquitecto argentino César Pelli.

4. _____ Federico y su familia comen siempre en el comedor.

5. _____ Federico usa el microondas con frecuencia porque siempre tiene hambre.

5-33 Después de ver |e

¿Qué están haciendo? PREPARACIÓN. Federico describe el barrio y la casa donde vive. Asocia los lugares con las actividades que Federico y su familia probablemente están haciendo allí.

1. _____ En los restaurantes al aire libre…
2. _____ Frente al Puente de la Mujer…
3. _____ En el salón…
4. _____ En la cocina…
5. _____ En los dormitorios…

a. están caminando.

b. están mirando la tele.

c. están durmiendo la siesta.

d. están disfrutando de la vista y comiendo.

e. están lavando los platos.

 INTERCAMBIOS. Hagan una lista de por lo menos (*at least*) dos cuartos de una casa o apartamento y dos lugares de la ciudad donde viven ustedes. Describan las actividades que hacen los niños, los adultos y las personas mayores en estos lugares.

Mosaicos

ESCUCHA

Create mental images

You have already learned that visual cues can increase your listening comprehension. For example, seeing the pictures or objects that a speaker refers to can help you understand what is being said. You can also create mental pictures by using your imagination or by making associations with familiar things or experiences. As you listen, practice creating mental images to help you develop your listening skills in Spanish.

5-34

Preparación. Vas a escuchar la descripción de una casa. Antes de escuchar, piensa en las casas que conoces y prepara una lista de cuatro cuartos y de tres objetos (muebles, aparatos eléctricos/electrónicos o accesorios) que esperas encontrar en cada uno de los cuartos. Compártela con la clase.

5-35

ESCUCHA. Listen to the different statements about the location of pieces of furniture and objects. Indicate whether each statement is true (**Cierto**) or false (**Falso**) according to the drawing.

1. _____   5. _____
2. _____   6. _____
3. _____   7. _____
4. _____   8. _____

Comprueba

I was able to ...

_____ create mental images based on my experience with houses.

_____ associate items in the drawing with what I heard.

_____ understand key words.

5-36

Un paso más. Descríbele tu vivienda (número de cuartos, colores, muebles, etc.) a tu compañero/a. Él/Ella va a tomar notas para describirle tu vivienda a otra persona de la clase. Comprueba si la información es correcta. Luego, intercambien roles.

HABLA

5-37

Preparación. Necesitas alquilar un apartamento. Escribe algunas características esenciales y algunas secundarias del apartamento que necesitas. Compártelas con la clase.

Plan what you want to say

Speaking consists of more than knowing the words and structures you need. You also have to know what you want to say. Planning what you want to say—both the information you want to ask for or convey and the language you will need to express yourself—before you start to speak will make your speech more accurate and also more coherent.

5-38

Habla. Tu mejor amigo/a y tú estudian en San Salvador este año y quieren alquilar un apartamento. Lean los anuncios y decidan qué apartamento prefieren y por qué. Hablen sobre las ventajas y desventajas de uno u otro.

ALQUILERES

1. Se alquila condominio residencial privado, 3er nivel, 2 dormitorios, 1 baño, cuarto y baño, empleada, cocina con despensa, sala y comedor separados, garaje 2 carros, área recreación niños. SVC 4.500 vigilancia incluida. 22 24 46 30.

2. Alquilo apartamento cerca de centro comercial. Transporte público a la puerta. Ideal para profesionales. 1 dormitorio, 1 baño con jacuzzi, con muebles y electro-domésticos, terraza, sistema de seguridad, garaje doble. SVC 7.500. Tfno. 22 65 16 92.

3. Alquilo apartamento, cerca zona universitaria. 3 dormitorios. 1ra planta. Ideal para estudiantes. (SVC 1.800) Llamar al 22 35 37 83.

4. Alquilo preciosa habitación en casa particular. Semi amueblada. Amplia, enorme clóset, cable gratis. Alimentación opcional. Información al teléfono 22 63 28 07.

Comprueba

In my conversation ...

_____ I was able to convey my preferences.

_____ I asked appropriate questions.

_____ I gave relevant responses.

_____ I was able to come to an agreement with my partner.

5-39

Un paso más. Ya que (*Since*) saben qué apartamento les gusta más, tienen que dar el próximo paso (*next step*). Conversen para decidir lo siguiente:

1. ¿Por qué es este apartamento el favorito de ustedes?

2. ¿Qué preguntas quieren hacerle al dueño del apartamento para obtener más información?

En directo

To find out who is answering your call:

¿Con quién hablo? *Who is this?*

To request to talk with someone specific:

¿Está... [nombre de la persona], por favor?

Is ... [person's name] there, please?

Deseo hablar con... [nombre de la persona].

I would like to speak with ... [person's name].

 Listen to a conversation with these expressions.

LEE

5-40

Preparación. ¿Qué sabes sobre el tema? Indica si las afirmaciones son ciertas (**C**) o falsas (**F**). Luego, escribe tu opinión sobre este tema en un párrafo y preséntalo a la clase.

1. _____ Hoy en día muchos jóvenes viven con sus padres después de graduarse de la universidad.

2. _____ Los jóvenes de hoy desean independizarse (*become independent*) de sus padres más que hace 10 o 15 años.

3. _____ Vivir en la casa de los padres es un fenómeno estadounidense solamente.

4. _____ El desempleo (*unemployment*) entre los jóvenes es una razón importante para vivir con los padres después de graduarse.

5. _____ Más hombres que mujeres viven con sus padres después de graduarse.

ESTRATEGIA

Inform yourself about a topic before you start to read

To get acquainted with a topic, you should think about what you already know, read something about it on the web (in English or in Spanish), talk with people who know about the topic; a combination of these three approaches is the best preparation. The goal is to build your knowledge about the topic before you start to read. Then, when you read the text, try to apply that knowledge to support your comprehension.

5-41

Lee. El siguiente artículo describe un nuevo fenómeno social. Léelo y sigue las instrucciones.

1. En el primer párrafo, el autor del artículo presenta el nuevo fenómeno social. Explícalo con tus propias palabras.

2. El segundo párrafo presenta tres causas del fenómeno. ¿Cuáles son?

3. El tercer párrafo menciona los sobrenombres (*nicknames*) que se les dan a los adultos que viven con sus padres en varios países. ¿Cuáles son?

4. En el último párrafo se presenta la perspectiva de los padres. ¿Cuál es?

Comprueba

I was able to …

_____ anticipate content related to the topic.

_____ use the statistics to confirm my comprehension of the main ideas.

_____ identify the two main reasons that adults live with their parents.

_____ find other countries where the phenomenon is common.

Un nuevo fenómeno social

No abandonar el nido (nest) familiar

Cada vez hay más adultos entre los 20 y los 34 años que viven en la casa de sus padres. En el pasado, esto era (*used to be*) bastante normal en los países hispanos pero no en Estados Unidos donde, tradicionalmente, los jóvenes se independizaban más pronto. Según un estudio de la Oficina del Censo de Estados Unidos, en 2011 un 59% de los chicos de entre 18 y 24 años y un 50% de las chicas vivían (*lived*) todavía en el domicilio familiar en comparación con el 53% y el 46%, respectivamente, en 2005.

Las causas principales de este fenómeno son variadas. Para algunos jóvenes es mucho más barato no tener que pagar un alquiler o comprar comida, sobre todo si no tienen un trabajo estable. Pero la razón para otros jóvenes es que disfrutan (*enjoy*) de la comodidad (*comfort*) de la casa familiar. Además, los padres hoy son más tolerantes que en el pasado, por eso los hijos no sienten la necesidad de irse.

Esta tendencia social no solo se limita a Estados Unidos, donde estos jóvenes se llaman *basement dwellers* porque muchos tienen su habitación en el sótano de la casa, sino que se encuentra en todo el mundo. En América Latina los jóvenes generalmente vivían con los padres antes de casarse (*get married*), pero ahora hay muchos que después de casarse y de tener hijos continúan viviendo en la misma casa. En Japón a los hijos adultos que prefieren vivir en casa con sus padres les llaman solteros (*unmarried*) parásitos, y en Italia, *bamboccioni* (bebés grandes).

Curiosamente, en Estados Unidos esta tendencia afecta más a los hombres que a las mujeres. El porcentaje de hombres de entre 25 y 34 años que viven con sus padres creció (*grew*) de un 14% en 2005 a un 19% en 2011 y de un 8% a un 10% para las mujeres en el mismo periodo.

¿Qué opinan los padres de esta situación? Muchos padres están contentos de tener la compañía de los hijos. Pero a veces la situación cambia y son los padres quienes tienen que irse de la casa para independizarse de sus hijos.

Un paso más. Hablen sobre los temas siguientes y escriban sus respuestas en la tabla.

1. ¿Qué significa para ustedes independizarse de sus padres?

2. ¿Cuáles son las ventajas y desventajas de vivir con los padres después de graduarse? ¿Bajo qué circunstancias es necesario vivir con ellos?

Ser independientes de los padres significa…	_____ no vivir con ellos _____ pagar todos nuestros gastos (teléfono, carro, apartamento, etc.) _____ hablar con ellos solamente 1 o 2 veces por semana _____ hablar con los amigos cuando necesitamos consejos (*advice*), no con ellos _____ (otro) _____
Ventajas de vivir con los padres	1. 2. 3.
Desventajas de vivir con los padres	1. 2. 3.

Cultura

Desempleo juvenil

In Hispanic countries, unemployment among young people (ages 18–35) is high. Spain has been one of the countries hardest hit in recent years, even among university graduates. In addition to the social and economic strains caused by unemployment, there are other social consequences, like young people having to live with their parents and being forced to postpone marriage and starting a family.

Comparaciones. ¿Es el desempleo juvenil un gran problema en tu país o región? ¿Hay muchos universitarios desempleados que tienen que vivir con sus padres después de graduarse de la universidad?

ESCRIBE

5-43

Preparación. Lee los requisitos sobre el concurso (*contest*) "La casa ideal para las familias multigeneracionales" que aparece en el periódico *La Prensa* de Tegucigalpa, Honduras.

El diario *La Prensa* invita al público a participar en el concurso "La casa ideal para las familias multigeneracionales".

Bases del concurso:

Los participantes deben enviar la siguiente información por correo electrónico al Comité de Selección de "La casa ideal para las familias multigeneracionales":

1. información personal: nombre completo, dirección, teléfono y correo electrónico

2. un panfleto descriptivo de la casa para varias personas adultas y niños con la siguiente información: tamaño de la casa, número y nombre de las habitaciones, distribución del espacio, aparatos electrónicos y un dibujo o foto digital de la casa

Fecha límite: el 30 de marzo

Premio: una computadora portátil de último modelo y alta resolución, con programas de alta capacidad y funcionalidad

---

ESTRATEGIA

Select the appropriate content and tone for a formal description

To write a description using a formal tone, you will need to anticipate what your audience may know about the topic, including relevant details; adapt the language of your text to the level of your readership. If you wish to address your reader(s) directly, use **usted/ustedes.**

5-44

Escribe. Decides participar en el concurso con un proyecto excepcional. Prepara un panfleto incluyendo toda la información que pide el concurso. Considera la cantidad de información necesaria y el tono apropiado para tus lectores, los miembros del Comité de Selección. ¡Buena suerte!

Comprueba

I was able to ...

_____ include relevant details about the topic.

_____ provide the appropriate amount of information.

_____ use the appropriate form to address the audience.

5-45

Un paso más. Habla con tu compañero/a sobre tu panfleto. Descríbanse sus proyectos y averigüen lo siguiente:

1. tamaño de la casa
2. estilo de la decoración
3. características originales

En este capítulo...
Comprueba lo que sabes

Go to **MySpanishLab** to review what you have learned in this chapter. Practice with the following:

Flashcards · Games · Oral Practice · Practice Test / Study Plan · Amplifire Dynamic Study Modules · Tutorials · Videos · Extra Practice

Vocabulario

LA ARQUITECTURA
Architecture

el alquiler   *rent*
el apartamento   *apartment*
el edificio   *building*
el estilo   *style*
la vivienda   *housing*

EN UNA CASA
In a home

el aire acondicionado   *air conditioning*
el armario   *closet, armoire*
el baño   *bathroom*
la basura   *garbage, trash*
la calefacción   *heating*
la chimenea   *fireplace*
la cocina   *kitchen*
el comedor   *dining room*
el cuarto   *room; bedroom*
la escalera   *stairs*

el garaje   *garage*
la habitación   *bedroom*
la lavandería   *laundry room*
el pasillo   *corridor, hall*
la piscina   *swimming pool*
el piso   *floor; apartment*
la planta baja   *first floor, ground floor*
la sala   *living room*
la terraza   *deck, balcony*

LOS MUEBLES Y ACCESORIOS
Furniture and accessories

la alfombra   *carpet, rug*
la butaca   *armchair*
la cama   *bed*
la cómoda   *dresser*
la cortina   *curtain*
el cuadro   *picture, painting*
el espejo   *mirror*
la lámpara   *lamp*
la mesa   *table*
la silla   *chair*
el sofá   *sofa*

EXPRESIONES CON *TENER* Expressions with **tener**

tener... calor   *to be hot*
  cuidado   *careful*
  frío   *cold*
  hambre   *hungry*

miedo   *afraid*
prisa   *in a hurry*
razón   *right*
sed   *thirsty*
sueño   *sleepy*
suerte   *lucky*

EN EL BAÑO
In the bathroom

la bañera   *bathtub*
la ducha   *shower*
las cortinas   *curtains*
el inodoro   *toilet*
el jabón   *soap*
el lavabo   *bathroom sink*
la toalla   *towel*

LOS ELECTRODOMÉSTICOS
Appliances

la aspiradora   *vacuum cleaner*
el lavaplatos   *dishwasher*
el (horno de) microondas   *microwave (oven)*
el/la radio   *radio*
el refrigerador   *refrigerator*

EN LA COCINA
In the kitchen

la estufa   *stove*
el fregadero   *kitchen sink*
el plato   *dish, plate*

EN EL JARDÍN
In the garden

la barbacoa   *barbecue pit; barbecue (event)*
el césped   *lawn*
la hoja   *leaf*

LOS LUGARES
Places

las afueras   *outskirts*
el barrio   *neighborhood*
la calle   *street*
el centro   *downtown, center*
cerca (de)   *near, close (to)*
lejos (de)   *far (from)*
la zona   *area*

LAS DESCRIPCIONES
Descriptions

limpio/a   *clean*
ordenado/a   *tidy*
seco/a   *dry*
sucio/a   *dirty*

VERBOS
Verbs

barrer   *to sweep*
cocinar   *to cook*
creer   *to believe*
doblar   *to fold*
lavar   *to wash*
limpiar   *to clean*

ordenar   *to tidy up*
pasar la aspiradora   *to vacuum*
planchar   *to iron*
recoger (j)   *to pick up*
sacar   *to take out*
secar   *to dry*
tender (ie)   *to hang (clothes)*

PALABRAS ÚTILES
Useful words

la desventaja   *disadvantage*
el trabajo   *work*
la ventaja   *advantage*
la vista   *view*

LOS NÚMEROS ORDINALES
Ordinal numbers

primero / primer   *first*
segundo   *second*
tercero / tercer   *third*
cuarto   *fourth*
quinto   *fifth*
sexto   *sixth*
séptimo   *seventh*
octavo   *eighth*
noveno   *ninth*
décimo   *tenth*

PARA LA CAMA
For the bed

la almohada   *pillow*
la manta   *blanket*
la sábana   *sheet*

See *Lengua* box on page 178 for more electronic items.
See page 189 for direct object pronouns.
See pages 193–194 for demonstrative adjectives and pronouns.

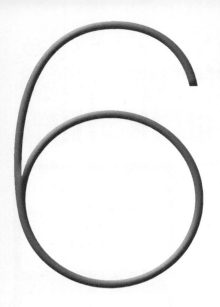

6

¿Qué te gusta comprar?

LEARNING OUTCOMES

You will be able to:

- talk about shopping and clothes
- talk about events in the past
- indicate to whom or for whom an action takes place
- express likes and dislikes
- describe people, objects, and events
- share information about shopping practices in Hispanic countries and compare cultural similarities

ENFOQUE cultural VENEZUELA

Mar Caribe

Islas Los Roques

Isla de Margarita

OCÉANO ATLÁNTICO

Enfoque cultural

To learn more about Venezuela, go to MySpanishLab to view the *Vistas culturales* videos.

La industria del petróleo

Maracaibo
Barquisimeto

Lago Maracaibo

Mérida

CORDILLERA DE MÉRIDA

Valencia

Caracas ✪

Barcelona

Maturín

Río Orinoco

Ciudad Bolívar

Ciudad Guayana

La moderna ciudad de Caracas

Las hayacas, un plato típico venezolano

VENEZUELA

Puerto Ayacucho

Salto Ángel

GUYANA

Simón Bolívar (1783–1830), nacido en Caracas, Venezuela, es un héroe de la independencia latinoamericana.

COLOMBIA

El pájaro turpial, símbolo de Venezuela

Salto Ángel

BRASIL

¿QUÉ TE PARECE?

- En el área de los Andes venezolanos hay una gran concentración de personas de herencia italiana. Un plato típico es espaguetis con caraotas negras (frijoles).

- *Venezuela* significa pequeña Venecia. El italiano Américo Vespucio le dio el nombre al país. Los palafitos (*houses on stilts*) en el lago Maracaibo le recordaron a Venecia, Italia.

- El Salto Ángel es la catarata más alta del mundo. Tiene este nombre porque el aviador estadounidense Jimmie Angel fue la primera persona en volar (*fly*) sobre ella.

El turpial es el ave nacional de Venezuela. Es un pajarito pequeño que mide entre 15 y 20 centímetros. Tiene un canto muy melodioso y, por eso, de una persona que canta muy bien que se dice que "canta como un turpial".

Los tepuis (*mesas*) venezolanos son formaciones geológicas impresionantes. En Venezuela se encuentran los más altos de toda América y son las formaciones más antiguas del planeta Tierra. Se cree que tienen billones de años. Sir Arthur Conan Doyle se inspiró en estos tepuis para escribir su novela, *El mundo perdido*.

Las arepas son la base de la cocina y la dieta diaria de los venezolanos. Se preparan con una masa de maíz similar a las pupusas centroamericanas. Tienen nombres muy variados según sus ingredientes. La Reina pepiada se rellena con pollo, cebolla, aguacate (*avocado*) y mayonesa. La arepa Tumbarranchos es para el desayuno. Se prepara con queso, repollo (*cabbage*), mostaza y mortadela.

El producto más valioso de Venezuela no es el petróleo, sino el cacao. Se considera uno de los más exquisitos y raros del mundo. Los conocedores del chocolate y las chocolaterías más exclusivas de Europa importan el cacao de Venezuela para sus productos.

¿CUÁNTO SABES?

Completa estas oraciones con la información correcta.

1. El turpial es un _____ que se distingue por sus colores brillantes.

2. Los _____ son un tipo de montaña plana, pero muy alta.

3. La _____ Tumbarranchos no lleva aguacate .

4. La persona que le dio a Venezuela su nombre fue _____.

5. La influencia _____ es muy evidente en la comida de la región andina.

6. El Salto Ángel es la _____ más alta del mundo.

7. La exportación más exclusiva de Venezuela es el _____.

Vocabulario en contexto

Las compras

▲ Muchas personas **van de compras** a los **mercados** al aire libre. En esta calle en Sabana Grande, Venezuela, hay tiendas y mercados. En los mercados tradicionales venden **telas**, objetos de **artesanía, joyas, bolsos**, etc., pero a veces también hay discos, aparatos electrónicos y otras **cosas** para la casa.

▲ En los mercados tradicionales los turistas a veces compran **regalos** para su familia y sus amigos. A esta señora le gustan las joyas artesanales. Compra un **collar** de **plata** para su mejor amiga, una **pulsera** para su hermana, unos **aretes** para su hija y un **anillo** de **oro** para sí misma (*herself*).

▲ En este **centro comercial venden** de todo. Hay tiendas de **ropa** y de **zapatos.** También hay **tiendas** de muebles y accesorios para la casa, hay librerías, tiendas de **juguetes** para los niños e incluso hay un **supermercado.**

De compras

José Manuel va a un **almacén** a comprar un regalo para su novia. Necesita la ayuda de la dependienta.

DEPENDIENTA:	**¿En qué puedo servirle?**
JOSÉ MANUEL:	**Quisiera** comprar un regalo para mi novia. Un bolso o una **billetera,** por ejemplo.
DEPENDIENTA:	Hay unos bolsos de **cuero** preciosos y no son muy **caros. Enseguida** le **muestro** los que tenemos.

[*La dependienta trae unos bolsos*].

JOSÉ MANUEL:	No sé. **Me gustaría** comprar este bolso, pero no puedo **gastar** mucho. ¿Cuánto cuesta?
DEPENDIENTA:	Solo **vale** 500 bolívares. Es bastante **barato.**
JOSÉ MANUEL:	Sí, no es mucho **dinero.** Es un buen **precio.**
DEPENDIENTA:	Y **están** muy **de moda.** Las chicas jóvenes los **llevan** mucho.
JOSÉ MANUEL:	Bueno, lo voy a comprar.
DEPENDIENTA:	Muy bien, señor. ¿Va a **pagar** con **tarjeta de crédito** o **en efectivo?**
JOSÉ MANUEL:	En efectivo.

■ ■ ■ ■ ■
LENGUA

To soften requests, Spanish uses the forms **me gustaría** (instead of **me gusta**) and **quisiera** (instead of **quiero**). English does this with the phrase *would like*. *Me gustaría/Quisiera ir a ese almacén. I would like to go to that department store.*

PRÁCTICA

Escucha y confirma. Indicate whether the statement you hear is true (**Cierto**) or false (**Falso**) according to the conversation between José Manuel and the salesperson.

	Cierto	Falso
1.	_____	_____
2.	_____	_____
3.	_____	_____
4.	_____	_____
5.	_____	_____
6.	_____	_____

¿Adónde van? Las siguientes personas necesitan comprar algunas cosas. Indica a qué tienda deben ir.

1. _____ María necesita unos libros para su clase de literatura.

2. _____ Juan quisiera cocinar comida venezolana para sus amigos.

3. _____ Rosa piensa comprar unos regalos para sus sobrinos.

4. _____ Felipe necesita una cómoda para su cuarto.

5. _____ Olga necesita unos zapatos nuevos para una entrevista de trabajo.

6. _____ Catalina va a comprar un collar elegante para ir a una fiesta.

a. mueblería	**d.** supermercado
b. juguetería	**e.** joyería
c. zapatería	**f.** librería

Cultura

■ ■ ■ ■ ■

Comprar por Internet

The use of the Internet varies widely between countries and generations. Online shopping is less frequent, in some Hispanic countries, even among younger people. This is certainly the case for electronics or clothing purchases. Shopping at stores for clothes, appliances, or electronics is preferred, since most people like the personal interaction and the expertise of sales associates at those stores.

Conexiones. ¿Qué ventajas y desventajas hay en comprar a través de Internet? ¿Qué productos o servicios es mejor comprar en una tienda personalmente? ¿Por qué?

¿Qué tienen que hacer? Ustedes tienen que hacer muchas cosas esta semana antes de su viaje a Venezuela. Hablen de qué necesitan hacer o comprar y por qué. Luego indiquen a qué tiendas van a ir.

 comprar zapatos para nuestro viaje

E1: *Necesitamos comprar unos zapatos cómodos porque vamos a caminar mucho.*

E2: *Podemos comprarlos en una zapatería.*

1. necesitar maletas (*suitcases*) grandes

2. comprar una guía turística

3. planear y pagar el viaje

4. comprar un regalo para nuestra amiga venezolana

5. leer blogs sobre Venezuela

6. necesitar ropa de verano

Cultura

■ ■ ■ ■ ■

Mercados tradicionales

People in many cultures engage in some form of haggling (**regatear**), a business-like transaction between a customer and a vendor that has rules (usually unspoken) about when, where, and how it is done. In Spanish-speaking countries, haggling is not expected or acceptable in a pharmacy, a supermarket, a restaurant, or a governmental office, for example. However, people often haggle at outdoor markets.

Comparaciones.

¿Se regatea en tu país? ¿En qué situaciones? ¿Alguna vez regateaste? ¿Dónde? ¿Cuánto te pidieron por el producto? ¿Cuánto pagaste finalmente?

6-4

En el mercado tradicional. PREPARACIÓN. Mira los productos que hay en este mercado tradicional. Escoge por lo menos tres recuerdos (*souvenirs*) que quieres comprar y llena la siguiente tabla.

PRODUCTO QUE QUIERES COMPRAR	PRECIO QUE QUISIERAS PAGAR POR EL PRODUCTO
collar de plata	*550 bolívares*

  INTERCAMBIOS. Ahora, túrnense para comprar unos recuerdos. Pregunten el precio de los productos. Regateen (*Haggle*) para obtener un precio más barato.

MODELO E1: *Quisiera comprar este collar. ¿Cuánto cuesta?*

E2: *Cuesta 650 bolívares.*

E1: *¡Uy, es muy caro! Lo compro por 550.*

E2: *Pero, es muy bonito.*

E1: *Sí, es muy bonito, pero no tengo suficiente dinero.*

E2: *Bueno, está bien. Se lo vendo por 575.*

En directo ■ ■ ■ ■ ■

To express displeasure about a high price:

¡Qué caro/a! *How expensive!*

To show pleasure at a bargain:

¡Qué barato/a! *How cheap!*

¡Qué ganga! *What a bargain!*

 Listen to a conversation with these expressions.

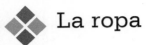

La ropa

La ropa formal

- el traje
- la camisa
- la corbata
- el saco
- el pañuelo
- el cinturón
- los pantalones
- el impermeable
- los zapatos

Roberto

- la blusa
- **Marisa**
- el paraguas
- los zapatos de tacón
- la falda

La ropa informal

- la sudadera
- la camiseta
- **Miguel**
- **Sonia**
- las zapatillas de deporte
- las sandalias
- los vaqueros/los jeans

La ropa interior y de estar en casa

- la bata
- las pantimedias
- el camisón
- el/la piyama
- el sostén
- los calzoncillos
- las medias/los calcetines
- las zapatillas

Telas y diseños

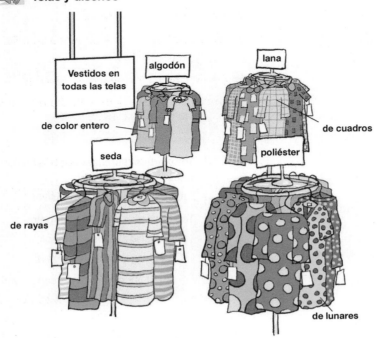

- Vestidos en todas las telas
- algodón
- lana
- de color entero
- de cuadros
- seda
- poliéster
- de rayas
- de lunares

■ ■ ■ ■ ■
EN OTRAS PALABRAS

Some words referring to clothing differ from one region to another. For example, in Spain **el/la piyama** is **el pijama**, and **medias** means *stockings*, but in parts of Latin America it also means *socks*. Depending on the country, the words **aros, aretes, pendientes, pantallas,** or **zarcillos** are used for *earrings*. In Argentina and Uruguay **pollera** is used instead of **falda**, and in Colombia **vestido** may mean *suit* or *dress*.

🔊 Las rebajas

MARTA: Las **rebajas** son **magníficas.** Mira esa falda de rayas. Está **rebajada** de 840 bolívares a 775. ¿Por qué no vemos si tienen tu **talla?**

ANA: Sí, y **me pruebo** la falda para ver si **me queda** bien. Uso la talla 38 y a veces es difícil **encontrarla.** Esta falda es de algodón y es **preciosa.**

MARTA: O te pruebas la falda en casa y si te queda mal, la **cambias.**

[**Entran en** la *tienda*].

ANA: Buenos días, señorita, **quisiera** probarme la falda que está en el **escaparate** en la talla 38.

DEPENDIENTA: Lo siento, pero las únicas tallas que **nos quedan** son más grandes, la 42 y la 44.

ANA: ¡Qué lástima! Gracias.

▲ Le queda **estrecha.**

▲ Le queda **ancha.**

■ ■ ■ ■ ■

LENGUA

The word **talla** is normally used when talking about clothing size; **número** refers to shoe size. **Tamaño** means size in all other contexts: **¿Cuál es tu número de zapatos?**

The word **calzado** means footwear in general: **Chik's es el calzado oficial de Miss Venezuela.**

The verb **calzar** is also used to ask about someone's shoe size. **¿Qué número calzas? ¿Cuánto calzas?**

PRÁCTICA

6-5 |e|

Para confirmar. Asocia las afirmaciones para describir la experiencia de Ana en las rebajas.

1. _____ Ana necesita una falda en la talla 38.
2. _____ La falda no es de color entero.
3. _____ Ana prefiere las telas naturales.
4. _____ Ana entra en la tienda, pero no se prueba la falda.
5. _____ La falda no es muy cara.
6. _____ Marta dice que Ana puede probarse la falda antes de comprarla.

a. La dependienta dice que no tienen su talla.
b. Está rebajada.
c. Sabe que la talla 42 le va a quedar ancha.
d. No se prueba la falda porque prefiere comprar un vestido.
e. Es de rayas.
f. Le gusta la falda porque es de algodón.

6-6

¿Qué llevas? PREPARACIÓN. Indica qué prendas de vestir (*articles of clothing*) usas en cada situación.

1. Para ir a correr o al gimnasio me pongo _____.
2. Para dormir llevo _____.
3. Para ir a una fiesta me pongo _____.
4. Después de ducharme y antes de vestirme llevo _____.

 INTERCAMBIOS. Ahora, túrnense para preguntarse qué prendas de vestir usan en cada situación.

 MODELO   para venir a clase

E1: *¿Qué usas para venir a clase?*

E2: *Uso unos vaqueros.*

1. para salir los sábados con tus amigos
2. para ir a una fiesta de cumpleaños
3. para una entrevista de trabajo
4. para ir a la playa en verano

Cultura

Industria textil

Spanish-speaking countries used to have robust local or regional
clothing industries. With globalization, however, clothing has become
an international product, usually manufactured in distant countries
and distributed via multinational business networks. As in the United
States, people in Latin America and Spain usually buy clothes
made in other countries or continents, although in open markets or
specialized clothing stores people can still buy locally manufactured clothing. It is important to note that Zara, a Spanish textile
group, is currently the biggest clothing company in the world.

Conexiones. ¿En qué tiendas compras ropa generalmente? ¿Dónde está manufacturada la ropa que llevas hoy? ¿Dónde se
puede encontrar ropa artesanal en tu ciudad? ¿Crees que es necesario pagar más por ropa de marca (*brand name*)?

6-7

¿Qué ropa llevan? PREPARACIÓN. Cuenten (*Count*) cuántas personas de la clase llevan los siguientes
accesorios y prendas de vestir. Después, comparen sus resultados.

1. aretes en las orejas _____
2. camisetas con el logotipo de la universidad _____
3. zapatillas de deporte _____
4. vaqueros rotos (*with holes*) _____
5. corbatas _____
6. collares de oro _____

■ ■ ■ ■ ■
LENGUA

Here is some useful vocabulary for the body (**el cuerpo**):
la cabeza (head), **las orejas** (ears), **la nariz** (nose), **los
brazos** (arms), **las manos** (hands), **las piernas** (legs), **los
pies** (feet), **el cuello** (neck). You will learn more words
related to parts of the body in *Capítulo 11.*

INTERCAMBIOS. Túrnense para describir la ropa que llevan algunas personas de la clase para adivinar (*guess*)
quiénes son.

6-8

El cumpleaños de Nuria. Ustedes van a una tienda para comprarle un regalo a una buena amiga, pero
cada artículo que ven presenta un problema. Piensen en la solución.

ARTÍCULO	PROBLEMA	SOLUCIÓN
collar	Es muy caro.	*Debemos buscar uno más barato.*
impermeable	Le queda ancho.	
vaqueros	Son de poliéster.	
sudadera	Es pequeña.	
blusa	Las rayas son muy anchas.	
bolso	No es de cuero.	

◆ ¿Qué debo llevar?

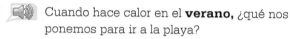

En el **invierno** hace frío. ¿Qué ropa llevamos?

el suéter
los guantes
la chaqueta
las botas
el abrigo
la bufanda

Cuando hace calor en el **verano,** ¿qué nos ponemos para ir a la playa?

las gafas de sol
la gorra
el sombrero
el traje de baño
los pantalones cortos
las sandalias
la camisa de manga corta
el vestido de verano

Y cuando llueve en la **primavera** y en el **otoño,** usamos impermeable y paraguas.

PRÁCTICA

6-9 📱e

Para confirmar. PREPARACIÓN. Asocia las prendas de vestir con las afirmaciones más lógicas.

1. _____ los guantes
2. _____ el traje de baño
3. _____ las botas
4. _____ el suéter
5. _____ los pantalones cortos
6. _____ el sombrero

a. Sirve para protegernos del sol.
b. Los llevamos en las manos cuando hace frío.
c. Son más cómodos cuando hace buen tiempo.
d. Nos lo ponemos para ir a la playa.
e. Es de lana, para llevar cuando hace frío.
f. Las llevamos en los pies en invierno.

 INTERCAMBIOS. Túrnense y pregunten qué ropa o accesorios usan ustedes en las siguientes situaciones. Añadan (*Add*) otras opciones en sus respuestas.

MODELO cuando llueve

E1: *¿Qué usas/llevas cuando llueve?*
E2: *Uso un paraguas. ¿Y tú?*
E1: *Uso un impermeable.*

1. cuando montas en bicicleta
2. para caminar por el parque en invierno
3. para ir a la playa con tus amigos
4. en los pies cuando hace calor
5. cuando hace mucho sol en verano
6. en otoño cuando hace viento (*wind*)

6-10

Vacaciones en Venezuela.
Tu amigo/a y tú van a pasar unas vacaciones en Venezuela. Escojan el plan que más les interesa y preparen una lista de la ropa y accesorios que van a necesitar. Presenten su plan a la clase.

Plan A. Quince días en isla de Margarita. Por el día: ir a la playa; por la noche: ir a las discotecas.

Plan B. Tomar un curso de verano en la Universidad Central de Venezuela en Caracas. Por la mañana: clases de español; por la tarde: lugares de interés turístico.

Plan C. Explorar la fauna y flora de la región de Canaima. Por el día: caminar mucho; por la noche: estar en un campamento.

 Vamos a ir a isla de Margarita. Yo necesito un traje de baño y mi compañera necesita unos pantalones cortos.

6-11

Ropa para todos. Cada uno/a debe comprar ropa para hacer unos regalos a tres personas diferentes de la lista siguiente. Explícale a tu compañero/a qué vas a comprar, dónde y para quién son estos regalos.

1. tu sobrina de seis años
2. tu mamá para el Día de la Madre
3. un/a amigo/a que necesita ropa informal
4. tu padre para su cumpleaños
5. tu novio/a para el Día de los Enamorados

BARCELÓ
Las mejores camisas y guayaberas a los mejores precios

Segunda Avenida / n. 40
271.88.20

6-12

Ropa para cada ocasión. PREPARACIÓN. Tell your classmate what you wear on the following occasions: **una fiesta elegante** and **una fiesta informal**.

  ESCUCHA. Listen to the conversation and indicate (✔) the clothes and the event mentioned.

ROPA	EVENTO
_____ ropa elegante	_____ entrevista de trabajo
_____ falda y chaqueta	_____ reunión de jóvenes
_____ traje pantalón y blusa	_____ excursión de fin de semana
_____ pantalones cortos y camiseta	_____ fiesta formal

Los centros comerciales son lugares importantes en las ciudades hispanas. Como en Estados Unidos, los centros comerciales son también centros de ocio y entretenimiento donde se va a comprar, a comer o a ver películas. Los centros comerciales están en zonas urbanas donde vive mucha gente y, por eso, también hay grandes supermercados. En algunas ciudades, los supermercados son cadenas (*chains*) nacionales, como Éxito en Colombia y Coto en Argentina. Pero también hay otros de origen europeo, como Carrefour, o estadounidense, como Walmart.

Lo importante es que los hispanos compran comida, ropa, instrumentos para el trabajo y productos para sus casas y mascotas en estos supermercados y centros comerciales.

Sin embargo (*However*), los grandes supermercados compiten con los lugares más tradicionales. En América Latina, existen centros de

Hipermercado Éxito en Bogotá, Colombia

comercio llamados tiendas de barrio (o quioscos en México, Argentina y Uruguay). Las tiendas de barrio tienen una variedad de productos, pero son mucho más pequeñas que los supermercados. Ocasionalmente, las personas prefieren estas tiendas porque son mucho más personales y es posible regatear.

Las tiendas de barrio tienen una gran importancia cultural en los países hispanos. En estos lugares se establecen relaciones de amistad (*friendship*) y solidaridad entre las personas y la comunidad. Las tiendas de barrio también ofrecen otros servicios: recepción y transmisión de mensajes y publicación de información importante.

Una tienda de barrio en Venezuela

Compara

1. ¿Qué ofrecen los centros comerciales en tu comunidad?
2. ¿Hay tiendas de barrio o alguna tienda similar donde vives?
3. ¿Cómo se llaman y qué compras allí?
4. ¿Qué importancia tienen las tiendas de barrio en la comunidad?

☑Funciones y formas

1 Talking about the past

🔊 Querido diario:

Hoy Álvaro y yo **gastamos** mucho dinero en ropa para vernos bien en la fiesta de boda de mi cuñada Gabriela esta tarde. Yo **compré** un hermoso vestido de fiesta y un chal de encaje (*lace shawl*). Álvaro **compró** un traje, una camisa y una corbata.

A las 7:00 de la tarde, **empezó** la ceremonia religiosa. La fiesta con la familia y los amigos **comenzó** a las 9:00 y **terminó** a las 4:00 de la mañana. Todos **comimos, bailamos** y **cantamos** mucho. Vamos a recordar este día especial por mucho tiempo. Gabriela y Gonzalo son una pareja perfecta.

Ahora voy a dormir. Estoy muy cansada.
Camila

Piénsalo. ¿Qué pasó el día de la boda? Ordena cronológicamente la siguiente información (1 = primer evento, etc.), según el diario de Camila.

1. _____ La fiesta con la familia y los amigos **comenzó** a las 9:00.

2. _____ Camila **compró** un hermoso vestido de fiesta.

3. _____ La fiesta **terminó** a las 4:00 de la mañana.

4. _____ Todos **comieron, bailaron** y **cantaron** mucho.

Preterit tense of regular verbs

■ Spanish has two simple tenses to express the past: the preterit (**el pretérito)** and the imperfect (**el imperfecto**). Use the preterit to talk about past events, actions, and conditions that are viewed as completed or ended.

	HABLAR	COMER	VIVIR
yo	habl**é**	com**í**	viv**í**
tú	habl**aste**	com**iste**	viv**iste**
Ud., él, ella	habl**ó**	com**ió**	viv**ió**
nosotros/as	habl**amos**	com**imos**	viv**imos**
vosotros/as	habl**asteis**	com**isteis**	viv**isteis**
Uds., ellos/as	habl**aron**	com**ieron**	viv**ieron**

LENGUA

The **yo** and the **usted, él, ella** preterit verb forms are stressed on the last syllable and end in a vowel. Therefore, they carry a written accent: **hablé, comí, viví, habló, comió, vivió.**

■ Note that the **nosotros/as** forms of the preterit of **-ar** and **-ir** verbs are the same in the present and the preterit tenses. Context will help you determine if **nosotros/as** verb forms are present or past.

Llegamos a la tienda a las tres. — *We arrive at the store at three.*
We arrived at the store at three.

Salí de la universidad a las dos, y **llegamos** a casa a las tres. — *I left the university at two, and we arrived home at three.*

- Stem-changing verbs ending in **-ar** and **-er** do not have a stem change in the preterit.

  pensar: pensé, pensaste, pensó, pensamos, pensasteis, pensaron

  volver: volví, volviste, volvió, volvimos, volvisteis, volvieron

- Verbs ending in **-car** and **-gar** have a spelling change in the **yo** form of the preterit that reflects how the word is pronounced. Verbs ending in **-zar** have a spelling change in the **yo** form because Spanish rarely uses a **z** before **e** or **i**.

  sacar:

  sa**qué**, sacaste, sacó…

  llegar:

  lle**gué**, llegaste, llegó…

  empezar:

  e**mpecé**, empezaste, empezó…

- There are some expressions you can use with the preterit to denote when an event took place.

anoche	*last night*
anteayer	*day before yesterday*
ante(a)noche	*the night before last*
ayer	*yesterday*
el año/mes pasado	*last year/month*
la semana pasada	*last week*
una semana atrás	*a week ago*
hace un día/mes/año (que)	*it has been a day/month/year since*

le **¿COMPRENDES?**

Completa las oraciones con la forma correcta del verbo.

1. El año pasado Pablo y Elisa _____ (comer) muchas veces en el restaurante venezolano de la ciudad.
2. La semana pasada Elena y yo _____ (estudiar) juntas para el examen de geografía.
3. Ayer yo _____ (comprar) unos calcetines y una falda en los Almacenes Arias.
4. Anoche Luis _____ (escribir) muchos correos electrónicos.
5. Hace un año Carlota _____ (comenzar) a estudiar español.
6. La semana pasada tú _____ (llegar) tarde a clase todos los días.

MySpanishLab

Learn more using Amplifire Dynamic Study Modules, Grammar Tutorials, and Extra Practice activities.

PRÁCTICA

6-13

Ayer yo… PREPARACIÓN. En el cuadro, marca (✓) tus actividades de ayer y añade una actividad en cada columna.

POR LA MAÑANA	POR LA TARDE	POR LA NOCHE
_____ Desayuné.	_____ Almorcé en la cafetería.	_____ Preparé la cena.
_____ Llegué a tiempo a mis clases.	_____ Saqué libros de la biblioteca.	_____ Miré televisión.
_____ Estudié varias horas.	_____ Lavé la ropa.	_____ Planché mi ropa.
_____ Llamé por teléfono a un/a amigo/a.	_____ Compré comida para toda la semana.	_____ Salí con mis amigos.
…	…	…

 INTERCAMBIOS. Ahora escríbele un correo electrónico a tu compañero/a explicándole lo que hiciste (*you did*) ayer. Intercambien sus mensajes en la clase para comparar lo que hicieron.

El sábado pasado. PREPARACIÓN. Miren las siguientes escenas. Túrnense para explicar cómo pasaron el sábado Carmen y Rafael.

▲ El sábado por la mañana

▲ El sábado por la tarde

INTERCAMBIOS. Escriban un párrafo para describir las actividades de Carmen y Rafael. Después, compártanlo oralmente con la clase.

▲ El sábado por la noche

¿Cómo pasaron el fin de semana? PREPARACIÓN. Conversen sobre el fin de semana de ustedes para conocer detalles sobre:

■ las actividades que hizo (*did*) cada uno/a

■ dónde las hizo

■ con quién

■ qué día, a qué hora

■ un detalle más

INTERCAMBIOS. Determinen quién de ustedes pasó el mejor fin de semana. Describan las actividades de esta persona a la clase.

Situación

PREPARACIÓN. Lean la situación. Luego, compartan ejemplos de vocabulario, gramática y otra información que necesitan para desarrollar la conversación.

Role A. Your classmate and a friend went on a shopping spree last weekend. Ask:

a. what store(s) they shopped in;
b. what each of them bought;
c. what time they returned home; and
d. what your classmate's plans are for wearing or using the items.

Role B. Answer your classmate's questions about your shopping spree with a friend over the weekend. Then find out if your classmate went shopping over the weekend, played a sport, or watched a lot of TV.

	ROLE A	ROLE B
Vocabulario	Shopping: clothes, shoes, or other	Shopping: clothes, shoes, or other
Funciones y formas	Past tense Recounting events in the past Asking questions	Past tense Recounting events in the past Asking questions Talking about future plans

INTERCAMBIOS. Practica la conversación con tu compañero/a incorporando el vocabulario y las funciones de *Preparación*. Luego, represéntenla ante la clase.

2 Talking about the past: *ir* and *ser*

CLIENTA: Compré este vestido aquí el sábado pasado. Pero ahora me queda estrecho.

SUPERVISORA: ¿Quién **fue** el vendedor que le vendió el vestido, señorita?

CLIENTA: No sé su nombre, pero **fue** su compañero, un señor alto y delgado.

SUPERVISORA: ¿Qué pasó? ¿Lavó el vestido en casa?

CLIENTA: Claro que no. Hay que limpiar este vestido en seco (*dry clean*). **Fui** a una lavandería (*dry cleaner*).

SUPERVISORA: Los irresponsables **fueron** los empleados de la lavandería. No limpiaron en seco su vestido. Lo lavaron.

Piénsalo. Indica si las siguientes afirmaciones son ciertas (**C**) o falsas (**F**), según la conversación entre la clienta y la supervisora.

1. _____ El vendedor **fue** el compañero de la supervisora.

2. _____ La clienta **fue** a una tienda especializada para limpiar el vestido.

3. _____ Lavar el vestido **fue** un error de los empleados de la lavandería.

4. _____ La supervisora **fue** amable con la clienta porque trató de comprender el problema.

5. _____ Los vendedores de la tienda de ropa **fueron** las personas responsables del problema con el vestido.

Preterit of *ir* and *ser*

■ The verbs **ir** and **ser** have identical forms in the preterit. They are used often in speaking and writing, and the context will help you to determine the meaning.

IR *and* SER			
yo	**fui**	nosotros/as	**fuimos**
tú	**fuiste**	vosotros/as	**fuisteis**
Ud., él, ella	**fue**	Uds., ellos/as	**fueron**

■ You will also be able to differentiate between **ir** and **ser** in the preterit because **ir** is often followed by the preposition **a.**

Ernesto **fue** a la tienda.   *Ernesto went to the store.*

Fue vendedor en esa tienda por dos años.   *He was a salesclerk at that store for two years.*

¿COMPRENDES?

Completa la conversación con la forma correcta del verbo **ser** o **ir** en el pretérito.

ANA: Hola, mamá. ¿Adónde (1) _____ esta mañana?

MAMÁ: (2) _____ a ver a la tía Luisa, que se rompió una pierna.

ANA: Ay, no, ¿cómo (3) _____ ?

MAMÁ: Se resbaló (*slipped*) en el hielo al salir de su casa.

ANA: ¡Qué mal! Y, ¿cuándo (4) _____?

MAMÁ: Ayer por la tarde.

ANA: ¿(5) _____ a verla con papá?

MAMÁ: No. (6) _____ sola.

MySpanishLab

Learn more using Amplifire Dynamic Study Modules, Grammar Tutorials, and Extra Practice activities.

PRÁCTICA

¿Quién fue a este lugar? Las siguientes personas fueron a Venezuela para conocer algunos lugares famosos. Primero, lean cada situación y luego, relacionen las fotos con cada una de ellas.

A. Salto Ángel

B. Isla de Margarita

C. Maracaibo

D. El puente Angostura sobre el río Orinoco

1. _____ Andrés visitó un lugar con agua para navegar. Le fascinan los deportes acuáticos, pero no le gusta el mar. ¿Adónde fue Andrés?

2. _____ Alguien te habló sobre este lugar espectacular y único en el mundo. Es semejante a las cataratas de Niágara y tú decidiste ir para verlo. ¿Adónde fuiste?

3. _____ Los estudiantes del primer año de español de tu universidad fueron de viaje a una playa exótica. Allí conocieron a otros turistas de muchas partes del mundo. ¿Adónde fueron los estudiantes?

4. _____ Los ingenieros Roberto y Angélica decidieron ir a este lugar para investigar las últimas tecnologías en el procesamiento del petróleo. ¿Adónde fueron Roberto y Angélica?

¿Quiénes fueron? Escojan a uno de estos personajes famosos y hagan una breve presentación en clase. Respondan a las siguientes preguntas.

Atahualpa Roberto Clemente Pablo Casals

Frida Kahlo Simón Bolívar Nicolás Guillén

Ernesto Guevara Mario Molina

1. ¿Quién fue esta persona?

2. ¿Dónde nació, vivió y murió (*died*)?

3. ¿Por qué fue famoso/a? Indiquen como mínimo dos o tres hechos (*facts*) sobre su vida.

Situación

PREPARACIÓN. Lean esta situación. Luego, compartan ejemplos de vocabulario, gramática y otra información que necesitan para desarrollar la conversación.

Role A. A classmate tells you that he/she went to a concert last weekend. Ask:

a. where the concert was;

b. what time it started;

c. with whom he/she went;

d. what time the concert ended; and

e. where he/she went afterwards.

React to the information you hear and answer your classmate's questions about your weekend activities.

Role B. Your classmate wants to know about the concert you went to last weekend. Answer your classmate's questions. Then ask your classmate about his/her weekend activities: if he/she went to a party or concert over the weekend, if he/she went out with friends, and so on. Ask for details about where, when, and with whom he/she went.

	ROLE A	ROLE B
Vocabulario	Time, days of the week, leisure activities	Time, days of the week, leisure activities
Funciones y formas	Recounting past events Past tense of *ir* and *ser* Asking questions Reacting to what you hear	Recounting past events Past tense of *ir* and *ser* Reacting to what you hear

INTERCAMBIOS. Practica la conversación con tu compañero/a incorporando el vocabulario y las funciones de *Preparación*. Luego, represéntenla ante la clase.

3 Indicating to whom or for whom an action takes place

 LUCY: Oye, Panchito, ¿qué **te** compran tus padres para tu cumpleaños: ropa, chocolates o qué?

PANCHITO: No **me** dan ni ropa ni chocolates. Siempre **me** compran libros superinteresantes. Y tus padres, ¿qué **te** compran a ti, Lucy?

LUCY: Mi mamá siempre **nos** compra ropa a mi hermano y a mí. A mí **me** gusta mucho la ropa nueva.

PANCHITO: ¿Y qué **les** das tú a tus padres para su cumpleaños?

LUCY: ¡A mi mamá **le** doy muchos besitos y a mi papá **le** doy muchos problemas porque no hago mi tarea!

 Piénsalo. Primero, identifica quién hace la acción: **Lucy, Lucy y su hermano, la mamá de Lucy, el papá de Lucy, Panchito** o **los padres de Panchito.** Luego, en la segunda línea, indica **quién recibe** la acción.

1. _____ **le** compran libros a _____.

2. _____ **les** compra ropa a _____.

3. _____ **le** da muchos besos a _____.

4. _____ **le** causa problemas a _____ porque no hace la tarea.

Indirect object nouns and pronouns

■ Indirect object nouns and pronouns tell *to whom* or *for whom* an action is done; in other words, who is affected by an action.

Indirect Object Pronouns			
me	*to/for me*	**nos**	*to/for us*
te	*to/for you* (familiar)	**os**	*to/for you* (familiar)
le	*to/for you* (formal), *him, her, it*	**les**	*to/for you* (formal), *them*

■ Indirect object pronouns have the same form as direct object pronouns except in the third person: **le** and **les.**

Mi madre **me** compró ropa la semana pasada.
My mother bought me clothes last week.
[My mother bought clothes for me last week.]

Yo **te** presto mis zapatos para la fiesta.
I will lend you my shoes for the party. [I will lend my shoes to you for the party.]

¿El dependiente? Ella **lo** ve todas las mañanas. (*direct object*)
The salesperson? She sees him every morning.

¿El dependiente? Ella **le** da los recibos por la mañana. (*indirect object*)
The salesperson? She gives him the receipts in the morning.

- Place the indirect object pronoun before a conjugated verb form. It may be attached to a present participle, in which case an accent mark is added, or to an infinitive.

Les voy a vender mi carro.	*I am going to sell them*
Voy a vender**les** mi carro.	*my car.*
Juan **nos** está preparando la cena.	*Juan is preparing dinner*
Juan está preparándo**nos** la cena.	*for us.*

- Use indirect object pronouns even when the indirect object noun is stated explicitly.

Yo **le** presté mi libro a **Victoria.**	*I lent my book to Victoria.*

- To eliminate ambiguity, **le** and **les** are often used with the preposition **a** + *pronoun.*

Le hablo **a usted.**	*I am talking to you.* (not to *him/her*)
Siempre **les** cuento mis secretos **a ellos.**	*I always tell my secrets to them.* (not to *you/***ustedes**)

- For emphasis, use **a mí, a ti, a nosotros/as,** and **a vosotros/as** with indirect object pronouns.

Pedro **te** habla a **ti.**	*Pedro is talking to you.* (not to someone else)

- **Dar** is almost always used with indirect object pronouns.

DAR (*to give*)			
yo	**doy**	nosotros/as	**damos**
tú	**das**	vosotros/as	**dais**
Ud., él, ella	**da**	Uds., ellos/as	**dan**

LENGUA

Dar uses the same endings as **-er** and **-ir** verbs in the preterit: **di, diste, dio, dimos, disteis, dieron**

Jorge le **dio** a Elena una copia de sus apuntes.
Jorge gave Elena a copy of his notes.

Mis padres me **dieron** dinero para la matrícula.
My parents gave me money for tuition.

- Notice the difference in meaning between **dar** (*to give*) and **regalar** (*to give as a gift*).

Ella le **da** el cinturón a Pedro.	*She gives Pedro the belt* (hands it to him).
Ella le **regala** el cinturón a Pedro.	*She gives Pedro the belt* (a gift).

- Other verbs of transmission (of things, ideas, words) that are generally used with indirect object pronouns include:

decir	*to say, to tell*
describir	*to describe*
escribir	*to write*
explicar	*to explain*
mostrar (ue)	*to show*
prestar	*to lend*
regalar	*to give* (a present)
vender	*to sell*

le ¿COMPRENDES?

Completa las oraciones con el pronombre correcto según la información entre paréntesis.

1. Yo _____ doy un regalo. (a mi madre)
2. Yo _____ doy un juguete. (a los niños)
3. Los niños _____ dan un beso. (a mí)
4. El profesor _____ da una buena nota. (a ustedes)
5. Mi tía Carla _____ da unos libros. (a mi hermano y a mí)
6. Felisa _____ da las gracias. (a ti)

MySpanishLab

Learn more using Amplifire Dynamic Study Modules, Grammar Tutorials, and Extra Practice activities.

PRÁCTICA

6-18

Las compras. Asocia la acción con la persona que la recibe.

1. _____ Para su cumpleaños, le regalé una corbata
2. _____ Julia fue a Venezuela y les compró unos aretes muy bonitos
3. _____ Después de probarnos los pantalones de rayas le preguntamos el precio
4. _____ Los zapatos nuevos me quedan muy bien
5. _____ Cuando fuimos a Italia te envié una postal
6. _____ Nos compraron unas bufandas muy lindas en Berlín

a. a todas sus amigas.

b. a ti.

c. a nosotros.

d. a mi padre.

e. al dependiente.

f. a mí.

6-19

Para estar a la última moda. Cada uno/a de ustedes desea o necesita lo que se indica en la lista siguiente. Explíquense (*Explain to each other*) la situación y después pidan y den una recomendación.

MODELO

E1: *Quiero llevar zapatos muy cómodos. ¿Qué me recomiendas?*

E2: *Te recomiendo unas sandalias de la marca Teva.*

1. Quiero llevar pantalones de moda (*in style*).
2. Deseo protegerme del sol.
3. Quiero ropa buena y barata.
4. Quiero verme (*look*) más delgado/a.
5. Me gustaría llevar ropa elegante y fina a la entrevista de trabajo.

Cultura

■ ■ ■ ■ ■
Tiendas locales en pueblos o ciudades pequeñas

Throughout most of Latin America and Spain, big department stores are more commonly found in large, metropolitan areas. People who live in small towns may make a trip to the city if they want to visit big chain stores, but more often they shop at local, smaller stores or markets

to buy gifts. Many people who live in less-populated areas enjoy the benefit of shopping at a store where they have a longstanding, personal relationship with the owner and employees.

Comparaciones. ¿Te gusta hacer tus compras en tiendas pequeñas? ¿Qué productos prefieres comprar en estas tiendas? ¿Qué productos prefieres comprar en los grandes almacenes?

6-20

Afortunados. Ustedes ganaron la lotería ayer y quieren compartir su fortuna con su familia y sus compañeros de clase.

1. Hagan una lista de dos o tres personas a quienes desean regalarles algo.
2. Indiquen el regalo que piensan hacerle a cada uno/a y expliquen por qué.

MODELO

E1: *A nuestros padres les vamos a regalar un crucero por el Caribe.*

E2: *A Sara vamos a comprarle una mochila.*

Entrevista. PREPARACIÓN. Basándose en la siguiente lista, pregúntense sobre sus hábitos de compras y los regalos que ustedes hacen y reciben de otras personas. Tomen notas.

1. ir de compras: ¿Qué? ¿Con qué frecuencia? ¿Tienda(s) favorita(s)?

2. comprar regalos caros: ¿A quién(es)? ¿Cuándo?

3. comprarte regalos: ¿Quién(es)?

INTERCAMBIOS. Escribe una comparación entre tus hábitos de compras y los de tu compañero/a. Usa las siguientes preguntas como guía (*as a guide*).

1. ¿Tienen ustedes hábitos de compras semejantes o diferentes?

2. ¿Compran en las mismas tiendas? ¿Compran regalos semejantes o diferentes?

3. ¿A quién(es) le(s) dan regalos? ¿Quiénes les dan regalos a ustedes? ¿Qué tipos de regalos reciben?

Situación

PREPARACIÓN. Lean esta situación. Luego, compartan ejemplos de vocabulario, gramática y otra información que necesitan para desarrollar la conversación.

Role A. You are a customer at a department store. Tell the salesperson:

a. you are looking for a present for a friend (specify male or female);
b. you are not sure what you should buy for him/her; and
c. the amount that you can spend.

Role B. You are a salesperson. A customer asks you for advice about a gift for a friend. Inquire about the friend's age, taste, size, favorite color, and other pertinent information. Make suggestions and offer information about the quality of the products, prices, sales, and so forth.

	ROLE A	ROLE B
Vocabulario	Clothes, shopping, prices	Age, likes and dislikes, sizes, colors, shopping, prices
Funciones y formas	Expressing what you need Indirect object pronouns Addressing a salesperson	Indirect object pronouns Addressing a customer

INTERCAMBIOS. Practica la conversación con tu compañero/a incorporando el vocabulario y las funciones de *Preparación*. Luego, represéntenla ante la clase.

4   Expressing likes and dislikes

DEPENDIENTE: **¿Le gustan** estas camisas?

JORGE: No, no **me gustan,** pero **me gusta** esta chaqueta.

DEPENDIENTE: Es una buena chaqueta para el otoño. **¿Le interesan** los deportes, señor? Tenemos unas zapatillas de deporte muy baratas.

JORGE: **Me encanta** practicar deportes, pero no **me gusta** mirar los partidos en televisión. **Me fascinan** el tenis, el béisbol y el fútbol.

Piénsalo. Indica si cada afirmación es cierta (**C**) o falsa (**F**), según la conversación. Si no hay información suficiente, contesta no sé (**NS**).

1. _____ A Jorge **le gusta** una de las camisas que le muestra el dependiente.

2. _____ A Jorge **le interesa** comprar una chaqueta.

3. _____ A Jorge **le queda** poco dinero, porque compró la chaqueta cara.

4. _____ A Jorge **le encantan** varios deportes.

5. _____ A Jorge **le gusta** mirar los partidos de fútbol en la televisión.

6. _____ A los amigos de Jorge **les interesa** jugar al fútbol con él.

Gustar and similar verbs

■ In previous chapters you have used the verb **gustar** to express likes and dislikes. As you have seen, **gustar** is not used the same way as the English verb *to like*. **Gustar** is similar to the expression *to be pleasing* (*to someone*).

Me gusta esta chaqueta.   *I like this jacket.*

(lit, *This jacket is pleasing to me.*)

■ The subject of **gustar** is the person or thing that is liked. The indirect object pronoun shows to whom the person or thing is pleasing.

me		*I*
te		*you* (familiar)
le	gusta el traje.	*you* (formal), *he/she*
nos		*we*
os		*you* (familiar)
les		*they, you* (formal and familiar)

like(s) the suit.

■ The most frequently used forms of **gustar** in the present tense are **gusta** and **gustan** and for the preterit **gustó** and **gustaron.** If one thing is liked, use **gusta/gustó.** If two or more things are liked, use **gustan/ gustaron.**

Me **gusta** ese **collar.**   *I like that necklace.*

No me **gustaron** los anillos.   *I did not like the rings.*

- To express what people like or do not like to do, use **gusta** followed by one or more infinitives.

Nos **gusta caminar** por la mañana.	We like to walk in the morning.
¿No te **gusta correr** y **nadar?**	Don't you like to run and swim?

- Some other Spanish verbs that follow the pattern of **gustar** are:

encantar	to like a lot, to love
fascinar	to like a lot, to love
interesar	to interest; to matter
parecer (zc)	to seem
quedar	to fit; to have something left

Leí la novela y me **encantó.**	I read the novel and I loved it.
Nos **fascina** la moda europea.	We love European fashion.
No te **interesan** las humanidades.	You are not interested in the humanities.
El curso me **parece** muy difícil.	The course seems very difficult to me.
No me **queda** mucho dinero.	I don't have much money left.
No le **quedan** bien los pantalones.	His/Her pants don't fit well.

- To express that you like or dislike a person, use **caer bien** or **caer mal,** which follow the pattern of **gustar.**

Les cae bien Miriam.	They like Miriam.
Esa dependienta **me cae mal.**	I do not like that salesclerk.

- To emphasize or clarify to whom something is pleasing, use **a + mí, a + ti, a + él/ella, a usted(es),** etc., or **a** + noun.

A mí me gustaron los zapatos, pero **a Pedro** no le gustaron.	I liked the shoes, but Pedro did not like them.

|e ¿COMPRENDES?

Completa las oraciones con la forma correcta del verbo.

1. A Carmen le _____ (interesar) mucho las ciencias.
2. Esta película nos _____ (parecer) muy interesante.
3. Diego es muy simpático. A mí me _____ (caer) muy bien.
4. El regalo que les di a mis padres les _____ (encantar).
5. A Inés no le _____ (gustar) los pimientos.

MySpanishLab

Learn more using Amplifire Dynamic Study Modules, Grammar Tutorials, and Extra Practice activities.

PRÁCTICA

6-22

Preferencias en la ropa. PREPARACIÓN. Indiquen si les encanta, les gusta o no les gusta la siguiente ropa. Luego, comparen sus preferencias.

INTERCAMBIOS. Expliquen si coinciden en sus gustos.

MODELO E1: *A nosotros nos gusta la ropa deportiva.*

E2: *Y a mí me encantan los vaqueros.*

la ropa deportiva
los suéteres de lana
los vaqueros
las chaquetas de cuero
las gorras
los pantalones cortos
las sudaderas
los anillos
las camisetas de rayas

6-23

¿Cuánto dinero les queda? Lean estas situaciones. Túrnense para preguntar y calcular cuánto dinero les queda a estas personas.

 Adriana tiene 500 bolívares. Paga 250 bolívares por un vestido y 200 por unos aretes.

> E1: ¿Cuánto dinero le queda?
>
> E2: Le quedan 50 bolívares.

1. Ernesto tiene 750 bolívares. Le da 150 a su hermano.

2. Érica tiene 550 bolívares. Va al cine con una amiga y luego cenan en un restaurante. El cine cuesta 55 y la cena 120.

3. Gilberto tiene 700 bolívares. Compra un suéter por 300.

4. Marco y Luisa tienen 300 bolívares. Van a la playa y almuerzan en un restaurante por 140 bolívares por persona.

Cultura

■ ■ ■ ■ ■

¿Ropa formal o ropa informal?

People in Spanish-speaking countries usually dress more formally than in the United States for school or work, or even when they go out shopping. This is the case for many middle and high school students because they wear uniforms. At the workplace, men are expected to dress formally in jackets and ties. Most people would never wear flip-flops, sneakers, shorts, or jeans to work or school.

Comparaciones. ¿En qué contextos te vistes formalmente? ¿Informalmente? Explica las costumbres de los estudiantes de tu universidad.

 6-24

¿Qué les parece? Las siguientes personas trabajan en una oficina de relaciones públicas. Den su opinión sobre su ropa y sus accesorios.

 E1: *No me gusta la falda de Violeta porque no es apropiado llevar una falda corta a la oficina.*

E2: *Pues a mí me encanta.*

Ricky

Estefanía

Violeta

Jorge

PREPARACIÓN. Lean esta situación. Luego, compartan ejemplos de vocabulario, gramática y otra información que necesitan para desarrollar la conversación.

Role A. You are shopping at a community crafts fair where haggling is the norm. You select an item that you plan to give as a gift. In your interaction with the vendor:

a. say how much you like what the vendor is selling;
b. ask the price of the item you are interested in;
c. react to what you hear and offer a lower price;
d. comment on the item, saying whom you plan to give it to; and
e. come to an agreement on the price.

Role B. You are selling your handicrafts and jewelry at a community crafts fair. A customer is interested in one of your items. In your interaction with the customer:

a. respond to his/her compliments;
b. give the price of the item;
c. explain why you cannot accept the customer's offer of a lower price;
d. respond to his/her comments on the item; and
e. come to an agreement on the price.

	ROLE A	ROLE B
Vocabulario	Numbers (prices)	Numbers (prices)
Funciones y formas	Haggling over the price of an item Direct and indirect object pronouns Complimenting an artisan on his/her work	Haggling over the price of an item Direct and indirect object pronouns Refusing an offer

INTERCAMBIOS. Practica la conversación con tu compañero/a incorporando el vocabulario y las funciones de *Preparación*. Luego, represéntenla ante la clase.

5 Describing people, objects, and events

ABUELA: Cuidado, Susana, el café **está** muy caliente. [*A la madre*] ¡La niña **está** muy grande!

MADRE: Claro, tiene cinco años. **Es** muy alta para su edad.

SUSANA: Abuelita, ¿qué **es** ese cuadro?

ABUELA: **Son** montañas de la Cordillera de los Andes en Chile.

Piénsalo. Indica la función de **ser** o **estar** en las siguientes afirmaciones.

	Condición	Característica
1. El café **está** caliente.	_____	_____
2. ¡La niña **está** muy grande!	_____	_____
3. Es muy alta para su edad.	_____	_____
4. Son montañas de los Andes.	_____	_____
5. El aire en las montañas **es** muy frío por las noches.	_____	_____

More about *ser* and *estar*

■ In *Capítulo 2,* you learned to use **ser** to identify and describe, and to express nationality, ownership, and origin. You also learned to use **ser** to talk about dates and time and to tell where an event takes place.

Víctor **es** de Venezuela.	*Victor is from Venezuela.* (nationality)
Es un diseñador de ropa para hombres.	*He is a designer of men's clothing.* (profession)
Es alto y delgado y **es** muy fuerte.	*He is tall and thin, and he is very strong.* (distinguishing characteristics)
Estas figuras pintadas **son** de Víctor, tiene una colección grande.	*These painted figures belong to Victor; he has a big collection.* (possession)
El próximo desfile de moda con su ropa **es** mañana a las ocho.	*The next fashion show of his clothing is tomorrow at eight o'clock.*
Va a ser en el Teatro El Rey.	*It is going to take place in the El Rey Theater.* (time/location of event)

■ **Ser** is also used to talk about what something is made of.

El reloj **es** de oro.	*The watch is (made of) gold.*

- You also learned in *Capítulo 2* that **estar** is used to indicate location, to talk about health and similar conditions, and to describe changes in feelings or perceptions. It is also used to express ongoing actions, presented in *Capítulo 4*.

El Teatro El Rey **está** en el centro.	*The El Rey Theater is downtown.* (location)
Víctor fue al doctor la semana pasada, pero ahora **está** bien.	*Victor went to the doctor last week, but now he is fine.* (health)
Víctor **está** nervioso antes de los desfiles, pero siempre **está** contento después.	*Victor is nervous before fashion shows, but he is always happy (feels good) afterward.* (feelings, condition)
Los modelos se **están** vistiendo ahora.	*The models are getting dressed now.* (ongoing action)

- When describing people or objects, use **ser** to convey an intrinsic characteristic. Use **estar** to convey a feeling or perception. The difference in meaning is sometimes so pronounced that the adjectives have different English translations.

Adjective	With *Ser*	With *Estar*
aburrido/a	*boring*	*bored*
bueno/a	*good* (character)	*well* (health); *physically attractive*
grave	*serious* (situation)	*seriously ill*
listo/a	*clever*	*ready*
malo/a	*bad* (character)	*ill*
muerto/a	*dead* (atmosphere)	*deceased*
rico/a	*rich, wealthy*	*delicious* (food)
verde	*green*	*unripe*
vivo/a	*lively* (personality)	*alive*

Javier **es** malo, les roba dinero a sus compañeros y dice mentiras.	*Javier is bad; he steals money from his classmates and tells lies.*
Roberto Tovares **es** rico. Tiene una casa en California y un apartamento en París.	*Roberto Tovares is wealthy. He has a house in California and an apartment in Paris.*
¡Esta sopa **está** riquísima! ¿Usaste una receta diferente?	*This soup is delicious! Did you use a different recipe?*

|e **¿COMPRENDES?**

Completa las oraciones con la forma correcta de **ser** o **estar**.
1. Pedro no vino a clase hoy, _____ malo.
2. Me encanta este postre, _____ muy rico.
3. No comas esa naranja porque _____ verde.
4. Manuel _____ listo y saca buenas notas.
5. La situación _____ grave porque llueve mucho.
6. Desafortunadamente, Carolina tuvo un accidente y _____ grave en el hospital.

MySpanishLab

Learn more using Amplifire Dynamic Study Modules, Grammar Tutorials, and Extra Practice activities.

PRÁCTICA

6-25

La mañana horrible de Javier. Lee el cuento sobre la mañana de Javier y complétalo con la forma apropiada de **ser** o **estar**.

Javier se despierta temprano. (1) _____ las seis de la mañana. La casa (2) _____ muy fría, y el agua en la ducha (3) _____ fría también. ¡Javier no (4) _____ nada contento! Su reunión con la profesora de historia (5) _____ a las 10:00 y él no (6) _____ listo. Necesita leer un artículo antes de la reunión, pero no sabe dónde (7) _____. Tiene hambre, pero no hay pan, los plátanos (8) _____ verdes y (9) _____ demasiado tarde para hacer café. La situación (10) _____ grave, piensa Javier. Finalmente (11) _____ las diez en punto y Javier entra en la oficina de la profesora Guzmán. Por su expresión, Javier sabe que ella (12) _____ tensa. Le dice a Javier que su borrador (*draft*) no (13) _____ bueno y que tiene que trabajar mucho más. Cuando sale de la reunión, Javier (14) _____ muy preocupado.

6-26

De compras. Las personas en las fotos siguientes fueron de compras. Escojan una de las fotos y escriban una breve descripción usando la siguiente información. Después, la clase va a adivinar qué foto describen.

1. nombre de las personas y la relación entre ellas (usen su imaginación)
2. probable lugar de origen de las personas
3. lugar donde las personas están en esta foto y por qué están allí
4. su estado de ánimo (*mood*)
5. artículos que compraron y dos o tres actividades que hicieron en este lugar

¿Quiénes son y cómo están? Describan qué hacen estas personas, cómo son probablemente y cómo están en estas situaciones.

1.

2.

3.

Situación

PREPARACIÓN. Lean esta situación. Luego, compartan ejemplos de vocabulario, gramática y otra información que necesitan para desarrollar la conversación.

Role A. Your classmate asks about the photo of your family (or friends) on your cell phone. Explain:

a. who the people are;
b. where they are;
c. what they are like; and
d. how they are feeling in the photo.

Role B. Ask your classmate to see the cell phone photo he/she is looking at. Ask as many questions as you can about the people in the photo, their activities, and the setting.

	ROLE A	ROLE B
Vocabulario	Descriptions of people, places, and events	Descriptions of people, places, and events
Funciones y formas	Describing people, places, and events *Ser* and *estar* Asking questions	Describing people, places, and events *Ser* and *estar* Asking questions

INTERCAMBIOS. Practica la conversación con tu compañero/a incorporando el vocabulario y las funciones de *Preparación*. Luego, represéntenla ante la clase.

EN ACCIÓN

De moda

6-28 Antes de ver

¿Es apropiado? En este episodio, Esteban va a un restaurante con una chica de su clase. Indica la ropa y accesorios que son apropiados (**A**) y no apropiados (**NA**) para esta ocasión. Explica por qué no son apropiados.

1. _____ una camisa
2. _____ una bata
3. _____ unas zapatillas
4. _____ un traje de baño
5. _____ un saco/una chaqueta
6. _____ unos guantes
7. _____ unos zapatos
8. _____ una corbata
9. _____ un cinturón
10. _____ unos calcetines

6-29 Mientras ves

¿Y qué pasó después? Los chicos están muy ocupados hoy. Indica el orden en que ocurrieron las siguientes actividades en este segmento (**A–F**).

1. _____ Esteban se probó la ropa que compró en el centro comercial.
2. _____ Blanca y Yolanda hablaron sobre la ropa de Esteban.
3. _____ La modelo habló sobre el festival de moda en Los Ángeles.
4. _____ Llegó Amber.
5. _____ Yolanda y Esteban fueron al centro comercial.
6. _____ Vanesa y Yolanda le mostraron a Esteban un video sobre un festival de moda.

6-30 Después de ver

PREPARACIÓN. Indica si las siguientes afirmaciones son ciertas (**C**) o falsas (**F**), según el contenido del segmento de video.

1. _____ A Yolanda le interesa salir con Esteban.
2. _____ Esteban viste siempre a la moda.
3. _____ La casa Pineda Covalín es de la Ciudad de México.
4. _____ Muchos vestidos de la casa Pineda Covalín están inspirados en diseños árabes.
5. _____ Según la modelo, Suzy Diab, el *Latino Fashion Week* es una buena manera de conectarse con su cultura.
6. _____ Blanca piensa que Yolanda tiene un buen plan.

INTERCAMBIOS. Hablen de una mala experiencia que tuvieron (real o imaginaria) cuando fueron de compras a una tienda o centro comercial. ¿Qué compraron? ¿Para qué ocasión? ¿Dónde? ¿Cuál fue el problema? ¿Qué hicieron para solucionarlo?

Mosaicos

ESCUCHA

6-31

Preparación. En esta conversación, Andrea habla con sus padres sobre la ropa que necesita durante el año académico. Antes de escuchar, prepara una lista de la ropa y accesorios que tuviste que comprar antes de empezar las clases este año. Comparte esta lista con la clase.

6-32

Escucha. Listen to the conversation between Andrea and her parents. As you listen, take notes on what she needs. Write at least three items for each category that Andrea mentions.

1. Para ir a clases Andrea necesita…

2. Para practicar deportes Andrea tiene que comprar…

3. Para salir con sus amigos Andrea quiere…

Comprueba

I was able to …

_____ recognize clothing vocabulary.

_____ identify the correct categories.

_____ take notes to remember the information.

6-33

Un paso más. Túrnense para responder oralmente a las siguientes preguntas y tomen notas de sus respuestas. Después, compartan la información con otra pareja.

1. ¿Qué accesorios, muebles para tu cuarto y/o aparatos electrónicos compraste antes de comenzar tus clases en la universidad este semestre?

2. ¿Qué libros o artículos compraste para estudiar? ¿Dónde los compraste?

3. ¿Fuiste a las rebajas? ¿Qué compraste? ¿Cuánto gastaste?

HABLA

ESTRATEGIA

6-34

Preparación. Quieres comprar unos regalos o algunas cosas para tu cuarto/apartamento en un mercado al aire libre. Completa la tabla siguiente.

¿QUÉ QUIERES COMPRAR?	¿PARA QUIÉN(ES)?	DESCRIPCIÓN Y PRECIO DEL PRODUCTO

Negotiate a price

In Hispanic cultures, negotiating the price of an item in an outdoor market or other location in which the price is not fixed follows both linguistic and cultural rules. You should haggle over the price only if you intend to buy the item. Your initial offer, while lower than the selling price given by the vendor, should be reasonable, because an excessively low price may be insulting. In your negotiation, which may last several turns, you may include a brief comment about the desirability of the item and a reaction to the price suggested by the vendor.

6-35

Habla. Estás en un mercado al aire libre. Pregúntale al vendedor/a la vendedora (tu compañero/a) el precio de los productos que deseas comprar. Regatea (*Haggle*) para obtener el mejor precio posible. Luego, cambien de papel.

Comprueba

In my conversation …

_____ I discussed the price.

_____ I showed my desire to buy the item if we could agree on a price.

_____ I gave clear information in response to questions.

_____ I negotiated the price successfully.

En directo

To haggle:

CLIENTE/A

Me gusta este/a _____, pero no tengo tanto dinero. *I like this _____, but I don't have enough money.*

Solo puedo pagar… *I can only pay...*

¡Es muy caro/a! *It is very expensive!*

¿Qué le parece(n)… bolívares/dólares (etc.)? *How about... bolivars/dollars?*

Le doy… bolívares/dólares. *I will give you... bolivars/dollars.*

VENDEDOR/A

¡Imposible! *Impossible!*

El material es importado/de primera calidad. *The material is imported/ top quality.*

Lo siento, pero no puedo darle… por ese precio. *I'm sorry, but I cannot give you... for that price.*

 Listen to a conversation with these expressions.

6-36

Un paso más. Comparte con la clase tu experiencia de regateo en el mercado al aire libre. Incluye la siguiente información:

1. qué productos compraste y para quién los compraste
2. qué precio te dio el/la vendedor/a por cada producto
3. cuánto dinero ofreciste por cada producto
4. cuánto pagaste finalmente

LEE

Preparación. Habla con tu compañero/a sobre lo siguiente:

1. ¿Te gusta comprar en Internet o prefieres ir a las tiendas? ¿Por qué?

2. ¿Qué ropa compras por Internet? ¿Qué ropa no compras por Internet? ¿Por qué?

3. ¿Cuáles son las ventajas principales de comprar por Internet? ¿Las desventajas?

4. Si compras por Internet, ¿cuáles son tus sitios o tiendas favoritas? ¿Por qué te gustan?

ESTRATEGIA

Use context to figure out the meaning of unfamiliar words

When you come across unfamiliar words and phrases while reading, use the context and your understanding of the text so far to figure out the meaning. Reread the last line or two, focusing on overall meaning. In many cases, this strategy will help you understand the unknown word without using a dictionary.

Hombres, ropa e Internet

MIÉRCOLES, 10 DE MARZO DE 2013 / 2 comentarios

El año pasado descubrí un nuevo hobby: la compra de ropa por Internet. Si ir al centro comercial les molesta a ustedes tanto como a mí, van a comprender que veo muchas ventajas en la compra online. Como a todos, me encanta la ropa bonita y estilosa, pero ir de tienda en tienda buscando rebajas me parece ridículo. No me gusta estresarme buscando tallas y modelos. Ni buscar en cada prenda la etiqueta con el precio. Yo solo uso ropa de algodón y es muy difícil encontrarla si no miras con cuidado la información sobre la tela, que aparece en etiquetas pequeñas y difíciles de leer.

No. Nunca más. Mi vida cambió cuando decidí explorar la compra online. Comencé tímidamente comprando varios pares de calcetines. Las compras online deben funcionar, me dije. Sé el número que calzo, y quiero calcetines negros y de algodón. Bueno, pues hice una búsqueda rápida y encontré varias páginas que me garantizan la mejor calidad de algodón — hilo de Escocia, para los entendidos— en mi talla y con envío inmediato a domicilio. ¿Qué más puedo pedir?, me dije.

Entonces decidí comprar los calzoncillos, que me gustan variados: de rayas, de cuadros, ¡o incluso de flores! No hay problema: 5 pares de calzoncillos de bellos colores y diseños fue mi siguiente compra. Tengo que confesar que luego compré 20 camisas, varios pantalones, un traje de chaqueta y un impermeable. Una vez tuve que devolver una prenda porque pedí una talla demasiado pequeña, pero créanme, las ventajas son muchas más que las desventajas. Si quieren evitar las colas y la frustración de no encontrar el material o los colores que les gustan, les recomiendo comprar por Internet. Es el consejo que les da un amigo…

6-38

6-39

Comprueba

I was able to …

_____ **use context to decipher meaning of unknown expressions.**

_____ **identify specific information correctly.**

Lee. Lee el texto y luego, indica si las siguientes afirmaciones son correctas (**C**) o incorrectas (**I**). Si son incorrectas, corrige la información.

1. _____ Al autor del texto le gusta comprar ropa en las tiendas.

2. _____ El autor se pone tenso cuando tiene que buscar una prenda de su talla.

3. _____ Al autor le gusta la ropa de lana.

4. _____ La primera compra que hizo el autor por Internet fueron unas camisas de rayas.

5. _____ El autor decidió no comprar zapatos por Internet.

6. _____ Al autor le gusta comprar por Internet porque es rápido.

Un paso más. Busca un sitio web en el mundo hispano que venda productos que te interesan. Toma nota de la siguiente información de la lista. Después, presenta la página web a la clase. Tus compañeros/as van a hacerte preguntas sobre los productos, los precios y cómo se compra.

1. el nombre y la dirección del sitio y el país donde se encuentra

2. los productos principales, sus precios y cómo se comparan estos precios con los de Estados Unidos

3. instrucciones para realizar las compras

ESCRIBE

6-40 e

Preparación. Lee el siguiente correo electrónico de Laura a su amiga Cristina, contándole su última experiencia comprando ropa. Después, pon en orden cronológico la secuencia de eventos.

> **Querida Cristina:**
>
> ¿Recuerdas el vestido que compré el jueves pasado cuando fuimos con mi hermana al centro comercial? Cuando me lo probé, ella pensó "le queda ancho", pero no me dijo (*said*) nada. Luego me escribió un correo electrónico y me explicó que tampoco le gustó el color ni el estilo. Esto me enojó mucho, pero después volví a probarme el vestido y pensé que mi hermana tenía razón (*was right*). Y devolví el vestido.

_____ Laura devolvió el vestido.

_____ Laura se probó el vestido.

_____ Laura fue de compras con Cristina y su hermana.

_____ Su hermana le explicó a Laura por qué no le gustó el vestido.

_____ A su hermana no le gustó el estilo del vestido.

6-41

Escribe. Cuéntale a tu mejor amigo/a en un correo electrónico tu última experiencia comprando un producto.

INCLUYE:

1. el nombre de la tienda donde compraste el producto
2. el producto que compraste y una descripción del producto
3. un recuento de lo que ocurrió en orden cronológico; ¿Cuándo hiciste (*did you make*) la compra?: ¿Qué ocurrió después?: ¿Cuánto costó y cómo pagaste?
4. la razón de tu satisfacción o insatisfacción con el producto

6-42

Un paso más. Comparte con tu compañero/a la experiencia de una mala compra. Utilicen las siguientes preguntas como guía y añadan otras. Túrnense para hacerse preguntas y responder.

1. ¿Qué compraste? ¿Cuándo? ¿Dónde?
2. ¿Qué pasó primero? ¿Qué pasó después?
3. ¿Cómo resolviste la situación finalmente?

En directo ▪ ▪ ▪ ▪ ▪ ▪

To indicate the succession of events or temporal transitions, you may use the following connectors: **primero, luego, más tarde, antes de eso, después (de eso), finalmente.**

🔊 Listen to a conversation with these expressions.

Comprueba

I was able to ...

_____ describe the parts of the event in order.

_____ use connectors to indicate the order.

_____ open and close the message properly.

En este capítulo...

Comprueba lo que sabes

Go to *MySpanishLab* to review what you have learned in this chapter.
Practice with the following:

🔊 Vocabulario

LOS ACCESORIOS
Accessories

el anillo   *ring*
el arete   *earring*
la billetera   *wallet*
la bolsa/el bolso   *purse*
la bufanda   *scarf*
el cinturón   *belt*
el collar   *necklace*
las gafas de
  sol   *sunglasses*
la gorra   *cap*
el guante   *glove*
la joya   *piece of jewelry*
el pañuelo   *handkerchief*
el paraguas   *umbrella*
la pulsera   *bracelet*
el sombrero   *hat*

DISEÑOS
Designs

de color entero   *solid*
de cuadros   *plaid*
de lunares   *dots*
de rayas   *stripes*

LAS COMPRAS
Shopping

el almacén   *department store; warehouse*
el centro comercial   *shopping center*
el escaparate   *store window*
el mercado   *market*
el precio   *price*
la rebaja   *sale*
el regalo   *present*
el supermercado   *supermarket*
la tarjeta de crédito   *credit card*
la tienda   *store*

LA ROPA
Clothes

el abrigo   *coat*
la bata   *robe*
la blusa   *blouse*
las botas   *boots*
los calcetines   *socks*
el calzado   *footwear*
los calzoncillos   *boxer shorts*
la camisa   *shirt*
la camisa de manga
  corta   *short sleeve shirt*
la camiseta   *T-shirt*
el camisón   *nightgown*
la chaqueta   *jacket*
la corbata   *tie*
la falda   *skirt*
el impermeable   *raincoat*
las medias   *stockings, socks*
los pantalones   *pants*
los pantalones cortos   *shorts*
las pantimedias   *pantyhose*
el/la piyama   *pajamas*
la ropa interior   *underwear*
el saco   *blazer, jacket*
las sandalias   *sandals*
el sostén   *bra*
la sudadera   *sweatshirt; jogging suit*
el suéter   *sweater*
el traje   *suit*
el traje de baño   *bathing suit*
el traje   *suit*
los vaqueros/los jeans   *jeans*
el vestido   *dress*
las zapatillas   *slippers*
las zapatillas de
  deporte   *tennis shoes*
los zapatos   *shoes*
los zapatos de tacón   *high-heeled shoes*

PALABRAS Y EXPRESIONES ÚTILES
Useful words and expressions

la artesanía   *handicrafts*
la cosa   *thing*
el cuero   *leather*
el dinero   *money*
en efectivo   *in cash*
¿En qué puedo servirle(s)?   *How may I help you?*
enseguida   *immediately*
estar de moda   *to be fashionable*
ir de compras   *to go shopping*
el juguete   *toy*
Me gustaría...   *I would like...*
el número   *size (shoes)*
el oro   *gold*
la plata   *silver*
Quisiera...   *I would like...*
la talla   *size (clothes)*
el tamaño   *size*

TELAS
Fabrics

el algodón   *cotton*
la lana   *wool*
el poliéster   *polyester*
la seda   *silk*

VERBOS
Verbs

caer bien/mal   *to be liked*
calzar   *to wear (shoes)*
cambiar   *to change, to exchange*
dar   *to give, to hand*
encantar   *to delight, to love*
encontrar (ue)   *to find*
entrar (en)   *to go in, to enter*
fascinar   *to fascinate, to be pleasing to*
gastar   *to spend*
gustar   *to be pleasing to, to like*
interesar   *to interest*
llevar   *to wear, to take*
mostrar (ue)   *to show*
pagar   *to pay (for)*
parecer (zc)   *to seem*
prestar   *to lend*
probarse (ue)   *to try on*
quedar   *to fit; to be left over*
regalar   *to give (a present)*
regatear   *to haggle*
valer   *to be worth*
vender   *to sell*

EXPRESIONES DE TIEMPO
Time expressions

anoche   *last night*
anteayer   *the day before yesterday*
ante(a)noche   *the night before last*
el año/mes pasado   *last year/month*
ayer   *yesterday*
hace un día/mes/año (que)   *it has been a day/month/year since*
una semana atrás   *a week ago*
la semana pasada   *last week*

LAS ESTACIONES DEL AÑO
Seasons of the year

el invierno   *winter*
el otoño   *fall*
la primavera   *spring*
el verano   *summer*

LAS DESCRIPCIONES
Descriptions

ancho/a   *wide*
barato/a   *inexpensive, cheap*
caro/a   *expensive*
estrecho/a   *narrow, tight*
magnífico/a   *great*
precioso/a   *beautiful*
rebajado/a   *marked down*

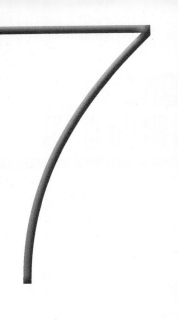

¿Cuál es tu deporte favorito?

LEARNING OUTCOMES

You will be able to:

- talk about sports
- emphasize and clarify information
- talk about past events
- talk about practices and perspectives on sports in Argentina and Uruguay
- share information about sporting events in Hispanic countries and compare cultural similarities

ENFOQUE cultural ARGENTINA Y URUGUAY

Una parrillada de carne

PARAGUAY

BRASIL

OCÉANO PACÍFICO

CORDILLERA DE LOS ANDES

C H I L E

Tucumán

ARGENTINA

Córdoba

Mendoza

URUGUAY

Paysandú

Distrito de La Boca

Colonia

Punta del Este

Buenos Aires

Montevideo

Las playas de Punta del Este

LA PAMPA

Bahía Blanca

Mar del Plata

LA PATAGONIA

Un gaucho dirigiendo el ganado

OCÉANO ATLÁNTICO

Bariloche

Río Gallegos

Ushuaia

Glaciar Perito Moreno

Enfoque cultural

To learn more about Argentina and Uruguay, go to MySpanishLab to view the *Vistas culturales* videos.

Hamlet & Ophelia de Juan Carlos Liberti, pintor argentino (1930)

¿QUÉ TE PARECE?

- La influencia italiana en Argentina se nota en palabras como *chau*, el acento y la entonación, la comida, los nombres y apellidos.

- Los porteños son los habitantes de Buenos Aires.

- La Celeste, el equipo nacional de fútbol de Uruguay, ganó la Copa América en 2011. Ha ganado la Copa América 15 veces.

- Muchos argentinos van en buquebús (*ferry*) de Buenos Aires a Montevideo solo para ver un partido de fútbol. El viaje dura menos de tres horas.

- Punta del Este, Uruguay, es un centro turístico muy popular entre los cantantes, actores y diseñadores, como Shakira y Ralph Lauren. Es el Miami de Uruguay.

- Muchos argentinos y uruguayos usan *vos* en vez de *tú*. Por ejemplo, dicen: *Vos decís* y no *Tú dices*.

Los Palacios Salvo y Barolo fueron diseñados por el arquitecto italiano Mario Palantī, que emigró a Buenos Aires. Se dice que son edificios hermanos.

La Garganta del Diablo es una de las cascadas de las Cataratas de Iguazú en Argentina. Las cataratas están en la frontera entre Argentina y Brasil y forman parte del Parque Nacional Iguazú. En el parque se encuentra una variedad de animales exóticos, como tapires, jaguares, caimanes, osos hormigueros, ocelotes y monos aulladores.

◄ Palacio Barolo, Buenos Aires, Argentina

La Plaza de Mayo en Buenos Aires es un lugar con mucha historia por sus manifestaciones tanto políticas como populares. El pañuelo blanco es el símbolo de las Madres y Abuelas de la Plaza de Mayo. Enfrente queda la Casa Rosada, el palacio presidencial de Argentina.

Palacio Salvo, ► Montevideo, Uruguay

¿CUÁNTO SABES?

Completa las oraciones con la información correcta.

1. Las playas de _____ en Uruguay son famosas.

2. _____ es uno de los deportes más populares en ambos países.

3. Los porteños viven en _____.

4. _____ es un distinguido arquitecto uruguayo.

5. El parque nacional que se encuentra en la frontera de Argentina y Brasil es _____.

6. Una de las cascadas más impresionantes de Iguazú se llama _____.

En Punta Ballena, Uruguay, cerca de Punta del Este, se encuentra Casapueblo, la casa y museo del pintor, escultor, arquitecto y muralista Carlos Páez Vilaró. Esta escultura habitable dispone de hotel, café literario y tienda para los turistas que la visitan.

Vocabulario en contexto

Talking about sports, the weather, and the past

Los deportes

El **fútbol** es el **deporte** número uno en muchos países hispanos.

En España, Argentina, Uruguay, Colombia, México y otros países hispanos hay excelentes **equipos** de fútbol. Los mejores **jugadores** de los equipos locales forman la selección nacional. Esta selección representa al país en los **partidos** de los **campeonatos** internacionales y participa, **cada** cuatro años en la Copa Mundial.

En la zona del Caribe, el **béisbol** es el deporte más popular, y jugadores como Félix Hernández y Miguel Cabrera son conocidos mundialmente.

En Argentina, Chile y España, el **esquí** es un deporte muy popular. Aquí vemos a unos jóvenes que van a **esquiar** en las **pistas** de Bariloche, Argentina, uno de los centros de esquí más importantes de América del Sur.

El **ciclismo**, el **tenis** y el **golf** son otros deportes que cuentan con figuras renombradas en Hispanoamérica y España. Los españoles Miguel Indurain, Roberto Heras y Alberto Contador fueron **campeones** del Tour de France. En esta **carrera**, que **dura** más de 20 días, los **ciclistas recorren** a veces unos 200 kilómetros, el equivalente de 120 millas, en un solo día. Por otro lado, España ha dado también jugadores de golf muy buenos, como Severiano Ballesteros, José María Olazábal y Sergio García.

En cuanto al tenis, Juan Martín del Potro, argentino, y Nicolás Massú, chileno, son actualmente dos de los **tenistas** más conocidos del Cono Sur. La argentina Gabriela Sabatini, quien se retiró en 1995, es considerada la mejor tenista sudamericana de todos los tiempos. La figura más importante del tenis hispano en la actualidad es el español Rafael Nadal.

EN OTRAS PALABRAS

While the majority of Spanish speakers use **jugar al + deporte** some omit **al** (jugar tenis, jugar golf, etc.).

Some speakers say **básquetbol,** with the stress on the first syllable, rather than **baloncesto. Vóleibol** has several variants, including **volibol,** with the stress on the last syllable.

Deportes y equipos deportivos

el béisbol
- el bate
- los jugadores
- el guante

el golf
- los palos de golf

el tenis
- la raqueta
- la cancha

el básquetbol/ el baloncesto
- el cesto/ la cesta

el vóleibol
- la pelota
- la red

PRÁCTICA

Cultura

■ ■ ■ ■ ■

Héroes del deporte

Soccer (**fútbol**) stars in Spanish-speaking countries have an astonishing popularity and importance in everyday life. Soccer stars have unrivalled popularity as celebrities in their countries and beyond and, unlike many prominent sports figures in the United States, serve as social role models as well. Some soccer stars, such as Lionel Messi and Iker Casillas, have capitalized on their social status to start nonprofit organizations to address social poblems.

Conexiones. Piensa en un deportista que es un ídolo para tu generación. Explica por qué es importante.

▲ Lionel Messi con sus *fans* en Colombia

7-1

 Escucha y confirma. Identify the sport most closely associated with the information you hear. Write the number of the sentence next to the sport.

_____ el fútbol   _____ el béisbol

_____ el esquí   _____ el tenis

_____ el vóleibol   _____ el básquetbol

_____ el ciclismo   _____ el golf

7-2

 Deportes: ¿Quién es? PREPARACIÓN. Asocia los deportes con los jugadores hispanos. Compara tus respuestas con las de tu compañero/a.

1. _____ ciclismo
2. _____ tenis
3. _____ béisbol
4. _____ golf

a. Sergio García
b. Félix Hernández
c. Rafael Nadal
d. Miguel Indurain

INTERCAMBIOS. Ahora hablen de dos de sus deportistas favoritos/as. Expliquen quiénes son y a qué deporte juegan, dónde juegan, qué campeonatos ganaron y por qué son sus deportistas favoritos/as.

7-3

¿Qué necesitamos para jugar? PREPARACIÓN.
Escribe el equipo que se necesita para practicar
cada deporte.

DEPORTE	EQUIPO
el béisbol	
el golf	
el vóleibol	
el baloncesto	
el tenis	

 INTERCAMBIOS. Entrevista a tu compañero/a
para conversar sobre deportes.

1. ¿Qué deporte(s) practicas? ¿Por qué?
2. ¿Qué equipo necesitas para practicarlo(s)?
3. ¿Dónde compras el equipo y la ropa que necesitas?

7-5

Tu deporte favorito. Háganse preguntas para
averiguar lo siguiente.

> MODELO E1: ¿Qué deporte te gusta practicar?
> E2: Me gusta practicar el tenis, ¿y a ti?

1. el deporte que te gusta practicar
2. el lugar donde lo practicas, con quién y cuándo
3. el deporte que te gusta ver

■ ■ ■ ■ ■
EN OTRAS PALABRAS

Different words are used in Spanish for *ball*, depending
on the context. The ball in basketball and volleyball is
usually called **un balón.** Both **la pelota** and **el balón** are
used for the soccer ball. **La pelota** is used in golf and
tennis. **La bola** is used in bowling.

7-4

¿Qué deporte es? Túrnense para identificar
los siguientes deportes. Después, pregúntale a tu
compañero/a cuál es su deporte favorito y por qué.

1. Hay nueve jugadores en cada equipo y usan un
bate y una pelota.
2. Es un juego para dos o cuatro jugadores; necesitan
raquetas y una pelota.
3. En este deporte los jugadores no deben usar las
manos.
4. Para practicar este deporte necesitamos una
bicicleta.
5. En cada equipo hay cinco jugadores que lanzan
(*throw*) el balón a un cesto.
6. Para este deporte necesitamos una red y una
pelota. Mucha gente lo juega en la playa.

4. el lugar y las personas con quienes lo ves
5. los nombres de tus equipos favoritos
6. la marca (*brand*) de ropa deportiva que más te gusta

7-6

Concurso. Van a participar en un
concurso sobre deportes. En grupos de
tres o cuatro, escojan a uno/a de los/las
deportistas de las fotos.

1. Identifiquen al/a la atleta y su
deporte.
2. Digan algún campeonato/torneo
(*tournament*) que este/a atleta ganó.
3. Digan el equipo que necesita para practicar su deporte.
4. Cuenten algún dato personal o profesional de esta persona.

INTERCAMBIOS. Compartan con la clase la
información sobre este/a atleta. El grupo
con la información más completa gana el
concurso.

El tiempo y las estaciones

Otoño

En el otoño **hace fresco** y es muy bonito cuando los **árboles** cambian de color antes de **perder** las hojas. El tiempo es perfecto para jugar al **fútbol americano** o al **hockey sobre hierba,** pero no es fácil jugar al golf cuando **hace viento.**

Verano

En verano generalmente hace buen tiempo y hace calor. Es la **estación** perfecta para practicar vóleibol en la playa, o **natación** al aire libre. Algunos prefieren **hacer surf** en el mar o **parapente** en las montañas.

Primavera

En la primavera **llueve** bastante y es difícil practicar **atletismo** u otros deportes. Pero la **lluvia** es muy buena para las plantas y las flores. Como **hace mal tiempo,** muchas personas **juegan a los bolos** o **levantan pesas** en el gimnasio.

Invierno

En invierno hace frío y a veces **nieva.** Pero la **nieve** es necesaria para esquiar. Cuando se **congelan** los **lagos,** se puede **patinar** sobre **el hielo.**

LENGUA

Replace **o** with **u** when the word that follows starts with **o.**

Pedro u Osvaldo   *Pedro or Osvaldo*

Likewise **y** is replaced with **e** when the word that follows begins with **i.**

Juan e Isabel   *Juan and Isabel*

EN OTRAS PALABRAS

In some Spanish-speaking countries, the expressions **jugar (al) boliche** or **ir de bowling** are preferred to **jugar a los bolos.**

PRÁCTICA

7-7

Para confirmar. PREPARACIÓN. Asocia cada descripción con la condición meterológica más lógica.

1. _____ Las calles están blancas.
2. _____ Las personas llevan impermeable y paraguas.
3. _____ La casa es un horno y vamos a ir a la playa.
4. _____ Los árboles se mueven (*move*) mucho.
5. _____ Vamos a celebrar mi cumpleaños en el parque porque el clima está perfecto.
6. _____ El cielo (*sky*) está cubierto (*overcast*) y parece que va a llover.

a. Hace muy buen tiempo.
b. Hace mucho viento.
c. Está lloviendo.
d. Hace mucho calor.
e. Está nevando.
f. Está nublado.

INTERCAMBIOS. Habla con tu compañero/a de lo que haces en estas situaciones.

1. Quieres hacer un plan con tus amigos. Hace sol y mucho calor.

2. Tienes que jugar un partido de fútbol pero anoche llovió mucho y la cancha está mojada (*wet*).

3. Está nevando y hace frío pero quieres hacer deporte.

7-8

¿Qué tiempo hace? Tu amigo/a te llama por teléfono desde otra ciudad. Pregúntale qué tiempo hace allí y averigua cuáles son sus planes. Tu amigo/a debe hacerte preguntas también.

MODELO E1: *¡Qué sorpresa! ¿Dónde estás?*   E1: *¿Qué tiempo hace allí?*
E2: *Estoy en…*   E2: *Hace…*

En directo ▪ ▪ ▪ ▪ ▪

To thank a friend for calling:

Mil gracias por llamar. ¡Fue un gusto escucharte! *Thanks so much for calling. It was great to hear your voice!*

Gracias por llamar. ¡Qué placer escucharte! *Thanks for calling. How nice to hear from you!*

🔊 Listen to a conversation with these expressions.

7-9

El tiempo y las actividades. PREPARACIÓN. Túrnense para explicar qué hacen o qué les gusta hacer a estas personas en las siguientes condiciones.

1. Cuando llueve yo…
2. Cuando hace mucho calor me gusta…
3. A veces cuando nieva…
4. Mis amigos y yo… cuando hace mal tiempo.
5. En invierno…
6. Los estudiantes… cuando hace buen tiempo.
7. Cuando está nublado…
8. Hoy hace viento pero…

INTERCAMBIOS. Preparen una breve conversación que incluya al menos (*at least*) una pregunta, tres expresiones de tiempo y un deporte.

MODELO E1: *Hola, Carmen. ¿Vamos a la playa esta tarde? Hace mucho calor.*   E1: *Está nublado pero pienso que no va a llover.*
E2: *Sí, pero en la televisión dicen que esta tarde va a llover.*   E2: *Bueno, pues vamos. Es mejor jugar al vóleibol cuando está nublado.*

Cultura

▪ ▪ ▪ ▪ ▪

The Celsius system is used in Hispanic countries. To convert degrees Fahrenheit to degrees Celsius, subtract 32, multiply by 5, and divide by 9.

86 °F − 32 = 54
54 × 5 = 270
270 ÷ 9 = 30 °C

Comparaciones.

¿Qué temperatura hace ahora en tu ciudad? ¿Cambia mucho el clima con las estaciones? ¿Cuál es tu estación del año favorita? ¿Por qué? ¿Practicas distintos deportes según la época del año? ¿Cuáles?

ARTIGAS 17 °C
RIVERA 18 °C
SALTO 14 °C
TACUAREMBÓ 15 °C
PAYSANDÚ 16 °C
FRAY BENTOS 12 °C
DURAZNO 9 °C
MONTEVIDEO 14 °C

Sol y luna de hoy
El sol
sale ....06:30 h
se pone...17:29 h
La luna
sale ....23:42 h
se pone...11:03 h
Fases de la luna
menguante Jul. 24
nueva Jul. 30
creciente Ago. 6
llena Ago. 15

cielo claro   algo nuboso   nuboso   inestable   lluvioso   tormenta eléctrica

---

7-10

Las temperaturas.

PREPARACIÓN. Escojan una ciudad del mapa de Uruguay y túrnense para completar la conversación.

MODELO E1: *¿Qué temperatura hace en…?*
E2: *… grados. Su equivalente en Fahrenheit es…*
E1: *¿Y qué tiempo hace donde estás tú?*
E2: *… ¿Y qué temperatura hace en…?*

 INTERCAMBIOS. Preparen un pronóstico del tiempo (*weather forecast*) de la región donde viven. Indiquen la temperatura de tres ciudades, el tiempo que hace hoy y el tiempo que va a hacer mañana. Después, compártanlo con la clase.

¿Qué pasó ayer?

Un partido importante

Ayer fue el partido decisivo del campeonato de fútbol.

▲ Iván **se despertó** temprano.

▲ **Se levantó.**

▲ **Se vistió.**

▲ **Se sentó** a comer un buen desayuno. Después, **se fue** para el **campo** de fútbol.

▲ Durante el partido, el árbitro **pitó** un **penalti.**

▲ Un jugador del equipo **contrario se enfadó** y **discutió** con el **árbitro,** pero el equipo de Iván **metió un gol** y **ganó.**

▲ Después del partido, Iván **se quitó** el uniforme, **se bañó** y **se puso la ropa.**

▲ Luego fue a una fiesta para celebrar el triunfo.

▲ **Volvió** a casa muy tarde, **se acostó** y **se durmió** enseguida.

PRÁCTICA

7-11

Para confirmar. PREPARACIÓN. Busca la definición de estas palabras relacionadas con los deportes.

1. _____ ganar
2. _____ equipo
3. _____ gol
4. _____ partido
5. _____ árbitro
6. _____ campeón

a. el jugador número uno en un deporte
b. la persona que hace el rol de juez en un partido
c. tener más puntos al terminar un juego
d. el juego entre dos equipos o individuos
e. el punto en un partido de fútbol
f. un grupo de jugadores

INTERCAMBIOS. Hazle preguntas a tu compañero/a para ver si sabe las respuestas. Pregúntale sobre las palabras en *Preparación*.

MODELO E1: *¿Cómo se llama un equipo que gana?*

E2: ...

Cultura

Hispanic sports fans generally do not boo opposing teams or particular players. Instead they whistle to show their displeasure. This behavior may occur at a soccer game, boxing match, or other popular sports events.

Comparaciones. En tu comunidad, ¿cómo demuestran descontento los hinchas (*fans*) con los jugadores o con un partido? ¿Alguna vez viste una escena un poco violenta durante o después de un partido? ¿Qué ocurrió? ¿Qué hiciste tú?

7-12

El partido de Iván. Trabajen juntos para contestar las preguntas sobre las actividades de Iván (en la página 248) el día del partido.

1. ¿Qué hizo (*did*) Iván primero?
2. ¿Qué hizo después de levantarse?
3. ¿Qué desayunó Iván?
4. ¿Por qué se enfadó un jugador del equipo contrario?
5. ¿Quién ganó el partido?
6. ¿Adónde fue Iván después del partido?

7-13

¿Las actividades de ayer? PREPARACIÓN. Háganse preguntas para obtener la siguiente información sobre sus actividades de ayer.

MODELO E1: *¿A qué hora te despertaste ayer?*
E2: *Me desperté a las once.*

1. hora de despertarse y de levantarse
2. desayuno que tomó
3. número de horas de estudio
4. deporte(s) que practicó y por cuánto tiempo
5. hora de acostarse

INTERCAMBIOS. Comparen sus actividades.

1. ¿Quién de ustedes se levantó más temprano?
2. ¿Quién tomó un desayuno más nutritivo?
3. ¿Quién estudió más?
4. ¿Quién practicó deportes por más tiempo?
5. ¿Quién se acostó más tarde?

7-14

El tiempo y los deportes. PREPARACIÓN. Write down the information you might hear in a weather forecast in your area in each season. Remember to include temperatures. Then ask your partner what weather conditions he/she listed and if you agree.

primavera _____   otoño _____

verano _____   invierno _____

MODELO E1: *¿Qué tiempo tienes para…?*
¿Qué temperatura hace?
E2: *Tengo…*

ESCUCHA. Focus on the general idea of what you hear. As you listen, indicate (✓) whether the forecast predicts good or bad weather for these cities or if it doesn't say.

	BUEN TIEMPO	MAL TIEMPO	NO SE DICE
Montevideo			
Buenos Aires			
México			
Caracas			

Los hinchas y el superclásico

El fútbol es más que un simple deporte para los hispanos, es una pasión. El sueño común entre muchos niños es jugar fútbol profesionalmente.

Los fines de semana los clubes de fútbol juegan en grandes estadios y miles de *fans* los apoyan (*support*). Existen intensas rivalidades entre los seguidores de los clubes más populares y ganadores. Estos encuentros se llaman los superclásicos. En México, por ejemplo, los equipos

▲ Los hinchas de River Plate (de rojo y blanco) se burlan de sus rivales con el chancho (de azul y amarillo).

▲ Los *fans* de River Plate proclaman su devoción con pancartas y los colores de su equipo.

rivales son el Club América y el Deportivo Guadalajara, más conocido como el Chivas. En España son el Real Madrid y el FC Barcelona. En Colombia, los equipos del superclásico son el Santa Fe y el Millonarios de Bogotá. Sin embargo la experiencia deportiva más intensa ocurre entre Boca Juniors y River Plate de Argentina. La rivalidad entre estos equipos es enorme. Los hinchas de River se burlan de (*make fun of*) los jugadores de Boca y los llaman "chanchos" (*pigs*). En respuesta, los hinchas de Boca llaman "gallinas" (*chickens*) a los jugadores de River.

Cuando Boca y River juegan, la ciudad de Buenos Aires se viste con los colores de los equipos y canta con entusiasmo. Ser hincha de River o de Boca es una tradición

familiar. Es normal ver a los niños con camisetas azules cantando: "Boca es entusiasmo y valor, Boca Juniors… a triunfar…". También es común ver a niños y niñas con camisetas rojas y blancas cantando: "Boca: River es tu papá… Olé, olé, River, River…" Por estas razones, el "superclásico" es más que futbolístico: es también una tradición social. Porque el fútbol es más que un deporte. El fútbol es una parte importante de la identidad de los hispanos.

► Este *fan* de Boca Junior expresa el sentimiento de muchos otros como él.

GALLINAS TE ESPERAMOS BOCA UNIDOS.

Compara

1. ¿En tu país hay algún evento deportivo comparable al superclásico? ¿Cuál? ¿Cuándo ocurre? ¿Qué equipos se enfrentan normalmente?

2. ¿Qué rivalidades son famosas en los deportes profesionales o universitarios de tu país?

3. ¿Eres hincha de algún equipo deportivo? ¿Cómo expresas tu apoyo (*support*)? ¿Cómo es tu relación con los hinchas de los equipos rivales?

☑ Funciones y formas

1 Talking about the past

REPORTERO: ¡Felicitaciones por el triunfo! ¡Jugaron como campeones!

RODOLFO: Gracias. El triunfo es de todo el equipo. Fue un partido difícil, pero **nos preparamos** bien.

REPORTERO: ¿Y cómo empezó este día de victoria para ti, Rodolfo?

RODOLFO: Bueno, anoche **me acosté** temprano. Hoy, **me levanté** a las 5:30, **me duché** muy rápido para el entrenamiento, **me vestí** y **me fui** a la cancha.

REPORTERO: ¿Y cómo **se prepararon** ustedes para enfrentar al equipo rival?

RODOLFO: Eh… Primero, es fundamental **sentirse** ganador y también es importante tener un buen entrenador como el nuestro.

Piénsalo. Indica si las siguientes afirmaciones son probables (**P**) o improbables (**I**) según la conversación entre Rodolfo y el reportero.

1. _____ Todos los jugadores del equipo **se acostaron** tarde la noche antes del partido.

2. _____ Rodolfo **se levantó** temprano el día del partido.

3. _____ Rodolfo **se duchó** rápidamente para llegar a tiempo a la cancha.

4. _____ El equipo no **se preparó** bien para el partido y ganó.

5. _____ Según Rodolfo, lo más importante para ganar es **sentirse** nervioso.

Preterit of reflexive verbs

■ In *Capítulo 4* you learned about reflexive verbs. Now you will use these verbs in the preterit. The rules that apply to reflexive verbs are the same in the past tense as in the present.

As you have seen, reflexive verbs express what people do *to* or *for themselves.*

LEVANTARSE	
yo	**me levanté**
tú	**te levantaste**
Ud., él, ella	**se levantó**
nosotros/as	**nos levantamos**
vosotros/as	**os levantasteis**
Uds., ellos/as	**se levantaron**

Los jugadores **se levantaron** a las cinco.　　*The players got up at five o'clock.*

Yo **me preparé** rápidamente.　　*I got ready quickly.*

- With a conjugated verb followed by an infinitive, place the reflexive pronoun before the conjugated verb or attach it to the infinitive.

Yo **me** empecé a preparar a las cinco. ⎫
Yo empecé a preparar**me** a las cinco. ⎭ *I started to get ready at five.*

- Remember that when referring to parts of the body and clothing, the definite articles are used with reflexive verbs.

Me lavé **el** pelo.	*I washed my hair.*
Alicia se quitó **la** sudadera.	*Alicia took off her sweatshirt.*

- Some verbs that use reflexive pronouns do not necessarily convey the idea of doing something to or for oneself. These verbs normally convey mental or physical states.

María **se enfermó** gravemente la semana pasada.	*María got seriously sick last week.*
Nos preocupamos mucho cuando fue al hospital.	*We got very worried when she went to the hospital.*

- Reflexive verbs that convey mental or physical states do not take an object. The following verbs are in that category.

arrepentirse	*to regret*
atreverse	*to dare*
divertirse	*to have fun*
disculparse	*to apologize*
enfadarse	*to get upset, angry*
quejarse	*to complain*
sentirse	*to feel*

La entrenadora **se disculpó** por no asistir a la práctica del viernes pasado.	*The coach apologized for not attending last Friday's practice.*
El público **se quejó** del pobre desempeño de los jugadores.	*The public complained about the poor performance of the players.*

|e ¿COMPRENDES?

Completa las oraciones con el pretérito de los verbos.

1. Ayer Marta _____ (enfermarse).
2. Pero hoy _____ (levantarse) para ir a clase.
3. Los estudiantes no _____ (prepararse) para el examen.
4. Yo _____ (disculparse) con el profesor porque no fui a clase.
5. Nosotros _____ (quejarse) porque el examen fue muy difícil.
6. ¿Por qué _____ (sentarse) tú en la última fila (*row*)?

MySpanishLab

Learn more using Amplifire Dynamic Study Modules, Grammar Tutorials, and Extra Practice activities.

PRÁCTICA

7-15

¿Cómo te fue (*did it go*) ayer? Pon estas actividades en el orden más lógico y compara tus respuestas con las de tu compañero/a. ¿Tienen el mismo orden? Presenten sus diferencias a otro grupo.

_____ Me preparé para un examen.

_____ Me dormí.

_____ Me levanté.

_____ Me fui a la universidad.

_____ Me acosté.

_____ Me desperté temprano.

_____ Me senté a desayunar.

_____ Me bañé.

_____ Al final del día, me sentí cansado/a.

7-16

¿Cómo reaccionaron los jugadores? PREPARACIÓN. Jorge, Enrique y Raúl tuvieron un partido de fútbol el sábado. Completen las afirmaciones de Jorge sobre sus actividades.

 Jorge: Yo me acosté muy temprano la noche anterior, pero Enrique… *se acostó a la hora de siempre.*

1. Yo me desperté tarde para estar bien descansado, pero Enrique…

2. Yo me preparé por dos horas en el gimnasio, pero Enrique y Raúl…

3. Yo me quejé cuando el árbitro pitó un penalti, pero Raúl…

4. Cuando el árbitro cometió un error en la cancha, yo me enojé mucho, pero Enrique…

5. Después del partido yo me reuní con los aficionados, pero Enrique y Raúl…

6. Cuando los tres llegamos a casa…

 INTERCAMBIOS. La última vez *(the last time)* que ustedes tuvieron un partido importante, ¿hicieron actividades semejantes o diferentes a las de Jorge y sus amigos? Comparen sus actividades y reacciones.

 E1: *Yo me desperté muy temprano el día del partido. ¿Y ustedes?*

E2: *Yo me desperté temprano también.*

E3: *Yo me desperté tarde y me levanté tarde.*

Cultura

■ ■ ■ ■ ■

Una actividad física

In Spanish-speaking countries, the most common physical activity is walking—as light exercise after work or after a meal, as a family activity, or simply to be outside in one's neighborhood. It is often a social activity where friends and neighbors meet and greet each other. As in the United States, professional people with busy work schedules join gyms or sports clubs, especially in metropolitan areas.

Comparaciones. ¿Consideras que andar es una actividad física? ¿Dónde pasea la gente de tu comunidad?

7-17

Mis actividades. Para cuidar tu salud decidiste cambiar tu rutina y empezar cada día con un poco de ejercicio antes de ir a clase. Habla con tu compañero/a y cuéntale qué hiciste esta mañana. Usa por lo menos cuatro de los siguientes verbos.

despertarse	caminar
ducharse	correr
levantarse	jugar
prepararse	nadar

7-18

¿Qué les ocurrió? Lean las siguientes situaciones y digan lo que probablemente hicieron (*did*) estas personas después. Usen los verbos de la lista. Luego, comparen sus opiniones con las de sus compañeros.

afeitarse	lavarse	perfumarse
bañarse	maquillarse	probarse
despertarse	mirarse	quitarse
enfadarse	peinarse	secarse

 MODELO Bernardo se despertó cuando sonó el despertador.

E1: *Luego se levantó lentamente. En tu opinión, ¿qué pasó después?*

E2: *Probablemente se afeitó.*

1. Teresa se miró en el espejo.
2. Juan y Tomás entraron en el vestuario (*locker room*) del gimnasio después del partido.
3. Marisa y Erica salieron de una tienda deportiva.
4. Ramón salió de la ducha.
5. Marta no está contenta. Habló con la capitana del equipo de unos temas personales y luego la capitana les contó todo a otras jugadoras.
6. Pablo llegó tarde al estadio.

7-19

El campeonato. El mes pasado ustedes representaron a su universidad en un campeonato de tenis en Montevideo. Digan lo que hicieron (*what you did*)...

1. para prepararse físicamente.
2. para prepararse mentalmente.
3. para cumplir (*to fulfill*) con las responsabilidades académicas.

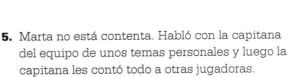

Loreta se levantó con el pie izquierdo (*got up on the wrong side of the bed*). Observen las siguientes escenas. Túrnense y cuenten lo que ocurrió. Usen su imaginación y los verbos de la lista u otros, si es necesario.

acostarse	ducharse	explicar	practicar
despertarse	enfadarse	golpear (*to knock*)	sentarse
disculparse	enojarse	levantarse	sonar

Situación

PREPARACIÓN. Lean la situación. Luego, compartan ejemplos de vocabulario, gramática y otra información que necesitan para desarrollar la conversación.

Role A. You are the star player for your university's soccer team. You spend a lot of your free time promoting sports and physical activity for children in your community. A reporter for a local TV station interviews you for a special feature on student athletes. Answer the reporter's questions as fully as possible. Remember that you are considered a role model for young athletes.

Role B. You are a television reporter. Today you are interviewing the star soccer player for the university team who is also a role model for young athletes in the community. After introducing yourself and greeting the athlete, find out:

a. what school he/she went to;
b. when he/she started to play;
c. what his/her daily routine is to keep in shape (**estar en forma**); and
d. what sports he/she practiced yesterday.

	ROLE A	ROLE B
Vocabulario	Activities to keep oneself fit Sports routines	Question words Sports-related vocabulary Sports routines

Funciones y formas	Answering questions
	    Present tense
	    Reflexive verbs
	Addressing someone formally
		Introducing oneself
		Asking questions
		    Present tense
		    Past time (Preterit)
		Addressing someone formally

INTERCAMBIOS. Practica la conversación con tu compañero/a incorporando el vocabulario y las funciones de *Preparación*. Luego, represéntenla ante la clase.

2 Talking about the past

VÍCTOR: Federico, ¿miraste el partido entre la selección de Argentina y la de Colombia?

FEDERICO: No, Víctor. Pero **oí** las noticias por la radio, y mi hermano **leyó** la crónica del partido en el periódico. La selección colombiana ganó dos a uno. Los argentinos no jugaron bien. Y tú, ¿viste el partido?

VÍCTOR: Desafortunadamente no, pero **leí** en Internet que los jugadores argentinos no **oyeron** las instrucciones de su entrenador y cometieron muchos errores. Por eso, el árbitro les marcó un penalti.

FEDERICO: Tienes razón, yo **oí** que la estrategia de defensa que **construyeron** no fue buena. Ellos **creyeron** que ganarles a los colombianos es fácil, pero son muy buenos.

Piénsalo. ¿QUIÉN LO HIZO? (*Who did it?*): Federico (**F**), Víctor (**V**), el hermano de Federico (**HF**) o los jugadores argentinos (**JA**).

1. _____ **Oyó** las noticias del partido por la radio.
2. _____ **Leyó** la crónica en el periódico.
3. _____ **Leyó** en Internet comentarios sobre el partido.
4. _____ No **oyeron** las instrucciones.
5. _____ **Creyeron** que ganar es fácil.
6. _____ **Construyeron** (*They built*) una mala estrategia de defensa.

■ ■ ■ ■ ■
LENGUA

Note that **-er** and **-ir** verbs whose stems end in a vowel (**creer, leer, oír**) have an accent mark on the **i** in the infinitive and in the preterit endings that begin with **i**.

No la **oímos** llegar anoche.
We didn't hear her arrive last night.

Preterit of -er and -ir verbs whose stem ends in a vowel

■ You have already learned the preterit forms of regular **-er** and **-ir** verbs. For verbs whose stem ends in a vowel, the preterit ending for the **usted/él/ella** form is **-yó** and for the **ustedes/ellos/ellas** form, the ending is **-yeron.**

LEER			
yo	leí	nosotros/as	leímos
tú	leíste	vosotros/as	leísteis
Ud., él, ella	le**yó**	Uds., ellos/as	le**ye**ron

OÍR			
yo	oí	nosotros/as	oímos
tú	oíste	vosotros/as	oísteis
Ud., él, ella	o**y**ó	Uds., ellos/as	o**y**eron

Los jugadores **oyeron** los comentarios negativos de los reporteros deportivos.

Cuando el entrenador **oyó** el pitazo final, abrazó a los jugadores.

Los miembros del equipo **construyeron** una casa con la organización Hábitat para la Humanidad.

The players heard the negative comments of the sports commentators.

When the coach heard the final whistle, he hugged the players.

The members of the team built a house with Habitat for Humanity.

|e| **¿COMPRENDES?**

Completa las oraciones con el pretérito de los verbos.

1. Pablo y Miguel _____ (oír) la noticia en la radio.
2. Ellos no la _____ (creer).
3. Carmen _____ (leer) la información en Internet.
4. Nosotros no _____ (creer) lo que Carmen nos contó.
5. Los arquitectos _____ (construir) un edificio muy feo.
6. ¿Asististe al partido ayer o _____ (leer) el libro de historia?

MySpanishLab

Learn more using Amplifire Dynamic Study Modules, Grammar Tutorials, and Extra Practice activities.

PRÁCTICA

7-21 |e|

¿Cómo se enteraron (*found out*) de los resultados? El fin de semana pasado se jugó la Copa Davis. Indica cómo se enteraron estas personas de los resultados. Usa los verbos **creer, leer** y **oír.**

1. Paula y su novio pasaron el fin de semana en las montañas y _____ los resultados en la radio durante su viaje de regreso a la ciudad.

2. Mercedes trabajó en la biblioteca todo el fin de semana. Cuando su hermano le contó los resultados, ella no le _____.

3. Ricardo participó en un partido de fútbol entre su universidad y una universidad rival. Él _____ los resultados de la Copa Davis en el periódico.

4. Los Belmar salieron a hacer ejercicio a la hora del partido. Prefieren el aire libre a mirar televisión y _____ los resultados en el periódico al día siguiente.

7-22

Las noticias. Dile a tu compañero/a cuándo y cómo te enteraste de las siguientes noticias. ¿Lo leíste, lo oíste o lo miraste?

MODELO el equipo ganador del Super Bowl

E1: *Lo miré en la televisión. ¿Y tú?*

E2: *Yo lo leí en Internet.*

1. el equipo ganador de la última serie mundial de béisbol
2. los resultados de las últimas elecciones presidenciales
3. la muerte de Amy Winehouse
4. tu admisión a esta universidad

7-23

La semana pasada. PREPARACIÓN. Mira la lista de actividades e indica (✓) en cuáles participaste la semana pasada. Añade detalles sobre cada actividad.

_____ concluir un proyecto importante para la clase de...

_____ ir a la biblioteca para...

_____ leer el blog de...

_____ mirar una película con...

_____ oír música de...

_____ contribuir a la organización sin fines de lucro (*non-profit*)...

INTERCAMBIOS. En grupos de tres o cuatro, comparen sus respuestas para ver quién hizo más actividades la semana pasada.

Situación

PREPARACIÓN. Lean la situación. Luego, compartan ejemplos de vocabulario, gramática y otra información que necesitan para desarrollar la conversación.

Role A. Call a friend to invite him/her to go to a sports event with you. Mention:

a. what the event is;
b. that you read about it in the newspaper; and
c. that you want to see the city's new stadium (**estadio**).

Role B. Your friend calls to invite you to a sports event. Respond to the invitation with questions and comments. Then decide if you want to go and either accept or decline the invitation.

	ROLE A	ROLE B
Vocabulario	Sports events	Question words
Funciones y formas	Inviting someone to do something	Accepting or declining an invitation Reacting to what you hear Asking questions

INTERCAMBIOS. Practica la conversación con tu compañero/a incorporando el vocabulario y las funciones de *Preparación*. Luego, represéntenla ante la clase.

3 Talking about the past

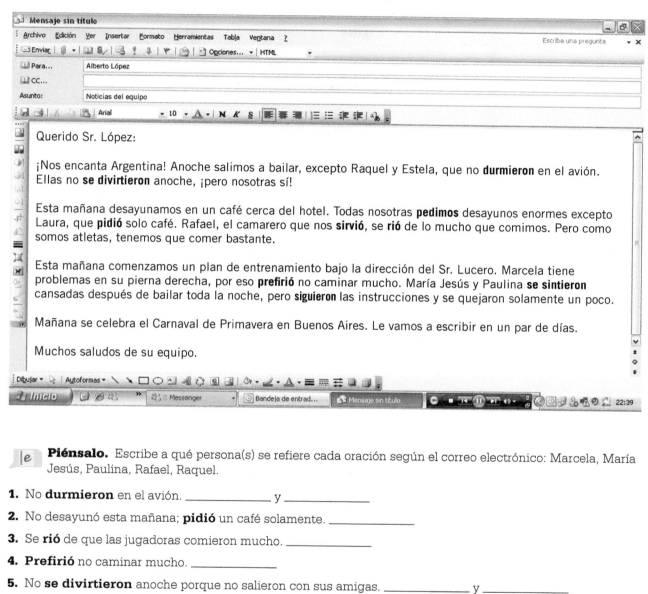

Mensaje sin título

Archivo Edición Ver Insertar Formato Herramientas Tabla Ventana ?

Enviar | Opciones... | HTML

Para... Alberto López

CC...

Asunto: Noticias del equipo

Arial 10 N K S

Querido Sr. López:

¡Nos encanta Argentina! Anoche salimos a bailar, excepto Raquel y Estela, que no **durmieron** en el avión. Ellas no **se divirtieron** anoche, ¡pero nosotras sí!

Esta mañana desayunamos en un café cerca del hotel. Todas nosotras **pedimos** desayunos enormes excepto Laura, que **pidió** solo café. Rafael, el camarero que nos **sirvió**, se **rió** de lo mucho que comimos. Pero como somos atletas, tenemos que comer bastante.

Esta mañana comenzamos un plan de entrenamiento bajo la dirección del Sr. Lucero. Marcela tiene problemas en su pierna derecha, por eso **prefirió** no caminar mucho. María Jesús y Paulina **se sintieron** cansadas después de bailar toda la noche, pero **siguieron** las instrucciones y se quejaron solamente un poco.

Mañana se celebra el Carnaval de Primavera en Buenos Aires. Le vamos a escribir en un par de días.

Muchos saludos de su equipo.

Dibujar ▾ | Autoformas ▾

Inicio Messenger Bandeja de entrad... Mensaje sin título 22:39

Piénsalo. Escribe a qué persona(s) se refiere cada oración según el correo electrónico: Marcela, María Jesús, Paulina, Rafael, Raquel.

1. No **durmieron** en el avión. _____ y _____

2. No desayunó esta mañana; **pidió** un café solamente. _____

3. Se **rió** de que las jugadoras comieron mucho. _____

4. **Prefirió** no caminar mucho. _____

5. No **se divirtieron** anoche porque no salieron con sus amigas. _____ y _____

6. **Se sintieron** cansadas, pero **siguieron** el plan de entrenamiento. _____ y _____

Preterit of stem-changing *-ir* verbs

■ In the preterit, stem-changing **-ir** verbs change **e → i** and **o → u** in the **usted, él, ella,** and **ustedes, ellos/as** forms. The endings are the same as those of regular **-ir** verbs.

PREFERIR (e → i)			
yo	preferí	nosotros/as	preferimos
tú	preferiste	vosotros/as	preferisteis
Ud., él, ella	pref**i**rió	Uds., ellos/as	pref**i**rieron

DORMIR (o → u)			
yo	dormí	nosotros/as	dormimos
tú	dormiste	vosotros/as	dormisteis
Ud., él, ella	d**u**rmió	Uds., ellos/as	d**u**rmieron

Marta **prefirió** salir temprano.

Marta preferred to leave early.

Las jugadoras **durmieron** tranquilamente.

The players slept peacefully.

■ The following are other stem-changing **-ir** verbs:

despedirse
to say good-bye

Los hinchas se desp**i**dieron de su equipo.
The fans said good-bye to their team.

divertirse
to have fun/ enjoy

Todos se div**i**rtieron con la presentación de las barras paralelas.
Everyone enjoyed the performance on the parallel bars.

morir
to die

Un hincha m**u**rió de un ataque al corazón cuando su equipo perdió.
A fan died of a heart attack when his team lost.

pedir
to ask for/order

El entrenador p**i**dió agua para los jugadores.
The coach asked for water for the players.

reír
to laugh

El árbitro se r**i**ó cuando un perro cruzó la cancha.
The referee laughed when a dog crossed the field.

repetir
to repeat

El reportero rep**i**tió el nombre del jugador que marcó el gol.
The reporter repeated the name of the player who scored the goal.

seguir
to follow

Los jugadores s**i**guieron las instrucciones de su entrenador.
The players followed the instructions of their coach.

sentirse
to feel

Todos se s**i**ntieron felices con el triunfo.
Everyone felt happy about the victory.

servir
to serve

Los hinchas le s**i**rvieron perros calientes gratis al público.
The fans served free hot dogs to the public.

vestirse
to get dressed

Los jugadores se v**i**stieron para ir a celebrar.
The players got dressed to go out and celebrate.

|e ¿COMPRENDES?

Completa las oraciones con el pretérito de los verbos.

1. Durante la recepción, los jugadores _____ (preferir) beber cerveza.
2. El entrenador _____ (seguir) la tradición de servirles champaña.
3. Un jugador _____ (pedir) agua.
4. Los otros jugadores _____ (reírse) de él.
5. Cuando recibieron sus medallas, los jugadores _____ (sentirse) orgullosos.
6. Todos _____ (divertirse) mucho.

MySpanishLab

Learn more using Amplifire Dynamic Study Modules, Grammar Tutorials, and Extra Practice activities.

PRÁCTICA

7-24

Carrera de un campeón. PREPARACIÓN. Un famoso deportista recibió muchas medallas durante su carrera. ¿Cómo lo logró (*accomplished*)? Marca (✓) la alternativa más apropiada.

1. a. _____ Durmió poco antes de cada partido.

   b. _____ Siempre durmió por lo menos ocho horas.

2. a. _____ Prefirió evitar el alcohol.

   b. _____ Prefirió beber alcohol moderadamente.

3. a. _____ Se preparó solo.

   b. _____ Prefirió prepararse con un entrenador.

4. a. _____ Siguió las recomendaciones de su entrenador.

   b. _____ Les pidió consejos a sus amigos.

5. a. _____ Cuando no ganó un partido, se sintió deprimido.

   b. _____ Se sintió triste cuando no ganó un partido, pero pidió ayuda para mejorar.

  INTERCAMBIOS. Usen la imaginación para hablar de la carrera del deportista.

MODELO se divirtió…

   E1: *Yo creo que no se divirtió mucho durante su carrera. Y tú, ¿que crees?*

   E2: *Yo creo que se divirtió porque le gusta mucho competir.*

1. durmió…

2. siguió una dieta especial de…

3. pidió…

4. se sintió…

7-25

Momentos cruciales. PREPARACIÓN. Indica lo que hicieron las siguientes jugadoras del equipo femenino de básquetbol unos minutos antes del partido.

1. Marta _____ (vestirse) con la camiseta número 3.

2. Ana y Luisa Fernanda _____ (seguir) con atención los pasos del calentamiento (*warm-up*).

3. Carmen _____ (preferir) no comer antes del partido.

4. Las jugadoras del equipo contrario _____ (reírse) cuando su entrenadora les contó un chiste (*joke*).

5. La entrenadora les _____ (repetir) las instrucciones a todas las jugadoras.

6. El equipo _____ (sentirse) animado (*encouraged*) con los aplausos del público.

 INTERCAMBIOS. Piensa en un momento crucial en tu vida relacionado con los deportes y compártelo con tu compañero/a. Cuéntale cinco acciones o emociones relacionadas con el evento. Usa las siguientes preguntas como guía:

¿Qué pasó? ¿Cómo te sentiste? ¿Con qué número te vestiste? ¿Cuántos puntos marcaste? ¿Qué tipo de entrenamiento seguiste?…

MODELO *Mi momento crucial fue cuando ganamos la final de básquetbol. Me sentí…*

Celebrando la victoria. Uno de los equipos de su universidad ganó un campeonato importante y ustedes hicieron una fiesta en su honor. Explíquenle a otra pareja los siguientes detalles de la fiesta. Usen los verbos de la lista.

despedirse	pedir	repetir	servir
divertirse	reír	sentirse	vestirse

1. hora y lugar de la fiesta

2. número de personas que asistieron y cómo se vistieron para la fiesta

3. tipo de cooperación que ustedes pidieron para los gastos de la fiesta

4. cómo se divirtieron en la fiesta

5. comida y bebida que sirvieron en la fiesta y tipo de música que escucharon

6. reconocimiento (*recognition*) que les dieron a los jugadores

7. sentimientos de los jugadores durante la fiesta

8. a qué hora se despidieron y se fueron de la fiesta los invitados

Situación

PREPARACIÓN. Lean la situación. Luego, compartan ejemplos de vocabulario, gramática y otra información que necesitan para desarrollar la conversación.

Role A. You had to work late last night and missed an important basketball game at your school. Call a friend who went to the game. After greeting your friend:

a. explain why you did not go;
b. ask questions about the game;
c. answer your friend's questions; and
d. accept your friend's invitation to go to another game next Saturday.

Role B. A friend calls to find out about last night's basketball game. Answer your friend's questions and then:

a. say that there is another game on Saturday;
b. find out if your friend is free that evening; and
c. if free, invite him/her to go with you.

	ROLE A	ROLE B
Vocabulario	Question words	Formulaic expressions related to making an invitation

Funciones y formas	Explaining the reason for something
	    Past tense (preterit)
	 Asking and answering questions
	 Accepting an invitation
	 Observing phone etiquette in Spanish
		Asking and answering questions
		    Past tense (preterit)
		 Inviting someone to do something together:
		    Present tense
		 Reacting to what you hear

INTERCAMBIOS. Practica la conversación con tu compañero/a incorporando el vocabulario y las funciones de *Preparación*. Luego, represéntenla ante la clase.

4 Emphasizing or clarifying information

ROBERTO: Estas flores son **para ti,** Cristina.

CRISTINA: **¿Para mí?** Gracias, Roberto.

***

ROBERTO: Oye, Cristina. El partido es mañana. ¿Quieres ir **conmigo?**

CRISTINA: No puedo ir **contigo,** Roberto. Mis primos están aquí, y voy al partido **con ellos.**

Piénsalo. Indica quién dice cada oración, Roberto (**R**) o Cristina (**C**).

1. _____ ¿Quieres ir **conmigo?**
2. _____ Estas flores son **para ti.**
3. _____ No puedo ir **contigo.**
4. _____ ¿Para mí?
5. _____ Voy al partido **con ellos.**

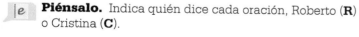

Pronouns after prepositions

- In *Capítulo 6* you used **a + mí, a + ti,** and so on, to clarify or emphasize the indirect object pronoun: **Le di el suéter a él.** These same pronouns are used after other prepositions, such as **de, para,** and **sin.**

a		
de		mí
para		ti
por	+	usted, él, ella
sin		nosotros/as
sobre		vosotros/as
		ustedes, ellos/as

Siempre habla **de ti.** — *He is always talking about you.*

Las raquetas son **para mí.** — *The racquets are for me.*

No quieren ir **sin nosotros.** — *They do not want to go without us.*

- In a few cases, Spanish does not use **mí** and **ti** after prepositions. After **con,** use **conmigo** and **contigo.** After **entre,** use **tú** y **yo.**

¿Vas al partido **conmigo?** — *Are you going to the game with me?*

Sí, voy **contigo.** — *Yes, I am going with you.*

Entre tú y **yo,** ella tiene unos problemas serios. — *Between you and me, she has some serious problems.*

¿COMPRENDES?

Completa las oraciones con los pronombres apropiados.

1. A _____ me gusta el café.
2. Susana no bebe café. A _____ le gustan solamente los refrescos.
3. Tenemos vecinos muy divertidos. Conversamos mucho con _____.
4. Jorge, no puedo ir al partido _____. Lo siento mucho.
5. Entre _____ y _____, esas chicas son terriblemente chismosas (*gossipy*).
6. Si no estás con ellas, hablan mal de _____.

MySpanishLab

Learn more using Amplifire Dynamic Study Modules, Grammar Tutorials, and Extra Practice activities.

PRÁCTICA

7-27

Un amigo preguntón. Un amigo de Rosario le hace muchas preguntas. Asocia sus preguntas con un comentario lógico de Rosario.

1. _____ ¿Con quién vas a ir al partido de tenis, Rosario?

2. _____ ¿Por qué no vemos las finales del campeonato con Sofía?

3. _____ Rosario, ¿para quién es esta raqueta de tenis?

4. _____ ¿Pueden ir mis amigos a la cancha con nosotros?

5. _____ Después del partido de ayer encontramos una sudadera. ¿Es de Carlos?

6. _____ ¿De quién van a recibir el trofeo los ganadores?

a. La compré para ti.

b. Imposible. No podemos ir con ellos. Tengo solo dos billetes.

c. Contigo, ¡por supuesto!

d. Sí, es de él.

e. De nosotros. De ti y de mí. ¡Qué emocionante!

f. Prefiero verlas sin ella. Habla mucho y no puedo concentrarme.

Cultura

■ ■ ■ ■ ■

La plaza

Plazas play a prominent role in everyday life throughout Latin America and Spain. Most cities and towns have a main square downtown, but it is also common to find smaller plazas in every neighborhood where families go to walk and socialize. In addition to cafés and shops, plazas also host open-air markets, concerts, and fairs. Many plazas are also used as the starting or ending points for bike races or other athletic competitions.

Comparaciones. ¿En qué lugares de tu ciudad prefiere reunirse la gente? ¿Existe algún lugar histórico en tu ciudad? ¿Qué actividades se pueden hacer allí?

▲ La Plaza Mayor en Salamanca, España

7-28

¿Con quién va? PREPARACIÓN. Completa la siguiente conversación usando pronombres.

JULIA: Salgo ahora para la plaza a tomar algo y mirar escaparates. ¿Vienes conmigo?

CELIA: No, no puedo ir (1) _____. Tengo que trabajar hasta muy tarde.

JULIA: ¡Cuánto lo siento! Entonces, ¿vas a salir después con Roberto?

CELIA: Sí, voy a ir con (2) _____ más tarde.

JULIA: ¡Ah, claro! No puede salir sin (3) _____. Tú eres su mejor amiga.

CELIA: Sí, somos muy buenos amigos. Entonces, ¿con quién vas a salir?

JULIA: Pues, mi hermana está aquí, y voy a ir con (4) _____.

 INTERCAMBIOS. Cambien la conversación entre Julia y Celia para hablar de sus propios planes.

7-29

Haciendo planes. Escoge una de las dos actividades e invita a tu compañero/a a hacerla.

 MODELO ir al cine/teatro

E1: ¿Cuándo puedes ir al cine conmigo?

E2: Puedo ir contigo el sábado.

1. estudiar español/historia/biología
2. ir al parque/al partido de béisbol/al concierto
3. jugar al golf/al tenis/al vóleibol
4. preparar una fiesta de cumpleaños/una cena para un amigo

Situación

PREPARACIÓN. Lean la situación. Luego, compartan ejemplos de vocabulario, gramática y otra información que necesitan para desarrollar la conversación.

Role A. One of your friends is a basketball player. He gave you two tickets for today's game, but you have no transportation. Call a friend who has a car. After greeting him/her:

a. explain how you got the tickets for the game;
b. invite your friend to go with you; and
c. explain that you have no transportation.

Role B. A friend calls you to invite you to today's basketball game. After exchanging greetings:

a. thank your friend for the invitation;
b. respond that you would be delighted to go with him/her;
c. say that you can pick him/her up in your car; and
d. agree on a time and place.

	ROLE A	ROLE B
Vocabulario	Sports-related expressions	Sports-related expressions

Funciones y formas	Explaining the reason for something
	  Preterit
	  Present tense
	Inviting someone to do something with you
	Making arrangements to meet with someone
		Thanking someone
		Accepting an invitation
		Making arrangements to meet with someone

INTERCAMBIOS. Practica la conversación con tu compañero/a incorporando el vocabulario y las funciones de *Preparación*. Luego, represéntenla ante la clase.

5 Talking about the past

ABUELA: ¡Bienvenidos! Pasen, por favor. ¿No **vino** Carmencita? ¿Está enferma?

MADRE: Está trabajando. **Estuvo** en la biblioteca hasta muy tarde anoche, pero no **pudo** terminar su proyecto. Nos **dijo** que es largo y difícil.

***

CARMENCITA: ¿Mis padres? **Tuvieron** que ir a la casa de mi abuela, pero yo no **quise** ir a otra cena aburrida. Les **dije** una pequeña mentira sobre un proyecto…

Piénsalo. Marca (✓) si las afirmaciones probablemente expresan la **verdad**, una **mentira** (*lie*) o **no se sabe,** según la conversación.

	VERDAD	MENTIRA	NO SE SABE
1. Carmencita **tuvo** que terminar un proyecto.	_____	_____	_____
2. Los padres de Carmencita **tuvieron** que ir a la casa de la abuela.	_____	_____	_____
3. Carmencita no **quiso** ir a la casa de su abuela.	_____	_____	_____
4. Carmencita **estuvo** en la biblioteca por muchas horas.	_____	_____	_____
5. Carmencita **hizo** un proyecto para una clase.	_____	_____	_____
6. Carmencita les **dijo** la verdad a sus padres.	_____	_____	_____

Some irregular preterits

- Some verbs have irregular forms in the preterit because they use different stems than in the present tense. The preterit endings are added to those stems. Note that the **yo, usted, él,** and **ella** preterit endings of these verbs are unstressed and therefore do not have written accents.

- The verbs **hacer, querer,** and **venir** have an **i** in the preterit stem.

INFINITIVE	NEW STEM	PRETERIT FORMS
hacer	hic-	hice, hiciste, hizo, hicimos, hicisteis, hicieron
querer	quis-	quise, quisiste, quiso, quisimos, quisisteis, quisieron
venir	vin-	vine, viniste, vino, vinimos, vinisteis, vinieron

The verbs **estar, tener, poder, poner,** and **saber** have a **u** in the preterit stem.

INFINITIVE	NEW STEM	PRETERIT FORMS
estar	estuv-	estuve, estuviste, estuvo, estuvimos, estuvisteis, estuvieron
tener	tuv-	tuve, tuviste, tuvo, tuvimos, tuvisteis, tuvieron
poder	pud-	pude, pudiste, pudo, pudimos, pudisteis, pudieron
poner	pus-	puse, pusiste, puso, pusimos, pusisteis, pusieron
saber	sup-	supe, supiste, supo, supimos, supisteis, supieron

LENGUA

- The verb **querer** in the preterit followed by an infinitive normally means *to try* (*but fail*) *to do something.*

    Quise hacerlo ayer. *I tried to do it yesterday.*

- **Poder** used in the preterit usually means *to manage to do something.*

    Pude hacerlo esta mañana. *I managed to do it this morning.*

- **Saber** in the preterit normally means *to learn* in the sense of *to find out.*

    Supe que llegó anoche. *I learned (found out) that he arrived last night.*

- The verbs **decir, traer,** and all verbs ending in **-ducir** (e.g., **traducir** *to translate*) have a **j** in the stem and use the ending **-eron** instead of **-ieron. Decir** also has an **i** in the stem.

INFINITIVE	NEW STEM	PRETERIT FORMS
decir	dij-	dije, dijiste, dijo, dijimos, dijisteis, dijeron
traer	traj-	traje, trajiste, trajo, trajimos, trajisteis, trajeron
traducir	traduj-	traduje, tradujiste, tradujo, tradujimos, tradujisteis, tradujeron

 ¿COMPRENDES?

Completa las oraciones con el pretérito de los verbos.
1. Ayer Luis _____ (tener) un accidente de automóvil.
2. Por eso, sus amigas Laura y Elena no _____ (poder) usar su auto.
3. Ellas _____ (tener) que tomar el autobús.
4. Las amigas _____ (pedir) una ambulancia para Luis.
5. Laura _____ (hacer) los trámites para su admisión en el hospital.
6. Las amigas _____ (despedirse) después de dejarlo en el hospital.

MySpanishLab
Learn more using Amplifire Dynamic Study Modules, Grammar Tutorials, and Extra Practice activities.

PRÁCTICA

7-30

¿Qué hicieron? PREPARACIÓN. Marca (✓) las tareas que probablemente hicieron los miembros de un equipo de hockey antes del partido, y las que probablemente no hicieron.

	SÍ	NO
1. poder lavar las sudaderas	___	___
2. ver videos de partidos anteriores	___	___
3. ponerse los uniformes nuevos	___	___
4. hacer ejercicios de calentamiento (*warm-up*)	___	___
5. traer los nuevos cascos (*helmets*) a la cancha	___	___
6. tener tiempo para estudiar las nuevas estrategias del partido	___	___

INTERCAMBIOS. Después, háganse las preguntas para compartir sus respuestas.

 E1: *¿Compraron zapatos nuevos para jugar?*

E2: *Sí, probablemente los compraron.*

7-31

Unos días de descanso. Tu compañero/a estuvo unos días en Argentina (o Uruguay). Hazle preguntas para saber más de su viaje.

1. lugares adonde fue

2. tiempo que estuvo allí

3. cosas interesantes que hizo

4. los lugares que le gustaron más

5. si pudo hablar español y con quién(es)

¿Qué ocurrió? Miren los dibujos. Túrnense y expliquen con detalles todo lo que le ocurrió a Javier el día de su cumpleaños. Después, cuéntale a tu compañero/a lo que hiciste tú el día de tu cumpleaños.

1. **2.** **3.**

4. **5.** **6.**

LENGUA

Hace, meaning *ago*

- To indicate the time that has passed since an action was completed, use **hace** + *length of time* + **que** + *preterit verb.*

  Hace dos meses **que** fui a la Copa Mundial. *I went to the World Cup two months* ago.

  Hace una hora **que** empezó el partido. *The game started an hour* ago.

- When **hace** + *length of time* ends the sentence, omit **que.**

  Fui a la Copa Mundial **hace** dos meses.

  El partido empezó **hace** una hora.

En directo

To express interest and to ask for details:

¡No me digas! ¿Qué pasó? *You don't say! What happened?*

¿Y qué más pasó? *And what else happened?*

¡Cuenta, cuenta! *Tell me more!*

 Listen to a conversation with these expressions.

Situación

PREPARACIÓN. Lean la situación. Luego, compartan ejemplos de vocabulario, gramática y otra información que necesitan para desarrollar la conversación.

Role A. Congratulations! You entered a contest (**concurso**) and won an all-expenses-paid trip to attend the World Cup. Tell your classmate that you won the contest and that you went to the World Cup. Answer all of his/her questions in detail.

Role B. Your classmate won a contest and tells you about it. Ask

a. how he/she found out about the contest;
b. how long he/she was away;
c. how many games he/she attended;
d. with whom he/she went; and
e. details about the last game.

	ROLE A	ROLE B
Vocabulario	Expressions related to a contest and traveling Sports	Expressions related to a contest and traveling Sports
Funciones y formas	Telling someone some good news Answering questions	Reacting to what you hear Asking follow-up questions

INTERCAMBIOS. Practica la conversación con tu compañero/a incorporando el vocabulario y las funciones de *Preparación.* Luego, represéntenla ante la clase.

EN ACCIÓN ▶

Vamos a hacer surf

7-33 Antes de ver

El surf. En este segmento, Esteban va a enseñarles a hacer surf a sus amigos. Marca (✓) las palabras que asocias con este deporte.

1. _____ el traje de baño
2. _____ el buen tiempo
3. _____ las olas (*waves*)
4. _____ la pelota

5. _____ la pista
6. _____ el equilibrio
7. _____ la playa
8. _____ los palos

7-34 Mientras ves

¿Qué pasó? Indica (✓) si las siguientes oraciones son ciertas o falsas. Corrige las falsas.

	CIERTO	FALSO
1. Federico llega tarde porque está trabajando en su proyecto.	_____	_____
2. Hace buen día para hacer surf.	_____	_____
3. Héctor practica el tenis y el béisbol.	_____	_____
4. A Esteban le gusta hacer surf.	_____	_____
5. En Lima hay una playa que se llama Waikiki Beach.	_____	_____
6. En Perú hace buen tiempo durante los meses de junio, julio y agosto.	_____	_____
7. El deporte de *sandboard* empezó en Brasil.	_____	_____

7-35 Después de ver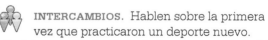

¡Al agua! PREPARACIÓN. En este segmento de video, los chicos fueron a la playa a hacer surf. Numera las actividades según el orden en que ocurrieron en el video.

a. _____ Héctor mostró un video sobre las playas de Lima.

b. _____ Los chicos se rieron mucho de Esteban.

c. _____ Los chicos hablaron de sus deportes preferidos.

d. _____ Esteban corrió hacia el agua con la tabla de surf.

e. _____ Héctor y Esteban esperaron a los otros por mucho tiempo.

INTERCAMBIOS. Hablen sobre la primera vez que practicaron un deporte nuevo. ¿Qué deporte fue? ¿Cuándo fue y con quién(es) lo hicieron? ¿Necesitaron comprar un equipo o ropa especial? ¿Qué dificultades tuvieron? ¿Continúan practicándolo hoy?

Mosaicos

ESCUCHA

7-36

Preparación. Vas a escuchar una conversación entre un reportero y Nicolás, un esquiador argentino que habla sobre su viaje a Bariloche, Argentina. Antes de escuchar la conversación, escribe sobre el tiempo que probablemente hizo durante su estadía en Bariloche. Después, escribe una opinión sobre la gente del lugar que Nicolás probablemente va a conocer. Finalmente, escribe dos afirmaciones que reflejan la opinión de Nicolás sobre el lugar que va a visitar.

1. el tiempo que probablemente hizo

2. una opinión sobre la gente que conoció

3. una opinión sobre el lugar que visitó

ESTRATEGIA

Differentiate fact from opinion

When you listen to or watch the news or a talk show, you need to distinguish facts from opinions. Facts are provable pieces of information based on statistics, data, and other verifiable evidence. Opinions are personal points of view that combine attitudes and beliefs with factual information.

7-37

Escucha. Listen to the interview and write in Spanish three pieces of factual information and three opinions Nicolás offered about the place and/or the people.

Comprueba

I was able to …

_____ listen for specific information.

_____ take good notes while listening.

_____ distinguish facts from opinions.

7-38

Un paso más. Hazle preguntas a tu compañero/a para averiguar la siguiente información.

1. un deporte que practica y su opinión sobre ese deporte

2. el nombre de su deportista favorito/a y su opinión sobré él/ella

3. algún dato interesante sobre este deporte

4. una experiencia personal positiva que tuvo relacionada con este deporte

HABLA

7-39

Preparación. Investiguen en Internet la siguiente información sobre un deporte que se practica en Argentina o Uruguay.

1. el nombre del deporte
2. dos o tres datos históricos sobre el deporte: cuándo empezó a practicarse; dónde empezó; algo interesante sobre los comienzos (*origin*) del deporte
3. una persona argentina o uruguaya famosa en la historia de este deporte: nombre, fecha y lugar de nacimiento; datos sobre su carrera deportiva

ESTRATEGIA

Focus on key information

In *Capítulo 6* you practiced taking notes to understand and remember something you heard. Here you will take the next step: turning your notes into a brief report to present to the class. Follow these steps: 1) Decide what aspects of the topic you want to report on; 2) then listen for and take notes on those aspects; and 3) organize your notes for your presentation.

7-40

Habla. Hagan una breve presentación sobre el deporte y el/la deportista que investigaron.

Comprueba

In our preparation and presentation …

_____ I spoke in Spanish as much as my partners.

_____ I took good notes and contributed useful information.

_____ My part of the presentation was clear and easy to understand.

 En directo ■ ■ ■ ■ ■

To discuss ideas while working in a group:

¿Qué te/le/les parece esto?
What do you think about this?

¿Qué te/le/les parece si decimos/organizamos…?
How about if we say/organize … ?

¿Por qué no lees/hablas/miras…?
Why don't you read/say/look at … ?

To propose a new idea:

¡Oigan, tengo una idea!
Listen, I have an idea.

 Listen to a conversation with these expressions.

7-41

Un paso más. De las presentaciones en clase, elijan un deporte y un/a deportista y preparen preguntas para hacer a otros compañeros. Incluyan la información indicada en las fichas (*note cards*) siguientes.

Deporte	Deportista
Nombre:	Nombre y nacionalidad:
Dónde y cuándo empezó a practicarse:	Fecha de nacimiento:
Dónde se practica ahora:	Campeonatos que ganó:
Su popularidad:	Su reputación nacional e internacional:

 **En directo** ■ ■ ■ ■ ■

To maintain the interest of listeners:

Hay hechos/datos interesantes sobre…

La información que tenemos sobre… es increíble.

¡Imagínense! Ganó el primer puesto en…

Este/a deportista juega al… como nadie.

 Listen to a conversation with these expressions.

LEE

7-42

Preparación. Mira el texto "Los deportes: Una pasión uruguaya". Lee el título y examina las fotos. Busca nombres de lugares y deportes conocidos. Luego, responde a las preguntas.

1. Después de examinar el texto, selecciona el posible tema.

   a. los lugares en Uruguay donde se practican los deportes
   b. los atletas más famosos de Uruguay
   c. el amor de los uruguayos por los deportes

2. Marca (✓) las ideas que probablemente vas a encontrar en el texto.

   a. _____ los deportes más populares de Uruguay

   b. _____ el origen de los deportes de Uruguay

   c. _____ los lugares donde se practican algunos deportes en Uruguay

   d. _____ los campeonatos que ganaron los equipos de fútbol uruguayo

   e. _____ los deportes favoritos de los uruguayos en comparación con los de otros países latinoamericanos

 Intercambios. Háganse preguntas y compartan la información que recogieron.

1. ¿Te gustan los deportes individuales o prefieres los de equipo? ¿Por qué?

2. ¿Sabes esquiar? ¿Esquías en la nieve o en el agua? ¿Esquías bien o regular?

3. ¿Qué tipos de surf conoces? ¿Alguna vez oíste hablar (*Have you heard about*) del surf en la arena? ¿Qué sabes de ese deporte?

7-43

Lee. Lee el artículo y haz lo siguiente:

1. Indica dos razones que explican la popularidad del fútbol en Uruguay.

2. Nombra tres deportes de equipo, dos individuales y uno que no requiere una pelota.

3. Explica por qué Punta del Este es un lugar ideal para practicar el surf acuático.

Comprueba

I was able to ...

_____ use my knowledge of sports to anticipate the content of the reading.

_____ distinguish between facts and opinions.

_____ understand most of the information in the text.

ESTRATEGIA

Predict and guess content

You may enhance your comprehension of a text by predicting and guessing its content before you start to read. Begin by brainstorming the information you are likely to find in the text and identifying the text format.

LOS DEPORTES, UNA PASIÓN URUGUAYA

Uruguay es un país pequeño donde los deportes son fundamentales en la vida de las personas.

Entre las grandes pasiones nacionales está el fútbol. Desde su infancia, muchos uruguayos acompañan fielmente[1] a sus equipos. En varias ocasiones, la selección nacional uruguaya ganó títulos y campeonatos importantes.

Pero los uruguayos también tienen otras pasiones. El básquetbol, el ciclismo, el fútbol de salón, el rugby, el boxeo y la pelota de mano son otros deportes muy populares.

Las hermosas playas del Uruguay también favorecen los deportes acuáticos, como el surf, que es muy popular. En 1993 Uruguay participó en el Primer Campeonato Panamericano del Surf en Isla de Margarita, Venezuela. Hoy en día los surfistas uruguayos participan en competencias nacionales e internacionales, hasta[2] en los Juegos Olímpicos.

Uno de los lugares favoritos para practicar el surf es Punta del Este. Ubicada al sureste del Uruguay, a 140 kilómetros de Montevideo, Punta del Este es una hermosa península de enormes playas, con arenas finas y gruesas, rocas y un entorno de bosques y médanos[3].

Precisamente en estos médanos nació una variante del surf: el surf en la arena o *sandsurf*. Los brasileños inventaron este deporte en los años ochenta para divertirse en las playas cuando no había olas grandes. El deporte creció rápidamente en Uruguay,

La costa de Valizas

ya que tiene muchas playas bonitas con médanos enormes. Por ejemplo, los médanos de Valizas son los más grandes de Sudamérica, algunos con 30 metros de altura y una longitud de bajada[4] de aproximadamente 125 metros. Sin embargo, el tema del surf en la arena es polémico[5]. Las autoridades uruguayas están controlando e incluso prohibiendo la práctica de este deporte por el posible deterioro ecológico que causa. La prohibición del surf en la arena no va a detener el espíritu activo de los uruguayos, quienes van a buscar o inventar otras opciones para entretenerse.

[1] *faithfully* [2] *even* [3] *sand dunes* [4] *slope* [5] *controversial*

7-44

Un paso más. Seleccionen algún deporte. Preparen una ficha sobre ese deporte sin mencionar el nombre, y luego intercambien su ficha con la de otro grupo. Traten de adivinar el deporte de sus compañeros.

1. lugar donde se practica

2. deporte individual o en grupo (número de personas en el equipo)

3. en qué clima o estación se practica

4. un jugador famoso/una jugadora famosa del deporte

5. otra información relevante

ESCRIBE

7-45

Preparación. Entrevista a tres compañeros sobre los siguientes temas:

1. las ventajas o desventajas de hacer ejercicio físico durante la infancia (*childhood*)

2. las ventajas o desventajas de unos deportes sobre otros

3. los deportes y actividades físicas que practicaron de niños

4. los deportes que practican ahora

En directo

To express facts:

Los expertos afirman/dicen/ aseguran que…

La investigación indica que…

Los estudios muestran que…

To express an opinión:

A mí me parece que…

🔊 Listen to a conversation with these expressions.

ESTRATEGIA

Use supporting details

Supporting details are facts and examples that follow the topic sentence and make up the body of a paragraph. They should support the main idea of the paragraph and be placed in a logical order. You should then write a closing sentence that summarizes your main point.

7-46

Escribe. Escribe un informe sobre el papel del ejercicio en la salud de los niños. Usa la información de 7-45 para escribir tu informe. Incluye lo siguiente:

1. los beneficios del ejercicio físico para los niños

2. los tipos de actividad física que son divertidos y beneficiosos para los niños

3. las estrategias para aumentar la actividad física

Comprueba

I was able to …

_____ **present my main idea clearly, using relevant vocabulary.**

_____ **use facts and examples to develop my main ideas.**

_____ **provide the supporting details in a logical order.**

7-47

Un paso más. Presenta tu informe a la clase. Tus compañeros van a hacerte preguntas.

En este capítulo...

Comprueba lo que sabes

Go to **MySpanishLab** to review what you have learned in this chapter. Practice with the following:

Flashcards | Games | Oral Practice | Practice Test / Study Plan

Amplifire Dynamic Study Modules | Tutorials | Videos | Extra Practice

 ## Vocabulario

LOS DEPORTES
Sports

el atletismo   *track and field*
el baloncesto/el básquetbol   *basketball*
el béisbol   *baseball*
el ciclismo   *cycling*
el esquí   *skiing, ski*
el fútbol (americano)   *soccer (football)*
el golf   *golf*
el hockey sobre hierba   *field hockey*
la natación   *swimming*
el tenis   *tennis*
el vóleibol   *volleyball*

EL EQUIPO DEPORTIVO
Sports equipment

el bate   *bat*
el balón/la pelota   *ball*
el cesto/la cesta   *basket, hoop*
los palos   *golf clubs*
la raqueta   *racquet*
la red   *net*

LOS EVENTOS
Events

el campeonato   *championship*
la carrera   *race*
el juego/el partido   *game*

LAS PERSONAS
People

el árbitro   *umpire, referee*
el campeón/la campeona   *champion*
el/la ciclista   *cyclist*
el/la entrenador/a   *coach*
el equipo   *team; equipment*
el/la hincha   *fan*
el/la jugador/a   *player*
el/la tenista   *tennis player*

LA NATURALEZA
Nature

el árbol   *tree*
el lago   *lake*

PALABRAS Y EXPRESIONES ÚTILES
Useful Words and Expressions

cada   *each*
conmigo   *with me*
contigo   *with you (familiar)*
contrario/a   *opposing*
el penalti   *penalty (in sports)*

EL TIEMPO
Weather

está despejado   *it's clear*
está nublado   *it's cloudy*
hace fresco   *it's cool*
hace viento   *it's windy*
el hielo   *ice*
la lluvia   *rain*
la nieve   *snow*

LOS LUGARES
Places

el campo   *field*
la cancha   *court, golf course*
la piscina/la pileta   *pool*
la pista   *slope; court; track*

VERBOS
Verbs

congelar(se)   *to freeze*
construir   *to build, to develop*
discutir   *to argue*
durar   *to last*
enfadarse   *to get angry*
esquiar   *to ski*
ganar   *to win*
hacer parapente   *to go paragliding*
hacer surf   *to surf*
ir(se)   *to go away, to leave*
jugar (ue) a los bolos   *to bowl*
levantar pesas   *to lift weights*
llover (ue)   *to rain*
meter un gol   *to score a goal*
nevar (ie)   *to snow*
oír   *to hear*
patinar   *to skate*
perder (ie)   *to lose*
pitar   *to whistle*
preparar(se)   *to train*
recorrer   *to travel, to cover (distance)*
traducir (zc)   *to translate*

LAS ESTACIONES
Seasons

el invierno   *winter*
el otoño   *fall*
la primavera   *spring*
el verano   *summer*

See page 252 for other reflexive verbs.

See page 260 for other stem-changing **-ir** verbs.

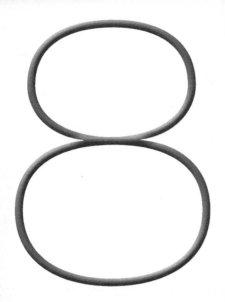

8

¿Cuáles son tus tradiciones?

LEARNING
OUTCOMES

You will be able to:

- discuss situations and celebrations
- describe conditions and express ongoing actions in the past
- tell stories about past events
- compare people and things
- talk about Mexico in terms of practices and perspectives
- share information about celebrations in Hispanic countries and compare cultural similarities

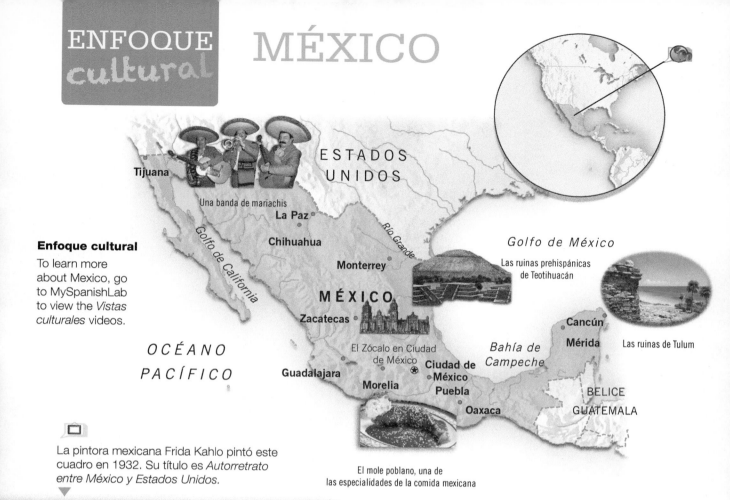

ESTADOS UNIDOS

Tijuana

Una banda de mariachis

La Paz

Chihuahua

Río Grande

Golfo de México

Las ruinas prehispánicas de Teotihuacán

Monterrey

MÉXICO

Golfo de California

Zacatecas

OCÉANO PACÍFICO

El Zócalo en Ciudad de México

Bahía de Campeche

Cancún

Mérida

Las ruinas de Tulum

Guadalajara

Ciudad de México

Morelia

Puebla

Oaxaca

BELICE

GUATEMALA

Enfoque cultural

To learn more about Mexico, go to MySpanishLab to view the *Vistas culturales* videos.

La pintora mexicana Frida Kahlo pintó este cuadro en 1932. Su título es *Autorretrato entre México y Estados Unidos*.

El mole poblano, una de las especialidades de la comida mexicana

¿QUÉ TE PARECE?

- El Día de la Independencia de México es el 16 de septiembre, no el 5 de mayo como muchos piensan.

- El nombre completo del país es Estados Unidos Mexicanos. Hay 31 estados más la capital, México D.F. (Distrito Federal).

- Millones de mariposas monarcas migran cada año a México desde Estados Unidos y Canadá.

- Antes del año 1953, las mujeres mexicanas no podían votar en las elecciones nacionales.

- México D.F. se hunde (*sinks*) entre 0,2 y 1,3 pies al año debido a que el 70% del agua para la ciudad viene de fuentes (*sources*) subterráneas.

◀ Tulum es la única ciudad maya construida en la costa de la península del Yucatán. Al igual que en otras ciudades mayas y aztecas, en Tulum también hay pirámides.

Cabo San Lucas es una de las muchas playas que atraen a los turistas a México. Es especialmente popular entre actores y actrices de Estados Unidos y otros países. ▶

▲ La ciudad de San Miguel de Allende es reconocida por la UNESCO como Patrimonio de la Humanidad por sus contribuciones tanto culturales como arquitectónicas.

El Museo Nacional de Antropología, situado dentro del Bosque de Chapultepec en México D.F., exhibe la mayor colección de piezas arqueológicas de la cultura precolombina. Aquí hay una réplica del templo maya de Hochob dentro de los jardines del museo. ▶

■ ■ ■ ■ ■ ■ ■ ■ ■

¿CUÁNTO SABES?

Completa las oraciones con la información correcta.

1. Las ruinas de la ciudad de Tulum se encuentran en _____.

2. El 16 de septiembre se celebra _____.

3. La capital mexicana está en _____.

4. Una playa que atrae a muchos turistas es _____.

5. Tulum se diferencia de otras ciudades mayas porque _____.

6. Cada año llegan a México millones de _____.

Vocabulario en contexto

Discussing traditions and celebrations

Las fiestas y las tradiciones

▲ **La romería de El Rocío, España**

🔊 En Almonte, un pequeño pueblo de la provincia de Huelva, España, se celebra todos los años la romería de El Rocío. Los **peregrinos** se visten con trajes tradicionales de muchos colores y van hasta la ermita (*sanctuary*) de la Virgen del Rocío a **caballo,** andando y en carretas **adornadas.** En estas fiestas religiosas populares la **gente** expresa su devoción pero también es una ocasión para **pasarlo bien.**

▲ **El Día de los Muertos, México**

🔊 El Día de los **Muertos,** también conocido como el Día de los **Difuntos,** se conmemora el 2 de noviembre. Mucha gente va al **cementerio** ese día o el día anterior para **recordar** y llevarles flores a sus familiares o amigos difuntos. En México, los **preparativos** para el Día de los Muertos **comienzan** con mucha anterioridad. Algunas familias acompañan a sus muertos en el cementerio la noche del 1 al 2 de noviembre.

▲ **La Diablada, Bolivia**

🔊 Las fiestas y los bailes que se celebran en diversas partes del mundo ayudan a **mantener** las **costumbres** de los **antepasados.** La Diablada es uno de los **festivales** folclóricos con más colorido en Hispanoamérica. Se celebra durante el **carnaval** de Oruro en Bolivia y también en el norte de Chile y en otros países, entre ellos, Perú.

▲ **Carnaval**

🔊 La música, el baile y la **alegría** reinan en los carnavales. Hay **desfiles** de **carrozas** y **comparsas** que bailan en las calles, muchas personas **se disfrazan** y todo el mundo se divierte. El **último** día de Carnaval es el martes antes del **comienzo** de la Cuaresma (*Lent*).

▲ **Semana Santa, Guatemala**

🔊 Esta es una de las **procesiones** de Semana Santa en Antigua, Guatemala. Esta ciudad fue la antigua capital de Guatemala y es famosa por su arquitectura colonial y las **maravillosas** alfombras que se hacen con flores, **semillas** y aserrín (*sawdust*) para el paso de las procesiones.

▲ **El Día de San Fermín, España**

🔊 El Día de San Fermín, el 7 de julio, se inicia la **celebración** de los sanfermines en Pamplona, España. Esta celebración, que dura del 7 al 14 de julio, es famosa mundialmente por los encierros. Los jóvenes corren por las calles seguidos de los **toros.**

PRÁCTICA

8-1

Escucha y confirma. Indicate (✓) whether the descriptions you hear relate to **el Día de los Muertos, Carnaval,** or neither of the two.

	CARNAVAL	EL DÍA DE LOS MUERTOS	NINGUNO DE LOS DOS
1. _____		_____	_____
2. _____		_____	_____
3. _____		_____	_____
4. _____		_____	_____
5. _____		_____	_____
6. _____		_____	_____

Cultura

■ ■ ■ ■ ■

Fiestas

El Día de Acción de Gracias (*Thanksgiving*) no se celebra en los países hispanos y tampoco es tradicional el Día de las Brujas (*Halloween*), aunque empieza a celebrarse en algunas ciudades de Hispanoamérica y de España. Por otro lado, debido a la importancia e influencia de la religión católica en los países hispanos, algunas fiestas católicas se consideran también fiestas oficiales y son días feriados. Pero lo más importante es la gran diversidad de fiestas locales. Muchas personas trabajan todo el año para garantizar el éxito de estas celebraciones.

Comparaciones. ¿Hay fiestas religiosas en tu comunidad? ¿Son fiestas oficiales? ¿Cómo se celebran? ¿Hay feriados religiosos y seculares? ¿Cuáles son?

8-2 **Definiciones.** Asocia el nombre de la festividad con su descripción. Después, compara tus respuestas con las de tu compañero/a y dile a cuáles de ellas te gustaría (*would like*) asistir y por qué.

1. _____ San Fermín
2. _____ La Diablada
3. _____ El Rocío
4. _____ Carnaval
5. _____ El Día de los Muertos
6. _____ Semana Santa

▲ Procesión de Semana Santa en Tegucigalpa, Honduras

a. Se celebra durante el carnaval de Oruro en Bolivia. Muchas personas bailan en las calles disfrazadas de demonios.

b. Muchas personas se disfrazan y bailan en comparsas por las calles.

c. Todos van al cementerio a hacer ofrendas a los seres queridos que están muertos.

d. Hay procesiones por las calles y en Antigua, Guatemala, se hacen unas alfombras de aserrín, flores y semillas.

e. Los jóvenes corren por las calles delante de los toros.

f. Es una fiesta en el sur de España. La gente va en carretas hasta una ermita.

8-3

Imágenes. Escojan una de las fotos de las fiestas y descríbanla detalladamente contestando las siguientes preguntas.

1. ¿Qué están haciendo las personas?
2. ¿Qué ropa llevan estas personas? ¿Qué colores hay?
3. ¿Qué objetos hay? ¿Para qué sirven?
4. ¿Piensan que esta festividad es religiosa? ¿Por qué?
5. Según ustedes, ¿es la festividad divertida? ¿Por qué?

8-4

Contextos. PREPARACIÓN. Hablen sobre las ideas, sentimientos o costumbres que se relacionan con las siguientes palabras.

 MODELO el carnaval

música, baile, alegría, mucha gente por la calle, carrozas…

1. los cementerios
2. los toros
3. los disfraces
4. el baile

INTERCAMBIOS. Escriban por lo menos 6 oraciones usando las palabras que anotaron en *Preparación*.

 MODELO *El carnaval es una fiesta muy alegre. La gente se disfraza y baila por las calles.*

Otras celebraciones

| la Nochebuena | la Navidad | la Nochevieja | el Año Nuevo | el Día de la Independencia de México | la Pascua |

el Día de la Madre   el Día del Padre   el Día de Acción de Gracias   el Día de las Brujas   el Día de los Enamorados/del Amor y la Amistad

Cultura

La Navidad

En muchos países hispanos, los niños reciben regalos de Papá Noel o del Niño Dios el día de Navidad. Sin embargo, la Nochebuena se considera el día más importante. Muchos católicos van a la iglesia a la medianoche para asistir a la Misa del Gallo (*midnight mass*). El 6 de enero, día de la Epifanía, se celebra la llegada de los Reyes Magos con sus regalos para el Niño Jesús. La noche del 5 de enero, muchos niños se acuestan esperando la visita de los tres reyes que llegan montados en sus camellos con regalos para ellos.

▲ Los Reyes Magos en México

Comparaciones. En tu cultura, ¿existen celebraciones en las que se hacen regalos? ¿Hay alguna tradición especial para los niños? ¿Hay celebraciones infantiles que no son religiosas? ¿En qué se inspira esta celebración?

PRÁCTICA

8-5   **Para confirmar.** PREPARACIÓN. Asocia las fechas con los días festivos. Compara tus respuestas con las de tu compañero/a.

1. _____ el 25 de diciembre
2. _____ el 2 de noviembre
3. _____ el 6 de enero
4. _____ el 4 de julio
5. _____ el 24 de diciembre
6. _____ el 31 de diciembre
7. _____ el 14 de febrero
8. _____ el 31 de octubre

a. el Día de la Independencia de Estados Unidos
b. el Día de las Brujas
c. la Nochebuena
d. la Nochevieja/el Fin de Año
e. el Día de los Enamorados/del Amor y la Amistad
f. el Día de los Reyes Magos
g. el Día de los Muertos
h. la Navidad

 INTERCAMBIOS. Comenten entre ustedes las respuestas a las siguientes preguntas.

1. ¿Cuál(es) de las fiestas de *Preparación* celebra cada uno/a de ustedes?
2. ¿Cuál es la fiesta favorita de la mayoría de las personas del grupo, y por qué?
3. ¿En cuál de estas fiestas reciben regalos? ¿Qué tipo de regalos?
4. ¿En cuál de estas fiestas hay una comida especial?

Festivales o desfiles. Piensa en algunos festivales o desfiles importantes y completa el cuadro siguiente. Tu compañero/a va a hacerte preguntas sobre ellos.

FESTIVAL O DESFILE	FECHA	LUGAR	DESCRIPCIÓN	OPINIÓN

 E1: *¿En qué fiesta o desfile importante estás pensando?*

E2: *En el Cinco de Mayo.*

E1: *¿Dónde lo celebran?*

E2: *En México y en algunas ciudades de Estados Unidos, como Austin, Texas.*

E1: *¿Cómo es…?*

E2: *…*

E1: *¿Qué opinas de…?*

E2: *…*

Unos días festivos. Hablen sobre cómo celebran ustedes estas fechas.

 tu cumpleaños

E1: *¿Cómo celebras tu cumpleaños?*

E2: *Lo celebro con mis amigos. Salimos a cenar o los invito a mi apartamento para ver una película. A veces voy a casa para celebrarlo con mi familia.*

1. la Nochevieja/el Fin de Año
2. el Día de las Brujas
3. el Día de Acción de Gracias
4. el Día de la Independencia
5. el Año Nuevo
6. el Día de la Madre

LENGUA

The words **fiesta, festividad,** and **festival** are often used interchangeably. **Fiesta** may mean a holiday or a party or celebration. **Festividad** normally refers to a public festivity or a holiday. **Festival** often involves a series of events or celebrations of a public nature. Another term for holiday is **día festivo. Día feriado** is a legal holiday.

Cultura

Tradiciones curiosas

Existen diferentes tradiciones relacionadas con el último día del año. En España a las doce en punto de la noche del 31 de diciembre suenan doce campanadas (*bell chimes*) y se comen doce uvas. En México hay personas que salen a la calle con maletas vacías para hacer muchos viajes durante el nuevo año. En Argentina se encienden tres velas: verde para la esperanza, roja para espantar malas energías y amarilla para la abundancia.

Comparaciones. ¿Qué tradiciones existen en tu país en la última noche del año? ¿Existe alguna tradición especial en tu familia?

8-8

Una celebración importante.

PREPARACIÓN. Escojan una celebración importante del mundo hispano (Carnaval, Semana Santa, Año Nuevo, las Posadas, la Diablada, Día de la Independencia, etc.) y, si necesitan, busquen información en Internet sobre los siguientes aspectos:

1. el lugar donde se celebra
2. la época del año
3. las actividades
4. los vestidos o disfraces
5. la comida u otro aspecto relevante de la festividad

INTERCAMBIOS. Preparen una presentación de 1 o 2 minutos sobre la celebración que escogieron y preséntenla a la clase.

Las invitaciones

 ¿Quieres salir conmigo?

LUISA: Hola, Arturo, ¿qué tal?

ARTURO: Bien, Luisa, ¿y tú?

LUISA: **Estupendamente.** ¿Qué planes tienes para Nochevieja? Debemos hacer algo juntos.

ARTURO: Me gustaría mucho, pero no puedo porque esa noche tenemos la cena familiar.

LUISA: ¡Qué lástima! ¿Y qué tal si hacemos algo después de cenar?

ARTURO: Sí, **¿cómo no?** Si quieres, podemos ir de discoteca por la noche. Las discotecas tienen música **en vivo**, con buenos grupos musicales, y la gente está muy **animada.**

LUISA: ¡Qué buena idea! Creo que hay **fuegos artificiales** en la plaza a las doce. Podemos **dar una vuelta** por allí.

ARTURO: Bueno, **entonces** nos vemos en mi casa el 31 a eso de las once y media.

LUISA: Fenomenal, Arturo. Me hace mucha ilusión comenzar el Año Nuevo contigo.

PRÁCTICA

8-9

Para confirmar. Con tu compañero/a, lee la conversación entre Luisa y Arturo. Después, invita a tu compañero/a a hacer algo juntos. Luego, tu compañero/a va a invitarte a ti.

LUISA: Hola, Arturo, ¿cómo estás?

ARTURO: Bien, Luisa, ¿y tú?

LUISA: Estupendamente. Mira, me gustaría invitarte a cenar el sábado para hablar de tu viaje a México.

ARTURO: Mañana no puedo porque tengo un partido de fútbol.

LUISA: ¡Qué lástima! ¿Y el domingo?

ARTURO: El domingo está bien. Si quieres, podemos vernos antes para dar un paseo.

LUISA: ¡Qué buena idea! Nos vemos en el centro a las seis.

ARTURO: Hasta el domingo.

En directo

To accept an invitation:

Gracias. Me encanta la idea.

Con mucho gusto.

Encantado/a.

Será un placer. *It will be a pleasure.*

To decline an invitation:

Me gustaría ir, pero…

¡Qué lástima/pena! Ese día tengo que…

No puedo, tengo un compromiso. *I can't. I have a prior engagement.*

 Listen to a conversation with these expressions.

8-10

Fiestas en Querétaro. Lean el programa de fiestas de fin de año y contesten las preguntas. Luego, preparen una lista con las diferencias que encuentran entre estas festividades y las de su país en esta época del año.

1. ¿ En qué país se celebran estos eventos?
2. ¿Cuáles de estos eventos son gratis?
3. ¿Qué festividad se celebra con fuegos artificiales?
4. ¿Cuál de las festividades se celebra más de un día?
5. ¿Para qué evento se necesita tener un boleto?

Fiestas de Navidad
Querétaro, México

Plaza de la Constitución

Encendido del Árbol de Navidad
  FECHA: 5 de diciembre
  LUGAR: Jardín Zenea
  DIRECCIÓN: Parque Central
  HORA: 14:00 h

Desfile del Carro de la Posada
  FECHA: 20-23 de diciembre
  LUGAR: Calles del Centro Histórico
  DIRECCIÓN: Centro Histórico
  HORA: 18:00 h

Concierto Navideño
  FECHA: 18 de diciembre
  LUGAR: Teatro Municipal
  DIRECCIÓN: Avenida República 2051
  HORA: 20:00 h
  VENTA DE
  BOLETOS: Caja N.º 10

Fiesta de Fin de Año y Pirotecnia
  FECHA: 31 de diciembre
  LUGAR: Jardín Zenea
  DIRECCIÓN: Parque Central
  HORA: 21:00 h

8-11

Una fiesta especial. PREPARACIÓN. Piensa en una celebración o fiesta en la que participaste recientemente y descríbele la fiesta a tu compañero/a. Usa las siguientes preguntas como guía.

1. ¿A qué fiesta asististe?
2. ¿Dónde se celebró? ¿Cuántos invitados asistieron?
3. ¿Cuándo fue la fiesta? ¿A qué hora empezó? ¿Cuánto tiempo duró?
4. Describe la comida que sirvieron.
5. ¿Cómo se divirtió la gente? ¿Qué música tocaron?

INTERCAMBIOS. Ahora compara tu fiesta con la de tu compañero/a y busquen algunas diferencias entre las dos fiestas.

8-12

La fiesta. PREPARACIÓN. Before you listen to four short conversations about different holidays, tell your partner one or two things you know about each holiday listed below.

ESCUCHA. Identify each holiday below according to the corresponding conversation you hear and write the appropriate number next to it. Check answers with a classmate.

_____ el Día del Amor y la Amistad/Día de los Enamorados

_____ el Día de los Muertos

_____ el Día de los Reyes Magos

_____ el Día de las Brujas

¿Sabías que el carnaval más grande del mundo hispano es el de Barranquilla en Colombia? ¿Sabías que dura una semana entera? Es cierto. Aproximadamente dos millones de personas de todo el mundo se reúnen para presenciar los desfiles, comparsas, disfraces, bailes y alegría que llenan las calles cada día. "¡Güepajé!" grita la gente en lo que es hoy una celebración con sus orígenes en diferentes tradiciones.

Los carnavales latinoamericanos comenzaron como un medio para unir las celebraciones tradicionales (usualmente paganas) con las celebraciones religiosas que llegaron de Europa. En el Carnaval de Barranquilla se celebra la diversidad cultural del Caribe con sus tradiciones indígenas, africanas y europeas. Cada país tiene sus propios carnavales y celebra la diversidad de maneras diferentes.

Otra tradición que se mantiene y se pasa de generación en generación es la de los papalotes o cometas (*kites*). En los meses de agosto y septiembre, cuando hace más viento, es común ver a familias en los parques y en las playas jugando con cometas. También hay grandes festivales, como el Festival Internacional de Cometas Ciudad de Valencia, en España. Allí se reúnen equipos y aficionados de todo el mundo para exhibir sus cometas en la playa y competir en modalidad acrobática. ¡Quién se pierde (*misses out on*) cualquiera de estas festividades y tradiciones!

Compara

1. ¿Qué tipo de carnavales o fiestas tradicionales existen en tu país o región? ¿Qué tienen en común con las del mundo hispano? Explica.

2. Cuando eras niño/a, ¿participabas en tradiciones familiares como elevar cometas? ¿Qué tradiciones son importantes en tu cultura?

3. ¿Qué celebración se transmite de generación en generación en tu familia? ¿Cómo es esta celebración?

☑ Funciones y formas

1 Expressing ongoing actions and describing in the past

ABUELA: **Antes** la música **era** suave y romántica. **Tenía** más melodía y las orquestas **eran** magníficas. **Hoy en día** no **hay** música, solo ruido, y a la gente **no le interesa** bailar.

NANCY: **Antes** las familias **cenaban** juntas. **Conversaban** mientras **comían**, y los hijos **se aburrían** (*got bored*) mucho. ¡**Era** una tortura! **Ahora es** mucho mejor. Cuando **tengo** hambre, **preparo** algo para comer. Además, los padres no **controlan** tanto la vida de sus hijos.

e **Piénsalo.** Indica a qué función se refiere cada afirmación.

CONDICIÓN O ACTIVIDAD	DESCRIPCIÓN DE UN ESTADO EN EL PASADO	ACCIÓN HABITUAL EN EL PASADO	ACCIÓN EN EL PRESENTE
1. La música del pasado **tenía** más melodía.	_____	_____	_____
2. Antes las familias **cenaban** juntas.	_____	_____	_____
3. Los hijos **se aburrían** mucho.	_____	_____	_____
4. Cuando tengo hambre, **preparo** algo para comer.	_____	_____	_____
5. Los padres no **controlan** tanto la vida de sus hijos.	_____	_____	_____

The imperfect

■ You have already learned to use the preterit to talk about actions in the past. In these scenes, the grandmother and granddaughter use a different past tense, the **imperfect,** because they are focusing on how things used to be and what usually took place 50 or 60 years ago. If they were talking about a specific completed action, like something they did yesterday, they would use the preterit.

Generally, the imperfect is used to:

■ express habitual or repeated actions in the past (without focus on the completion of a specific action).

Nosotros **íbamos** a casa para cenar todos los días a las seis. *We used to go home to eat dinner every day at six o'clock.*

■ express an action or state that was in progress in the past (not whether the action or state was completed).

Todos los invitados **hablaban** y **bailaban.** *All the guests were talking and dancing.*

Estaban muy contentos. *They were very happy.*

- describe characteristics and conditions in the past.

El desfile **era** muy largo y **había** muchos espectadores.

The parade was very long and there were many spectators.

- tell time in the past.

Era la una de la tarde; no **eran** las dos.

It was one in the afternoon; it was not two.

- express a person's age in the past.

Ella **tenía** quince años entonces.

She was fifteen years old then.

- Note that the endings for **-er** and **-ir** verbs are the same and have a written accent over the **í** of the ending.

IMPERFECT			
	Hablar	**Comer**	**Vivir**
yo	habl**aba**	com**ía**	viv**ía**
tú	habl**aba**s	com**ía**s	viv**ía**s
Ud., él, ella	habl**aba**	com**ía**	viv**ía**
nosotros/as	habl**ába**mos	com**ía**mos	viv**ía**mos
vosotros/as	habl**aba**is	com**ía**is	viv**ía**is
Uds., ellos/as	habl**aba**n	com**ía**n	viv**ía**n

- Some expressions of time and frequency that often accompany the imperfect to express ongoing or repeated actions or states in the past are:

mientras	*while*
a veces	*sometimes, at times*
siempre	*always*
generalmente	*generally*
frecuentemente	*frequently*

- The Spanish imperfect has several English equivalents.

Mis amigos **bailaban** mucho.
{
My friends danced a lot.
My friends were dancing a lot.
My friends used to dance a lot.
My friends would dance a lot.
(implying a repeated action)

- There are no stem changes in the imperfect.

Ella no d**ue**rme bien ahora, pero antes d**o**rmía muy bien.

She does not sleep well now, but she used to sleep very well before.

- Only three verbs are irregular in the imperfect.

ir iba, ibas, iba, íbamos, ibais, iban

ser era, eras, era, éramos, erais, eran

ver veía, veías, veía, veíamos, veíais, veían

- The imperfect form of **hay** is **había** (*there was, there were, there used to be*). It is invariable.

Había una invitación en el correo.

There was an invitation in the mail.

Había muchas personas en la fiesta.

There were many people at the party.

¿COMPRENDES?

Completa las oraciones con el imperfecto.

1. Marcos siempre _____ (bailar) en las fiestas.
2. Nosotros siempre _____ (comer) mucho cuando _____ (ir) a la casa de nuestros abuelos.
3. A los hermanos les _____ (gustar) cantar cuando _____ (estar) en la primaria.
4. Cuando tú _____ (ser) niño, ¿_____ (hacer) tus disfraces del Día de las Brujas, o los _____ (comprar)?

MySpanishLab

Learn more using Amplifire Dynamic Study Modules, Grammar Tutorials, and Extra Practice activities.

PRÁCTICA

8-13

Cuando yo tenía cinco años. Marca (✓) las actividades que hacías cuando tenías cinco años y añade una más. Compara tus respuestas con las de tu compañero/a. ¿Cuántas actividades tienen en común?

1. _____ Jugaba en el parque con mi perro.

2. _____ Invitaba a mis amigos a dormir en mi casa.

3. _____ Salía con mis padres los fines de semana.

4. _____ Iba a la playa en el verano.

5. _____ Veía televisión hasta muy tarde.

6. _____ Celebraba el Año Nuevo con mis amigos.

7. _____ Participaba en las fiestas de mi escuela.

8. …

8-14

En mi escuela secundaria. PREPARACIÓN. Marca (✓) la frecuencia con que tus amigos/as y tú hacían estas actividades. Añade otra actividad y compara tus respuestas con las de tu compañero/a.

ACTIVIDADES	SIEMPRE	FRECUENTEMENTE	A VECES	NUNCA
jugar juegos en línea				
organizar reuniones para animar al equipo de la escuela (*pep rallies*)				
ir a los partidos de fútbol y otros deportes				
asistir a conciertos y obras de teatro				
participar en un equipo, en la banda, etc.				
otra actividad				

MODELO decorar los salones de clase

E1: *Frecuentemente decorábamos los salones de clase.*

E2: *Pues, nosotros los decorábamos solo a veces.*

INTERCAMBIOS. Hablen de los siguientes temas.

1. Tradicionalmente, ¿cómo celebraban y animaban al equipo de su escuela?

2. ¿Cuáles eran las actividades favoritas de cada uno/a ustedes?

8-15

Se fue la luz. (*There was a blackout.*) El sábado pasado los señores Herrera organizaron una fiesta en su casa. Durante la fiesta hubo un apagón en su barrio. Según el dibujo, describan lo que hacían las personas cuando se fue la luz. ¿Te pasó algo similar alguna vez? Cuéntaselo a tu compañero/a.

8-16

Mi casa. Descríbele a tu compañero/a la casa o apartamento donde vivías cuando eras niño/a. Después, tu compañero/a debe hacer lo mismo.

8-17

Las fiestas infantiles.
Comenten cómo eran las fiestas de cumpleaños cuando ustedes eran pequeños/as. Hablen de los siguientes aspectos y añadan uno más.

1. lugar de la celebración
2. horas (comienzo y final)
3. dos o tres actividades que hacían
4. personas que participaban
5. comida y bebida que servían
6. ropa que llevaban
7. …

8-18

Antes y ahora. Explícale a tu compañero/a cómo era tu vida antes de la universidad y cómo es ahora con respecto a los siguientes temas. Háganse preguntas para obtener más detalles.

1. tus relaciones con tus padres
2. tus relaciones sociales
3. tus estudios
4. tu tiempo libre
5. tus amigos
6. tus vacaciones

 MODELO E1: *Antes yo vivía con mis padres, pero ahora no los veo mucho porque estudio en una universidad en otro estado. ¿Y tú?*

E2: …

En directo ▪ ▪ ▪ ▪ ▪

To talk about how things used to be:

Entonces... *Then. . .*

Por aquel entonces... *Back then. . .*

En aquellos tiempos… *In those days. . .*

En esos años… *During those years. . .*

 Listen to a conversation with these expressions.

Situación

Media Share

PREPARACIÓN. Lean la situación. Luego, compartan ejemplos de vocabulario, gramática y otra información que necesitan para desarrollar la conversación.

Role A. You are an exchange student from Mexico and want to find out about your American host brother's/sister's weekend and summer activities when he/she was in high school. Ask:

a. what activities there were for high school students in the community,
b. what he/she generally did with friends on the weekends; and
c. what he/she usually did in the summer.

Role B. You are the American host brother/sister of an exchange student from Mexico (your classmate). Answer his/her questions about your weekend and summer activities when you were in high school. Provide lots of detail to give your guest a good idea of your activities and of life in your community.

	ROLE A	ROLE B
Vocabulario	Free-time and summer activities Question words Expressions to react to what one hears	Free-time and summer activities Expressions to react to what one hears
Funciones y formas	Asking questions Imperfect	Answering questions in detail

INTERCAMBIOS. Practica la conversación con tu compañero/a incorporando el vocabulario, las funciones y demás información. Luego, represéntenla ante la clase.

2 Narrating in the past

 Había una vez una chica que **vivía** con su padre, porque su madre **estaba** muerta. La chica **se llamaba** Cenicienta. **Era** muy bella y muy buena, y todos los vecinos la **querían** mucho. Pero un día, su vida **cambió.** Su padre **se casó** con una mujer muy mala que **tenía** dos hijas. La mujer y sus hijas **vinieron** a vivir a la casa de Cenicienta. Las hijas **eran** muy crueles y **odiaban** (*hated*) a Cenicienta, su hermanastra...

Piénsalo. Lee las afirmaciones e indica su función en la historia de Cenicienta: **contar los eventos** o **dar información de fondo** (*background information*).

	CONTAR LOS EVENTOS	DAR INFORMACIÓN DE FONDO
1. La chica **se llamaba** Cenicienta.	_____	_____
2. Era muy bella y muy buena.	_____	_____
3. Todos los vecinos la **querían** mucho.	_____	_____
4. Pero un día, su vida **cambió.**	_____	_____
5. Su padre **se casó** con una mujer muy mala.	_____	_____
6. La mujer y sus hijas **vinieron** a vivir a la casa de Cenicienta.	_____	_____

The preterit and the imperfect

- The preterit and the imperfect are not interchangeable. They fulfill different functions when telling a story or talking about an event in the past.

- Use the preterit:

  1. to express a sequence of actions completed in the past (note that there is a forward movement of narrative time).

Oyeron un ruido, **se levantaron** y **bajaron** las escaleras.	*They heard a noise, got up, and went downstairs.*

  2. to talk about the beginning or end of an event, action, or condition.

Pepito **leyó** a los cinco años.	*Pepito read* (began to read) *at age five.*
El niño **se enfermó** el sábado.	*The child got sick* (became sick) *on Saturday.*
Pepito **leyó** el cuento.	*Pepito read* (finished) *the story.*
El niño **estuvo** enfermo ayer.	*The child was sick yesterday* (and is no longer sick).

  3. to talk about an event, action, or condition that occurred over a specified period of time.

Vivieron en México por diez años.	*They lived in Mexico for ten years.*

- Use the imperfect:

  1. to talk about customary or habitual actions, events, or conditions in the past.

Todos los días **llovía** y por eso **leíamos** mucho.	*It used to rain every day, and that's why we read a lot.*

  2. to express an ongoing part of an event, action, or condition.

En ese momento **llovía** mucho y los niños **estaban** muy tristes.	*At that moment it was raining a lot, and the children were very sad.*

- In a story, the imperfect provides the background information, whereas the preterit tells what happened. Frequently an action or situation (expressed with the imperfect) is going on when something else (expressed with the preterit) suddenly happens.

Era Navidad. Todos **dormíamos** cuando los niños **oyeron** un ruido en el techo.

It was Christmas. We were all sleeping when the children heard a noise on the roof.

PRÁCTICA

8-19 **¡Qué día más malo!** Ayer iba a ser un día especial para Pedro, pero sus planes terminaron mal. Marca (✓) las tres cosas más graves que le ocurrieron a Pedro, según tu opinión. Compara tus respuestas con las de tu compañero/a.

1. _____ Mientras se bañaba por la mañana, se cayó.

2. _____ Mientras desayunaba tranquilamente, el teléfono sonó y no pudo terminar de comer.

3. _____ Iba a la tienda para comprarle un anillo a su novia cuando alguien le robó el dinero.

4. _____ Mientras llamaba por teléfono a un restaurante para reservar una mesa, el restaurante se incendió.

5. _____ Iba a proponerle matrimonio a su novia cuando su exnovia lo llamó por teléfono.

6. _____ Mientras preparaba una cena deliciosa para celebrar el cumpleaños de su novia, el perro se comió el pastel.

e ¿COMPRENDES?

Completa las oraciones con la forma correcta del verbo en el pretérito o el imperfecto según el contexto.

1. Cuando yo _____ (tener) diez años, mis padres nos _____ (llevar) a México.
2. Todos los días nosotros _____ (nadar) y _____ (jugar) al voleibol en la playa.
3. Un día mi hermano _____ (aprender) a volar en parapente.
4. Mis padres no me _____ (permitir) tomar lecciones porque yo _____ (ser) desmasiado joven.

MySpanishLab

Learn more using Amplifire Dynamic Study Modules, Grammar Tutorials, and Extra Practice activities.

8-20

La última vez. Túrnense para preguntarse cuándo fue la última vez que cada uno/a de ustedes hizo estas actividades y cómo se sentía mientras las hacía.

 ver un partido de béisbol

E1: *¿Cuándo fue la última vez que viste un partido de béisbol?*

E2: *Vi un partido de béisbol la semana pasada.*

E1: *¿Y cómo te sentías mientras veías el partido?*

E2: *Estaba aburrido/a, porque no me gusta mucho el béisbol.*

1. participar en un campeonato

2. ganar un premio

3. estar en un desfile

4. disfrazarse

5. bailar en un carnaval o en una fiesta

6. …

8-21

¿Qué les pasó? Miren las fotos y expliquen qué hacían estas personas y qué les pasó. Describan con detalle la situación.

MODELO Meriel: caminar por el mercado, ver pulseras, discutir precio, empezar a llover

E1: *Meriel caminaba por el mercado cuando vio unas pulseras.*

E2: *Y discutía el precio cuando empezó a llover.*

1. María: caminar, ladrón (*thief*) robar el bolso, hablar por teléfono, parar

2. Luisito: jugar con su hermana, caerse, hacerse daño (*hurt himself*), llorar (*to cry*), ayudar

3. Ángela: ir de viaje, caminar por el aeropuerto, abrirse la maleta, salirse la ropa

Una leyenda. Completa esta narración usando el pretérito o el imperfecto. Compara tus respuestas con las de tu compañero/a e intercambien las razones por las que es preferible usar el pretérito o el imperfecto.

Según una leyenda mexicana, (1) _____ (haber) antiguamente una mujer indígena que (2) _____ (caminar) por las calles. Siempre (3) _____ (vestirse) de blanco. (4) _____ (tener) el pelo negro y largo. (5) _____ (estar) muy triste y (6) _____ (llorar) mucho, por eso muchas personas la (7) _____ (llamar) la Llorona. La leyenda cuenta que ella (8) _____ (enamorarse) de un caballero español. De su romance (9) _____ (nacer[1]) tres hijos. Luego el caballero (10) _____ (abandonar) a su familia y (11) _____ (casarse) con otra mujer. Entonces ella (12) _____ (estar) tan desesperada que (13) _____ (matar[2]) a sus hijos. Luego (14) _____ (arrepentirse) y (15) _____ (vivir) el resto de su vida con mucho sufrimiento. Todavía hoy en día se oye al fantasma[3] de la mujer llorando por sus hijos.

[1]*to be born*   [2]*to kill*   [3]*ghost*

8-23

Un evento inolvidable.
Cuéntale a tu compañero/a algo inesperado que te ocurrió el año pasado. Indica qué pasó, dónde y cuándo. Describe la escena con detalles.

Situación

PREPARACIÓN. Lean la situación. Luego, compartan ejemplos de vocabulario, gramática y otra información que necesitan para desarrollar la conversación.

Role A. You have just come back from a vacation. Tell your classmate about a particular place you visited. Explain what it was like and what you did there.

Role B. Your classmate has just returned from a vacation. Ask about a particular place he/she visited while there. Find out

a. what the place looked like;
b. what he/she did there; and
c. what special event he/she can tell you about.

	ROLE A	ROLE B
Vocabulario	Words associated with vacations Words to describe a place	Question words

Funciones y formas	Describing a vacation spot
	    Adjectives
	Narrating and describing in the past
	    Preterit and imperfect
		Asking questions about a past event
		    Preterit and imperfect
		Reacting to what one hears

INTERCAMBIOS. Practica la conversación con tu compañero/a incorporando el vocabulario, las funciones y demás información. Luego, represéntenla ante la clase.

---

3 Comparing people and things

	2012	2013
Número de días del Carnaval de la Primavera	3	2
Asistencia del público	35.000	34.000
Mujeres	6.000	2.000
Hombres	4.000	5.000
Niños	25.000	27.000
presupuesto (*Budget*)	150.000.000	120.000.000

Para planificar el Carnaval de la Primavera debemos mirar las estadísticas de los años recientes. ¿Vamos a celebrar el carnaval **más de** dos días? En el año 2012, la asistencia fue **mayor que** la del 2013. En el 2012, había **más** mujeres **que** hombres, pero en el 2013 participaron **menos** mujeres **que** en el año anterior. En el 2013, el presupuesto era **más** pequeño **que** en el 2012. Para tener un **mejor** carnaval **que** en años anteriores, vamos a necesitar **más** dinero **que** en los años pasados.

Piénsalo. Indica si las siguientes afirmaciones son ciertas (**C**), falsas (**F**) o posibles (**P**), según las estadísticas. Si la respuesta es falsa, corrige la información.

1. _____ En el año 2012 participaron **menos** hombres **que** en el 2013.

2. _____ En el año 2012 participaron **menos** niños **que** adultos en el carnaval.

3. _____ Los organizadores gastaron **más** dinero en el año 2012 **que** en el 2013.

4. _____ En el futuro el carnaval va a durar **más de** dos días.

5. _____ Los carnavales del futuro van a ser **mejores que** los del pasado.

Comparisons of inequality

■ Use **más... que** or **menos... que** to express comparisons of inequality with nouns, adjectives, and adverbs.

COMPARISONS OF INEQUALITY					
Cuando Alina era joven tenía	{ **más** **menos** }	amigos que Pepe.	When Alina was young she had	{ more fewer }	friends than Pepe.
Ella era	{ **más** **menos** }	activa que él.	She was	{ more less }	active than he.
Salía	{ **más** **menos** }	frecuentemente que él.	She went out	{ more less }	frequently than he.

■ Use **de** instead of **que** before numbers.

En el año 2013, había **más de** diez carrozas en el desfile.

In 2013, there were more than ten floats in the parade.

En el siguiente año había **menos de** diez carrozas.

The following year there were fewer than ten floats.

■ The following adjectives have both regular and irregular comparative forms. Use **mayor** to refer to a person's age. **Más viejo/a** is used to refer to the age of nouns other than people; e.g., a city, a building, a tree.

- Some adjectives have both regular and irregular comparative forms but with different uses:

más bueno/a *better*	refer to a person's moral qualities	Jorge es más bueno que su hermano Esteban. *Jorge is a better person than his brother Esteban.*
más malo/a *worse*		
mejor *better*	refer to skills and abilities	Esta orquesta es mejor que aquella. *This orchestra is better than that one.*
peor *worse*		
más viejo *older*	generally used with nouns other than people	La ermita es más vieja que la iglesia. *The sanctuary is older than the church.*
mayor *older*	refers to a person's age	Soy mayor que tú. *I am older than you.*
Exception: más joven o menor *younger*	can be used interchangeably	Mi madre es más joven que mi tía. Mi madre es menor que mi tía. *My mother is younger than my aunt.*

- **Bien** and **mal** are adverbs. They have the same irregular comparative forms as the adjectives **bueno** and **malo.**

bien → mejor	Yo canto **mejor** que Héctor.	*I sing better than Héctor.*
mal → peor	Héctor canta **peor** que yo.	*Héctor sings worse than I.*

e ¿COMPRENDES?

Completa las oraciones con la forma correcta del comparativo.

1. Mi hermano canta bien, pero Justin Bieber canta _____.

2. Lucía tiene 15 años y su hermana tiene 20. Lucía es _____ que su hermana.

3. Yo estudio mucho. Paso _____ horas en la biblioteca _____ mis amigos.

4. El auto es muy caro. Cuesta _____ _____ cuarenta mil dólares.

5. El primer edificio se construyó en 1800. Es _____ _____ que los otros edificios de la universidad.

MySpanishLab

Learn more using Amplifire Dynamic Study Modules, Grammar Tutorials, and Extra Practice activities.

Cultura

Veracruz y Mérida

Veracruz y Mérida son dos ciudades mexicanas importantes. Veracruz, que está a 400 kilómetros (250 millas) al sureste de la Ciudad de México, fue fundada por el conquistador Hernán Cortés en 1519. Por su puerto, que es el más importante del país, Veracruz es conocida como *la puerta al mundo.*

▲ Desfile en Mérida

Mérida es la ciudad principal del estado de Yucatán, en el sureste del país. Está a más de 1.550 kilómetros (965 millas) de la capital. En el 2000 Mérida fue nombrada *la Capital Americana de la Cultura* a causa de su alta calidad de vida y su extraordinario desarrollo en las artes.

Comparaciones. ¿Cuáles son las ciudades más turísticas de tu país? ¿Por qué? ¿Dónde están los puertos más importantes? ¿Hay ciudades que han recibido (*have received*) nombres o títulos especiales en tu país? ¿Cuáles?

▲ Desfile en Veracruz

PRÁCTICA

8-24

Comparación de dos desfiles.

PREPARACIÓN. Lee la siguiente información sobre dos desfiles mexicanos. Completa las afirmaciones con **más que, menos que, más de** o **menos de,** según la información en la tabla. Compara tus respuestas con las de tu compañero/a.

	VERACRUZ	MÉRIDA
habitantes	568.313	970.377
promedio (*average*) de público que participa	15.000 personas	13.000 personas
número de bandas	9	7
número de policías	220	185

1. Mérida tiene _____ habitantes _____ Veracruz.

2. _____ personas asisten al desfile de Veracruz _____ al desfile de Mérida.

3. Los dos desfiles tienen _____ _____ cinco bandas.

4. Mérida gasta _____ dinero en seguridad (*security*) _____ Veracruz.

5. _____ _____ medio millón de personas viven en Veracruz.

6. Probablemente el público de Mérida es _____ entusiasta _____ el de Veracruz.

INTERCAMBIOS. La banda de tu universidad piensa participar en uno de estos desfiles, pero no puede gastar mucho dinero. Con tu compañero/a, decidan a qué desfile debe asistir y expliquen por qué.

COSTO POR PERSONA	DESFILE DE VERACRUZ	DESFILE DE MÉRIDA
transporte	5.824,50 pesos	6.552,60 pesos
hotel por día	880,50 pesos	915,25 pesos
comidas por día	450,00 pesos	348,00 pesos

Cultura

La Calavera Catrina

La Calavera Catrina es un relieve en zinc realizado en 1910 por José Guadalupe Posada. Las calaveras representaban de manera humorística figuras contemporáneas en forma de esqueletos y a menudo iban acompañadas de un poema. Hoy en día la imagen se incorpora a las representaciones artísticas del Día de los Muertos en México.

Comparaciones. ¿Se usan las calaveras y los esqueletos humorísticamente en tu cultura? Explica tu respuesta.

8-25

La Calavera (*skull*) Catrina. Los mexicanos celebran el Día de los Muertos con la imagen de la Calavera Catrina y en Estados Unidos se celebra el Día de las Brujas con la figura de una bruja. Comparen las dos imágenes usando el vocabulario de la lista y los criterios indicados.

adornado/a	bonito/a	fuerte
alegre	colorido/a	horroroso/a
alto/a	elegante	joven
bajo/a	feo/a	mayor

 MODELO *La bruja es más horrorosa que la Calavera Catrina.*

1. la apariencia física

2. los colores

3. el estilo

4. lo que más te gusta de una de ellas

▲ La Calavera Catrina   ▲ La bruja

8-26

Personas famosas.

PREPARACIÓN. Comparen a Eva Longoria con Christina Aguilera según los siguientes criterios.

1. su aspecto físico
2. su edad
3. el tipo de trabajo que hacen
4. el dinero o popularidad que tienen

INTERCAMBIOS. Escoge a una de estas famosas y compárate con ella. Tu compañero/a te va a decir si está de acuerdo o no.

Situación

PREPARACIÓN. Lean la situación. Luego, compartan ejemplos de vocabulario, gramática y otra información que necesitan para desarrollar la conversación.

Role A. You are a student government representative presenting a proposal to the dean to change the graduation ceremony. Compare the ceremony at your school with one at a rival institution. Say that the other ceremony is better because it is smaller, better organized, less expensive, and usually has better music and speeches (**discursos**).

Role B. You are the dean. A student government representative is proposing changes in the graduation ceremony. Listen to the presentation and ask questions to compare the advantages of both types of ceremonies.

Then either accept or reject the proposal, and justify your decision.

	ROLE A	ROLE B
Vocabulario	Expressions associated with size, organization, cost, and other amenities of a graduation ceremony	Expressions associated with size, organization, cost, and other amenities of a graduation ceremony
Funciones y formas	Presenting a group proposal to someone in authority Comparing to pinpoint better qualities Convincing/persuading Addressing someone in authority properly	Asking questions Drawing conclusions to make a decision

INTERCAMBIOS. Practica la conversación con tu compañero/a incorporando el vocabulario, las funciones y demás información. Luego, represéntenla ante la clase.

4 Comparing people and things

 PRESIDENTA DEL COMITÉ ORGANIZADOR:

Este año tuvimos un Carnaval de Primavera **tan** espectacular **como** el del 2013, que hasta este año era nuestro carnaval más grande. En los tres días del carnaval asistió **tanto** público **como** en el año 2013, un total de 25.400 personas. Además, los grupos musicales tocaron música **tan** buena **como** la música del carnaval del 2013. También el número de bailarines se mantuvo igual. Hubo **tantos** bailarines **como** en el 2013. Estoy muy agradecida, porque ustedes colaboraron **tanto como** en otros años. Vamos a planificar el carnaval del próximo año **tan bien como** el de este año.

|e Piénsalo. Indica si las siguientes afirmaciones representan correctamente la información que dio la presidenta del comité. Usa (**C**) para las afirmaciones correctas o (**I**) para las incorrectas.

1. _____ En 2013 asistieron 25.400 personas al carnaval y este año asistió el mismo número de personas.

2. _____ Este año los grupos musicales tocaron música que al público le gustó **menos que** en otros años.

3. _____ Este año el comité organizador hizo un trabajo **tan bueno como** el trabajo de otros años.

4. _____ La planificación del carnaval fue buena este año y la del próximo año va a ser buena también.

Comparisons of equality

- In the previous section you learned to express comparisons of inequality. In this section you will learn how to indicate that two people, things, or activities are equal in some way.

COMPARISONS OF EQUALITY	
tan... como	as ... as
tanto/a... como	as much ... as
tantos/as... como	as many ... as
tanto como	as much as

- Use **tan... como** to express comparisons of equality with adjectives and adverbs.

La boda fue **tan** elegante **como** la fiesta.
The wedding was as elegant as the party.

El padre bailó **tan** bien **como** su hija.
The father danced as well as his daughter.

- Use **tanto/a... como** and **tantos/as... como** to express comparisons of equality with nouns.

Había **tanta** alegría **como** en el Carnaval.
There was as much joy as at Mardi Gras.

Había **tantos** invitados **como** en mi fiesta de graduación.
There were as many guests as at my graduation party.

- Use **tanto como** to express comparisons of equality with verbs.

Los invitados bailaron **tanto como** nosotros.
The guests danced as much as we did.

|e ¿COMPRENDES?

Completa las oraciones con las expresiones que indican igualdad.

1. El año pasado, el Día de la Independencia fue _____ emocionante _____ el año anterior.
2. En mi casa tuvimos _____ comida _____ en la última celebración.
3. La ciudad organizó _____ desfiles _____ en años anteriores.
4. La gente comió y bebió _____ _____ el año pasado.

MySpanishLab

Learn more using Amplifire Dynamic Study Modules, Grammar Tutorials, and Extra Practice activities.

PRÁCTICA

Cultura

■ ■ ■ ■ ■

El peso mexicano

La moneda mexicana es el peso. Tanto en los billetes como en las monedas de metal está el escudo nacional, que tiene un águila parada sobre un nopal (un tipo de cacto), devorando a una serpiente.

Comparaciones. ¿Sabes cuál es la tasa de cambio (*exchange rate*) entre el peso mexicano y el dólar estadounidense? ¿Qué imágenes hay en los billetes de tu país? ¿Y en las monedas? ¿Qué importancia histórica y simbólica tienen esas imágenes?

8-27

Unos estudiantes afortunados. PREPARACIÓN. Lean algunos datos personales sobre cuatro estudiantes e indiquen si las afirmaciones a continuación son ciertas (**C**) o falsas (**F**). Si son falsas, corrijan la información.

	PEDRO	**VILMA**	**MARTA**	**RICARDO**
hermanos	2	3	3	2
clases	5	5	4	6
dinero para gastos personales cada mes	5.000 pesos	8.500 pesos	5.000 pesos	8.500 pesos
películas en DVD	20	18	18	21
viajes a otros países	3	8	3	8

1. _____ Pedro tiene **tantos** hermanos **como** Vilma.

2. _____ Vilma tomó **tantas** clases este semestre **como** Ricardo.

3. _____ La familia de Marta es **tan** grande **como** la familia de Vilma.

4. _____ Cada mes, Ricardo recibe **tanto** dinero de sus padres **como** Vilma.

5. _____ Pedro viaja **tanto como** Ricardo.

6. _____ Vilma ve al mes **tantas** películas **como** Ricardo.

INTERCAMBIOS. Escoge a uno de los estudiantes de *Preparación* y dile a tu compañero/a las cosas que tienes en común con él/ella.

8-28

Opiniones. PREPARACIÓN. Selecciona a dos personas famosas, dos festividades en tu cultura y dos programas cómicos de la televisión.

 INTERCAMBIOS. Ahora, expresen su opinión sobre ellos y compárenlos.

 MODELO E1: *Tom Cruise es tan buen actor como Johnny Depp.*

E2: *No, desde mi punto de vista Johnny Depp es mejor actor que Tom Cruise.*

Situación

PREPARACIÓN. Lean esta situación. Luego, compartan ejemplos de vocabulario, gramática y otra información que necesitan para desarrollar la conversación.

Role A. You are reminiscing about Independence Day celebrations when you were a child. Tell your classmate that you think that:

a. in the past people were more patriotic (**patrióticos**);

b. the celebrations were less expensive; and

c. the celebrations were more family oriented (**se celebraban en familia**) than today.

Role B. Your classmate argues that today's Independence Day celebrations are less family oriented than in the past. You disagree. State that:

a. today people are just as patriotic as they were in the past;

b. people used to spend less money because they made less money; and

c. today families celebrate Independence Day together as much as in the past.

	ROLE A	ROLE B
Vocabulario	Independence Day activities Phrases to express agreement and disagreement	Independence Day activities Phrases to express agreement and disagreement
Funciones y formas	Making comparisons of equality and inequality Expressing agreement and disagreement	Making comparisons of equality and inequality Expressing agreement and disagreement

INTERCAMBIOS. Practica la conversación con tu compañero/a incorporando el vocabulario, las funciones y demás información. Luego, represéntenla ante la clase.

5 Comparing people and things

PERLA: Lupita, ¿tienes algún plan especial para el Día de los Muertos?

LUPITA: Claro que sí. En mi comunidad, vamos al cementerio para visitar a familiares y amigos muertos. Les llevamos **la mejor** música mexicana y su comida preferida. Es **el** día **más importante del** año para recordarlos. Creemos que ellos vuelven a su tumba el 1 y 2 de noviembre para disfrutar de **la mejor** compañía, la de su familia y amigos.

PERLA: ¡Qué interesante! Para mi familia **el** acto **más** importante es recordarlos con **las** flores **más** hermosas **de** la estación.

e **Piénsalo.** Completa las siguientes oraciones con el nombre de la persona que expresa la información.

1. _____ lleva al cementerio **la mejor** música mexicana.

2. Según _____, el Día de los Muertos es **el** día **más importante del** año para recordar a los familiares y amigos muertos.

3. _____ dice que **la** compañía **más** agradable para los muertos es la de sus familiares y amigos.

4. _____ dice que su familia lleva la comida que les gustaba **más** a sus familiares muertos.

5. _____ dice que para su familia, **la** manera **más** apropiada **de** recordar a los muertos es llevarles flores.

The superlative

■ Use superlatives to express *most* and *least* as degrees of comparison among three or more entities. To form the superlative, use *definite article* + *noun* + **más/menos** + *adjective.* To express *in* or *at* with the superlative, use **de.**

Es **el** disfraz **menos** creativo (**de** la fiesta).

It is the least creative costume (at the party).

México es **el** país con **más** fiestas **de** América del Norte.

Mexico is the country with the most holidays in North America.

■ Do not use **más** or **menos** with **mejor, peor, mayor,** or **menor.**

¿Esos desfiles? Son **los mejores** desfiles **del** país.

Those parades? They are the best parades in the country.

Ivonne es **la mejor** bailarina **del** grupo.

Ivonne is the best dancer of the group.

■ You may delete the noun when it is clear to whom or to what you refer.

Son **los mejores del** país.

They are the best (ones) in the country.

- To express the idea of *extremely*, add the ending **-ísimo (-a, -os, -as)** to the adjective. If the adjective ends in a consonant, add **-ísimo** directly to the singular form of the adjective. If it ends in a vowel, drop the vowel before adding **-ísimo.**

fácil	Este baile es **facilísimo.**	*This dance is extremely easy.*
grande	La carroza es **grandísima.**	*The float is extremely big.*
bueno	Las orquestas son **buenísimas.**	*The orchestras are extremely good.*

> ### LENGUA
>
> A Spanish word can have only one written accent. Therefore, an adjective with a written accent loses the accent when **-ísimo/a** is added.
>
> **fácil > facilísimo/a   rápido > rapidísimo/a**

|e| ¿COMPRENDES?

Completa las oraciones para expresar el superlativo.

1. En mi opinión, los deportes acuáticos son ____ _____ divertidos. Me encanta nadar, bucear y pescar.
2. Miguel es fenomenal. Es _____ _____ jugador del equipo.
3. Laura tiene 30 años, Marisol tiene 28 y Susana tiene solo 18. Laura es ____ _____ de las tres.
4. Mi abuela hace ____ enchiladas _____ deliciosas del mundo.

MySpanishLab

Learn more using Amplifire Dynamic Study Modules, Grammar Tutorials, and Extra Practice activities.

PRÁCTICA

8-29 |e|

Estadísticas demográficas. PREPARACIÓN. Lee la información de la tabla siguiente e indica a qué país de la columna B se refiere cada oración de la columna A. Compara tus respuestas con las de tu compañero/a.

	MÉXICO	**GUATEMALA**	**ESTADOS UNIDOS**
Población (aprox.) del país	115.000.000 habitantes	14.400.000 habitantes	313.900.000 habitantes
Población de la capital	México D. F.: 8.836.045	Ciudad de Guatemala: 1.110.100	Washington D. C.: 601.723
Número de lenguas indígenas	62	23	aprox. 150
Religión predominante	76.5% son católicos (aprox. 88.000.000)	49% son católicos (aprox. 7.058.000)	51.3% son protestantes (aprox. 161.004.000)
Número de estados o departamentos	32 estados	22 departamentos	50 estados

COLUMNA A

1. _____ Este país tiene **el mayor número** de habitantes.
2. _____ La población de la capital de este país es **la más** numerosa.
3. _____ Es el país donde existe **el mayor** número de lenguas indígenas.
4. _____ Este es el país con **menos** lenguas indígenas.
5. _____ Este país tiene **el menor** porcentaje de personas que profesan el catolicismo.
6. _____ Este país tiene **el mayor** número de gobiernos estatales o departamentales.

COLUMNA B

a. México
b. Guatemala
c. Estados Unidos

INTERCAMBIOS. Escoge otro país hispano y menciona tres cosas en las que se distingue de los demás países. Tu compañero/a tiene que adivinar qué país es.

MODELO E1: *Es el país de América del Sur que tiene **el mayor** número de habitantes.*

E2: *Es Colombia. Tiene más de 47 millones de habitantes.*

 8-30

¿En qué pueblo o ciudad? Respondan a las siguientes preguntas y luego comparen sus respuestas con las de otra pareja. ¿Están de acuerdo o tienen opiniones diferentes?

¿En qué pueblo o ciudad de tu país…

1. sirven la mejor comida étnica?
2. se come la comida más picante (*spicy*)?
3. se vende el café cubano más fuerte?

4. celebran las mejores fiestas de Año Nuevo?
5. hay el mayor número de desfiles hermosos?
6. tocan la mejor música folclórica?

Situación

PREPARACIÓN. Lean esta situación. Luego, compartan ejemplos de vocabulario, gramática y otra información cultural que necesitan para desarrollar la conversación.

Role A. You took your traditional trip for spring break and had a great time. Tell your classmate the five most interesting places you saw or activities you did. Provide details about at least one place or activity.

Role B. Ask several questions about your classmate's spring break trip to learn about his/her interesting and enjoyable activities. Then say where you went during spring break, and share the favorite parts of your trip.

	ROLE A	ROLE B
Vocabulario	Words related to places Expressions associated with trips Descriptive words	Question words

Funciones y formas	Narrating an event
	Describing in detail:
	  Preterit and imperfect
	  Adjectives
	Expressing the utmost feature of a place or an experience
		Reacting to what you hear
		Asking follow-up questions
		Narrating an event
		Describing an experience
		Expressing the utmost feature of a place or an experience

INTERCAMBIOS. Practica la conversación con tu compañero/a incorporando el vocabulario, las funciones y demás información. Luego, represéntenla ante la clase.

EN ACCIÓN ▶

Hay que celebrar

8-31 Antes de ver

Las tradiciones. Marca (✓) las tradiciones que asocias con la cultura hispana. Luego, compara tus respuestas con las de tu compañero/a.

1. _____ el Día de los Muertos
2. _____ el Cinco de Mayo
3. _____ la corrida de toros
4. _____ el Día de las Brujas
5. _____ el Día de Acción de Gracias
6. _____ el fútbol
7. _____ el festival de la Calle Ocho
8. _____ el Cuatro de Julio

8-32 Mientras ves

Unas celebraciones importantes.
Indica si las siguientes afirmaciones se refieren a la fiesta de La Mercé (**LM**) o al Día de los Muertos (**DM**), según el contenido de este segmento.

1. _____ Es una fiesta en honor a la Virgen.
2. _____ Se celebra el primero y el dos de noviembre.
3. _____ Las familias hacen procesiones hasta el cementerio.
4. _____ Hay espectáculos con música, bailes y desfiles con dragones.
5. _____ Algunas personas forman castillos o torres humanas.
6. _____ Las calaveras de azúcar son típicas de esta celebración.

8-33 Después de ver

Días festivos. PREPARACIÓN. Marca (✓) las afirmaciones que contienen ideas que aparecen en el video. Después, compara tus respuestas con las de tu compañero/a.

1. _____ Muchas celebraciones de América Latina muestran el sincretismo de la cultura española y de las culturas precolombinas.
2. _____ Algunas fiestas hispanas se celebran también en Estados Unidos.
3. _____ El Día de los Muertos es una celebración en homenaje (*homage*) a las personas que murieron.
4. _____ Las fiestas del mundo hispano son diferentes según la clase social.

 INTERCAMBIOS. Háganse las siguientes preguntas relacionadas con las celebraciones.

1. Piensen en una celebración del mundo hispano. ¿Cómo se celebra? ¿Qué características tiene?
2. ¿Qué diferencias hay entre las celebraciones personales o familiares (cumpleaños, Día del Santo, bautismo, Bar Mitzvah, boda, etc.) y las celebraciones cívicas (carnaval, fiestas de independencia, Día de las Brujas, etc.)?

Mosaicos

ESCUCHA

ESTRATEGIA

8-34

Preparación. Es el 22 de diciembre y dos amigos conversan sobre las celebraciones del fin de año. Antes de escuchar su conversación, describe en un párrafo cómo celebras tú el fin de año.

> **Draw conclusions based on what you know**
>
> Understanding what someone says involves using the context and the information the speaker provides to draw conclusions that go beyond literal comprehension. This process is called inferencing, or making inferences. For example, if you are driving with a friend and get lost, you may say, "There is a gas station up there on the right." Your friend will probably infer that you want to stop to ask for directions.

8-35

Escucha. First, read the statements below, and then listen as two friends talk about a Mexican holiday. After listening, mark (✔) the statements that provide information you can infer from what you heard.

1. _____ Daniel es mexicano.

2. _____ Sandra es una persona muy tímida.

3. _____ Sandra no es estadounidense.

4. _____ Daniel está triste porque no va a celebrar la Navidad con su familia.

5. _____ Pedir posada es una costumbre en la que participa solamente la familia.

6. _____ Daniel no conoce algunas costumbres mexicanas.

Comprueba

I was able to ...

_____ make inferences based upon what I heard.

_____ use contextual and factual information to draw conclusions.

8-36

Un paso más. Comparte tus respuestas a estas preguntas con tu compañero/a.

1. ¿Qué fiesta o tradición religiosa te gustaría celebrar en un país hispano? ¿Por qué?

2. ¿Celebras esa fiesta en tu ciudad o país? ¿Cómo se celebra?

3. ¿Qué fiesta o tradición celebras con tus amigos?

HABLA

8-37

Preparación. Escriban una pregunta de seguimiento (*follow-up*) para cada una de las afirmaciones. Luego, compártanlas con la clase.

1. Cuando yo tenía doce años practicaba muchos deportes.

2. En mi familia celebrábamos fiestas.

3. Algunas costumbres familiares me gustaban y otras no.

ESTRATEGIA

Conduct an interview

To conduct an interview, you need to ask two types of questions: a) questions to open up a topic; and b) follow-up questions to get additional information. Questions that can be answered with **Sí** or **No** are not likely to elicit much information, unless you follow up with **¿Por qué?** Listen carefully to what your interviewee says so that you can ask relevant follow-up questions.

8-38

Habla. Entrevista a tu compañero/a sobre su infancia y adolescencia. Hazle preguntas para iniciar temas y obtener más información. Toma notas de sus respuestas.

Comprueba

In my conversation …

_____ I asked both topic opening questions and follow-up questions.

_____ I took effective notes.

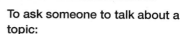

To ask someone to talk about a topic:

¿Me podrías hablar sobre…?
Can you talk to me more about …?

¿Qué me puede decir usted sobre/de…?
What can you tell me about …?

Me gustaría saber…
I would like to know …

To ask someone to expand on a topic:

¿Podrías hablar más sobre…?

¿Qué más me puedes decir sobre…?

To show empathy when responding:

¡Oh! ¡Qué lástima! ¡Cuánto lo siento!
How sad! I'm so sorry.

To share someone's happiness:

¡Qué fabuloso/bueno!
How fabulous/great!

¡Cuánto me alegro!
I'm so happy to hear that!

To express interest in what someone said:

¡Qué interesante!
How interesting!

 Listen to a conversation with these expressions.

8-39

Un paso más. Escriban un breve informe comparativo sobre los siguientes aspectos de la infancia y adolescencia de cada uno/a de ustedes. Otros compañeros van a leer su informe y tratar de averiguar quiénes son ustedes. Mantengan su identidad en secreto.

1. Durante la infancia/adolescencia…

2. Con respecto a los deportes/las fiestas…

3. La persona A y la persona B tuvieron una niñez/adolescencia semejante/diferente porque…

ALMAS GEMELAS

Somos dos almas gemelas. Tanto mi compañero/a como yo nacimos en…

MUNDOS APARTES

Somos dos mundos apartes. Mi compañero/a nació en… Yo nací en…

LEE

8-40

Preparación. Las creencias sobre la muerte varían de una cultura a otra. Indica si las siguientes creencias y prácticas se asocian con la cultura egipcia (**E**), con alguna cultura indígena americana (**I**) o con ambas (**A**). Intercambien la información y compárenla con su propia cultura.

1. _____ Creían que había vida después de la muerte.

2. _____ Construían pirámides para honrar a los muertos.

3. _____ Vestían a los muertos con ropa funeraria especial.

4. _____ Ponían una máscara sobre la cara del muerto.

5. _____ Enterraban (*They buried*) al muerto en las pirámides, en tumbas o sepulcros, de acuerdo al estatus social de la persona muerta.

6. _____ La familia de la persona muerta depositaba joyas y objetos de valor en la tumba o pirámide.

7. _____ Rociaban (*They sprayed*) el cadáver con un polvo de color rojo para simbolizar el renacimiento (*rebirth*).

ESTRATEGIA

Make inferences

Understanding a text, like listening to a speaker, involves both comprehending the words literally and using information provided to make inferences. To make inferences when you read, use your knowledge, understanding of context, and active thinking skills, as well as your ability to understand the printed words on the page.

8-41

Lee. Determina si las siguientes afirmaciones representan información explícita (**E**) o si son inferencias (**I**) basadas en el contenido del texto. Si es una inferencia, indica la oración o las oraciones en el texto en que se basa(n).

1. _____ Los expertos no saben de dónde vinieron los mayas.

2. _____ Los mayas crearon una gran civilización.

3. _____ Las comunidades mayas tenían autoridades que los gobernaban.

4. _____ Como los egipcios, los mayas construyeron edificios magníficos para honrar la memoria de personas de alto estatus en su comunidad.

5. _____ Los mayas, como otros grupos indígenas, pensaban que la vida continuaba después de la muerte.

6. _____ Para los mayas, el tipo de muerte determinaba el destino de una persona.

7. _____ No todos los mayas iban al mismo destino después de la muerte.

8. _____ La comida, el agua y los amuletos ayudaban al espíritu del muerto a llegar a su destino final.

Comprueba

I was able to …

_____ use literal as well as implied information to make inferences.

_____ differentiate between explicit facts and information provided indirectly.

CREENCIAS Y COSTUMBRES MAYAS SOBRE LA MUERTE

El origen de los mayas es incierto. Sin embargo, se sabe que esta civilización ocupó y se desarrolló[1] en los actuales territorios de Guatemala, México, Belice, Honduras y El Salvador. Durante su período de mayor esplendor, los mayas construyeron ciudades y pirámides, donde enterraban[2] a sus gobernantes[3] y los veneraban[4] después de muertos.

Los mayas compartían con otras culturas mesoamericanas algunas creencias y costumbres. Entre otras cosas, creían en la vida después de la muerte y en la interacción entre el mundo humano y el mundo espiritual. Creían que el destino de una persona después de la muerte dependía de la forma en que moría y no de su conducta mientras vivía. Las tumbas y la ropa de los muertos confirman que los mayas creían que el espíritu se prolongaba más allá de la muerte. La mayoría de los muertos iba a Xibalbá, un lugar en el mundo de abajo.

Para llegar a Xibalbá había que superar numerosos peligros[5]. El espíritu debía comer bien y cuidarse. Por eso, los mayas dejaban en la tumba ropa funeraria. También ponían comida, agua y amuletos protectores, de acuerdo con el estatus social del muerto.

Los mayas rociaban[6] el cadáver con un polvo rojo que simbolizaba el renacimiento. También lo adornaban con joyas, collares, pulseras y anillos de jade, hueso[7] o concha[8] y un cinturón ceremonial. En muchas tumbas ponían una máscara sobre la cara del muerto para ocultar su identidad. En la boca le ponían una cuenta[9] de jade, símbolo de lo precioso y lo perenne, para preservar su espíritu inmortal.

Algunas de estas creencias y costumbres todavía se conservan, con ciertas variaciones, en algunas comunidades de Guatemala, México y El Salvador.

[1]developed   [2]buried   [3]rulers   [4]worshipped   [5]dangers   [6]sprinkled   [7]bone   [8]shell   [9]bead

8-42

Un paso más. Escribe un párrafo e indica qué objetos probablemente ponían los mayas en la tumba o pirámide de un gobernante con las siguientes características:

- Era físicamente activo.
- Le gustaba mucho el arte.
- Estudiaba astronomía.
- Le fascinaba la guerra.
- Tenía ocho hijas, todas muy bellas.

ESCRIBE

8-43

Preparación. Vas a narrar una historia personal, real o imaginaria. Habla con tu compañero/a para determinar lo siguiente:

1. ¿Cuál es el objetivo de tu narración?
2. ¿Cuántos protagonistas hay? ¿Qué características físicas y de personalidad tienen?
3. ¿Cómo vas a organizar los hechos? ¿En orden cronológico?
4. ¿Qué información vas a presentar en la introducción? ¿Cuál va a ser el conflicto?
5. Escribe una lista de verbos que te ayuden a describir el ambiente (*setting*) y otros que narren la acción. Intercambien sus listas y háganse sugerencias.

8-44

Escribe. Usa la información de la actividad 8-43 y escribe tu narración.

Comprueba

I was able to ...

____ successfully develop a story, including the characters and the events.

____ recount the order of events chronologically.

En directo

To indicate chronological order:

Primero...

Después.../Después de (un tiempo)...

Luego...

Más tarde...

Finalmente.../Por fin...

 Listen to a conversation with these expressions.

8-45

Un paso más. Intercambia tu narración con un/a compañero/a. Mientras leen, escriban tres preguntas de seguimiento para hacerle a su compañero/a sobre los personajes, el conflicto o la resolución.

En este capítulo...

Comprueba lo que sabes

Go to *MySpanishLab* to review what you have learned in this chapter. Practice with the following:

Flashcards | Games | Oral Practice | Practice Test / Study Plan
Amplifire Dynamic Study Modules | Tutorials | Videos | Extra Practice

 **Vocabulario**

LAS FIESTAS Y LAS CELEBRACIONES
Holidays and celebrations

la alegría   *joy*
el aserrín   *sawdust*
el carnaval   *carnival*
la carreta   *cart, wagon*
la carroza   *float (in a parade)*
la celebración   *celebration*
la comparsa   *group dressed in similar costumes*
la corrida (de toros)   *bullfight*
la costumbre   *custom*
el desfile   *parade*
el día feriado   *legal holiday*
el día festivo   *holiday*
el festival   *festival*
la festividad, la fiesta   *festivity; holiday; celebration*
los fuegos artificiales   *fireworks*
la invitación   *invitation*
el preparativo   *preparation*
la procesión   *procession*
la semilla   *seed*
el toro   *bull*
la tradición   *tradition*

VERBOS
Verbs

acompañar   *to accompany*
comenzar (ie)   *to begin*
dar una vuelta   *to take a walk*
disfrazarse (c)   *to wear a costume*
encerrar (ie)   *to lock up, shut in*
enterrar   *to bury*
invitar   *to invite*
mantener (g, ie)   *to maintain*
matar   *to kill*
pasarlo bien   *to have a good time*
quedar   *to arrange to meet*
recordar (ue)   *to remember*
reunirse   *to get together*

LAS PERSONAS
People

el antepasado   *ancestor*
la gente   *people*
el/la peregrino/a   *pilgrim*

LOS LUGARES
Places

el cementerio   *cemetery*
la iglesia   *church*
el teatro   *theater*

OTRAS CELEBRACIONES
Other celebrations

el Año Nuevo   *New Year's Day*
el Día de Acción de Gracias   *Thanksgiving Day*
el Día de las Brujas   *Halloween*
el Día de los Enamorados/ del Amor y la Amistad   *Valentine's Day*
el Día de la Independencia de México   *Mexican Independence Day*
el Día de la Madre   *Mother's Day*
el Día del Padre   *Father's Day*
la Navidad   *Christmas*
la Nochebuena   *Christmas Eve*
la Nochevieja   *New Year's Eve*
la Pascua   *Easter*

EL TIEMPO
Time

antes   *before*
el comienzo   *beginning*
entonces   *then*
hoy en día   *nowadays*
mientras   *while*

LAS DESCRIPCIONES
Descriptions

adornado/a   *decorated*
animado/a   *lively*
difunto/a, muerto/a   *dead*
horroroso/a   *horrific*
malévolo/a   *malevolent*
maravilloso/a   *marvelous*
suave   *soft*
último/a   *last*

PALABRAS Y EXPRESIONES ÚTILES
Useful words and expressions

cómo no   *of course*
estupendamente   *marvellously*
en vivo   *live*

See pages 293, 297, and 300 for expressions used to make comparisons.

EXPRESIONES DE TIEMPO
Time expressions

a veces   *sometimes, at times*
frecuentemente   *frequently*
generalmente   *generally*
mientras   *while*
nunca   *never*
siempre   *always*

Stress and Written Accents in Spanish

Rules for Written Accents

The following rules are based on pronunciation.

1. If a word ends in *n*, *s*, or a vowel, the penultimate (second-to-last) syllable is usually stressed.

> Examples: cami**nan**
> **mu**chos
> **si**lla

2. If a word ends in a consonant other than *n* or *s*, the last syllable is stressed.

> Example: fa**tal**

3. Words that are exceptions to the preceding rules have an accent mark on the stressed vowel.

> Examples: sar**tén**
> **lá**pices
> ma**má**
> **fá**cil

4. Separation of diphthongs. When *i* or *u* is combined with another vowel, the two vowels are pronounced as one sound (a diphthong). When each vowel sound is pronounced separately, a written accent mark is placed over the stressed vowel (either the *i* or the *u*).

> Example: gracias   día

Because the written accents in the following examples are not determined by pronunciation, the accent mark must be memorized as part of the spelling of the words as they are learned.

5. Homonyms. When two words are spelled the same, but have different meanings, a written accent is used to distinguish and differentiate meaning.

Examples:	**de**	*of*	**dé**	*give* (formal command)
	el	*the*	**él**	*he*
	mas	*but*	**más**	*more*
	mi	*my*	**mí**	*me*
	se	*him/herself,* *(to) him/her/them*	**sé**	*I know, be* (formal command)
	si	*if*	**sí**	*yes*
	te	*(to) you*	**té**	*tea*
	tu	*your*	**tú**	*you*

6. Interrogatives and exclamations. In questions (direct and indirect) and exclamations, a written accent is placed over the following words: **dónde, cómo, cuándo, cuál(es), quién(es), cuánto(s)/cuánta(s),** and **qué.**

Word Formation in Spanish

Recognizing certain patterns in Spanish word formation can be a big help in deciphering meaning. Use the following information about word formation to help you as you read.

- **Prefixes.** Spanish and English share a number of prefixes that shade the meaning of the word to which they are attached: **inter-** (between, among); **intro/a-** (within); **ex-** (former, toward the outside); **en-/em-** (the state of becoming); **in-/a-** (not, without), among others.

inter-	interdisciplinario, interacción
intro/a-	introvertido, introspección
ex-	exponer (*expose*)
en-/em-	enrojecer (*to turn red*), empobrecer (*to become poor*)
in-/a-	inmoral, incompleto, amoral, asexual

- **Suffixes.** Suffixes and, in general, word endings will help you identify various aspects of words such as part of speech, gender, meaning, degree, etc. Common Spanish suffixes are **-ría, -za, -miento, -dad/tad, -ura, -oso/a, -izo/a, -(c)ito/a,** and **-mente.**

-ría	place where something is made and/or bought: **panadería, zapatería** (*shoe store*), **librería**
-za	feminine, abstract noun: **pobreza** (*poverty*), **riqueza** (*wealth, richness*)
-miento	masculine, abstract noun: **empobrecimiento** (*impoverishment*), **entrenamiento** (*training*)
-dad/tad	feminine noun: **ciudad** (*city*), **libertad** (*liberty, freedom*)
-ura	feminine noun: **verdura, locura** (*craziness*)
-oso/a	adjective meaning having the characteristics of the noun to which it's attached: **montañoso, lluvioso** (*rainy*)
-izo/a	adjective meaning having the characteristics of the noun to which it's attached: **rojizo** (*reddish*), **enfermizo** (*sickly*)
-(c)ito/a	diminutive form of noun or adjective: **Juanito, mesita** (*little table*), **Carmencita**
-mente	attached to the feminine form of adjective to form an adverb: **rápidamente, felizmente** (*happily*)

- **Compounds.** Compounds are made up of two words (e.g., *mailman*), each of which has meaning in and of itself: **altavoz** (*loudspeaker*) from **alto/a** and **voz; sacacorchos** (*corkscrew*) from **sacar** and **corcho.** Your knowledge of the root words will help you recognize the compound; and likewise, learning compounds can help you to learn the root words. What do you think **sacar** means?

- **Spanish–English associations.** Learning to associate aspects of word formation in Spanish with aspects of word formation in English can be very helpful. Look at the associations below.

SPANISH	ENGLISH
es/ex + consonant	*s* + consonant
esclerosis, extraño	*sclerosis, strange*
gu-	*w-*
guerra, Guillermo	*war, William*
-tad/dad	*-ty*
libertad, calidad	*liberty, quality*
-sión/-ción	*-sion/-tion*
tensión, emoción	*tension, emotion*

Verb Charts

Regular Verbs: Simple Tenses

Infinitive Present Participle Past Participle	Indicative					Subjunctive		Imperative
	Present	Imperfect	Preterit	Future	Conditional	Present	Imperfect	Commands
hablar hablando hablado	hablo hablas habla hablamos habláis hablan	hablaba hablabas hablaba hablábamos hablabais hablaban	hablé hablaste habló hablamos hablasteis hablaron	hablaré hablarás hablará hablaremos hablaréis hablarán	hablaría hablarías hablaría hablaríamos hablaríais hablarían	hable hables hable hablemos habléis hablen	hablara hablaras hablara habláramos hablarais hablaran	habla (tú), no hables hable (usted) hablemos hablad (vosotros), no habléis hablen (Uds.)
comer comiendo comido	como comes come comemos coméis comen	comía comías comía comíamos comíais comían	comí comiste comió comimos comisteis comieron	comeré comerás comerá comeremos comeréis comerán	comería comerías comería comeríamos comeríais comerían	coma comas coma comamos comáis coman	comiera comieras comiera comiéramos comierais comieran	come (tú), no comas coma (usted) comamos comed (vosotros), no comáis coman (Uds.)
vivir viviendo vivido	vivo vives vive vivimos vivís viven	vivía vivías vivía vivíamos vivíais vivían	viví viviste vivió vivimos vivisteis vivieron	viviré vivirás vivirá viviremos viviréis vivirán	viviría vivirías viviría viviríamos viviríais vivirían	viva vivas viva vivamos viváis vivan	viviera vivieras viviera viviéramos vivierais vivieran	vive (tú), no vivas viva (usted) vivamos vivid (vosotros), no viváis vivan (Uds.)

Regular Verbs: Perfect Tenses

Indicative										Subjunctive			
Present Perfect		Past Perfect		Preterit Perfect		Future Perfect		Conditional Perfect		Present Perfect		Past Perfect	
he has ha hemos habéis han	hablado comido vivido	había habías había habíamos habíais habían	hablado comido vivido	hube hubiste hubo hubimos hubisteis hubieron	hablado comido vivido	habré habrás habrá habremos habréis habrán	hablado comido vivido	habría habrías habría habríamos habríais habrían	hablado comido vivido	haya hayas haya hayamos hayáis hayan	hablado comido vivido	hubiera hubieras hubiera hubiéramos hubierais hubieran	hablado comido vivido

Irregular Verbs

Infinitive Present Participle Past Participle	Indicative					Subjunctive		Imperative
	Present	**Imperfect**	**Preterit**	**Future**	**Conditional**	**Present**	**Imperfect**	**Commands**
andar andando andado	ando andas anda andamos andáis andan	andaba andabas andaba andábamos andabais andaban	anduve anduviste anduvo anduvimos anduvisteis anduvieron	andaré andarás andará andaremos andaréis andarán	andaría andarías andaría andaríamos andaríais andarían	ande andes ande andemos andéis anden	anduviera anduvieras anduviera anduviéramos anduvierais anduvieran	anda (tú), no andes ande (usted) andemos andad (vosotros), no andéis anden (Uds.)
caer cayendo caído	caigo caes cae caemos caéis caen	caía caías caía caíamos caíais caían	caí caíste cayó caímos caísteis cayeron	caeré caerás caerá caeremos caeréis caerán	caería caerías caería caeríamos caeríais caerían	caiga caigas caiga caigamos caigáis caigan	cayera cayeras cayera cayéramos cayerais cayeran	cae (tú), no caigas caiga (usted) caigamos caed (vosotros), no caigáis caigan (Uds.)
dar dando dado	doy das da damos dais dan	daba dabas daba dábamos dabais daban	di diste dio dimos disteis dieron	daré darás dará daremos daréis darán	daría darías daría daríamos daríais darían	dé des dé demos deis den	diera dieras diera diéramos dierais dieran	da (tú), no des dé (usted) demos dad (vosotros), no deis den (Uds.)
decir diciendo dicho	digo dices dice decimos decís dicen	decía decías decía decíamos decíais decían	dije dijiste dijo dijimos dijisteis dijeron	diré dirás dirá diremos diréis dirán	diría dirías diría diríamos diríais dirían	diga digas diga digamos digáis digan	dijera dijeras dijera dijéramos dijerais dijeran	di (tú), no digas diga (usted) digamos decid (vosotros), no digáis digan (Uds.)
estar estando estado	estoy estás está estamos estáis están	estaba estabas estaba estábamos estabais estaban	estuve estuviste estuvo estuvimos estuvisteis estuvieron	estaré estarás estará estaremos estaréis estarán	estaría estarías estaría estaríamos estaríais estarían	esté estés esté estemos estéis estén	estuviera estuvieras estuviera estuviéramos estuvierais estuvieran	está (tú), no estés esté (usted) estemos estad (vosotros), no estéis estén (Uds.)
haber habiendo habido	he has ha hemos habéis han	había habías había habíamos habíais habían	hube hubiste hubo hubimos hubisteis hubieron	habré habrás habrá habremos habréis habrán	habría habrías habría habríamos habríais habrían	haya hayas haya hayamos hayáis hayan	hubiera hubieras hubiera hubiéramos hubierais hubieran	
hacer haciendo hecho	hago haces hace hacemos hacéis hacen	hacía hacías hacía hacíamos hacíais hacían	hice hiciste hizo hicimos hicisteis hicieron	haré harás hará haremos haréis harán	haría harías haría haríamos haríais harían	haga hagas haga hagamos hagáis hagan	hiciera hicieras hiciera hiciéramos hicierais hicieran	haz (tú), no hagas haga (usted) hagamos haced (vosotros), no hagáis hagan (Uds.)

Irregular Verbs (continued)

Infinitive Present Participle Past Participle	Indicative					Subjunctive		Imperative
	Present	Imperfect	Preterit	Future	Conditional	Present	Imperfect	Commands
ir yendo ido	voy vas va vamos vais van	iba ibas iba íbamos ibais iban	fui fuiste fue fuimos fuisteis fueron	iré irás irá iremos iréis irán	iría irías iría iríamos iríais irían	vaya vayas vaya vayamos vayáis vayan	fuera fueras fuera fuéramos fuerais fueran	ve (tú), no vayas vaya (usted) vamos, no vayamos id (vosotros), no vayáis vayan (Uds.)
oír oyendo oído	oigo oyes oye oímos oís oyen	oía oías oía oíamos oíais oían	oí oíste oyó oímos oísteis oyeron	oiré oirás oirá oiremos oiréis oirán	oiría oirías oiría oiríamos oiríais oirían	oiga oigas oiga oigamos oigáis oigan	oyera oyeras oyera oyéramos oyerais oyeran	oye (tú), no oigas oiga (usted) oigamos oíd (vosotros), no oigáis oigan (Uds.)
poder pudiendo podido	puedo puedes puede podemos podéis pueden	podía podías podía podíamos podíais podían	pude pudiste pudo pudimos pudisteis pudieron	podré podrás podrá podremos podréis podrán	podría podrías podría podríamos podríais podrían	pueda puedas pueda podamos podáis puedan	pudiera pudieras pudiera pudiéramos pudierais pudieran	
poner poniendo puesto	pongo pones pone ponemos ponéis ponen	ponía ponías ponía poníamos poníais ponían	puse pusiste puso pusimos pusisteis pusieron	pondré pondrás pondrá pondremos pondréis pondrán	pondría pondrías pondría pondríamos pondríais pondrían	ponga pongas ponga pongamos pongáis pongan	pusiera pusieras pusiera pusiéramos pusierais pusieran	pon (tú), no pongas ponga (usted) pongamos poned (vosotros), no pongáis pongan (Uds.)
querer queriendo querido	quiero quieres quiere queremos queréis quieren	quería querías quería queríamos queríais querían	quise quisiste quiso quisimos quisisteis quisieron	querré querrás querrá querremos querréis querrán	querría querrías querría querríamos querríais querrían	quiera quieras quiera queramos queráis quieran	quisiera quisieras quisiera quisiéramos quisierais quisieran	quiere (tú), no quieras quiera (usted) queramos quered (vosotros), no queráis quieran (Uds.)
saber sabiendo sabido	sé sabes sabe sabemos sabéis saben	sabía sabías sabía sabíamos sabíais sabían	supe supiste supo supimos supisteis supieron	sabré sabrás sabrá sabremos sabréis sabrán	sabría sabrías sabría sabríamos sabríais sabrían	sepa sepas sepa sepamos sepáis sepan	supiera supieras supiera supiéramos supierais supieran	sabe (tú), no sepas sepa (usted) sepamos sabed (vosotros), no sepáis sepan (Uds.)

Irregular Verbs (continued)

Infinitive Present Participle Past Participle	Indicative					Subjunctive		Imperative
	Present	Imperfect	Preterit	Future	Conditional	Present	Imperfect	Commands
salir saliendo salido	salgo sales sale salimos salís salen	salía salías salía salíamos salíais salían	salí saliste salió salimos salisteis salieron	saldré saldrás saldrá saldremos saldréis saldrán	saldría saldrías saldría saldríamos saldríais saldrían	salga salgas salga salgamos salgáis salgan	saliera salieras saliera saliéramos salierais salieran	sal (tú), no salgas salga (usted) salgamos salid (vosotros), no salgáis salgan (Uds.)
ser siendo sido	soy eres es somos sois son	era eras era éramos erais eran	fui fuiste fue fuimos fuisteis fueron	seré serás será seremos seréis serán	sería serías sería seríamos seríais serían	sea seas sea seamos seáis sean	fuera fueras fuera fuéramos fuerais fueran	sé (tú), no seas sea (usted) seamos sed (vosotros), no seáis sean (Uds.)
tener teniendo tenido	tengo tienes tiene tenemos tenéis tienen	tenía tenías tenía teníamos teníais tenían	tuve tuviste tuvo tuvimos tuvisteis tuvieron	tendré tendrás tendrá tendremos tendréis tendrán	tendría tendrías tendría tendríamos tendríais tendrían	tenga tengas tenga tengamos tengáis tengan	tuviera tuvieras tuviera tuviéramos tuvierais tuvieran	ten (tú), no tengas tenga (usted) tengamos tened (vosotros), no tengáis tengan (Uds.)
traer trayendo traído	traigo traes trae traemos traéis traen	traía traías traía traíamos traíais traían	traje trajiste trajo trajimos trajisteis trajeron	traeré traerás traerá traeremos traeréis traerán	traería traerías traería traeríamos traeríais traerían	traiga traigas traiga traigamos traigáis traigan	trajera trajeras trajera trajéramos trajerais trajeran	trae (tú), no traigas traiga (usted) traigamos traed (vosotros), no traigáis traigan (Uds.)
venir viniendo venido	vengo vienes viene venimos venís vienen	venía venías venía veníamos veníais venían	vine viniste vino vinimos vinisteis vinieron	vendré vendrás vendrá vendremos vendréis vendrán	vendría vendrías vendría vendríamos vendríais vendrían	venga vengas venga vengamos vengáis vengan	viniera vinieras viniera viniéramos vinierais vinieran	ven (tú), no vengas venga (usted) vengamos venid (vosotros), no vengáis vengan (Uds.)
ver viendo visto	veo ves ve vemos veis ven	veía veías veía veíamos veíais veían	vi viste vio vimos visteis vieron	veré verás verá veremos veréis verán	vería verías vería veríamos veríais verían	vea veas vea veamos veáis vean	viera vieras viera viéramos vierais vieran	ve (tú), no veas vea (usted) veamos ved (vosotros), no veáis vean (Uds.)

Stem-Changing and Orthographic-Changing Verbs

Infinitive Present Participle Past Participle	Indicative					Subjunctive		Imperative
	Present	Imperfect	Preterit	Future	Conditional	Present	Imperfect	Commands
almorzar (ue) (c) almorzando almorzado	almuerzo almuerzas almuerza almorzamos almorzáis almuerzan	almorzaba almorzabas almorzaba almorzábamos almorzabais almorzaban	almorcé almorzaste almorzó almorzamos almorzasteis almorzaron	almorzaré almorzarás almorzará almorzaremos almorzaréis almorzarán	almorzaría almorzarías almorzaría almorzaríamos almorzaríais almorzarían	almuerce almuerces almuerce almorcemos almorcéis almuercen	almorzara almorzaras almorzara almorzáramos almorzarais almorzaran	almuerza (tú), no almuerces almuerce (usted) almorcemos almorzad (vosotros), no almorcéis almuercen (Uds.)
buscar (qu) buscando buscado	busco buscas busca buscamos buscáis buscan	buscaba buscabas buscaba buscábamos buscabais buscaban	busqué buscaste buscó buscamos buscasteis buscaron	buscaré buscarás buscará buscaremos buscaréis buscarán	buscaría buscarías buscaría buscaríamos buscaríais buscarían	busque busques busque busquemos busquéis busquen	buscara buscaras buscara buscáramos buscarais buscaran	busca (tú), no busques busque (usted) busquemos buscad (vosotros), no busquéis busquen (Uds.)
corregir (i, i) (j) corrigiendo corregido	corrijo corriges corrige corregimos corregís corrigen	corregía corregías corregía corregíamos corregíais corregían	corregí corregiste corrigió corregimos corregisteis corrigieron	corregiré corregirás corregirá corregiremos corregiréis corregirán	corregiría corregirías corregiría corregiríamos corregiríais corregirían	corrija corrijas corrija corrijamos corrijáis corrijan	corrigiera corrigieras corrigiera corrigiéramos corrigierais corrigieran	corrige (tú), no corrijas corrija (usted) corrijamos corregid (vosotros), no corrijáis corrijan (Uds.)
dormir (ue, u) durmiendo dormido	duermo duermes duerme dormimos dormís duermen	dormía dormías dormía dormíamos dormíais dormían	dormí dormiste durmió dormimos dormisteis durmieron	dormiré dormirás dormirá dormiremos dormiréis dormirán	dormiría dormirías dormiría dormiríamos dormiríais dormirían	duerma duermas duerma durmamos durmáis duerman	durmiera durmieras durmiera durmiéramos durmierais durmieran	duerme (tú), no duermas duerma (usted) durmamos dormid (vosotros), no durmáis duerman (Uds.)
incluir (y) incluyendo incluido	incluyo incluyes incluye incluimos incluís incluyen	incluía incluías incluía incluíamos incluíais incluían	incluí incluiste incluyó incluimos incluisteis incluyeron	incluiré incluirás incluirá incluiremos incluiréis incluirán	incluiría incluirías incluiría incluiríamos incluiríais incluirían	incluya incluyas incluya incluyamos incluyáis incluyan	incluyera incluyeras incluyera incluyéramos incluyerais incluyeran	incluye (tú), no incluyas incluya (usted) incluyamos incluid (vosotros), no incluyáis incluyan (Uds.)

Stem-Changing and Orthographic-Changing Verbs *(continued)*

Infinitive Present Participle Past Participle	Indicative					Subjunctive		Imperative
	Present	Imperfect	Preterit	Future	Conditional	Present	Imperfect	Commands
llegar (gu) llegando llegado	llego llegas llega llegamos llegáis llegan	llegaba llegabas llegaba llegábamos llegabais llegaban	llegué llegaste llegó llegamos llegasteis llegaron	llegaré llegarás llegará llegaremos llegaréis llegarán	llegaría llegarías llegaría llegaríamos llegaríais llegarían	llegue llegues llegue lleguemos lleguéis lleguen	llegara llegaras llegara llegáramos llegarais llegaran	llega (tú), no llegues llegue (usted) lleguemos llegad (vosotros), no lleguéis lleguen (Uds.)
pedir (i, i) pidiendo pedido	pido pides pide pedimos pedís piden	pedía pedías pedía pedíamos pedíais pedían	pedí pediste pidió pedimos pedisteis pidieron	pediré pedirás pedirá pediremos pediréis pedirán	pediría pedirías pediría pediríamos pediríais pedirían	pida pidas pida pidamos pidáis pidan	pidiera pidieras pidiera pidiéramos pidierais pidieran	pide (tú), no pidas pida (usted) pidamos pedid (vosotros), no pidáis pidan (Uds.)
pensar (ie) pensando pensado	pienso piensas piensa pensamos pensáis piensan	pensaba pensabas pensaba pensábamos pensabais pensaban	pensé pensaste pensó pensamos pensasteis pensaron	pensaré pensarás pensará pensaremos pensaréis pensarán	pensaría pensarías pensaría pensaríamos pensaríais pensarían	piense pienses piense pensemos penséis piensen	pensara pensaras pensara pensáramos pensarais pensaran	piensa (tú), no pienses piense (usted) pensemos pensad (vosotros), no penséis piensen (Uds.)
producir (zc) (j) produciendo producido	produzco produces produce producimos producís producen	producía producías producía producíamos producíais producían	produje produjiste produjo produjimos produjisteis produjeron	produciré producirás producirá produciremos produciréis producirán	produciría producirías produciría produciríamos produciríais producirían	produzca produzcas produzca produzcamos produzcáis produzcan	produjera produjeras produjera produjéramos produjerais produjeran	produce (tú), no produzcas produzca (usted) produzcamos producid (vosotros), no produzcáis produzcan (Uds.)
reír (i, i) riendo reído	río ríes ríe reímos reís ríen	reía reías reía reíamos reíais reían	reí reíste rió/rio reímos reísteis rieron	reiré reirás reirá reiremos reiréis reirán	reiría reirías reiría reiríamos reiríais reirían	ría rías ría riamos riáis/riais rían	riera rieras riera riéramos rierais rieran	ríe (tú), no rías ría (usted) riamos reíd (vosotros), no riáis/riais rían (Uds.)
seguir (i, i) (ga) siguiendo seguido	sigo sigues sigue seguimos seguís siguen	seguía seguías seguía seguíamos seguíais seguían	seguí seguiste siguió seguimos seguisteis siguieron	seguiré seguirás seguirá seguiremos seguiréis seguirán	seguiría seguirías seguiría seguiríamos seguiríais seguirían	siga sigas siga sigamos sigáis sigan	siguiera siguieras siguiera siguiéramos siguierais siguieran	sigue (tú), no sigas siga (usted) sigamos seguid (vosotros), no sigáis sigan (Uds.)

Stem-Changing and Orthographic-Changing Verbs *(continued)*

Infinitive Present Participle Past Participle	Indicative					Subjunctive		Imperative
	Present	**Imperfect**	**Preterit**	**Future**	**Conditional**	**Present**	**Imperfect**	**Commands**
sentir (ie, i) sintiendo sentido	siento sientes siente sentimos sentís sienten	sentía sentías sentía sentíamos sentíais sentían	sentí sentiste sintió sentimos sentisteis sintieron	sentiré sentirás sentirá sentiremos sentiréis sentirán	sentiría sentirías sentiría sentiríamos sentiríais sentirían	sienta sientas sienta sintamos sintáis sientan	sintiera sintieras sintiera sintiéramos sintierais sintieran	siente (tú), no sientas sienta (usted) sintamos sentid (vosotros), no sintáis sientan (Uds.)
volver (ue) volviendo vuelto	vuelvo vuelves vuelve volvemos volvéis vuelven	volvía volvías volvía volvíamos volvíais volvían	volví volviste volvió volvimos volvisteis volvieron	volveré volverás volverá volveremos volveréis volverán	volvería volverías volvería volveríamos volveríais volverían	vuelva vuelvas vuelva volvamos volváis vuelvan	volviera volvieras volviera volviéramos volvierais volvieran	vuelve (tú), no vuelvas vuelva (usted) volvamos volved (vosotros), no volváis vuelvan (Uds.)

Spanish-English Glossary

This vocabulary includes all words and expressions presented in the text, except for proper nouns spelled the same in English and Spanish, diminutives with a literal meaning, typical expressions of the Hispanic countries presented in the *Enfoque cultural*, and cardinal numbers (found on page 23). Cognates and words easily recognized because of the context are not included either.

The number following each entry in bold corresponds to the **capítulo** in which the the word is introduced for active mastery. Non-bold numbers correspond to introduction of words for receptive use.

A

a *at, to* **P**
a menos que *unless* 14
a pesar de *despite* 15
¿A qué hora es? *At what time is [it]?* **P**
a sí misma/o(s) *himself/herself/ themselves* 4
a través de *through* 13
a veces *sometimes* **1;** 3 *at times* 12
abandonar *to abandon* 14
el/la abogado/a *lawyer* 9
abrazar(se) (c) *to embrace* 13
el abrazo *hug* 4
el abrigo *coat* 6
abril *April* **P**
abrir *to open* 10
la abuela *grandmother* 4
el abuelo *grandfather* 4
abundar *to abound* 13
aburrido/a *boring* **1,** 4, 6; *bored* 6
aburrirse *to get bored* 7, **8**
a caballo *horseback* 8
acabar(se) *to run out of* 9, 15
el acceso *access* 15
el accesorio *accessory* 6
el aceite *oil* 10
la aceituna *olive* 3
acompañar *to accompany* 8
aconsejar *to advise* 5
el acontecimiento *event* 13
acostar(se) (ue) *to put to bed; to go to bed* **4,** 7 *; to lie down* 4
el actor/la actriz *actor/actress* 9
actual *present, current* **14**
actualmente *at the present time* 9
la adaptación *adjustment, adaptation* 14
Adelante. *Come in.* 5
el adelanto *advance* 15
el ademán *gesture* 15

además *in addition* 3, *besides, furthermore* 11
el aderezo *salad dressing* 10
adiós *good-bye* **P**
adivinanza *guess* 2
adivinar *to guess* 5
¿adónde? *where (to)?* 3
adornado/a *decorated* 8
la aduana *customs* 12
la aerolínea/línea aérea *airline* 12
el/la aeromozo/a *flight attendant* 12
afeitar(se) *to shave; to shave (oneself)* 4
las afueras *outskirts* 5
la agencia de viajes *travel agency* 12
el/la agente de viajes *travel agent* 12
agosto *Augost* **P**
agradable *nice* 2
agregar *to add* 10, 15
agrícola *agricultural* 9
el/la agricultor/a *farmer* 9
la agricultura *farming* 9
agrio/a *sour* 10
el agua *water* 3
el aguacate *avocado* 6, **10**
las aguas residuales *sewage* 15
el agujero *hole* 15
ahora *now* 1
ahorrar *to save* 14, 15
el aire acondicionado *air conditioning* **5**
el ají *pepper (hot, spicy)* 10
el ajo *garlic* 10
al *(contraction of* **a** + **el***) to the* 3
al aire libre *outdoors* 3
al fondo *at the back, in the rear* 13
al lado (de) *next to* **P**
el ala *wing* 14
alegrarse (de) *to be glad (about)* 11
alegre *happy, glad* 2
la alegría *joy* 8
alemán/alemana *German* 2
la alergia *allergy* 11
el alfabetismo *literacy* 14

el alfiler *pin* 15
la alfombra *carpet, rug* 5
algo *something* **1,** *anything* 12
alguien *someone, anyone* 12
algún, alguno (-os, -as) *some, any, several* 12
alguna vez *sometime, ever* 12
algunas veces *sometimes* 12
el alivio *relief* 15
el almacén *department store; warehouse* 6
la almeja *clam* 10
la almohada *pillow* 5
almorzar (ue) *to have lunch* **4**
el almuerzo *lunch* 3
¿Aló? *Hello? (on the telephone)* 3
el alojamiento *lodging* 12
alquilar *to rent* 1, **3**
el alquiler *rent* **5**
alto/a *tall* 2
el/la alumno/a *student* 1
el ama/o de casa *housewife, homemaker* 9
la amabilidad *kindless* 9
amarillo/a *yellow* 2
el ambiente *setting* 8
el amigo/la amiga *friend* **P,** 2
la amistad *friendship* 6, **13,** 13
el amor *love* 13
amplio/a *ample* 14
el analfabetismo *illiteracy* **14**
analfabeto/a *illiterate* 14
el análisis *test* 11
anaranjado/a *orange* 2
ancho/a *wide* 6
el anillo *ring* 6
animado/a *lively* 8
el ánimo *mood* 5
anoche *last night* 6
la ansiedad *anxiety* 12
ante(a)noche *the night before last* **6**
anteayer *the day before yesterday* 6
el antepasado *ancestor* 8

antes *before* **8**

antes de eso *before that* 6

antes (de) que *before* 14

el antibiótico *antibiotic* **11**

antiguo/a *old* 1

antipático/a *unpleasant* 2

la antropología *anthropology* 1

el anuncio *ad, advertisement* 5, 9

añadir *to add* **10**, **4**, 15

el año *year* P

el año/mes pasado *last year/month* **6**

el Año Nuevo *New Year's Day* 8

apagar *to extinguish, turn off* **9**, 15

el apagón *power outage* 9

el apartamento *apartment* 5

apoyar *to support* 7, 14

aprender *to learn* Pr, 1

aquel/aquella/aquello *that (over there)* 5

aquellos/aquellas *those (over there)* 5

el árbitro *umpire, referee* 7

el árbol *tree* 7

el arete *earring* 6

argentino/a *Argentinian* 2

el armario *closet, armoire* 5

el aro *earring* 6

el arpa *harp* 13

el/la arquitecto/a *architect* 9

la arquitectura *architecture* 1

arrepentirse (ie) *to regret* 7

el arroz *rice* 3

la artesanía *handicrafts* 6

el/la artesano/a *craftsman/woman, craftsperson* 13

el artículo de belleza *beauty item* **11**

asado/a *roasted* 10

el ascensor *elevator* 4

el aserrín *sawdust* 8

el asiento *seat* 12

el asiento de pasillo/ventanilla *aisle/window seat* 12

la asignatura *subject* 1

asistir *to attend* 1

el asma *asthma* 11

asomarse *to look inside* 13

la aspiradora *vacuum cleaner* 5

atender (ie) *to help* (a customer) 9

atentamente *kindly* 4

aterrizar (c) *to land* 15

el atletismo *track and field* 7

atreverse *to dare* 7

aunque *although, even though, even if* 12, 14

el auto *car* 2

el autobús/bus *bus* 12

la autopista *freeway* 12

el autorretrato *self-portrait* 13

el/la auxiliar de vuelo *flight attendant* 12

avanzar (c) *to advance* 15

la avenida *avenue* Pr

averiguar *to find out* 5

las aves *poultry, fowl* 10

el avión *plane* 12

ayer *yesterday* 6

ayudar *to help* 1, **4**, 5

el/la azafato/a *flight attendant* 12

el azúcar *sugar* 10

azul *blue* 2

B

bailar *to dance* **1**, 6

el bailarín/la bailarina *dancer* 13

la bajada *slope* 7

bajar *to download* 1, **3**, 15

bajar de peso *lose weight* 3, 10

bajo *under* 5

bajo/a *short (in stature)* **2**, 2

la ballena jorobada *humpback whale* 11

el balón/la pelota/bola *ball* **7**, 7

el baloncesto/el básquetbol *basketball* 7

el banano *banana, plantain* 10

el banco de peces *shoal; school of fish* 15

la bandeja *tray* 9, **10**

la bandera *flag* 2

la bañadera *bathtab* 5

bañar(se) *to bathe; to take a bath* **4**

la bañera *bathtub* **5**, 5

el baño *bathroom* 5

barato/a *inexpensive, cheap* **6**; *moderate* 12

la barbacoa *barbecue pit; barbecue (event)* 5

el barco *ship/boat* 12

barrer *to sweep* 5

el barrio *neighborhood* 5

bastante *rather* P

la basura *garbage, trash* 5

la bata *robe* 6

el bate *bat* 7

el batido *shake* 3; *smothie* 10

batir *to beat* 10

el bautizo *baptism, christening* **4**

beber *to drink* **1**; *beber(se)* 10

la bebida *drink* 3

la beca *scholarship* 1

el béisbol *baseball* 7

besar(se) *to kiss* 13

el beso *kiss* 4

la biblioteca *library* 1; **digital** *digital library* 15

el/la bibliotecario/a *librarían* 9

bien *well* P, 2

bien/mal aparcado *well/badly parked* 12

bilingüe *bilingual* 2

el billete *ticket* 12

la billetera *wallet* 6

el bistec *steak* 3

blanco/a *white* 2

blando/a *soft* 13

la blusa *blouse* 6

la boca *mouth* 10, **11**

el boleto/el pasaje *ticket* 12

el bolígrafo *ballpoint pen* P

boliviano/a *Bolivian* 2

la bolsa/el bolso *purse* 6

el/la bombero/a *firefighter* 9

bonito/a *pretty* **2**, 2

el borrador *eraser* P

el bosque *forest* 9, **15**

las botas *boots* 6

la botella *bottle* 10

el brazo *arm* 6, **11**

¡Buena suerte! *Good luck!* 1

buenas noches *good night* P

buenas tardes *good afternoon/good evening* P

¡Bueno! *Hello? (on the telephone)* 3

bueno/a *good* 1; *well* (health); *physically attractive* 6

buenos días *good morning* P

la bufanda *scarf* 6

el burgués/la burguesa *middle class person* 13

el buscador *search engine* 15

buscar *to look for* **1**, 11, 15

la butaca *armchair* 5

C

el cabello *hair* 11

la cabeza *head* 6, **11**

cada *each* 4

cada día *each* 3

cada... horas *every ... hours* 11

la cadera *hip* 11

caer bien (y) *to like* 6

caer mal (y) *to dislike* 6

caer simpático *to be liked* 15

caer(se) (y) *to fall* 11

café (color) *brown* 2

el café *cafe, coffee shop* 1; *coffee* 3

la cafetería *cafetería* 1

la caja fuerte *safe* 12

el cajero automático *ATM* 12

el/la cajero/a *cashier* 9

los calcetines *socks* 6

la calculadora *calculator* P

la calefacción *heating* 5

el calentamiento *warm-up* 7; *warming* 15

la calidad *quality* 6, 13

caliente *hot* 3

callado/a *quiet* 2

la calle *street* Pr, 15

el calzado *footwear* 6

calzar (c) *to wear a shoe size* 6

los calzoncillos *boxer shorts* 6

la cama *bed* 5

la Cámara de Representantes *Congress* 3

el/la camarero/a *server, waiter/waitress* 3, 9

el camarón/la gamba *shrimp* 10

cambiar *to change, to exchange* 3, 6, 8

el cambio *change* 14

el cambur *plantain* 10

caminar *to walk* 1

el camión *bus* 12

la camisa *shirt* 6; **de manga corta** *short sleeve shirt* 15

la camiseta *T-shirt* 6

el camisón *nightgown* 6

la campanada *bell chime* 8

el campeón/la campeona *champion* 7

el campeonato *championship* 7, *tournament* 7

el/la campesino/a *peasant* 10

el campo *field* 7; *countryside* 9

el campo de fútbol *soccer field* 7

canadiense *Canadian* 2

cancelar *to cancel* 12

la cancha *court, golf course* 7

la canción *song* 3

la canela *cinnamon* 10

cansado/a *tired* 2

cantar *to sing* 3, 6

la capa de ozono *ozone layer* 15

el capó *hood* 12

la cápsula *capsule* 15

la cara *face* 4, 11

el cargador *charger* 5

carmelita *brown* 2

el carnaval *carnaval* 8

la carne *meat*; **de res** *beef/steak*; **molida** *ground meat* 10

caro/a *expensive* 6

el/la carpintero/a *carpenter* 9

la carrera *race* 7

la carrera *major* 1

la carreta *cart, wagon* 8

la carretera *highway* 12

el carro *car* 2

la carroza *float (in a parade)* 8

la casa *house, home* 1

casado/a *married* 2, 4

casar(se) *to get married* 4, 5, 8

el casco *helmet* 7

casi *almost* 1

castaño/a *brown* 2

el catarro *cold* 11

la cebolla *onion* 10

la ceja *eyebrow* 11

el cel/celular *cell phone* 15

la celebración *celebration* 3, 8

celebrar *to celebrate* 3

la célula troncal *stem cell* 14

el cementerio *cemetery* 8

la cena *dinner, supper* 3

cenar *to have dinner* 3, 7

Cenicienta *Cinderella* 3

el centro *downtown, center* 5

el centro comercial *shopping center* 6

el centro turístico privado *resort* 11

cerca (de) *near, close (to)* 3, 5

el cerdo *pork* 10

el cereal *cereal* 3

el cerebro *brain* 11

la cereza *cherry* 10

cerrar (ie) *to close* 4

el certamen *contest* 9

la cerveza *beer* 3

el césped *lawn* 5, *grass* 5

el cesto *wastebasket* P

el cesto/la cesta *basket, hoop* 7

el ceviche *dish of marinated raw fish* 3

chao (chau) *good-bye* P

la chaqueta *jacket* 6

el/la chef *chef* 9

el chico/la chica *boy/girl* P

el chile *pepper (hot, spicy)* 10

chileno/a *Chilean* 2

la chimenea *fireplace* 5

chino/a *Chinese* 2

el chip electrónico *integrated circuit* 15

la chiva *bus* 12

el choclo *corn* 10

el/la chofer, chófer *driver* 9

la chuleta *chop* 10

los churros *fried dough* 10

el ciclismo *cycling* 7

el/la ciclista *cyclist* 7

el cielo *sky* 7

cien/ciento *hundred* 3

la ciencia ficción *science fiction* 15

las ciencias *sciences* 1

las ciencias políticas *political science* 1

el/la científico/a *scientist* 9

cierto *true* Pr

el cine *movies* 2, 3

el/la cineasta *filmmaker* 13

la cintura *waist* 11

el cinturón *belt* 6

ciudad *city* 3

¡claro! *of course!* 3

la clase turista *tourist class* 12

la clave *key* 13

el/la cliente/a *client* 9

climatizado/a *air-conditioned* 15

la clínica/el centro de salud/el sanatorio *clinic* 11

la clonación *cloning* 15

el clóset *closet* 5

la cobija *blanket* 5

el coche *car* 2

la cocina *kitchen* 5; *stove* 5

cocinar *to cook* 5

codiciado/a *sought after* 13

el codo *elbow* 11

coger (j) *to hold* 13

el colectivo *bus* 12

el collar *necklace* 6

colombiano/a *Colombian* 2

el color *color* 2

el comedor *dining room* 5

comenzar (ie) *to start* 1, *to begin* 6, 8

comer *to eat* 1, 3, 6

comer(se) *to eat* 10

la cometa *kite* 8

la comida *food; meal; dinner, supper* 3

la comida basura *junk food* 10

el comienzo *origen* 7; *beginning* 8

el comino *cumin* 10

¿cómo? *how?/what?* 1

¿Cómo es? *What is he/she/it like?* P

¿Cómo está? *How are you? (formal)* P

¿Cómo estás? *How are you? (familiar)* P, 2

¡Cómo no! *Of course!* 9

¿Cómo se dice... en español? *How do you say ... in Spanish?* P

¿Cómo se llama usted? *What's your name? (formal)* P

como si *as if, as though* 15

¿Cómo te llamas? *What's your name? (familiar)* P

¿Cómo te va? *How is it going?* 1

cómoda *dresser* 5

cómodo/a *comfortable* 9

el/la compañero/a *partner, classmate* 1, 2; **de cuarto** *roommate* 2

la compañía (de danza, de teatro) *(dance, theater) company* 13

la compañía/la empresa *company* 9

la comparsa *group dressed in similar costumes* 8

compartir *to share* 4

el comportamiento *behavior* 9

comprar *to buy* 1, 6

las compras *shopping* 6

¿Comprenden?/¿Comprendes? *Do you understand?* P

comprender *to understand* 1, 10

el compromiso *engagement* 8

el/la computador/a *computer* 1

derretido/a *melted* 10

el desafío *challenge* 13, 14

la desaparición *disappearance* 15

desarmar *to disassemble* 9

desarrollar *to develop* 8

el desarrollo *development* 13

desayunar *to have breakfast* 4

el desayuno *breakfast* 3

descansar *to rest* 3

descomponerse *to break down* 12; *to break* 9

describir *to describe* 6

la descripción *description* 1

el descubrimiento *discovery* 15

el descuido *neglect* 15

desde *since* 13

desear *to want to, to wish* 1, 2, 3, 5

desechable *disposable* 15

el desempleo *unemployment* 5, 14

el desfile *parade* 8

deshacer (g) *to dissolve* 13

el deshielo *thaw, thawing* 15

el desorden *mess* 3

la despedida *leavetaking* P

despedir (i) *to fire* 9

despedir(se) (i) *to say goodbye* 7

despegar (u) *to take off (airplane)* 15

desperdicios *waste* 15

despertar(se) (ie) *to wake (someone up); to wake up* 4

el desplazamiento *movement, displacement* 14

después *after, later* 3

después (de eso) *after (that)* 3, 6

después (de) que *after* 14

destacado/a *outstanding* 13

destacarse *to stand out* 14

destapar *uncover* 10

la desventaja *disadvantage* 5

detrás (de) *behind* P

devolver (ue) *to return an item* 6

el día *day* P

el Día de Acción de Gracias *Thanksgiving Day* 8

el Día de la Independencia de México *Mexican Independence Day* 8

el Día de la Madre *Mother's Day* 8

el Día de las Brujas *Halloween* 8

el Día de los Enamorados/del Amor y la Amistad *Valentine's Day* 8

el Día del Padre *Father's Day* 8

el día feriado *legal holiday* 8

el día festivo *holiday* 8

el dibujo *drawing* 5

el diccionario *dictionary* 1

diciembre *December* P

dictadura *dictatorship* 14

dictatorial *dictatorial* 14

el diente *tooth* 11

el diente de ajo *clove of garlic* 10

difícil *difficult* 1

difundir *to spread, disseminate* 15

difunto/a *dead* 8

¿Diga?, ¿Dígame? *Hello? (on the telephone)* 3

Dile a tu compañero/a... *Tell your partner ...* P

el dinero *money* 4; **en efectivo** *money in cash* 6

dirigir (j) *to direct* 13

la discoteca *dance club* 1

disculparse *to apologize* 7

el discurso *speech* 8

discutir *to argue* 7

la diseminación *dispersal, dissemination* 15

el diseño *design* 6

disfrazarse (c) *to wear a costume* 8

disfrutar *to enjoy* 5

distinguir *to distinguish* 13

la distribución *layout* 5

la diversificación *diversification* 14

la diversión *entertainment* 3

divertido/a *funny, amusing* 2; *fun* 4, 10

divertirse (ie, i) *to have fun, to enjoy* 7

divorciado/a *divorced* 4

doblar *to fold* 5; *to turn* 12

el documento adjunto *attachment, attached document* 15

doler (ue) *to hurt, ache* 2, 11

el dolor *pain* 11

domingo *Sunday* P

dominicano/a *Dominican* 2

donde *where, wherever* 14

¿dónde? *where?* 1

¿Dónde está...? *Where is...?* P

dormir (ue) la siesta *to take a nap* 4, 4

dormir(se) (ue) *to sleep; to fall asleep* 4, 7, 10. 11

dos veces *twice* 3

la ducha *shower* 5

duchar(se) *to give a shower to; to take a shower* 4, 7

la duda *doubt* 14

el dulce *candy/sweets* 10; **de higos** *candied figs* 10

duplicar *to duplicate* 10

durante *during* 3

durar *to last* 7

el durazno *peach* 10

el DVD *DVD; DVD player* P

E

economía *economics* 1

económico/a *economic* 14

ecuatoriano/a *Ecuadorian* 2

el edificio *building* 5

la eficiencia *efficiency* 14

el/la ejecutivo/a *executive* 9

él *he* P

el/la *the* 1

elaborar *to produce* 9

la elección *election* 14

el/la electricista *electrician* 9

los electrodomésticos *appliances* 5

elegir (ie, i) *to choose, elect* 5, 13, 14

elenco *cast* 4

ella *she* P

ellos/ellas *they* 1

el elote *corn* 10

la emergencia *emergency* 9

la emigración *emigration* 14, 14

el/la emigrante *emigrant* 14

emigrar *to emigrate* 14

empezar (ie) *to begin, to start* 4, 6, 13

el/la empleado/a *employee* 9

en *in* P

en busca de *in search of* 15

En cambio... *On the other hand . . .* 4

En contraste... *In contrast . . .* 4

en cuanto *as soon as* 14

en la actualidad *at the present time* 13

en punto *on the dot, sharp (time)* P

¿En qué página? *On what page?* P

¿En qué puedo servirle(s)? *How may I help you?* 6

en realidad/realmente *in fact, really* 9; *actually* 9

en vez de *instead of* 14

Encantado/a. *Pleased/Nice to meet you.* P

encantar *to delight, to love* 6, 6, 11

encender (ie) *to turn on* 15

encontrar (ue) *to find* 4, 6

encontrarse *to run into* 13

el encuentro *encounter* Pr

la energía solar *solar energy* 15

enérgico/a *energetic* 14

enero *January* P

enfadarse *to get angry* 7, 7

la enfermedad *illness* 2, 11

el/la enfermero/a *nurse* 9

el/la enfermo/a *ill/sick person* 3, 11

enfocarse (qu) *to focus* 15

enfrente (de) *in front of* P

el enlace *link* 15

enojado/a *angry* 2

la ensalada *salad* 3

enseguida *immediately* 6

entender (ie) *to understand* 4

enterar(se) *to find out* 7

enterrar *to burry* 8

entonces *then* 8

entrar (en) *to go in, to enter* 6

entre *between, among* **P,** 7
entregar *to turn in* 9
el/la entrenador/a *coach* **7**
la entrevista *interview* 1, **9**
entrevistar(se) *to interview
(each other)* 4
enviar *to send* 3, **9**
en vivo *live* 8
el equipaje *luggage* 11, **12**
el equipo *team; equipment* **7**
eres *you are (familiar)* **P**
es *you are (formal), he/she is* **P**
la escala *stopover* **12**
la escalera *stair* 5
el escaparate *store window* 6
la escena *scene* 13
escoger *to choose* 4
Escribe. *Write.* **P**
escribir *to write* **1,** 6, 10
escribirse *to write to each other* 4
el/la escritor/a *writer* **13**
el escritorio *desk* **P**
escuchar *to listen (to)* 1
el/la escultor/a *sculptor* 13
ese/a *that (adjective)* P
ese/esa/eso *that* 5
esos/esas *those* 5
los espaguetis *spaghetti* 3
la espalda *back* 11
el español *Spanish* 1
español/a *Spanish* 2
la especialidad *specialty* 9
las especias *spices* 10
el espejo *mirror* **5;** retrovisor *rearview
mirror* **12**
la esperanza de vida *life
expectancy* **14**
esperar *to wait for* **9;** *to wish* 11
las espinacas *spinach* 10
la esposa *wife* 2, **4**
el esposo *husband* 2, **4**
el esquí *skiing, ski* **7**
esquiar *to ski* 7
la esquina *corner* 12
está *he/she is, you are (formal)* **P**
está despejado *it's clear* 7
esta noche *tonight* 3
está nublado *it's cloudy* 7
la estación *season* 6
el estadio *stadium* 7
la estadística *statistics* 1
el estado libre
asociado *commonwealth* 2
estadounidense *U.S. citizen* 2
estar *to be,* **P, 1,** 1, 2, 5, 6, 7,
8, 12
estar aburrido/a *to be bored* 2
estar cansado/a *to be tired* 2
estar contento/a *to be happy* 2, 11

estar de acuerdo *to agree* 11
estar de moda *to be fashionable* 6
estar en forma *to keep in shape* 7
estar enojado/a *to be angry* 2
estar listo/a *to be ready* 2
estar malo/a *to be ill* 2
estar verde *to be unripe* 2
estás *you are (familiar)* **P**
este/a *this* **1,** 1
este/esta/esto *this* 5
el estilo *style* 5
estimado/a *dear* 4
el estómago *stomach* 2, **11**
estornudar *to sneeze* 11
estos/estas *these* 5
estrecho/a *narrow, tight* 6
la estrella *star* 13
estremecerse *to tremble* 13
el/la estudiante *student* **P**
estudiar *to study* 1
estudioso/a *studious* 1
la estufa *stove* 5
¡estupendo! *fabulous!* 3
la etnia *ethnicity* 14
evitar *avoid* 2, 10
el examen *test* 1
examinar *to examine* 11
excelente *excellent* 1
la excursión *outing, trip* **12**
exigir *to demand* 14
el éxito *success* 13
la experiencia *experience* 9
explicar *to explain* 4, 15
explicarse *to explain to each
other* 6
explotar *to exploit* 9
exponer (g) *to exhibit* 13
la exportación *export* 9, **14**
la expresión *expression* P
la extinción *extinction* 15
extinguido/a *extinguished* 15
extrañar *to miss* 10
extrovertido/a *extrovert,
outgoing* 4

F

fabuloso/a *fabulous, great* **3**
fácil *easy* 1
facturar *to check in (luggage)* 12
la facultad *school, department* 1
la falda *skirt* 6
falso/a *false* Pr
la familia *family* 4
el fantasma *ghost* 8
el/la farmacéutico/a *pharmacist* 11
la farmacia *pharmacy* 11
fascinar *to fascinate, to be pleasing
to* **6,** 6

favorito/a *favorite* 1
febrero *February* P
felicidades *congratulations* 3
felicitar *to congratulate* 11
feo/a *ugly* 2
el festival *festival 8; event or
celebration (public)* 8
la festividad, la fiesta *festivity;
holiday; celebration* **8;** *(public)
festivity* **8**
la ficha *note card* 7
la fiebre *fever* 11
fielmente *faithfully* 7
la fiesta *party 3; holiday, celebration* 8
fijar(se) *to focus 4; to take note* 14
el fin de semana *weekend* 1
finalmente *finally* 5, 6
la finca *ranch, farm* 9
la flor *flower* 2
el/la fontanero/a *plumber* 9
la forma *shape, form* 13
fortalecer (zc) *to strenghten* 10
la foto(grafía) *photo(graph)* 4
el fracaso *failure* 13
fracturar(se) *to fracture, to break* 11
francés/francesa *French* 2
la frazada *blanket* 5
la frecuencia *frequency* 1
frecuentemente *frequently, often* **4,** 5, 8
el fregadero *kitchen sink* 5
freír (i) *to fry* 10
la frente *forehead* 11
la fresa *strawberry* 10
frijoles *beans* 3
frío/a *cold* 3
frito/a *fried* 3, 10
la fruta *fruit 3, 10; de la
pasión passion fruit* 10
los fuegos artificiales *fireworks* 8
la fuente *bowl 10; source* 8, **15**
la fuente de ingresos *source of
income* 9
fuerte *strong* 2
la fuerza laboral *workforce* 9
fumar *to smoke* 11
funcionar *to work* 4
la fundación *founding (noun)* 13
el fútbol (americano) *soccer (football)*
3, **7**

G

las gafas de sol *sunglasses* 6
la galleta *cookie* 10
las gambas *shrimp* 10
el ganado *cattle* 10
ganar *to win* 3, **7,** 12, 14; *to earn
(money)* 14
la ganga *bargain* 6

el garaje *garaje* 5
los garbanzos *garbanzo beans* 10
la garganta *throat* 11
la garra *claw* 14
gastar *to spend* **6,** 13
gemelo/a *twin* 4
generalmente *generally* 8
genéticamente *genetically* 15
la gente *people* 8
la geografía *geography* 1
el/la gerente (de ventas) *(sales)
    manager* 9
el gimnasio *gymnasium* 1
el gitano *gypsy* 13
gobernante *ruler* 8
gobernar (ie) *to govern* 14
el gobierno *government* 11
el gol *goal* 7
el golf *golf* 7
gordo/a *fat* 2
la gorra *cap* 6
grabar *to record* 13
gracias *thanks* P
¡Gracias a Dios! *Thank
    goodness!* 15
graduarse *to graduate* 14
grande *big* 1
grave *serious* 11; *seriously ill* 6
la gripe *flu* 11
gris *gray* 2
la guagua *bus* 12
el guajolote *turkey* 10
el guante *glove* 6
la guantera *glove compartment* 12
guapo/a *good-looking,
    handsome* 2
guardar silencio *to keep silent* 14
guatemalteco/a *Guatemalan* 2
la guía *guide* 6
la guitarra *guitar* 3
el/la guitarrista *guitar player* 13
gustar *to like* 2; *to be pleasing to, to
    like* **6,** 11

H

haber consenso *to agree* 12
la habitación *bedroom* 5
la habitación doble/sencilla *double/
    single room* 12
el/la habitante *inhabitant* 14
hablar *to speak* 1, 9, 10
Hablen (sobre...) *Talk (about . . .)* P
hace *ago* 7
Hace (+ expresión de tiempo) que...
    It's been (time expression) since... 4
Hace buen/mal tiempo. *The weather
    is good.* **P,** 7
hace fresco *it's cool* 7

Hace sol. *It's sunny.* **P**
hace un día/mes/año (que) *it has been
    a day/month/year since* 6
hace viento *it's windy* 7
hacer (g) *to do* 1, **3,** 7, 9, 10, 15
hacer cola *to stand in line* 12
hacer la cama *to make the bed* 3
hacer malabarismo *to juggle* 9
hacer parapente *to go paragliding* 7
hacer surf *to surf* 7
hacerse *to become* 14
hacerse daño *to hurt oneself* 8
la hamburguesa *hamburger* 3
la harina *flour* 10
hasta *even* 7; *including* 13
hasta luego *see you later* P
hasta mañana *see you
    tomorrow* P
hasta pronto *see you soon* P
hasta que *until* 14
hay *there is, there are* P
el hecho *fact* 6
la heladera *refrigerator* 5
el helado *ice cream* 3
la herida *wound* 11
la hermana *sister* **4,** 1
el hermano *brother* 4
hervir (ie, i) *to boil* 10
el hielo *ice* 7
las hierbas *herbs* 10
el hierro *iron* 9
la hija *daughter* 4
el hijo *son* 4
el hijo único/la hija única *only
    child* 4
el/la hincha *fan* 7
hinchado/a *swollen* 11
la hinchazón *swelling* 11
hispano/a *Hispanic* 2
la historia *history* 1
el hockey sobre hierba *field
    hockey* 7
hoja *leaf* 5
hola *hi, hello* P
el hombre *man* 3
**el hombre/la mujer de
    negocios** *businessman/woman* 9
el hombro *shoulder* 11
el homenaje *homage* 8
hondureño/a *Honduran* 2
la honestidad *honesty* 14
el hospital *hospital* 11
hoy *today* P
hoy en día *nowadays* 8
Hoy es (día de la semana). *Today is
    (day of the week.)* P
el hueso *bone* 8, 11
el huevo *egg* 3
las humanidades *humanities* 1

I

la iglesia *church* 8
la igualdad *equality* 14
Igualmente. *Likewise.* P
el impermeable *raincoat* 6
la impresora *printer* 5
el incendio *fire* 9
independizarse *to become
    independent* 5
la industria textil *textile industry* 9
la infancia *childhood* 7
infantil *children's* 14
la infección *infection* 11
influir (y) *to influence* 3, 13
la información de fondo *background
    information* 8
la informática/la computación
    computer science 1, 1
el informe *report* 9
la infraestructura *infrastructure* 15
el/la ingeniero/a *engineer* 9
la inmigración *immigration* 14, 14
el/la inmigrante *immigrant* 14
la inmundicia *filth* 14
el inodoro *toilet* 5
inolvidable *unforgettable* 13
el/la inspector/a de aduana *customs
    agent* 12
el intercambio *exchange* 15
interesante *interesting* 1
interesar *to interest* 6, 6
el/la intérprete *interpreter
    9; performer, artist* 13
interrumpir *to interrupt* 15
la inundación *flood* 15
invertir (ie) *to invest* 15
el invierno *Winter* 6, 7
la invitación *invitation* 8
invitar *to invite* 8
la inyección *injection* 11
ir *to go* 3, 6, 11
ir bien con... *to go well with* 6
ir de bowling *to bowl* 7
ir de compras *to shop* 3, *to go
    shopping* 6
ir de tapas *to go out for tapas* 1
ir(se) *to go away, to leave* **7,** 7, 11
irse la luz *to be a blackout* 8
la izquierda *left* 4

J

el jabón *soap* 5
jamás *never, (not ever)* 12
el jamón *ham* 3
japonés/japonesa *Japanese* 2
el jardín *garden* 5
el/la jefe/a *boss* 9

joven *young* **2**
el/la joven *young man/woman* **3**
la joya *jewel* **4**; *piece of jewelry* **6**
jubilarse *to retire* 14
el juego/el partido *game* **7**
jueves *Thursday* **P**
el/la juez *judge* **9**
el/la jugador/a *player* **7**
jugar (ue) *to play (a game, sport)* **4**
jugar (ue) a los bolos/(al) boliche *to bowl* 4, **7**, 7
el jugo *juice* **3**
el juguete *toy* **6**
julio *July* P
junio *June* P
juntos/as *together* **4**

L

el labio *lip* **11**
lácteo/a *dairy (product)* **10**
el/la ladrón/a *thief* **8**
el lago *lake* **7**
lamentar *to be sorry* **11**
la lámpara *lamp* **5**
la langosta *lobster* **10**
lanzar *to throw* 7
el lápiz *pencil* **P**
largo/a *long* **2**
la lástima *shame* **11**
el lavabo *bathroom sink* **5**
la lavadora *washer* **5**
la lavandería *laundry room* **5**
el lavaplatos *dishwasher* 4, **5**
lavar(se) *to wash (oneself)* **4**
le gusta(n) *you (formal) like* **2**
la leche *milk* **3**
la leche de coco *coconut milk* **10**
la lechuga *lettuce* **3**
Lee. *Read.* **P**
leer *to read* **1, 7**, 10
las legumbres *legumes* **10**
lejos (de) *far (from)* **4, 5**
las lentejas *lentils* **10**
lentes de contacto *contact lenses* **2**
Levanta la mano. *Raise your hand.* **P**
levantar pesas *to lift weights* **7**
levantar(se) *to raise; to get up* **4**, 7
levantarse con el pie izquierdo *to get up on the wrong side of the bed* 7
la libertad *freedom* **14**; **de expresión** *freedom of expression* 14
la librería *bookstore* **1**
el libro *book* **P**
la licencia de conducir *driver's license* **12**
el limón *lemon* **10**
el limpiaparabrisas *windshield wiper* **12**
limpiar *to clean* 5, **11**; **en seco** *to dry clean* 14

limpio/a *clean* **5**
listo/a *smart; ready* **2**; *clever* **6**
la literatura *literature* **1**
el litio *lithium* **13**
llamarse *to be called* **4,** 8
la llanta *tire* **12**
la llave *key* **12**
la llegada *arrival* **12**
llegar *to arrive* 1, 6
llenar *to fill (out)* **9**
lleno/a *full* **12**
llevar *to take* 4; *to wear, to take* **6**
llorar *to cry* **8**
llover (ue) *to rain* **7**
Llueve./Está lloviendo. *It's raining.* P
la lluvia *rain* **7**
lo importante *the important thing* **9**
lo mismo *the same* **5**
lo siento *I'm sorry (to hear that)* **P**
el/la locutor/a *radio announcer* **9**
lograr *to accomplish* 7; *to achieve* 12
los/las *the (plural)* **1**
las luces intermitentes *flashers/ hazard lights* **12**
la lucha *fight* **14**
luchar *to fight* **14**
luego *after, later* **3**
luego *then* 4, 5, 6
el lugar *place* **1**
el lujo *luxury* **12**
luna de miel *honeymoon* **4**
lunes *Monday* **P**
la luz (las luces) *light(s)* **12**

M

machacar *to crush* **10**
la madera *wood* **9**
la madrastra *stepmother* **4**
la madre *mother* **4**
la madrina *godmother* 4
magnífico/a *great* **6**
el maíz *corn* **10**
mal *bad* **P**
la maleta *suitcase* 6, **12**
el maletero/el baúl *trunk* **12**
el maletín *briefcase* **12**
malo/a *bad* 1; *ill* 6
la malva *mallow* **11**
la mamá *mom* **4**
la mami/mamita *mommy* 4
mandar *to send* **9**
mandar saludos *to say hello* **5**
manejar *to drive* **12**
la mano *hand* 6, **11**
la manta *blanket* **5**
la manteca/la mantequilla *butter* **10**
el mantel *tablecloth* **10**

mantener (g, ie) *to maintain* **8**
mantenerse *to stay* **14**
mantenerse en contacto *to stay in touch* 13
mantenerse en forma *to keep in shape* 11
la manzana *apple* **10**
manzanilla *chamomile* **11**
mañana (adv.) *tomorrow* **P;** 3
la mañana *morning* **P**
el mapa *map* **1**
maquillar(se) *to put makeup on (someone); to put makeup on (oneself)* **4**
el mar *sea* **3**
el maracuyá *passion fruit* **10**
maravilloso/a *marvelous* **8**
la marca *brandname* 6; *brand* 7
el marcador *scoreboard* **5**
el marcador/el rotulador *marker* **P;** *highlighter* 10
la margarina *margarine* **10**
el marido *husband* **4**
los mariscos *shellfish* 3, **10**
marrón *brown* **2**
marroquí *Moroccan* **2**
martes *Tuesday* **P**
marzo *March* **P**
más (+ adj.) *most (+ adj.)* 1
Más alto, por favor. *Louder, please.* **P**
más de *more than* 8
Más despacio/lento, por favor. *More slowly, please.* **P**
más o menos *about, more or less* **P**
más tarde *later* 3, 4, 5, 6
el/la más... *the most...* 8
más... que *more...than* 8
matar *to kill* **8**
la materia *subject* **1**
el material *material* 6
el matrimonio *marriage* **4**
mayo *May* **P**
la mayonesa *mayonnaise* **10**
mayor *old* **2**
mayor que *older than* 8
el/la mayor *the oldest* **4**
la mayoría *majority* **14**
me gusta(n) *I like* **2**
Me gustaría... *I would like . . .* 3, **6**
Me llamo... *My name is...* **P**
el médano *sand dune* **7**
la media hermana *half-sister* **4**
las medias *stockings, socks* 6, **6**
la medicina *medicine* 1, **11**
el/la médico/a *medical doctor* **9**
el/la médico/a de cabecera/de familia *doctor (primary care)* 11
el medio ambiente *environment* **11**
el medio hermano *half-brother* **4**

la mejilla *cheek* **11**
el/la mejor *the best* **8**
mejor que *better than* **4, 8**
mejorar *to improve* **14**
el melocotón *peach* **10**
la melodía *melody* **8**
el melón *melon* **10**
el/la menor *the youngest* **4**
menos... que *less...than* **8**
el mensaje *message* **15**
el mercado *market* **6**
la merienda *snack* **12**
el mes *month* **P**
la mesa *table* **P**
meter *to insert* **15**
meter un gol *to score a goal* **7**
el metro *subway* **12**
el metro cuadrado *square meter* **4**
mexicano/a *Mexican* **2**
mi amor *(term of endearment)* **3**
mi vida *(term of endearment)* **3**
mi(s) *mine* **2**
mi(s) *my* **P**
el micro *bus* **12**
la microcirugía *microsurgery* **15**
el (horno de) microondas *microwave (oven)* **5**
mientras *while* **3, 8, 14**
miércoles *Wednesday* **P**
la migración *migration* **14**
mil *thousand* **3**
millón *million* **3**
la minoría *minority* **14**
el minuto *minute* **P**
mirar *to look (at)* **1**
mismo/a *same* **2**
mitad *half* **2**
el móvil *mobile* **15**
la mochila *backpack* **P**
mojado/a *wet* **7**
módico/a *moderate* **12**
moler (ue) *to grind* **10**
molestar(le) *to bother, be bothered by* **11**
montar (en bicicleta) *to ride (a bicycle)* **1**
morado/a *purple* **2**
moreno/a *brunette; of African ancestry; of dark skin or hair color* **2**
morir (ue) *to die* **6, 7, 10, 13**
la mortalidad *mortality* **14**
la mostaza *mustard* **10**
el mostrador *counter* **12**
mostrar (ue) *to show* **6**
el motor *motor* **12**
mover(se) *to move* **7**
el móvil *cell phone* **15**
muchas veces *many times* **1**
mucho *(adv.) much, a lot* **2**
mucho/a *(adj.) many* **2**

Mucho gusto. *Nice to meet you.* **P**
mudar(se) *to move* **5**
los muebles *furniture* **5**
muerto/a *dead* **8**, *deceased* **6**
la mujer *woman* **3;** *wife* **4**
la multa *fine* **12, 15**
la muñeca *wrist* **11**
el mural *mural* **13**
el/la muralista *muralist* **13**
el músculo *muscle* **11**
la música *music* **3**
muy *very* **P, 2**

N

nacer *to be born* **8**
la nacionalidad *nationality* **2**
nada *nothing* **12**
nadar *to swim* **3, 7**
nadie *no one, nobody* **12**
la [la naranja] naranja *orange* **3;** *(color) orange* **2**
la nariz *nose* **6, 11**
la natación *swimming* **7**
natal *native* **10**
la naturaleza *nature* **7, 15**
la Navidad *Christmas* **8**
necesario/a *necessary* **11**
necesitar *to need* **1, 13**
negro/a *black* **2;** *of African ancestry; of dark skin or hair color* **2**
el nervio *nerve* **11**
nervioso/a *nervous* **2**
nevar (ie) *to snow* **7**
la nevera *refrigerator* **5**
ni... ni *neither...nor* **12**
nicaragüense *Nicaraguan* **2**
la nieta *granddaughter* **4**
el nieto *grandson* **4**
la nieve *snow* **7**
nigeriano/a *Nigerian* **2**
el niño/la niña *child* **4**
nivel *level* **14**
¿no? *isn't it?* **1**
No comprendo. *I don't understand.* **P**
no obstante *however* **11**
No sé. *I don't know.* **P**
la Nochebuena *Christmas Eve* **8**
la Nochevieja *New Year's Eve* **8**
nominar *to nominate* **13**
norteamericano/a *North American* **1**
nosotros/as *we* **1**
la noticia *news* **4**
las noticias *news* **2**
la novela *novel* **13**
el/la novelista *novelist* **13**
la novia *fiancée; girlfriend* **4, 2**

noviembre *November* **P**
el novio *fiancé; boyfriend* **2, 4**
nuestro(s), nuestra(s) *our* **2**
nuevo/a *new* **2**
el número *size (shoes)* **6**
nunca *never* **1** *(not ever)* **12**

O

o... o *either...or* **12**
la obra *work* **13**
el/la obrero/a *worker* **9**
octavo/a *eighth* **5**
octubre *October* **P**
ocupado/a *busy* **4**
ocurrir *to occur* **10**
odiar *to hate* **8**
la odontología *dentistry* **11**
la oficina *office* **1**
ofrecer (zc) *to offer* **9**
el oído *(inner) ear* **11**
Oiga, por favor. *Listen, please.* **1**
¡Oigo! *Hello? (on the telephone)* **3**
oír *to listen to* **3, 7**
ojalá que... *I/we hope that...* **11**
el ojo *eye* **2**
la ola *wave* **7**
olvidar *to forget* **10, 15**
el ómnibus *bus* **12**
ordenado/a *tidy* **5**
el ordenador *computer* **1**
ordenar *to tidy up* **5**
la oreja *(outer) ear* **6, 11**
el oro *gold* **6**
la orquesta *orchestra* **8**
oscuro/a *dark* **2**
el otoño *fall* **6, 7**
Otra vez. *Again.* **P**
otro/a *other, another* **3**
la oveja *sheep* **10**
el OVNI *UFO* **15**
¡Oye! *Hey!* **1**

P

el/la paciente *patient* **11**
el padrastro *stepfather* **4**
el padre *father* **4**
los padres *parents* **2, 4**
el padrino *godfather* **4**
pagar *to pay (for)* **6**
el país *country, nation* **1, 3**
el paisaje *landscape* **13**
la paiteña *a type of onion* **10**
la palabra *word* **P**
las palomitas de maíz *popcorn* **10**
los palos *golf clubs* **7**
la palta *avocado* **10**
el pan dulce *bun, small cake* **10**
el pan tostado/la tostada *toast* **3**

panameño/a *Panamanian* **2**
la pantalla *earring* **6**; *screen* **P**
los pantalones *pants;* **cortos** *shorts* **6**
las pantimedias *pantyhose* **6**
el pañuelo *handkerchief* **6**
el papá *dad* **4**
la papa *potato* **3**
las papas fritas *French fries* **3**
la papaya *papaya* **10**
el papi/papito *daddy* **4**
para *in order (to); towards* **3;** *for, to* **3, 1**
para mí *for me* **7**
para que *so that* **14**
¿para qué? *why?/what for?* **1**
para ti *for you (familiar)* **7**
el parabrisas *windshield* **12**
el paraguas *umbrella* **6**
paraguayo/a *Paraguayan* **2**
la parchita *passion fruit* **10**
pardo/a *brown* **2**
parecer (zc) *to seem* **6;** *to think* **14**
parecido *similar* **1**
la pareja *couple* **4**
el parentesco *kinship* **4**
el pariente *relative* **4**
el parque de atracciones *amusement park* **3**
participar *to participate* **1**
pasado mañana *the day after tomorrow* **3**
el/la pasajero/a *passenger* **12**
el pasaporte *passport* **12**
pasar *to spend (time)* **4;** *to happen* **13**
pasar (muy) bien/pasarlo bien *to have a good time* **3, 8**
pasar la aspiradora *to vacuum* **5**
la Pascua *Easter* **8**
Pase(n). *Come in.* **5**
pasear *to take a walk, to stroll* **4**
el pasillo *corridor, hall* **5**
el paso *step* **5**
la pasta de dientes *toothpaste* **10**
el pastel *cake* **5;** *pastry* **10**
la pastilla *pill* **11;** *medication* **11**
la pata *foot, leg (in animals and furniture)* **2**
patinar *to skate* **7**
patriótico/a *patriotic* **8**
patrocinar *to sponsor* **12**
el pavo *turkey* **10**
el pecho *chest* **11**
la pechuga de pollo *chicken breast* **10**
pedir (i) *to ask for; to order* **4,** **7;** *to request* **15**
pedir la palabra *to request the floor* **15**
peinar(se) *to comb (someone's hair); to comb (one's hair)* **4**
pelar *to peel* **10**
pelear *to argue* **4**

la película *movie, film* **2, 3**
el peligro *danger* **8**
pelirrojo/a *redhead* **2**
el pelo *hair* **2**
la peluquería *beauty salon, barbershop* **9**
el/la peluquero/a *hairdresser* **9**
el penalti *penalty (in sports)* **7**
el pendiente *earring* **6**
pensar (en) (ie) *to think (about)* **3, 4, 6, 11**
pensar (ie) *+ infinitive to plan to + verb* **4**
el pepino *cucumber* **10**
pequeño/a *small* **1**
la pera *pear* **10**
percibido/a *noticed* **13**
perder (ie) *to lose* **7, 15**
perderse *to miss out on* **8;** *to get lost* **12**
la pérdida *loss* **15**
perdón *pardon me, excuse me* **P**
¿Perdón? *What?* **1**
el/la peregrino/a *pilgrim, traveller* **8**
el perejil *parsley* **10**
el perezoso (Zool.) *sloth* **12**
perezoso/a *lazy* **2,** **4**
perfecto/a *perfect* **10**
el periódico *newspaper* **3, 1**
el/la periodista *journalist* **9**
permitir *to allow* **5, 11**
pero *but* **1**
el/la perro/a *dog* **5**
la persona *person* **P**
el personaje principal *main character* **13**
las personas *people* **P**
las pertenencias *things you own* **2**
peruano/a *Peruvian* **2**
la pesa *weight* **10**
la pesadilla *nightmare* **12**
el pescado *fish* **3, 10**
la pestaña *eyelash* **11**
el petróleo *petroleum* **9**
picado/a *chopped* **10**
picante *spicy* **8**
picar *to chop* **10**
el pico *peak* **14**
el pie *foot* **2, 6, 11**
la piel *skin* **11**
la pierna *leg* **6, 11,** **12**
el pijama *pajamas* **6**
la píldora anticonceptiva *birth control pill* **15**
la pileta *pool* **7**
la pimienta *pepper* **10;** *ground pepper* **10;** **roja** *cayenne* **10**
el pimiento *pepper (vegetable);* **rojo** *red bell pepper* **10 ;** **verde** *green pepper* **10**

pintar *to paint* **13**
el/la pintor/a *painter* **13**
la pintura *painting* **13**
la piña *pineapple* **10**
piscina *swimming pool* **5, 7**
el piso *floor* **4, 5;** *apartment* **5**
la pista *slope; court; track* **7**
pitar *to whistle* **7**
el/la piyama *pajamas* **6**
la pizarra *chalkboard* **P**
la placa *license plate* **12**
planchar *to iron* **5**
el planeta *planet* **15**
la planta baja *first floor, ground floor* **5;** *lobby* **4**
la plata *silver* **6**
el plátano/la banana *banana, plantain* **10**
el plato *plate* **5,** *dish* **5, 10**
la playa *beach* **1**
la plaza *plaza, square* **1**
el/la plomero/a *plumber* **9**
la población *population* **14**
pobre *poor* **2**
la pobreza *poverty* **14**
poco después *shortly after* **4**
poder (ue) *to be able to, can* **4,** **7,** 9, **10, 15**
el poema *poem* **13**
la poesía *poetry* **13**
el/la poeta *poet* **13**
polaco/a *Polish* **2**
polémico/a *controversial* **7**
el/la policía *policeman/woman* **9**
políglota *polyglot, multilingual* **14**
la pollera *skirt* **6**
el pollo *chicken* **3**
poner (g) *to put* **4, 10, 15**
poner (la tele) (g) *to turn on (the TV)* **3**
poner la mesa (g) *to set the table* **3**
poner una película *to show a movie* **3**
ponerse (g) la ropa *to put one's clothes on* **4**
popularizar (c) *to popularize* **13**
por *along* **3;** *for* **2, 3;** *per* **1;** *through* **3**
por ciento *percent* **3**
por cierto *by the way* **9**
por ejemplo *for example* **3**
por eso *for this reason* **3**
por favor *please* **P**
por fin *at last* **3;** *finally* **15**
por lo menos *at least* **3,** **5**
Por otro lado... *On the other hand . . .* **4, 11**
por primera vez *for the first time* **3**
por qué *why* **3**
¿por qué? *why?* **1**
por supuesto *of course* **1, 3**

por último *finally* 4

Por un lado... *On the one hand . . .* 4, 11

el porcentaje *percentage* 14

porque *because* 1, 3

portugués/portuguesa *Portuguese* 2

la posición *position* P

practicar *to practice* 1

preceder *to precede* 14

el precio *price* 6

precioso/a *beautiful* 6

preferir (ie) *to prefer* 4, 7, 11

el premio *award, prize* 13

prendas de vestir *articles of clothing* 6

preocupar(se) *to be worried* 11

preparar *to train* 7; *to prepare* 8, 11

el preparativo *preparation* 8

la presentación *introduction* P

Presente. *Here (present).* P

el/la presidente/a *president* 14

prestar *to lend* 6, 13

el presupuesto *budget* 10

la primavera *spring* 6, 7

el primer piso *second floor* 4

la primera clase *first class* 12

la primera planta *second floor* 4

primer/primero/a *first* 4, 5, 6

el primo/la prima *cousin* 4

probar (ue) *to try, to taste* 10

probarse (ue) *to try on* 6

la procesión *procession* 8

producir *produce* 15

el/la profesor/a *professor, teacher* P, 2, 4

el promedio *average* 8, 14

prometedor/a *promising* 13

promover *to promote* 15

el pronóstico del tiempo *weather forecast* 7

propio/a *own* 9

proponer (g) *to propose* 14

el propósito *purpose* 4

protestar *to protest* 14

la próxima semana *next week* 3

la proximidad *proximity* 14

próximo/a *next* 5

el próximo mes/año *next month/year* 3

la psicología *psychology* 1

el/la (p)sicólogo/a *psychologist* 9

el pueblo *village* 5

el puerco *pork* 10

la puerta *door* P; **de salida** *departure gate* 12

puertorriqueño/a *Puerto Rican* 2

el puesto *position* 9

el pulmón *lung* 11

la pulsera *bracelet* 6

el punto de vista *point of view* 11

Q

¿qué? *what?* Pr, 1

¡Qué aburrido! *How boring!* 1, 3

¡Qué bien! *How nice!* 3

¡Qué casualidad! *What a coincidence!* 1

¿Qué día es hoy? *What day is today?* P

¡Qué divertido! *How funny!* 1, 3

¿Qué fecha es hoy? *What date is today?* P

¿Qué hay? *Hello? (on the telephone)* 3

¿Qué hora es? *What time is it?* P

¡Qué increíble! *That's unbelievable!* 1

¡Qué interesante! *That's so interesting!* 1, 3, 8

¡Qué lástima! *What a pity!* 1

¡Qué lata! *What a nuisance!* 3

¡Qué maravilla! *How wonderful!* 3

¡Qué suerte! *How lucky!* 3

¿Qué tal? *What's up? What's new? (familiar)* P, 2

¿qué te parece? *what do you think?* 3

¿Qué te/le(s) pasa? *What's wrong (with you/them)?* 11

¿Qué tiempo hace? *What's the weather like?* P

quedar *to be left over; to fit;* 6; *to leave something behind* 15;

quedar(se) *to stay* 11, 14

quejarse *to complain* 5, 7

querer (ie) *to want* 3, 4, 7, 9, 11; *to wish* 3, 11; *to love* 8

querido/a *dear* 3

el queso *cheese* 3; **crema** *cream cheese* 10

¿Quién es...? *Who is ... ?* P

¿quién(es)? *who?* 1

la quinceañera *celebration for a girl's 15th birthday* 4

quinto/a *fifth* 5

Quisiera... *I would like . . .* 3, 6

quitar(se) *to take away; to take off* 4

R

el radiador *radiator* 12

el/la radio *radio* 5

rápido/a *fast* 3

la raqueta *racquet* 7

el rasgo *trait* 14

la razón *reason* 4

realizar (c) *to carry out* 14

realmente *actually* 9

la rebaja *sale* 6

rebajado/a *marked down* 6

la rebanada *slice* 10

la recepción *front desk* 12

la receta *recipe* 10; *prescription* 11

recetar *to prescribe* 11

reciclado/a *recycled* 15

reclamar *to demand* 14

recoger (j) *to pick up* 3, 5

recomendar (ie) *to recommend* 10, 11

el reconocimiento *recognition* 7

recopilar *to compile* 14

recordar (ue) *to remember* 2, 4, 8

recorrer *to travel, to cover (distance)* 7, 12

el recuerdo *memory* 13

los recuerdos *souvenirs* 6

los recursos *resources* 15

la red *net* 7

las redes sociales *social networks* 3

reducir *to reduce* 11

reflejar *to reflect* 5, 13

el refrán *proverb* 12

el refresco *soda, soft drink* 3

el refrigerador *refrigerator* 5

regalar *to give (a present)* 6

el regalo *gift* 3, *present* 6

regar (ie) *to water* 5

regatear *to haggle* 6

el régimen *regime* 14

regular *fair* P

reír (i) *to laugh* 7

rellenar *fill out* 1

relleno/a *filled* 10

el reloj *clock* P

el remedio *remedy, medicine* 11

remunerado/a *paid* 9

el renacimiento *rebirth* 8

el rendimiento *performance* 9

reparar *to fix* 5

repetir (i) *to repeat* 4, 7

Repite./Repitan. *Repeat.* P

repoblar *to reforest* 15

el repollo *cabbage* 6

la reserva natural *nature preserve* 15

reservar *to make a reservation* 12

respetar(se) *to respect (each other)* 13

respirar *to breathe* 11

responder *to respond* 1, 9

el reto *challenge* 15

retratar *to portray* 13

la reunión *meeting, gathering* 3

la revista *magazine* 3

la revista del corazón *gossip magazine* 13

rico/a *rich, wealthy* 2; *delicious (food)* 6

el riel *rail* 15

el robot *robot* 15

rociar *to spray, to sprinkle* 8

rodear *to surround* 13

la rodilla *knee* **11**
rojo/a *red* **2**
romper *to break* 10; *to tear* 15
la ropa *clothes* **6**
la ropa interior *underwear* **6**
rosado/a, rosa *pink* **2**
rubio/a *blond* **2**
la rueda *wheel* **12**
el ruido *noise* **8**
las ruinas *ruins* 5

S

sábado *Saturday* P
la sábana *sheet* 5
saber *to know* 3, 9
el sacacorchos *corkscrew* **10**
sacar buenas/malas notas *to get good/bad grades* **1**
sacar *to take out* 5, 6
el saco *blazer, jacket* *6*
la sal *salt* **10**
la sala *living room* 5; **de espera** *waiting room* **12**
la salida *departure* **12**
la salida de emergencia *emergency exit* **12**
salir *to go out* 3; *to leave* **12**
el salón de clase *classroom* P
la salsa con queso *nacho cheese sauce* 10
la salsa de tomate *tomato sauce* **10**
saludable *healthful* 2, 10
saludar *to greet* **13**
el saludo *greeting* P
salvadoreño/a *Salvadoran* **2**
el sanatorio *hospital* **11**
las sandalias *sandals* **6**
el sándwich *sandwich* 3
la sangre *blood* **11**
el satélite *satellite* **15**
el saúco *elder* 11
Se me congeló la pantalla. *The screen froze up on me.* 15
Se me fue el alma a los pies. *My heart sank.* 15
Se me fue la lengua. *I gave myself away.* 15
Se me puso la piel de gallina. *I got goosebumps.* 15
la secadora *dryer* 5
secar(se) *to dry (oneself)* 4, **5**
seco/a *dry* 5
seguir (i) *to follow, to go on* **4**, *7*, **11**
seguir (i) derecho *to go straight* **12**
según *according to* 4, 5; *as* 14
segundo/a *second* 5
la seguridad *security* 8
la semana *week* P

la semana pasada *last week* 6
la semilla *seed* 8
sentarse (ie) *to sit down* 4
el sentimiento *feeling* 3
sentir (ie, i) *to feel* **11**; *to be sorry* 11
sentir(se) (ie) *to feel* **4**, *7*
la señal *signal* 9
el señor (Sr.) *Mr.* P
la señora (Sra.) *Ms., Mrs.* P
la señorita (Srta.) *Ms, Miss* P
septiembre *September* P
séptimo/a *seventh* 5
ser *to be* P, **2**, 6, 8, 10, 11, 12, 13, 15
ser aburrido/a *to be boring* 2
ser listo/a *to be clever, smart* 2
ser malo/a *to be bad/evil* 2
ser verde *to be green* 2
serio/a *serious* 11
la servilleta *napkin* 10
servir (i) *to serve* **4**, *7*
sexto/a *sixth* 5
si *if* 3
sí *yes* P
siempre *always* 1, **8**, 12
Siga(n). *Come in.* 5
siguiente *following* 12
la silla *chair* P, **5**
silvestre *wild* 10
el símbolo *symbol* 13
simpático/a *nice, charming* **2**
sin embargo *nevertheless* 1, **9**, 6, 11
sin fines de lucro *non-profit* 7
sin nosotros/as *without us* 7
sin que *without* 14
sino que *but rather* 1
el síntoma *symptom* 11
sobre *on, above* P
el sobrenombre *nickname* 5
sobrevivir *to survive* 9
la sobrina *niece* 4
el sobrino *nephew* 4
la sociología *sociology* 1
el sofá *sofa* 5
solicitar *to apply (for)* 9
la solicitud *application* 9
solo *only* 1, **2**
soltero/a *single* 2; *unmarried* 5
el sombrero *hat* 6
la sopa *soup* 3
la sorpresa *surprise* 4
el sostén *bra* 6
el sótano *basement* 5
soy *I am* P
su(s) *your (formal), his, her, its, their* **2**
suave *soft* 8
subir *upload* 9
subir a *to get into* 15
subir de peso *to gain weight* 3
subrayar *to underline* 15

sucio/a *dirty* 5
la sucursal *branch (business)* 14
la sudadera *sweatshirt; jogging suit* 6
el sueldo *salary, wage* 9
el suéter *sweater* 6
sugerir (ie) *to suggest* 11
el supermercado *supermarket* 6
surgir (j) *to emerge* 13
surrealista *surrealist* 13
sustentar *to support* 12

T

la tableta *tablet* P, **15**
la tala *felling* 15
la talla *size (clothes)* 6
los tallarines *spaghetti* 3
el taller *workshop* 9
los tamales *tamales* 3
el tamaño *size* 6
también *also* 1; *also, too* 12
tampoco *neither, not* 12
tan bien como *as well as* 8
tan bueno/a como *as good as* 8
tan pronto (como) *as soon as* 14
tan... como *as . . . as* 8
tanto/a... como *as much . . . as* 8
tapar *to cover* 10
tarde *late* 4
la tarea *homework* 1
La tarea, por favor. *Homework please.* P
la tarjeta de crédito *credit card* 6; **de embarque** *boarding pass*; **magnética** *key card* 12
la tarta de manzana *apple pie* 10
la tasa *rate* 14
la taza *cup* 10
te gusta(n) *you (familiar) like* 2
el té *tea* 3
el teatro *theater* 8
el/la técnico/a *technician* 9
la tela *fabric* 6
el teléfono *telephone* 3; **celular/móvil** *cell pone* 15
el televisor *television set* P
el tema *topic* 4; *theme* 13
temer *to fear* 11
temprano *early* 4
tender (ie) *to hang (clothes)* 5
el tenedor *fork* 10
tener (g, ie) *to have* **4**, *7, 10, 11, 12, 13, 14, 15*
tener calor *to be hot* 5
tener cuidado *to be careful* 5
tener dolor de... *to have a(n) ... ache* 11
tener éxito *to be successful* 10, **13**
tener frío *to be cold* 5
tener hambre *to be hungry* 5

tener la palabra *to have the floor* **15**
tener mala cara *to look terrible* **11**
tener miedo *to be afraid* **5**
tener prisa *to be in a hurry* **5**
tener que *to have to* **4**
tener razón *to be right* **5**
tener sed *to be thirsty* **5**
tener sueño *to be sleepy* **5**
tener suerte *to be lucky* **5**
tener tiempo *to have time* **3**
tener... años *to be . . . years old* **5**
tengo/tienes *I have/you have* **1**
Tengo... años. *I am ... years old.* **2**
el tenis *tennis* **7**
el/la tenista *tennis player* **7**
la tensión/la presión (arterial) *(blood) pressure* **11**
tercer/tercero/a *third* **5**
terminar *to finish* **4,** 6, 10, 14
el termómetro *thermometer* **11**
la terraza *deck, balcony* **5**
el terreno *land* **9**
la tía *aunt* **4**
el tiburón *shark* **5**
el tiempo *weather* **7**
el tiempo libre *free time* **3**
la tienda *store* **6;** *tent* **12**
la tienda de 24 horas *convenience store* **10**
la tienda de conveniencia *convenience store* **10**
la tienda de gasolinera *convenience store* **10**
la tienda de la esquina o del barrio *convenience store* **10**
tiene *he/she has; you (formal) have* **2**
¿Tienen preguntas?/¿Tienes preguntas? *Do you have any questions?* **P**
la tierra *land, soil* **15**
tímido/a *shy* **4**
la tina *bathtab* **5**
la tintorería *dry cleaner* **14**
el tío *uncle* **4**
típico/a *typical* **3**
titular(se) *to be called* **13**
el título *degree* **14**
la toalla *towel* **5**
el tobillo *ankle* **11**
el toca DVD *DVD player* **P**
tocar (un instrumento) *to play (an instrument)* **3**
todas las semanas *every week* **1**
todavía *still, yet* **10**
todo *everything* **12**
todos los días *every day* **1**
todos los meses *every month* **1**

todos/as *everybody* **2;** *all* **12**
tomar *to drink* 3, 11; *to take, to drink* **1,** 10
tomar apuntes/notas *to take notes* **1**
tomar asiento *to have/take a seat* **9**
tomar el sol *to sunbathe* **3**
el tomate *tomato* **3**
tonto/a *silly, foolish* **2**
torcer(se) (ue) *to twist* **11**
el torero *bullfighter* **2**
el torneo *tournament* **7**
el toro *bull* **8**
la toronja/el pomelo *grapefruit* **10**
la tos *cough* **11**
toser *to cough* **11**
trabajador/a *hardworking* **2**
trabajar *to work* **1,** 10, 14
trabajo *job* **1**
el trabajo *work* **5**
la tradición *tradition* **8**
traducir (zc) *to translate* **7,** 7
traer (j) *to bring* **3,** 7, 11, 13
el tráfico de drogas *drug trafficking* **14**
el traje *suit* **6; de baño** *bathing suit* **6**
el tramo *stretch* **12**
el tratado *treaty* **15**
tratar *to treat, be about* **11, 13;** *to try* 5, 10
trazado/a *drawn* **3**
el tren *train* **12**
trigo *wheat* **2**
trigueño/a *of lightbrown skin color* 2
triste *sad* **2,** 11, 15
tropezarse *to stumble* **15**
tú *you (familiar)* **P,** Pr
tú *you (familiar)* **P**
tu(s) *your (familiar)* **P**
tu(s) *your (familiar)* 2
turnarse *to take turns* **4**
Túrnense. *Take turns* **P**

U

la ubicación *location* 4, 5
último/a *last* **8**
un/una *a, an* **P,** 1
Un cordial saludo. *Yours; Sincerely* 4
un poco *a little* **4**
una semana atrás *a week ago* **6**
una vez *once* **3,** 12
unificar (qu) *to unify* 15
la universidad *university* **1**
unos/as *some* **1**
unos/unas *some (plural)* 1
urgente *urgent* **11**
uruguayo/a *Uruguayan* **2**
usar *to use* **2,** 15
usted *you (formal)* **P**
ustedes *you (plural)* **1**

útil *useful* **P**
la uva *grape* **10**

V

las vacaciones *vacation* **3**
la vacante *opening* **9**
vacío/a *empty* **12**
la vainilla *vanilla* **10**
valer (g) *to be worth* **6**
los vaqueros/los jeans *jeans* **6**
el vaso *glass* **3,** 10
Vayan a la pizarra./Ve a la pizarra. *Go to the board.* P
el/la vecino/a *neighbor* **5**
el vegetal/la verdura *vegetable* **3,** 10
la velocidad *speed* **12**
¡Ven/Anda, anímate! *Come on, cheer up!* 3
la vena *vein* **11**
el/la vendedor/a *salesman, saleswoman* **9**
vender *to sell* **6,** 13
venerar *to worship* **8**
venezolano/a *Venezuelan* **2**
venir (g, ie) *to come* **4,** 7, 8
la ventaja *advantage* **5**
la ventana *window* **P**
las ventas *sales* **9**
ver *to see* **1,** 10, 13
ver(se) *to look* **6**
el verano *summer* **6,** 7
el verbo *verb* **P**
¿verdad? *don't you?, right?* **1**
verde *green* **2;** *unripe* **6**
el verso *line (poem)* **13**
el vestido *dress* **6**
vestir(se) (i) *to dress; to get dressed* 4, 7
vestuario *lockerroom* **7**
el/la veterinario/a *vet* **9**
viajar *to travel* **12,** 13
viaje *trip* **3**
la vida *life* **2**
el videojuego *video game* **15**
viejo/a *old* **2,** 8
el viento *wind* **6**
viernes *Friday* **P**
el vinagre *vinegar* **10**
el vino *wine* **3**
la viruela *smallpox* **11**
virtualmente *virtually* **15**
visitar *to visit* ***4***
la vista *view* **5**
viudo/a *widower; widow* **4**
la vivienda *housing* **5**
vivir *to live* **1,** 8, 5, 10
vivo/a *lively (personality); alive* **6**
volador/a *flying* **15**

English-Spanish Glossary

A

a little un poco
a lot (adv.) mucho
a week ago una semana atrás
a week ago una semana atrás
a, an un/una
A.M. (from midnight to noon) de la mañana
to abandon abandonar
to abound abundar
about más o menos
above sobre
absolutely not de ninguna manera
access el acceso
accessory el accesorio
to accompany acompañar
to accomplish lograr
according to según, de acuerdo con
accountant el/la contador/a , el/la contable (Spain)
to ache doler
actor/actress el actor/la actriz
actually en realidad
actually realmente
ad el anuncio
adaptation la adaptación
to add agregar/añadir
adjustment la adaptación
to advance avanzar
advance el adelanto
advantage la ventaja
advertisement el anuncio
advice el consejo
to advise aconsejar
adviser el/la consejero/a
affectionately con cariño
after después (de) que
after después, luego
again otra vez
ago hace
to agree concordar; estar de acuerdo; haber consenso
agricultural agrícola
air conditioning el aire acondicionado
air-conditioned climatizado/a
airline la aerolínea, la línea aérea
aisle seat el asiento de pasillo
alive vivo/a

all todos/as
allergy la alergia
to allow permitir
almost casi
alone solo/a
along por
already ya
also también
although aunque
always siempre
among entre
ample amplio/a
amusement park el parque de atracciones
amusing divertido/a
ancestor el antepasado
And what is your name? Y tú, ¿cómo te llamas?
and y
angry enojado/a
ankle el tobillo
another otro/a
to answer contestar
anthropology la antropología
antibiotic el antibiótico
anxiety la ansiedad
any algún, alguno (-os, -as)
anyone alguien
anything algo
apartment el apartamento, el departamento, el piso (Spain)
to apologize disculparse
apple la manzana
apple pie la tarta de manzana
appliances los electrodomésticos
application la solicitud
to apply (for) solicitar
April abril
architect el/la arquitecto/a
architecture la arquitectura
area la zona
Argentinian argentino/a
to argue discutir, pelear
arm el brazo
armchair la butaca
armoire el armario, el clóset
arrival la llegada
to arrive llegar
articles of clothing prendas de vestir

as . . . as tan… como
as good as tan bueno/a como
as if como si
as much . . . as tanto/a… como
as según
as soon as en cuanto
as soon as tan pronto (como)
as though como si
as well as tan bien como
to ask for pedir
asthma el asma
at a
at last por fin
at least por lo menos
at the back al fondo
at the present time actualmente, en la actualidad
at times a veces
At what time is it? A qué hora es?
ATM el cajero automático
attachment, attached document el documento adjunto
to attend asistir
August agosto
aunt la tía
avenue la avenida
average el promedio
average height de estatura mediana
avocado el aguacate, la palta
avoid evitar
award el premio

B

back la espalda
background information la información de fondo
backpack la mochila
bad malo/a
badly parked mal aparcado
balcony la terraza
ball el balón, la pelota/bola
ballpoint pen el bolígrafo
banana el banano (Colom.), la banana (Urug.), el plátano (Spain), el cambur (Venez.)
bank el banco
baptism el bautizo

barbecue pit; barbecue (event)
la barbacoa
barbershop la peluquería
bargain la ganga
baseball el béisbol
basement el sótano
basin (river) la cuenca
basket el cesto/la cesta
basketball el baloncesto/básquetbol
bat el bate
to bathe bañar
bathing suit el traje de baño
bathroom el baño
bathroom sink el lavabo
bathtub la bañera, la bañadera,
la tina
to be ser; estar
to be . . . years old tener... años
to be a blackout irse la luz
to be able to, can poder
to be about tratar
to be afraid tener miedo
to be angry estar enojado/a
to be bad/evil ser malo/a
to be bored estar aburrido/a
to be boring ser aburrido/a
to be born nacer
to be called lamarse
to be called titularse
to be clever ser listo/a
to be careful tener cuidado
to be cold tener frío
to be fashionable estar de moda
to be glad (about) alegrarse (de)
to be green ser verde
to be happy estar contento/a
to be hot tener calor
to be hungry tener hambre
to be ill estar malo/a
to be in a hurry tener prisa
to be left over quedar
to be liked caer simpático
to be lucky tener suerte
to be not ripe estar verde
to be pleasing fascinar
to be pleasing to gustar
to be ready estar listo/a
to be right tener razón
to be sleepy tener sueño
to be smart ser listo/a
to be sorry sentir, lamentar
to be successful tener éxito
to be thirsty tener sed
to be tired estar cansado/a
to be worried preocuparse
to be worth valer
beach la playa
bead la cuenta
beans los frijoles

to beat batir
beautiful precioso/a
beauty item el artículo de belleza
beauty salon la peluquería
because porque
to become hacerse
to become
independent independizarse
bed la cama
bedroom el cuarto
beef la carne de res
beer la cerveza
before antes, antes (de) que
to begin comenzar, empezar
beginning el comienzo
behavior el comportamiento
behind detrás (de)
to believe creer
bell chime la campanada
belt el cinturón
besides además
better than mejor que
between entre
bicycle la bicicleta
big grande
bilingual bilingüe
birth control pill la píldora
anticonceptiva
birthday el cumpleaños
black negro/a
blanket la manta, la cobija, la frazada
blazer el saco
blond rubio/a
blood la sangre
blouse la blusa
blue azul
boarding pass la tarjeta de embarque
body el cuerpo
to boil hervir
Bolivian boliviano/a
bone el hueso
book el libro
bookstore la librería
boots las botas
boring aburrido/a
boss el/la jefe/a
to bother, be bothered by molestar
bottle la botella
to bowl jugar a los bolos, jugar (al)
boliche, ir de bowling
bowl la fuente
boxer shorts los calzoncillos
boy el chico
boyfriend el novio
bra el sostén
bracelet la pulsera
brain el cerebro
branch (business) la sucursal
brand, brandname la marca

bread el pan
to break fracturarse; romper;
descomponerse
to break down descomponerse
breakfast el desayuno
to breathe respirar
briefcase el maletín
to bring traer
brother el hermano
brown marrón, café, carmelita,
castaño/a, pardo/a
brunette moreno/a
budget el presupuesto
to build construir
building el edificio
bull el toro
bullfight la corrida de toros
bullfighter el torero
bun, small cake el pan dulce
to bury enterrar
bus el autobús/bus, el camión *(Mex.)*,
el colectivo *(Arg.)*, el micro *(Chile)*,
el bus/la guagua *(P.R., Cuba)*, la
chiva *(Colom.)*, el ómnibus *(Peru)*
businessman el hombre de
negocios
businesswoman la mujer de negocios
busy ocupado/a
but pero
but rather sino que
butter la manteca/mantequilla
to buy comprar
by the way por cierto

C

cabbage el repollo
cafe el café
cafeteria la cafetería
cake el pastel
calculator la calculadora
Canadian canadiense
to cancel cancelar
candied figs el dulce de higos
candy/sweets el dulce
cap la gorra
capsule la cápsula
car el auto/carro/coche
careful cuidado
carnival el carnaval
carpenter el/la carpintero/a
carpet la alfombra
carrot la zanahoria
to carry out realizar
cart la carreta
cashier el/la cajero/a
cast elenco
cattle el ganado
cayenne la pimienta roja

to celebrate celebrar
celebration (public) el festival
celebration for a girl's 15th
    birthday la quinceañera
celebration la celebración/fiesta
celebration la festividad, la fiesta
cell phone el teléfono móvil/celular,
    el móvil/celular/cel
cemetery el cementerio
center el centro
cereal el cereal
chair la silla
chalkboard la pizarra
challenge el reto, el desafío
chamomile la manzanilla
champion el campeón/la campeona
championship el campeonato
to change cambiar
change el cambio
charger el cargador
charming simpático/a
cheap barato/a
to check in (luggage) facturar
cheek la mejilla
cheese el queso
chef el/la chef
cherry la cereza
chest el pecho
chicken el pollo
chicken breast la pechuga de pollo
to achieve lograr
child el niño/la niña
childhood la infancia
children's infantil
Chilean chileno/a
Chinese chino/a
to choose elegir, escoger
to chop picar
chop la chuleta
chopped picado/a
christening el bautizo
Christmas Eve la Nochebuena
Christmas la Navidad
church la iglesia
Cinderella Cenicienta
cinnamon la canela
city block la cuadra
city council el concejo municipal
city la ciudad
clam la almeja
classmate el/la compañero/a
classroom el salón de clase
claw la garra
to clean limpiar
clean limpio/a
clever listo/a
client el/la cliente/a
clinic la clínica, el centro de salud, el
    sanatorio

clock el reloj
clock el reloj
cloning la clonación
close (to) cerca (de)
to close cerrar
closet el clóset, el armario
clothes la ropa
clove of garlic el diente de ajo
coach el/la entrenador/a
coat el abrigo
coconut milk la leche de coco
coffee el café
coffee shop el café
cold el catarro
cold el frío; (adj.) frío/a
Colombian colombiano/a
color el color
to comb (one's hair) peinar(se)
Come in. Pase(n). Adelante. Siga(n).
    (Colomb.)
Come on, cheer up! ¡Ven/Anda,
    anímate!
to come venir
comfortable cómodo/a
commonwealth el estado libre
    asociado
communication la comunicación
company (dance, theater)
    la compañía (de danza, de teatro)
company la compañía, la empresa
to compile recopilar
to complain quejarse
computer la computadora, el
    computador, el ordenador (Spain)
computer science la computación,
    la informática (Spain)
conclusion la conclusión
to congratulate felicitar
congratulations las felicidades
Congress la Cámara de
    Representantes
to connect conectarse
to connect to conectarse a
consensus el consenso
to consume consumir
contact lenses los lentes de
    contacto
contest el certamen, el concurso
to continue continuar
to contract contraer
contractor el/la contratista
to contribute contribuir
to control controlar
controversial polémico/a
convenience store la tienda de
    conveniencia (Mex.), de gasolinera
    (C.R.), de la esquina/del barrio, de
    24 horas (Spain)
to converse conversar

to cook cocinar
cookie la galleta
corkscrew el sacacorchos
corn el maíz, el elote (Mex./Central
    America), choclo (South America)
corner la esquina
corridor el pasillo
to cost costar
Costa Rican costarricense
cough la tos
to cough toser
to count contar
counter el mostrador
country el país
countryside el campo
couple la pareja
court la pista
court (golf) la cancha
courtesy la cortesía
cousin el/la primo/a
to cover cubrir; tapar;
    (distance) recorrer
craftsman/woman, craftsperson el/la
    artesano/a
cream cheese el queso crema
cream la crema
to create crear
credit card la tarjeta de crédito
cruise el crucero
to crush machacar
to cry llorar
Cuban cubano/a
cubist cubista
cucumber el pepino
to cultivate cultivar
cumin el comino
cup la taza
to cure curar
current actual
current la corriente
curtain la cortina
custom la costumbre
customs la aduana; agent el/la
    inspector/a de aduana
to cut cortar
cycling el ciclismo
cyclist el/la ciclista

D

dad el papá
daddy el papi/papito
dairy (product) lácteo/a
to dance bailar
dance club la discoteca
dancer el bailarín/la bailarina
danger el peligro
to dare atreverse
dark oscuro/a

darse cuenta to realize

data los datos

daughter la hija

day before yesterday anteayer

day el día

dead difunto/a, muerto/a

dear estimado/a; querido/a; mi amor/ vida/corazón *(terms of endearment)*

deceased muerto/a

December diciembre

deck la terraza

decorated adornado/a

to dedicate dedicar

to defend defender

deforestation la deforestación

degree el título

delicious rico/a

description la descripción

to delight encantar

to demand exigir; reclamar

democracy la democracia

to denounce denunciar

dentistry la odontología

department store el almacén

departure la salida

depressed deprimido/a

to describe describir

design el diseño

desk el escritorio

despite a pesar de

to develop desarrollar; contruir

development el desarrollo

dictatorial dictatorial

dictatorship dictadura

dictionary el diccionario

to die morir

difficult difícil

dining room el comedor

dinner la cena

dinner la comida

to direct dirigir

dirty sucio/a

disadvantage la desventaja

disappearance la desaparición

to disassemble desarmar

discovery el descubrimiento

dish el plato

dish of marinated raw fish el ceviche

dishwasher el lavaplatos

to dislike caer mal

dispersal la diseminación

displacement el desplazamiento

disposable desechable

to disseminate difundir

dissemination la diseminación

to dissolve deshacer

to distinguish distinguir

diversification la diversificación

divorced divorciado/a

to do hacer

Do you have any questions? ¿Tienen preguntas?/¿Tienes preguntas?

Do you understand? ¿Comprenden?/¿Comprendes?

doctor (primary care) el/la médico/a de familia/de cabecera; el/la doctor/a

dog el/la perro/a

Dominican dominicano/a

don't you? ¿verdad?

door la puerta

dots de lunares

double room la habitación doble

doubt la duda

to download bajar

downtown el centro

drawing el dibujo

drawn trazado/a

dress el vestido

to dress; to get dressed vestir(se)

dresser la cómoda

to drink beber, tomar

drink la bebida

to drive manejar

driver el/la chofer

driver's license la licencia de conducir

drug trafficking el tráfico de drogas

to dry (oneself) secar(se)

to dry clean limpiar en seco

dry cleaner la tintorería

dry seco/a

dryer la secadora

due to debido a

to duplicate duplicar

during durante

DVD el DVD

DVD player el toca DVD

E

each cada

each day cada día

ear (inner) el oído

ear (outer) la oreja

ear la oreja

early temprano

to earn ganar

earring el arete, el aro, el pendiente, el zarcillo, la pantalla

Easter la Pascua

easy fácil

to eat comer

economic económico/a

economics economía

Ecuadorian ecuatoriano/a

efficiency la eficiencia

egg el huevo

eighth octavo

either ... or o... o

elbow el codo

elder (herb) el saúco

to elect elegir

election la elección

electrician el/la electricista

elevator el ascensor

to embrace abrazar(se)

to emerge surgir

emergency exit la salida de emergencia

emergency la emergencia

emigrant el/la emigrante

to emigrate emigrar

emigration la emigración

employee el/la empleado/a

empty vacío/a

encounter el encuentro

energetic enérgico/a

engagement el compromiso

engineer el/la ingeniero/a

to enjoy disfrutar, divertirse

to enter entrar en

entertainment la diversión

environment el medio ambiente

equality la igualdad

equipment el equipo

eraser el borrador

ethnicity la etnia

even hasta

even if, even though aunque

event el acontecimiento

event el festival

ever alguna vez

every ... hours cada... horas

every day todos los días

every month todos los meses

every week todas las semanas

everybody todos/as

everyday cotidiano/a

everything todo

to examine examinar

excellent excelente

to exchange cambiar

exchange el intercambio

excuse me perdón; con permiso

executive el/la ejecutivo/a

expensive caro/a

experience la experiencia

to explain explicar

to exploit explotar

export la exportación

expression la expresión

extinction la extinción

to extinguish apagar, extinguir

extinguished extinguido/a

extroverted extrovertido/a

eye el ojo

eyebrow la ceja

eyelash la pestaña**

F

fabric la tela
fabulous estupendo, fabuloso/a
face la cara
fact el hecho
failure el fracaso
fair regular
faithfully fielmente
to fall asleep dormirse
to fall caer(se)
fall el otoño
false falso/a
family la familia
fan (admirer) el/la hincha
fan el ventilador
far (from) lejos (de)
farm la finca
farmer el/la agricultor/a
farming la agricultura
to fascinate fascinar
fast rápido/a
fat gordo/a
father el padre
Father's Day el Día del Padre
favorite favorito/a
to fear temer
February febrero
to feed dar de comer
to feel sentir(se)
feeling el sentimiento
felling la tala
festival el festival
festivity (public) la festividad, la fiesta
fever la fiebre
fiancé/fiancée el novio/la novia
field el campo
field hockey el hockey sobre hierba
fifth quinto/a
fight la lucha
to fight luchar
to fill (out) llenar, rellenar
filled relleno/a
film la película
filmmaker el/la cineasta
filth la inmundicia
finally finalmente; por fin; por último
to find encontrar
to find out enterarse, averiguar
fine la multa
finger el dedo
to finish terminar
to fire despedir
fire el incendio
firefighter el/la bombero/a
fireplace la chimenea
fireworks los fuegos artificiales
first class la primera clase
first floor la planta baja

first primer/o/a, primer
fish el pescado
to fit quedar
to fix reparar
flag la bandera
flashers las luces intermitentes
flight attendant el/la auxiliar de vuelo, el/la azafato/a *(Spain)*, el/la aeromozo/a *(Latin Am.)*
flight el vuelo
float (in a parade) la carroza
flood la inundación
floor el piso
flour la harina
flower la flor
flu la gripe
to fly volar
flying volador/a
to focus enfocarse, fijarse
to fold doblar
to follow seguir
following siguiente
food la comida
foolish tonto/a
foot (in animals) la pata
foot el pie
football el fútbol (americano)
footwear el calzado
for por, para
for example por ejemplo
for me para mí
for the first time por primera vez
for this reason por eso
for you (familiar) para ti
forehead la frente
forest el bosque
to forget olvidar
fork el tenedor
founding (noun) la fundación
fourth cuarto
fowl las aves
to fracture fracturarse
free time el tiempo libre
freedom la libertad
freedom of expression la libertad de expresión
freeway la autopista
to freeze congelar(se)
French francés/francesa
French fries las papas fritas
frequency la frecuencia
frequently frecuentemente
Friday viernes
fried frito/a
fried dough los churros
fried yuca yuca frita
friend el/la amigo/a
friendship la amistad
from de

front desk la recepción
fruit la fruta
to fry freír
to fulfill cumplir
full lleno/a
fun, funny divertido/a
furniture los muebles
furthermore además

G

to gain weight subir de peso
game el juego/el partido
games console la consola de videojuegos
garage el garaje
garbage la basura
garbanzo beans los garbanzos
garden el jardín
garlic el ajo
gate (departure) la puerta (de salida)
gathering la reunión
generally generalmente
genetically genéticamente
geography la geografía
German alemán/alemana
gesture el ademán
to get angry enfadarse
to get bored aburrirse
to get good/bad grades sacar buenas/ malas notas
to get into subir a
to get lost perderse
to get married casarse
to get up levantarse
to get up on the wrong side of the bed levantarse con el pie izquierdo
ghost el fantasma
gift el regalo
girl la chica
to give (a present) dar, regalar
to give a shower to duchar
to give dar
glad contento/a, alegre
glass (stemmed) la copa
glass el vaso
glove compartment la guantera
glove el guante
Go to the board. Vayan a la pizarra. *(plural);* Ve a la pizarra. *(sing./fam.)*
to go ir
to go away irse
to go in entrar en
to go on seguir
to go out for tapas ir de tapas
to go out salir
to go paragliding hacer parapente
to go shopping ir de compras
to go straight seguir derecho

to go to bed acostarse
to go well with... ir bien con…
goal el gol
godchild el/la ahijado/a
godfather el padrino
godmother la madrina
gold el oro
golf clubs los palos
golf course la cancha de golf
golf el golf
good bueno/a
Good afternoon. Buenas tardes.
Good evening. Buenas tardes.
Good luck! ¡Buena suerte!
Good morning. Buenos días.
Good night. Buenas noches.
good-bye adiós, chao (chau)
good-looking guapo/a
gossip magazine la revista del corazón
to govern gobernar
government el gobierno
to graduate graduarse
granddaughter la nieta
grandfather el abuelo
grandmother la abuela
grandson el nieto
grape la uva
grapefruit la toronja, el pomelo
grass el césped
gray gris
great magnífico/a
green verde
green pepper el pimiento verde
to greet saludar
greeting el saludo
to grind moler
ground floor la planta baja
ground meat la carne molida
ground pepper la pimienta
group dressed in similar costumes la comparsa
to grow crecer
to grow cultivar
Guatemalan guatemalteco/a
guess la adivinanza
to guess adivinar
guide la guía
guinea pig el cuy
guitar la guitarra
guitar player el/la guitarrista
gymnasium el gimnasio
gypsy el gitano

H

to haggle regatear
hair el cabello, el pelo
hairdresser el/la peluquero/a
half la mitad

half-brother el medio hermano
half-sister la media hermana
hall el pasillo
Halloween el Día de las Brujas
ham el jamón
hamburger la hamburguesa
to hand dar
hand la mano
handicrafts la artesanía
handkerchief el pañuelo
handsome guapo, bien parecido, buen mozo
to hang (clothes) tender
to happen pasar
happy, alegre, contento/a
hard-working trabajador/a
harmful dañino/a
harp el arpa
to harvest cosechar
hat el sombrero
to hate odiar
to have tener
to have a good time pasar (muy) bien
to have a(n) ... ache tener dolor de…
to have a seat tomar asiento
to have breakfast desayunar
to have dinner cenar
to have fun divertirse
to have lunch almorzar
to have the floor tener la palabra
to have time tener tiempo
to have to tener que
hazard lights las luces intermitentes
he él
he/she has; you (formal) have tiene
head la cabeza
healthful saludable
healthy saludable
heart el corazón
heating la calefacción
hello hola
Hello? (on the telephone) ¿Diga?/
    ¿Dígame? (Spain), ¡Bueno!
    (Mex.), ¿Aló? (Arg., Peru, Chile),
    ¡Oigo!/¿Qué hay? (Cuba)
helmet el casco
to help (a customer) atender
to help ayudar
her su(s)
herbs las hierbas
Here (present). Presente.
herself a sí mismo/a(s)
Hey! ¡Oye!
hi hola
highheeled shoes los zapatos de tacón
highlighter el marcador, el rotulador
highway la carretera
himself a sí mismo/a(s)
hip la cadera

his su(s)
Hispanic hispano/a
history la historia
to hold coger
hole el agujero
holiday (legal) el día feriado
holiday el día festivo, la festividad, la fiesta
homage el homenaje
home la casa
homework la tarea
Homework please. La tarea, por favor.
Honduran hondureño/a
honesty la honestidad
honeymoon la luna de miel
hood el capó
hoop el cesto/la cesta
horseback a caballo
hospital el hospital, el sanatorio, la clínica
hot caliente
house la casa
housewife, homemaker el ama/o de casa
housing la vivienda
How are you? (formal) ¿Cómo está?
How are you? (informal) ¿Cómo estás?
How boring! ¡Qué aburrido!
How do you say. . . in Spanish? ¿Cómo
    se dice… en español?
How fun!/How funny! ¡Qué divertido!
How interesting! ¡Qué interesante!
How is it going? ¿Cómo te va?
How long has it been since. . .?
    ¿Cuánto tiempo hace que…?
How lucky! ¡Qué suerte!
how many? ¿cuántos/as?
How many classes do you
    have? ¿Cuántas clases tienes?
How may I help you? ¿En qué puedo
    servirle(s)?
How much is it? ¿Cuánto cuesta?
how much? ¿cuánto/a?
How nice! ¡Qué bien!
how often con qué frecuencia
How wonderful! ¡Qué maravilla!
how? ¿cómo?
however no obstante, sin embargo
hug el abrazo
humanities las humanidades
humpback whale la ballena jorobada
hundred cien/ciento
to hurt doler
to hurt oneself hacerse daño
husband el esposo, el marido

I

I yo
I am soy
I am ... years old. Tengo… años.

I don't know. No sé.
I don't understand. No comprendo.
I gave myself away. Se me fue la lengua.
I got goosebumps. Se me puso la piel de gallina.
I have tengo
I hope that . . . Ojalá que...
I like me gusta(n)
I would like ... Quisiera/ Me gustaría…
I'm sorry (to hear that) lo siento
ice cream el helado
ice el hielo
if si
ill person el/la enfermo/a
illiteracy el analfabetismo
illiterate analfabeto/a
illness la enfermedad
immediately enseguida
immigrant el/la inmigrante
immigration la inmigración
to improve mejorar
in addition además
in contrast . . . en contraste…
in en
in fact en realidad, realmente
in front of enfrente (de)
in order (to) para
in search of en busca de
in the rear al fondo
inappropriate inapropiado/a
including hasta
inexpensive barato/a
infection la infección
to influence influir
infrastructure la infraestructura
inhabitant el/la habitante
injection la inyección
to insert meter
to inspect revisar
instead of en vez de
integrated circuit el chip electrónico
to interest interesar
interesting interesante
interpreter el/la intérprete
to interrupt interrumpir
to interview (each other) entrevistar(se)
interview la entrevista
introduction la presentación
to invest invertir
invitation la invitación
to invite invitar
iron el hierro
to iron planchar
isn't it? ¿no?
it has been a day/month/year since hace un día/mes/año (que)

It is (time of the day). Es la/Son las (hora del día).
it's clear está despejado
it's cloudy está nublado
it's cool hace fresco
it's raining llueve, está lloviendo
it's sunny hace sol
it's windy hace viento
It's been (time expression) since... Hace (+ expresión de tiempo) que… **4**
its su(s)

J

jacket el saco, la chaqueta
January enero
Japanese japonés/japonesa
jeans los vaqueros/jeans
jewel la joya
jeweller el/la joyero/a
job el trabajo
jogging suit la sudadera
journalist el/la periodista
joy la alegría
judge el/la juez
to juggle hacer malabarismo
juice el jugo
July julio
June junio
junk food la comida basura

K

to keep in shape estar en forma, mantenerse en forma
to keep silent guardar silencio
key card la tarjeta magnética
key la llave; la clave
to kill matar
kindless la amabilidad
kindly atentamente
kinship el parentesco
to kiss besar(se)
kiss el beso
kitchen la cocina
kitchen sink el fregadero
kite la cometa
knee la rodilla
knife el cuchillo
to know (each other) conocer(se)
to know conocer; saber
knowledge el conocimiento

L

lake el lago
lamb el cordero
lamp la lámpara
to land aterrizar

land el terreno (terrain); la tierra (ground, soil)
landscape el paisaje
laptop la computadora portátil
last último/a
to last durar
last night anoche
last week la semana pasada
last year/month el año/mes pasado
last último/a; por último
late tarde
later después, luego, más tarde
to laugh reír
laundry room la lavandería
law derecho
lawn el césped
lawyer el/la abogado/a
layout la distribución
lazy perezoso/a
leaf la hoja
to learn aprender
leather el cuero
to leave dejar; irse
to leave something behind quedar
leavetaking la despedida
left la izquierda
leg la pierna
legumes las legumbres
lemon el limón
to lend prestar
Lent la Cuaresma
lentils las lentejas
less . . . than menos… que
lettuce la lechuga
level el nivel
librarian el/la bibliotecario/a
library la biblioteca
license plate la placa
to lie down acostarse
life expectancy la esperanza de vida
life la vida
to lift weights levantar pesas
light(s) la luz (las luces)
to like gustar; caer bien
Likewise. Igualmente.
line (in a poem) el verso
link el enlace
lip el labio
to listen (to) escuchar; oír
Listen, please. Oiga, por favor.
literacy el alfabetismo
literature la literatura
lithium el litio
live en vivo
to live vivir
lively animado/a, vivo/a
living room la sala
lobby la planta baja
lobster la langosta**

location la ubicación
to lock up encerrar
locker room el vestuario
lodging el alojamiento
long largo/a
to look at mirar
to look for buscar
to look inside asomarse
to look terrible tener mala cara
to look ver(se)
to lose perder
to lose weight bajar de peso
loss la pérdida
Louder, please. Más alto, por favor.
love el amor
to love querer; encantar
luggage el equipaje
lunch el almuerzo
lung el pulmón
luxury el lujo

M

magazine la revista
mail la correspondencia
main character el personaje
    principal
to maintain mantener
major la carrera
majority la mayoría
to make a reservation reservar
to make the bed hacer la cama
mallow la malva
man el hombre
manager, (sales) manager el/la
    gerente (de ventas)
many (adj.) mucho/a
many times muchas veces
map el mapa
March marzo
margarine la margarina
marked down rebajado/a
marker el marcador/el rotulador
market el mercado
marriage el matrimonio
married casado/a
marvelous maravilloso/a
marvelously estupendamente
material el material
May mayo
mayonnaise la mayonesa
meal la comida
meat la carne
medical doctor el/la médico/a
medication la pastilla
medicine el remedio; la medicina
medium height de estatura mediana
to meet conocer; **(each
    other)** conocer(se)

to meet (requirements) cumplir
    (requisites)
meeting la reunión
melody la melodía
melon el melón
melted derretido/a
memory el recuerdo
mess el desorden
message el mensaje
Mexican Independence Day el Día de
    la Independencia de México
Mexican mexicano/a
microsurgery le microcirugía
microwave (oven) el (horno de)
    microondas
middle class person el burgués/la
    burguesa
migration la migración
milk la leche
million millón
mine mi(s)
minority la minoría
minute el minuto
mirror el espejo
to miss extrañar
to miss out on perderse
mobile el móvil barato/a
mom la mamá
mommy la mami/mamita
Monday lunes
money el dinero
money (in cash) el dinero (en efectivo)
month el mes
mood el ánimo
more . . . than más… que
more or less más o menos
More slowly, please. Más despacio/
    lento, por favor.
more than más de
morning la mañana
Moroccan marroquí
mortality la mortalidad
most (+ adj.) más (+ adj.)
mother la madre
Mother's Day el Día de la Madre
motor el motor
mouth la boca
to move mover(se); mudarse
movement el desplazamiento
movie la película
movies el cine
to mow (lawn) cortar
Mr. el señor (Sr.)
Ms, Miss la señorita (Srta.)
Ms., Mrs. la señora (Sra.)
much mucho/a
multilingual políglota
mural el mural
muralist el/la muralista

muscle el músculo
music la música
mustard la mostaza
my mi(s)
My heart sank. Se me fue el alma a
    los pies.
My name is... Me llamo...

N

nacho cheese sauce la salsa con queso
napkin la servilleta
narrow estrecho/a
nation el país
nationality la nacionalidad
native natal
nature la naturaleza
nature preserve la reserva natural
near cerca de
necessary necesario/a
neck el cuello
necklace el collar
to need necesitar
neglect el descuido
neighbor el/la vecino/a
neighborhood el barrio
neither . . . nor ni… ni
neither, not tampoco
nephew el sobrino
nerve el nervio
nervous nervioso/a
net la red
never (not ever) jamás, nunca
nevertheless sin embargo
new nuevo/a
New Year's Day el Año Nuevo
New Year's Eve la Nochevieja
news la noticia
newspaper el periódico
next month/year el próximo mes/año
next próximo/a
next to al lado (de)
next week la próxima semana
Nicaraguan nicaragüense
nice agradable, simpático/a
Nice to meet you. Mucho gusto.
nickname el sobrenombre
niece la sobrina
Nigerian nigeriano/a
nightgown el camisón
nightmare la pesadilla
ninth noveno
no one nadie
no, not any, none ningún, ninguno/a
nobody nadie
noise el ruido
to nominate nominar
non-profit sin fines de lucro
North American norteamericano/a

nose la nariz
note card la ficha
notebook el cuaderno
nothing nada
novel la novela
novelist el/la novelista
November noviembre
now ahora
nowadays hoy en día
nurse el/la enfermero/a

O

to occur ocurrir
October octubre
of de
of African ancestry moreno/a, negro/a
of course por supuesto
Of course! ¡Cómo no!/¡Claro!
of dark skin moreno/a, negro/a
of lightbrown skin color trigueño/a
of the (contraction of de + el**)** del
to offer ofrecer
office (of doctor, dentist, etc.) el consultorio
office la oficina
often frecuentemente
oil el aceite
old antiguo/a
old mayor; viejo/a
older than mayor que
olive la aceituna
on sobre
on the dot (time) en punto
On the one hand . . . Por un lado…
On the other hand . . . En cambio/Por otro lado…
On what page? ¿En qué página?
once una vez
onion la cebolla
only child el hijo único/la hija única
only solo
to open abrir
opening la vacante
opposing contrario/a
orange (adj.) anaranjado/a, naranja; **(noun)** la naranja
orchestra la orquesta
to order around dar órdenes
to order pedir
origen el comienzo
other otro/a
our nuestro(s), nuestra(s)
outdoors al aire libre
outgoing extrovertido/a
outing la excursión
outskirts las afueras
outstanding destacado/a
overcast (sky) cubierto

own propio/a
ozone layer la capa de ozono

P

P.M. (from nightfall to midnight) de la noche
P.M. (from noon to nightfall) de la tarde
paid remunerado/a
pain el dolor
to paint pintar
painter el/la pintor/a
painting el cuadro
painting la pintura
pajamas el/la piyama, el pijama *(Spain)*
Panamanian panameño/a
pants los pantalones
pantsuit el traje pantalón
pantyhose las pantimedias
papaya la papaya
parade el desfile
Paraguayan paraguayo/a
pardon me perdón; con permiso
parents los padres
parsley el perejil
to participate participar
partner el/la compañero/a
party la fiesta
passenger el/la pasajero/a
passion fruit el maracuyá *(Colom.)*, la fruta de la pasión *(Spain)*, la parchita *(Venez., Mex.)*
passport el pasaporte
pastry el pastel
patient el/la paciente
patrotic patriótico/a
to pay (for) pagar
peach el melocotón *(Spain)*, el durazno *(Latin America)*
peak el pico
pear la pera
peasant el/la campesino/a
pedestrian area la zona peatonal
to peel pelar
penalty (in sports) el penalti
pencil el lápiz
people la gente, las personas
pepper la pimienta; **(hot, spicy)** el chile/ají **(vegetable)** el pimiento
per por
percent por ciento
percentage el porcentaje
percibido/a noticed
perfect perfecto/a
performance el rendimiento
performer, artist el/la intérprete
person la persona
Peruvian peruano/a

petroleum el petróleo
pharmacist el/la farmacéutico/a
pharmacy la farmacia
photo(graph) la foto(grafía)
to pick up recoger
picture el cuadro
piece of jewelry la joya
pilgrim el/la peregrino/a
pill la pastilla
pillow la almohada
pin el alfiler
pineapple la piña
pink rosado/a, rosa
place el lugar
plaid de cuadros
to plan to + verb pensar + *infinitive*
plane el avión
planet el planeta
plantain el plátano/la banana
plate el plato
to play (a game, sport) jugar
to play (an instrument) tocar (un instrumento)
player el/la jugador/a
Please answer. Contesten, por favor./Contesta, por favor.
please por favor
Pleased/Nice to meet you. Encantado/a.
plumber el/la plomero/a, el/la fontanero/a *(Spain)*
poem el poema
poet el/la poeta
poetry la poesía
point of view el punto de vista
policeman/woman el/la policía
Polish polaco/a
political science las ciencias políticas
polyglot el/la políglota
pool la piscina, la pileta
poor pobre
popcorn las palomitas de maíz
to popularize popularizar
population la población
pork el cerdo, el puerco
to portray retratar
Portuguese portugués/portuguesa
position el puesto; la posición
potato la papa
poultry las aves
poverty la pobreza
power outage el apagón
to practice practicar
to precede preceder
to prefer preferir
preparation el preparativo
to prepare preparar
to prescribe recetar
prescription la receta

present actual
present el regalo
preservation la conservación
president el/la presidente/a
pressure (blood) la tensión/la presión (arterial)
pretty bonito/a, linda, guapa
price el precio
printer la impresora
prize el premio
procession la procesión
to produce producir
professor el/la profesor/a
promising prometedor/a
to promote promover
to propose proponer
to protest protestar
proverb el refrán
provided that con tal (de) que
proximity la proximidad
psychologist el/la sicólogo/a
psychology la psicología
Puerto Rican puertorriqueño/a
purple morado/a
purpose el propósito
purse la bolsa/el bolso
to put poner
to put makeup on (someone); to put makeup on (oneself) maquillar(se)
to put one's clothes on ponerse la ropa
to put to bed acostar

Q

quality la calidad
quiet callado/a

R

race la carrera
racquet la raqueta
radiator el radiador
radio announcer el/la locutor/a
radio el/la radio
rail el riel
rain forest el bosque tropical
rain la lluvia
to rain llover
raincoat el impermeable
to raise levantar
Raise your hand. Levanta la mano.
ranch la finca
rate la tasa
rather bastante
to reach out to comunicarse con
to read leer
Read. Lee.
ready listo/a

to realize darse cuenta
really en realidad, realmente
rearview mirror el espejo retrovisor
reason la razón
rebirth el renacimiento
recipe la receta
recognition el reconocimiento
to recommend recomendar
to record grabar
recycled reciclado/a
red bell pepper el pimiento rojo
red rojo/a
redhead pelirrojo/a
to reduce reducir
referee el árbitro
to reflect reflejar
to reforest repoblar
refrigerator el refrigerador
refrigerator el refrigerador/la nevera/ heladera
regime el régimen
to regret arrepentirse
relative el/la pariente
relief el alivio
remedy el remedio
to remember recordar
to rent alquilar
rent el alquiler
Repeat. Repite./Repitan.
to repeat repetir
report el informe
to request pedir
to request the floor pedir la palabra
resort el centro turístico privado
resources los recursos
to respond responder
to rest descansar
résumé el currículum
to retire jubilarse
to return an item devolver
to return volver
rib la costilla
rice el arroz
rich rico/a
to ride (a bicycle) montar (en bicicleta)
right el derecho; la derecha
to be right tener razón
right? ¿verdad?
ring el anillo
roasted asado/a
robe la bata
robot el robot
room el cuarto
roommate el/la compañero/a de cuarto
round trip de ida y vuelta
rug la alfombra
ruins las ruinas
ruler el/la gobernante

to run correr
to run into encontrarse
to run out of acabarse

S

sad triste
safe la caja fuerte
salad dressing el aderezo
salad la ensalada
salary el sueldo
sale la rebaja
sales las ventas
salesman, saleswoman el/la vendedor/a
salesperson el dependiente/la dependienta
salt la sal
Salvadoran salvadoreño/a
same mismo/a
sand dune el médano
sandals las sandalias
sandwich el sándwich
satellite el satélite
Saturday sábado
to save ahorrar
sawdust el aserrín
to say decir
to say goodbye despedirse
to say hello mandar saludos
scarf la bufanda
scene la escena
scholarship la beca
school of fish el banco de peces
school, department la facultad
science fiction la ciencia ficción
sciences las ciencias
scientist el/la científico/a
to score a goal meter un gol
scoreboard el marcador
screen la pantalla
sculptor el/la escultor/a
sea el mar
seafood los mariscos
seamstress la costurera
search engine el buscador
season la estación
seasoning el condimento
seat el asiento
second floor el primer piso; la primera planta
second segundo
security la seguridad
to see ver
see you later hasta luego
see you soon hasta pronto
see you tomorrow hasta mañana
seed la semilla
to seem parecer
self-portrait el autorretrato

to **sell** vender
to **send** enviar, mandar
September septiembre
serious (situation) grave; serio/a
seriously ill grave
to **serve** servir
server el/la camarero/a
to **set the table** poner la mesa
setting el ambiente
seventh séptimo/a
several algún, alguno (-os, -as)
sewage las aguas residuales
shake el batido
shame la lástima
shape la forma
to **share** compartir
shark el tiburón
sharp (time) en punto
to **shave; to shave (oneself)** afeitar(se)
she ella
sheep la oveja
sheet la sábana
shell la concha
shellfish los mariscos
ship/boat el barco
shirt la camisa
shoal el banco de peces
shoes los zapatos
to **shop** ir de compras
shopping center el centro comercial
shopping las compras
short (in length) corto/a
short (in stature) bajo/a
short sleeve shirt camisa de manga corta
shortly after poco después
shorts los pantalones cortos
should deber
shoulder el hombro
to **show** mostrar
to **show a movie** poner una película
shower la ducha
shrimp el camarón, la gamba (Spain)
to **shut in** encerrar
shy tímido/a
sick enfermo/a
signal la señal
silly tonto/a
silver la plata
similar parecido/a
since desde; ya que
to **sing** cantar
single room la habitación sencilla
single soltero/a
sister la hermana
to **sit down** sentarse
sixth sexto/a
size el tamaño **(clothes)** la talla; **(shoes)** el número

to **skate** patinar
to **ski** esquiar
skiing, ski el esquí
skin la piel
skirt la falda, pollera (Arg., Urug.)
sky el cielo
to **sleep** dormir
slice la rebanada
slippers las zapatillas
slope la bajada; la pista
sloth el perezoso (Zool.)
small pequeño/a
smallpox la viruela
smart listo/a
to **smoke** fumar
smothie el batido
snack la merienda
to **sneeze** estornudar
snow la nieve
to **snow** nevar
so that para que
soap el jabón
soccer el fútbol
soccer field el campo de fútbol
social networks las redes sociales
sociology la sociología
socks los calcetines, las medias
soda el refresco
sofa el sofá
soft blando/a; suave
soft drink el refresco
soil la tierra
solar energy la energía solar
solid de color entero
some algún, alguno (-os, -as)
some unos/as
someone alguien
something algo
sometime alguna vez
sometimes a veces, algunas veces
son el hijo
song la canción
sought after codiciado/a
soup la sopa
sour agrio/a
source la fuente
source of income la fuente de ingresos
souvenirs los recuerdos
spaghetti los espaguetis, tallarines
Spanish español/a; el español
to **speak** hablar
specialty la especialidad
speech el discurso
speed la velocidad
to **spend** gastar; **(time)** pasar
spices las especias
spicy picante
spinach las espinacas
to **sponsor** patrocinar

spoon la cuchara
spoonful la cucharada
sport el deporte
sportsman, sportswoman el/la deportista
to **spray** rociar
to **spread** difundir
spring la primavera
to **sprinkle** rociar
square la plaza
square meter el metro cuadrado
stadium el estadio
stairs la escalera
to **stand in line** hacer cola
to **stand out** destacarse
star la estrella
to **start** comenzar, empezar
statistics la estadística
to **stay** quedarse
to **stay in touch** mantenerse en contacto
steak el bistec, la carne de res
steering wheel el volante
stem cell la célula troncal
step el paso
stepbrother el hermanastro
stepfather el padrastro
stepmother la madrastra
stepsister la hermanastra
still todavía
stockings las medias
stomach el estómago
stopover la escala
store la tienda
store window el escaparate
story el cuento
stove la estufa, la cocina
strawberry la fresa
street la calle
to **strenghten** fortalecer
stretch el tramo
stripes de rayas
stroke la campanada
to **stroll** pasear
strong fuerte
student el/la estudiante, alumno/a
studious estudioso/a
to **study** estudiar
to **stumble** tropezarse
style el estilo
stylish de moda
subject la materia, la asignatura
subway el metro
success el éxito
sugar el azúcar
to **suggest** sugerir
suit el traje

suit el traje de chaqueta
suitcase la maleta
summer el verano
to sunbathe tomar el sol
Sunday domingo
sunglasses las gafas de sol
supermarket el supermercado
supper la cena, la comida
to support apoyar; sustentar
to surf hacer surf
surprise la sorpresa
surrealist surrealista
to surround rodear
to survive sobrevivir
sweater el suéter
sweatshirt la sudadera
to sweep barrer
swelling la hinchazón
to swim nadar
swimming la natación
swimming pool la piscina
swollen hinchado/a
symbol el símbolo
symptom el síntoma

T

table la mesa
tablecloth el mantel
tablet la tableta
to take a bath bañarse
to take a nap dormir la siesta
to take a seat tomar asiento
to take a shower ducharse
to take a walk dar una vuelta; pasear
to take advantage aprovechar
to take away quitar
to take care of cuidar(se) (de)
to take llevar
to take note fijar(se)
to take notes tomar apuntes/notas
to take off (airplane) despegar
to take off quitarse
to take out sacar
to take tomar
to take turns turnarse
Take turns Túrnense.
Talk (about ...) Hablen (sobre…)
to talk conversar
talkative conversador/a
tall alto/a
to taste probar
tea el té
teacher el/la profesor/a
team el equipo
to tear romper
teaspoon la cucharita
technician el/la técnico/a

telephone el teléfono
television set el televisor
to tell decir; contar
Tell your partner ... Dile a tu compañero/a...
tenfold el décuplo
tennis el tenis
tennis player el/la tenista
tennis shoes las zapatillas de deporte
tent la tienda
tenth décimo/a
test el análisis; el examen
to exhibit exponer
textile industry industria textil
Thank goodness! ¡Gracias a Dios!
thanks gracias
Thanksgiving Day el Día de Acción de Gracias
that (adjective) ese/a
that (over there) aquel/aquella/aquello
that ese/esa/eso
That's so interesting! ¡Qué interesante!
That's unbelievable! ¡Qué increíble!
thaw, thawing el deshielo
the (singular) el/la; **(plural)** los/las
the best el/la mejor
the day after tomorrow pasado mañana
the day before yesterday anteayer
the important thing lo importante
the most el/la… más
the night before last ante(a)noche
the oldest el/la mayor
the same lo mismo
The screen froze up on me. Se me congeló la pantalla.
The weather is good/bad. Hace buen/mal tiempo.
the youngest el/la menor
theater el teatro
their su(s)
theme el tema
themselves a sí mismo/a(s)
then entonces, luego
there is, there are hay
thermometer el termómetro
these estos/estas
they ellos/ellas
thief el/la ladrón/a
thin delgado/a
thing la cosa
things you own las pertenencias
to think parecer; **(about)** pensar (en)
third tercero/la, tercer
this este/esta/esto
those esos/esas

those (over there) aquellos/aquellas
thousand mil
throat la garganta
through a través de; por
to throw lanzar
Thursday jueves
ticket el boleto, el pasaje, el billete (Spain)
tidy ordenado/a
to tidy up ordenar
tie la corbata
tight estrecho/a
tire la llanta
tired cansado/a
to a; para
to the al (contraction of **a** + **el**)
toast el pan tostado, la tostada
today hoy
Today is (day of the week.) Hoy es (día de la semana).
together juntos/as
toilet el inodoro
tomato el tomate
tomato sauce la salsa de tomate
tomorrow mañana
tonight esta noche
too también
tooth el diente
toothpaste la pasta de dientes
topic el tema
tourist class la clase turista
tournament el campeonato, el torneo
towards para
towel la toalla
toy el juguete
to turn doblar
track and field el atletismo
track la pista
tradition la tradición
train el tren
to train prepararse
trait el rasgo
to translate traducir
trash la basura
travel agency la agencia de viajes
travel agent el/la agente de viajes
to travel viajar; recorrer
traveller el/la viajero/a
tray la bandeja
to treat tratar
treaty el tratado
tree el árbol
to tremble estremecerse
trip la excursión
trip el viaje
true cierto/a
trunk el maletero, el baúl
trust la confianza
trustworthy confiable

to try on probarse
to try tratar; probar
T-shirt la camiseta
Tuesday martes
turkey el pavo, el guajolote *(Mex.)*
to turn in entregar
to turn off apagar
to turn on encender; (the TV) poner
twice dos veces
twin gemelo/a
to twist torcer(se)
typical típico/a

U

U.S. citizen estadounidense
UFO el OVNI
ugly feo/a
umbrella el paraguas
umpire el árbitro
uncle el tío
to uncover destapar
under bajo; debajo (de)
to underline subrayar
to understand comprender, entender
underwear la ropa interior
unemployment el desempleo
unforgettable inolvidable
to unify unificar
university la universidad
unless a menos que
unmarried soltero/a
unpleasant antipático/a
unripe verde
until hasta(que)
to upload subir
urgent urgente
Uruguayan uruguayo/a
to use usar
useful útil

V

vacation las vacaciones
vacuum cleaner la aspiradora
to vacuum pasar la aspiradora
Valentine's Day el Día de los Enamorados/del Amor y la Amistad
vanilla la vainilla
vegetable el vegetal, la verdura
vein la vena
Venezuelan venezolano/a
verb el verbo
very muy
vet el/la veterinario/a
video game el videojuego
view la vista

village el pueblo
vinegar el vinagre
virtual library la biblioteca virtual
virtually virtualmente
to visit visitar
voice la voz
volleyball el vóleibol/volibol
to vote votar

W

wage el sueldo
wagon la carreta
waist la cintura
to wait for esperar
waiter/waitress el/la camarero/a
waiting room la sala de espera
to wake up despertarse
to wake someone up despertar
to walk caminar
wallet la billetera
to want querer, desear
warehouse el almacén
warming el calentamiento
warm-up el calentamiento
to wash (oneself) lavar(se)
washer la lavadora
waste los desperdicios
wastebasket el cesto
water el agua
to water regar
wave la ola
We hope that . . . Ojalá que...
we nosotros/as
weak débil
wealthy rico/a
to wear a costume disfrazarse
to wear a shoe size calzar
to wear llevar
weather el tiempo
weather forecast el pronóstico del tiempo
wedding la boda
Wednesday miércoles
week la semana
weekend el fin de semana
weight la pesa
well bien
well parked bien aparcado
wet mojado/a
What a coincidence! ¡Qué casualidad!
What a nuisance! ¡Qué lata!
What a pity! ¡Qué lástima!
What day is today? ¿Qué día es hoy?
What do you think? ¿qué te parece?
What for? ¿para qué?
What is he/she/it like? ¿Cómo es?

What is the date today? ¿Qué fecha es hoy?/¿Cuál es la fecha?
What time is it? ¿Qué hora es?
What? ¿Qué?; ¿Cómo?; ¿Perdón?
What's the weather like? ¿Qué tiempo hace?
What's up? What's new? (informal) ¿Qué tal?
What's your name? (familiar) ¿Cómo te llamas?
What's your name? (formal) ¿Cómo se llama usted?
What's wrong (with you/them)? ¿Qué te/le(s) pasa?
wheat el trigo
wheel la rueda
when cuando
When? ¿Cuándo?
Where (to)? ¿Adónde?
Where is ... ? ¿Dónde está...?
where, wherever donde
Where? ¿Dónde?
Which? ¿Cuál(es)?
while mientras
to whistle pitar
white blanco/a
Who is . . .? ¿Quién es...?
Who? Quién(es)?
whose? ¿De quién?
why por qué
Why? ¿Para qué?; ¿Por qué?
wide ancho/a
widower viudo/a
wife la esposa, la mujer *(Spain)*
wild silvestre
to win ganar
wind el viento
window la ventana
window seat el asiento de ventanilla
windshield el parabrisas
windshield wiper el limpiaparabrisas
wine el vino
wing el ala
winter el invierno
to wish desear; esperar; querer
with con
with me conmigo
with much love con mucho cariño
With pleasure./Gladly. Con mucho gusto.
with them con ellos/ellas
with whom con quien
with you (familiar) contigo
without sin(que)
without us sin nosotros/as
woman la mujer
wood la madera
word la palabra

work el trabajo; la obra
to work trabajar; funcionar
worker el/la obrero/a; el/la trabajador/a
workforce la fuerza laboral
workshop el taller
to worship venerar
wound la herida
wrist la muñeca
to write escribir
to write to each other escribirse
Write. Escribe.
writer el/la escritor/a

Y

year el año
yellow amarillo/a
yes sí
yesterday ayer
yet todavía
yogurt el yogur
you (familiar) like te gusta(n)
you (familiar) tú; **(plural)** vosotros/as *(Spain)*
you (formal) like le gusta(n)

you (formal) usted; **(plural)** ustedes
you are (familiar) eres; estás
you are (formal) es; está
you have (familiar) tienes
you're welcome de nada
young joven
young man/woman el/la joven
your (familiar plural) vuestro(s), vuestra(s)
your (familiar) tu(s)
your (formal) su(s)
Yours, sincerely. Un cordial saludo.

Photo Credits

Photo Credits
Front Matter

p. ix: adimas/fotolia; **p. x:** LUIS ACOSTA/AFP/ Getty Images; **p. xi:** Monkey Business Images/ Shutterstock/Dorling Kindersley, Ltd.; **p. xiii(t):** Marcos Brindicci/Reuters/Corbis, **p. xiii(b):** Eduardo Rivero/Shutterstock, **p. xiv(r):** Christian Kieffer/Shutterstock; **p. xiv(l):** Skylines/ Shutterstock; **p. xv:** Andresr/Shutterstock; **p. xvi:** Nik Niklz/Shutterstock; **p. xvii:** Jose Luis Stephens/Alamy; **p. xiii:** Fotolia; **p. xxiii(l):** Fotolia; **p. xxiii:** Fotolia; **p. xviii:** Imagery-Majestic/Shutterstock; **p. xxxvi(b):** Elizabeth E. Guzman; **p. xxxvi:** Judith Liskin-Gasparro

Capítulo Preliminar

p. 2: Contrastwerkstatt / Fotolia; **p. 3:** Jeff Greenberg / Alamy; **p. 4(tl):** Mikesch112 / Fotolia; **p. 4(tr):** Atm2003 / Fotolia; **p. 4(c):** Joan Albert Lluch / Fotolia; **p. 4(bl):** BlueOrange Studio / Fotolia; **p. 5:** Zurijeta / Shutterstock; **p. 6(t):** Michael Jung / Fotolia; **p. 7(tl):** Ian O'Leary /Getty Images; **p. 7(tc):** Dorling Kindersley, Ltd.; **p. 7(bl):** Shutterstock; **p. 8(tr):** Mike Good / Dorling Kindersley, Ltd; **p. 9(bl):** Bonga1965 / Fotolia; **p. 10-11(tl):** Priganica / Fotolia; **p. 11(br):** Brenda Carson / Fotolia; **p. 13(tc):** Alexmillos / Fotolia; **p. 14(bl):** Vannphoto / Fotolia; **p. 14(b):** Vmelinda/fotolia; **p. 16(b):** Diego Cervo / Fotolia; **p. 18(tl):** Pedrosala / Fotolia; **p. 18(cr):** Alex Havret / DK Images; **p. 18(bc):** StockLite / Shutterstock; **p. 20:** Runzelkorn / Fotolia; **p. 22(b):** Chokniti / Fotolia; **p. 23(tr):** Scanrail / Fotolia; **p. 23(b):** Petr Vaclavek / Fotolia; **p. 24(cl):** Adimas / Fotolia; **p. 24(bl):** Brad Pict / Fotolia; **p. 25(tl):** Faraways / Fotolia; **p. 25(tr):** Paul Bricknell / Dorling Kindersley, Ltd; **p. 25(c):** Barone Rosso / Fotolia; **p. 25(bl):** Andy Crawford / Dorling Kindersley, Ltd; **p. 25(br):** Tim Ridley / Dorling Kindersley, Ltd; **p. 26(b):** Silkstock / Fotolia; **p. 27(cr):** Igor Mojzes / Fotolia;

Capítulo 1

p. 30(cr): Yuraliaits Albert / Shutterstock; **p. 31(c):** Matt Trommer / Shutterstock; **p. 31(cr):** Pilar Echevarria / Shutterstock; **p. 31(tc):** Dorota Jarymowicz and Mariusz Ja / DK Images; **p. 31(c):** Rafael Ramirez Lee / Shutterstock; **p. 31(tl):** Carlos Nieto / Age Fotostock / Robert Harding; **p. 31(bl):** Album / Prisma / Newscom; **p. 32(tl):** Akulamatiau / Fotolia; **p. 32(bl):** Aleksandar Todorovic / Fotolia; **p. 32(cr):** Travelwitness / Fotolia; **p. 32(cl):** Mrks V / Fotolia; **p. 33(cr):** Andresr / Shutterstock; **p. 33(bl):** Pkchai / Shutterstock; **p. 34(br):** Andres Rodriguez; **p. 35(tr):** Jenkedco /Shutterstock; **p. 36:** Roman Sigaev / Fotolia; **p. 38(br):** Hemeroskopion / Fotolia; **p. 39:** Santiago Pais / Fotolia; **p. 40(b):** Tim Draper / Dorling Kindersley,Ltd; **p. 41(tr):** Pearson Education Ltd; **p. 41(br):** Yakor / Fotolia; **p. 41(cl):** Fxegs / Fotolia; **p. 47(cl):** Aaron Amat / Fotolia; **p. 47(br):** Hill Street Studios / Blend Images/Alamy; **p. 48(tr):** JHershPhoto / Shutterstock; **p. 49(tr):** Mimohe / Fotolia; **p. 55(tc):** Spencer Grant / PhotoEdit; **p. 56:** Auremar / Fotolia; **p. 57(tr):** Gabriel Blaj / Fotolia LLC; **p. 62:** Dmitriy Shironosov / Shutterstock;

Capítulo 2

p. 64(cr): Andres Rodriguez / Fotolia; **p. 65(l):** Everett Collection Inc / Alamy; **p. 65(l):** Everett Collection Inc / Alamy; **p. 65(tc):** April Turner / Shutterstock; **p. 65(bc):** Robin Holden Sr / Shutterstock; **p. 65(cr):** Hola Images / Alamy / **p. 65(tr):** EPA / Alamy; **p. 65(c):** Gvictoria / Shutterstock; **p. 65(br):** Images / Alamy; **p. 66(tc):** Alessandra Santarell i/ Jeoff Davis / Dorling Kindersley,Ltd; **p. 66(cr):** Everett Collection Inc / Alamy; **p. 66(bl):** Henryk Sadura / Fotolia; **p. 66(br):** ZUMA Press, Inc. / Alamy; **p. 67(tl):** Andres Rodriguez / Fotolia; **p. 67(tc):** Samuel Borges / Fotolia; **p. 67(tr):** Mel Lindstrom / Mira; **p. 67(l):** Mangostock / Fotolia; **p. 67(br):** Andresr / Shutterstock; **p. 68(br):** Avava / Fotolia; **p. 71(cl):** Wallenrock / Shutterstock; **p. 71(cl):** Dallas Events Inc / Shutterstock; **p. 71(c):** Michaeljung / Fotolia; **p. 71(cr):** Shutterstock; **p. 71(b):** Wong Sze Fei / Fotolia; **p. 72(tl):** EPA / Alamy; **p. 72(tr):** EPA / Alamy; **p. 73(bl):** Greg Roden / Dorling Kindersley,Ltd; **p. 74(tr):** Berc / Fotolia; **p. 75(br):** Max / Fotolia; **p. 75(tl):** Igorigorevich / Fotolia; **p. 75(tr):** Dgmata / Fotolia; **p. 77(br):** Shutterstock; **p. 78(tr):** WavebreakMediaMicro / Fotolia; **p. 78(bl):** Michael Germana / Landov; **p. 78(bc):** Front Row Photos; **p. 78(b):** Taylor Jones / The Palm Beach Post / Zumapress / Alamy; **p. 78(br):** Ramon Espinosa / AP Images; **p. 78(tl):** Max Alexander / DK Images; **p. 80(tr):** AP Images; **p. 81** Tyler Olson / Shutterstock; **p. 86(tr):** Dwphotos / Shutterstock; **p. 87(tr):** Andresr / Shutterstock; **p. 89(tl):** Andres Rodriguez / Fotolia; **p. 89(br):** ArchMen / Fotolia; **p. 90(tl):** Andres Rodriguez / Fotolia LLC; **p. 91(br):** Andres Rodriguez / Fotolia LLC; **p. 92(tr):** Skylines / Shutterstock; **p. 94(br):** Shutterstock; **p. 95(tc):** Alliance Images / Alamy; **p. 96(br):** Scanrail / Fotolia; **p. 97** Andresr / Shutterstock; **p. 98** Leonidovich / Shutterstock;

Capítulo 3

p. 100(cr): Auremar / Fotolia; **p. 101(tl):** Suzanne Porter / Dorling Kindersley, Ltd; **p. 101(cl):** Mike Von Bergen / Shutterstock; **p. 101(cr):** Shutterstock; **p. 101(bl):** Mireille Vautier / Alamy; **p. 101(tl):** Ocphoto / Shutterstock; **p. 102(cl):** Bob Krist / Corbis; **p. 102(bl):** Richard Smith / Corbis; **p. 102(cr):** Silvia Izquierdo/Reuters/Corbis; **p. 103(tl):** Creatas / Thinkstock; **p. 103(tl):** Tim Draper / Rough Guides / DK Images; **p. 103(tc):** iStockphoto / Thinkstock; **p. 103(tr):** Mangostock / Fotolia; **p. 104** Travel Pictures / Alamy;

Capítulo 4

p. 105(cr): Luis Santos /shutterstock; **p. 105(tr):** Giuseppe_R / Shutterstock; **p. 105(br):** Goodluz / Fotolia; **p. 106** Grant Hindsley / AP images; **p. 107(br):** Subbotina Anna / Shutterstock; **p. 107(tl):** Jennifer Boggs / Amy Paliwoda / Alamy; **p. 107(bl):** Cameron Whitman / Shutterstock; **p. 107(tr):** Dinner, Allison / the food passionates /Corbis; **p. 108** Jeff Greenberg / Alamy; **p. 109(bc):** John Van Hasselt / Sygma / Corbis; **p. 110(tr):** karelnoppe / Fotolia; **p. 110(cl):** Segismundo Trivero / Fotolia; **p. 110(br):** Jeff Greenberg / Alamy; **p. 113(tr):** James Thew / Fotolia; **p. 115(br):** Kitch Bain / Shutterstock; **p. 116(bl):** Fotolia; **p. 116(bc):** Aaron Oberlander / Getty Images; **p. 116(tr):** Oscar Pinto Sanchez; **p. 116(br):** Jeff Greenberg / Alamy; **p. 117(br):** Elenathewise / Fotolia; **p. 122** Germanskydive110 / Fotolia; **p. 124** Zuma Press, Inc / Alamy; **p. 125(t):** Robert Lerich / Fotolia; **p. 125(b):** Neale Cousland / Shutterstock; **p. 134** iPics / Fotolia;

Capítulo 4

p. 136(cr): Andres Rodriguez / Fotolia; **p. 137(tc):** Amra Pasic / Shutterstock; **p. 137(cr):** Pies Specifics / Alamy; **p. 137(cl):** Archivo el Tiempo / El Tiempo de Colombia / Newscom; **p. 137(cr):** Richard Gunion / Thinkstock / Getty Images; **p. 137(bl):** Galyna Andrushko / Shutterstock; **p. 137(br):** Marlborough Gallery; **p. 138(tl):** Luis Acosta / AFP / Getty Images; **p. 138(bl):** Fotolia; **p. 138(tr):** Rodrigo Arangua / AFP / Getty Images / Newscom; **p. 138(br):** Jenny Leonard / Shutterstock; **p. 139(tl):** Paloma Lapuerta; **p. 139(tr):** bst2012 / Fotolia; **p. 139(br):** Blend Images / Shutterstock; **p. 139(bl):** Ton Koene / Horizons WWP / Alamy; **p. 141(b):** JackF / Fotolia; **p. 142(tr):** Montserrat Diez / EPA / Newscom; **p. 142(br):** Fotoluminate LLC / Fotolia; **p. 143(cr):** Lucky Dragon USA / Fotolia; **p. 145(bl):** Dennis jacobsen / Fotolia; **p. 145(br):** Monkey Business Images / Shutterstock; **p. 146(br):** Jose R. Aguirre / Cover / Getty Images; **p. 146(t):** Jupiterimages / Brand X Pictures / Thinkstock; **p. 147(tr):** Scott Griessel / Fotolia; **p. 147(br):** Africa Studio / Fotolia; **p. 148(tr):** Samuel Borges / Fotolia; **p. 149(bl):** Monkey Business Images / Shutterstock / Dorling Kindersley, Ltd.; **p. 149:** Vision images / Fotolia; **p. 150(t):** Doruk Sikman / Fotolia; **p. 150(b):** Noam / Fotolia; **p. 151(bl):** Monkey Business / Fotolia; **p. 151(tr):** Nick White / Getty Images; **p. 152(tr):** Blend Images / Thinkstock; **p. 154(tl):** Stefanolunardi / Fotolia; **p. 155(br):** Giuseppe R / Fotolia; **p. 155(tr):** Gabriel Blaj / Fotolia; **p. 156(tr):** Blaz Kure / Shutterstock; **p. 157(br):** Daria Filiminova / Fotolia; **p. 158(tl):** Helen Kattai / Shutterstock; **p. 159(tr):** GalinaSt / Fotolia; **p. 161:** AVAVA / Shutterstock; **p. 163(tc):** Omkara.V / Fotolia; **p. 164(tc):** Orange Line Media / Fotolia; **p. 166(tl):** Shutterstock; **p. 166(br):** Bill Aron / PhotoEdit; **p. 167(br):** Andres Rodriguez / Fotolia; **p. 168(br):** Ra2studio / Shutterstock;

Communicative Functions and Learning Strategies Index

actions
  describing, 144, 153, 179
  indicating to whom or for whom they may take place, 222
  organizing sequentially, 145
adjectives, using to enrich your description, 98
advice, giving, 353, 411, 446
affirmation, expressing, 426
agreement, reporting, 439
answering questions
  agreeing to answer, 44
appropriateness (or not), ways of stating, 228
asking for what you need, 16, 60
asking questions, 5, 21, 27, 55
  choosing Indicative or subjunctive for, 431
  interrupting to ask, 44
  to gather information, 60
  word order when, 492
attention, getting someone's, 44
  to an unusual fact, 121
attitudes, expressing, 398
audience
  identifying, 134
  focusing on, 344

brainstorming, 62

characteristics, expressing, 69, 76–77, 83–84, 98
chronological order, indicating, 238, 308
clarification, requesting, 16, 62
closings in correspondence, 134
comparisons
  making, 293
  making contrasts and, 164
  organizing information to make, 164
complaints
  about someone or something, 469
  from a friend or family member, 192
  to a friend or family member, 192
concern, expressing, 411
conclusions, drawing, 305
  presenting group's conclusion, 504
  supporting group's conclusion, 504
conditions, expressing changeable, 83
congratulating, 408
conjecture, expressing, 488
  expressing conjecture or certainty, 491
connecting events, 238

content
  anticipating, 165
  focusing on, 344
  predicting and guessing, 272
  selecting appropriate, 202
context, using to figure out meaning, 237, 339
conversation, maintaining the flow of, 152
convincing someone, 121
courtesy expressions, 8

daily activities, talking about, 111, 153
decisions
  defending, 375
  gathering information strategically to express, 340
  giving, 375
  influencing, 375
  supporting, 443, 473
descriptions
  adjective use to enrich, 98
details
  asking for, 268
  providing supporting, 274
  recording relevant, 374
  selecting and sequencing, 308
diminutives, 141
dislikes, expressing, 90, 226
doubt, expressing, 437
dramatic stories, techniques for, 534, 535
duration, expressing, 127, 160

e-mail writing, 134
emotional states, describing, 185
emotions, expressing, 408
  feelings that may change, 83
  in poetry, 507
empathy, showing, 305
endearment, terms of, 134, 140
enlisting the help of a friend or family member, 192
events
  describing, 230
  sequencing, 238, 308
expectations, expressing, 391

facts
  differentiating from opinions, 270
  expressing, 274
  using to offer good advice, 446
familiarity, expressing, 134
feelings, expressing, 147

food, ordering, 109
formal tone, using appropriately, 167
  judging degrees of, 6
future, talking about the, 368
  hypothesizing about, 525

gender, specifying, 50
goals, expressing, 401
good time, expressing, 355
greetings, 7, 9
  formal, 60
guessing, contextual, 237, 339

haggling, expressions for, 236
happiness, expressing, 408, 535
  sharing someone's, 305
hopes, expressing, 391
humor in stories, techniques for including, 534, 535, 538
hypothetical situations, talking about, 430, 464
  identifying the speaker's intentions, 472
  the present and the future, 525

ideas
  contrasting, 412
  discussing, 271, 359
  listening for main, 407
  putting together cohesively, 412
illustrations, using to anticipate content, 165
impersonal information, stating, 357
indirect objects, indicating, 222
inferences, making, 304, 306
informal tone, using appropriately, 167
information
  clarifying, 263
  emphasizing, 263
  focusing on key, 271
  focusing on relevant, 409
  gathering, 340
  introducing information about personality, 95
  introducing information on physical characteristics, 95
  listening for, 94
  organizing, 342
  organizing for a survey, 132
  organizing to make comparisons, 164
  presenting factual, 443

Index

Taken from: *¡Anda! Curso Elemental*, Second Edition,
by Audrey L. Heining-Boynton and Glynis S. Cowell, with
Jean LeLoup, María del Carmen Caña Jiménez

Introducciones y repasos

This chapter is a review of vocabulary and grammatical concepts that you are already familiar with in Spanish. Some of you are continuing with *¡Anda! Curso elemental,* while others may be coming from a different program. As you begin the second half of *¡Anda!,* it is important for all students to feel confident about what they already know about the Spanish language as they continue to acquire knowledge and proficiency. This chapter will help you determine what you already know, and also help you focus on what you personally need to improve upon.

If you are new to *¡Anda!,* you will not only want to review the grammar concepts already introduced, but also familiarize yourself with the active vocabulary used in the textbook. *¡Anda!* recycles vocabulary and grammar concepts frequently to help you learn better, and this chapter will help you with what we consider to be the basics of the preceding chapters.

For all students, this chapter also reviews what has occurred to date in the thrilling episodic adventure, **Ambiciones siniestras.** Students who haven't read or viewed the first episodes will have an opportunity to do so. The episodes in the text and the video build upon each other, just like a **telenovela,** and starting in **Capítulo 7,** will continue from where the episode in **Capítulo 5** left off. **Capítulo 6** is a recycling chapter and no new episodes for **Ambiciones siniestras** were introduced.

Before you begin this chapter, you may wish to review the study and learning strategies on page 206 in **Capítulo 6.** These strategies are applicable to your other subjects as well. So on your mark, get set, let's review!

OBJETIVOS

COMUNICACIÓN

To greet, say good-bye, and introduce others

To describe yourself and others

To share information about school and life as a student

To offer opinions about sports and pastimes that you and others like and dislike

To describe homes and household chores

To identify places in and around town

To relate things that happen and things that have to be done

To convey what will take place in the future

To impart information about service opportunities

To share information about different types of music, movies, and television programs, including your personal preferences

AMBICIONES SINIESTRAS

To depict what has happened thus far to the protagonists: Alejandra, Manolo, Cisco, Eduardo, Marisol, and Lupe

To hypothesize about what you think will happen in future episodes

COMUNIDADES

To use Spanish in real-life contexts (SAM)

Comunicación

• Capítulo Preliminar A •
Greeting, saying good-bye, and introducing others

B-01

1. Para empezar. This chapter provided an introduction to Spanish via the following topics: greetings and farewells; classroom expressions; the alphabet; cognates; subject pronouns and the verb **ser**; adjectives of nationality; numbers 1–30; telling time; days and months; the weather; and the verb **gustar.** If you need to review any of these topics before proceeding, consult pages 2–29.

• Capítulo 1 •
Describing yourself and others

B-02 to B-03

2. La familia. Review the **La familia** vocabulary on page 32 and then do the following activities.

Estrategia
In **B-1,** you are directed to write at least 5 sentences. See how many more than 5 you can write in the time allotted.

 B-1 **Mi familia** Túrnense para describir a sus familias o a una de las familias de las fotos. Digan por lo menos **cinco** oraciones. ■

MODELO   *George es mi tío. Mis primos son Stacy y Scott...*

3. El verbo *tener*. Review the verb **tener** on page 34. What are all of the present tense forms of **tener**?

B-04

  B-2 **Y mis amigos...**

Túrnense para hablar de las familias de unos amigos o de una familia famosa usando el verbo **tener.** Digan por lo menos **ocho** oraciones. ■

MODELO   *Mi amigo, Joe, tiene dos hermanos. Mis amigas Jennifer y Marty no tienen abuelos...*

4. El singular y el plural. Review how to make singular nouns plural on page 36 and explain the rules to your partner. Then complete the following activity.

B-05

  B-3 **Te toca a ti** Digan el plural de cada palabra. ■

MODELO   E1: primo

          E2: *primos*

1. madre
2. francés
3. taxi

4. nieto
5. abuela
6. joven

Fíjate

The rules for accents are listed in the *Pronunciación* section for *Capítulo 2* on MySpanishLab and in the Student Activities Manual. As a reminder, some words keep their accent marks in the plural while other words lose or gain accent marks in the plural.

5. El masculino y el femenino. Review the differences between masculine and feminine nouns on page 37. State the rules to a partner, and then do the following activity.

B-06

  B-4 **¿Recuerdas?** Digan si las siguientes palabras son masculinas o femeninas. **¡OJO!** Hay unas excepciones. ■

MODELO   E1: tía

          E2: *femenina*

1. padrastros
2. televisión
3. foto
4. universidad

5. hermano
6. mapa
7. tía
8. hijo

Fíjate

Some words that end in consonants, like *profesor,* also have feminine forms: *profesora.* Pay attention to the form when making the noun plural, as in the case of *profesores* or *profesoras.*

6. Los artículos definidos e indefinidos. How do you say *the*, *a(n)*, and *some* in Spanish? For a reminder, see page 38. Then do the following activity.

B-07 to B-08

 B-5 **Vamos a practicar** Túrnense para añadir el equivalente de los artículos *the, a* o *some* a estas palabras. ■

MODELO   E1: tías

          E2: *las tías/unas tías*

1. abuelo   3. madre   5. hijos   7. nieto
2. hermanas   4. tío   6. primas   8. padres

7. Los adjetivos posesivos y descriptivos. How do you say *my*, *your*, *his*, *her*, *our*, and *their*? If you need help, see page 41. Also consult pages 43–44 to review words you may use to describe yourself and others. Then do the following activity.

B-09 to B-10

Fíjate

When you see the by the activity number, you work with a partner. Words in the direction lines like *miren, túrnense, comparen,* and *usen* are plural—they refer to both of you.

 B-6 **Nuestras familias** Túrnense para describir a su familia y compararla con las familias de sus amigos. Digan por lo menos **ocho** oraciones. ■

MODELO   *Mis padres son trabajadores. La mamá de mi amigo John es trabajadora también. Nuestros primos son simpáticos…*

• **Capítulo 2** •
Sharing information about school and life as a student
Offering opinions about sports and pastimes that you and others like and dislike

8. Las materias y las especialidades. Review the **Las materias y las especialidades** vocabulary on page 62 of **Capítulo 2.** Then practice the vocabulary words with the following activity.

B-11 to B-12

Workbooklet

 B-7 **¿Cuál es más fácil?** Expresa tus opiniones sobre las materias y las especialidades. Comparte tus respuestas con un/a compañero/a. Puedes consultar **También se dice…** en el Apéndice 3. ■

Estrategia

For **B-7** about *Las materias y las especialidades*, change partners and find someone whose major is different from yours. See whether you have the same opinions.

MODELO   *Las especialidades más difíciles son las matemáticas y los negocios. Las especialidades más fáciles son…*

LAS ESPECIALIDADES…

MÁS DIFÍCILES	MÁS FÁCILES	MÁS CREATIVAS	MÁS INTERESANTES	MÁS ABURRIDAS
1.	1.	1.	1.	1.
2.	2.	2.	2.	2.

9. La sala de clase. Review the **La sala de clase** vocabulary on page 65 and then do the following activity.

B-13

Workbooklet

B-8 **¿Qué tienen tus compañeros/as?** Escoge (*Choose*) a unos/as de tus compañeros/as y completa el siguiente cuadro. ■

Estrategia

For **B-8,** you and your partner may wish to ask other classmates questions such as: *¿Qué tienes en tu mochila? ¿Qué tienes en tu escritorio?*

MODELO

E1: Hablamos de Melissa. ¿Qué tiene Melissa?

E2: Melissa tiene dos cuadernos, un libro, un bolígrafo y dos lápices.

E3: Pero Melissa no tiene la tarea.

E2: Ahora hablamos de _____ y _____. ¿Qué tienen. _____ y. _____?

E1: Tienen....

ESTUDIANTE _Melissa_	ESTUDIANTES ___ Y ___	TÚ Y YO ___
(no) tiene	(no) tienen	(no) tenemos
1. tiene dos cuadernos	1.	1.
2. tiene un libro	2.	2.
3. tiene un bolígrafo	3.	3.
4. tiene dos lápices	4.	4.
5. no tiene la tarea	5.	5.

B-14 to B-15

10. Presente indicativo de verbos regulares. How do you form the *present tense* of *regular* **-ar, -er,** and **-ir** *verbs*? If you need help, consult pages 67–68. Finally, before you complete the following activities, review the common verbs that are presented on the those pages.

B-9 **¿A quién o quiénes conoces que...?** Túrnense para preguntarse y contestar para qué personas que ustedes conocen son ciertas (*true*) las siguientes afirmaciones. ■

MODELO hablar poco

E1: *¿Quién habla poco?*

E2: *Mi hermano Evan habla poco.*

E2: *¿Quiénes hablan poco?*

E1: *Mis padres hablan poco. / Mis hermanos y yo hablamos poco.*

Estrategia

You will note that nearly all activities in *¡Anda! Curso elemental* are pair activities. You will be encouraged or required to change partners frequently, perhaps even daily. The purpose is for you to be able to practice Spanish with a wide array of speakers. Working with different classmates will help you improve your spoken Spanish more quickly.

1. hablar demasiado
2. correr mucho
3. vivir lejos
4. escribir muchos mensajes de texto
5. usar los apuntes de sus amigos
6. estudiar mucho
7. necesitar estudiar más
8. tomar un examen hoy
9. enseñar español

B-10 **Dime quién, dónde y cuándo** Miren el dibujo y creen juntos una historia sobre lo que ocurre en el edificio. ■

MODELO
E1: *Josefina escribe una carta.*
E2: *Ella escribe cartas todos los días.*
E1: *En otro apartamento Raúl y Mariela…*

Estrategia

¡Anda! Curso elemental encourages you to be creative when practicing and using Spanish. One way is to create mini-stories about photos or drawings that you see. Being creative includes giving individuals in drawings names and characteristics.

B-16 to B-17

11. La formación de preguntas y las palabras interrogativas. How do you form questions in Spanish? What are the question words in Spanish? To review this topic, consult pages 70–71 and then do the following activity.

B-11 **Preguntas y más preguntas** Túrnense para formar una pregunta con cada oración. ■

Fíjate

Remember that all question words have accents. Also remember that when writing a question, there are two question marks, one at the beginning and one at the end of the question.

MODELO
E1: Estudio **matemáticas.**
E2: *¿Qué estudias?*

1. Pilar estudia **en la biblioteca.**
2. **Guillermo y yo** estudiamos.
3. Comen **entre las 7:00 y las 8:00 de la noche.**
4. Aprendemos español **fácilmente.**
5. Leo **tres libros.**
6. Estudiamos español **porque nos gusta el profesor.**

B-18 to B-19

12. Los números 1–1.000. Review the numbers 1–1,000, consulting pages 16, 47, and 72 if you need help. Then do the following activity.

B-12 **¡Dilo!** Túrnense para decir los precios de los artículos en el catálogo. ∎

MODELO E1: (325 €) *El precio del armario es trescientos veinticinco euros.*

E2: (999 €) *El precio del sofá es…*

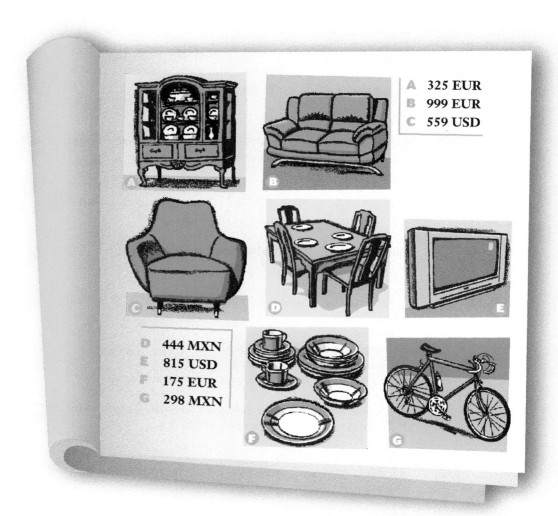

A 325 EUR
B 999 EUR
C 559 USD

D 444 MXN
E 815 USD
F 175 EUR
G 298 MXN

13. El verbo *estar*. What are the present tense forms of **estar?** When do you use **estar?** Check pages 76–77 if you need help before doing the following activity.

B-13 **¿Cómo se dice?** Túrnense para hacerse preguntas y contestar usando **estar.** ■

Fíjate

Remember that four forms of *estar* have accents in the present tense: *estás, está, estáis,* and *están.*

MODELO   el mapa / libro

E1: *¿Dónde está el mapa?*

E2: *El mapa está en el libro.*

1. mis amigos y yo / la clase de ciencias
2. tú / el apartamento
3. los escritorios / la sala de clase
4. el papel / la silla
5. los apuntes / el cuaderno
6. Jorge y tú / la puerta
7. los libros / la mochila
8. José / bien
9. Lupe y Mariela / contento

14. Emociones y estados. Review the **Emociones y estados** vocabulary on page 79 and then do the following activity.

B-14 **¿Qué pasa?** Digan qué adjetivo describe cada una de las siguientes situaciones. ■

MODELO   E1: *Jorge y María reciben mil dólares.*

E2: *Están contentos.*

1. Esperas y esperas pero tu amigo no llega. (¡Y no te llama por teléfono!)
2. Corres quince millas (*miles*).
3. Tus padres están en el hospital.
4. Tu novio/a está en Panamá y ¡no regresa!
5. El profesor de literatura lee sin parar durante una hora y quince minutos.
6. Ustedes sacan "A" en sus exámenes de español e informática.
7. Ustedes tienen un examen muy difícil hoy.

Fíjate

In **B-14** you see *sus exámenes de español e informática.* The word *y* changes to *e* when the *i* sound appears immediately after the *y,* as in the case of the word *informática.*

15. En la universidad. Review the **En la universidad** vocabulary on page 74 and do the following activity.

B-15 **¡Lo sé!** Digan qué lugar asocian con las siguientes palabras y acciones. Después formen una oración completa. ■

MODELO   estudiar

E1: *Voy a la biblioteca para estudiar.*

E2: *Estudio en mi apartamento.*

1. jugar al fútbol
2. comprar libros
3. comer hamburguesas, pizza, café, etc.
4. jugar al básquetbol
5. hacer experimentos científicos
6. leer libros, estudiar, escribir composiciones, etc.

16. El verbo *gustar*. How do you say *to like* in Spanish? Review page 80 and then do the following activity.

B-23 to B-24

Workbooklet

 B-16 **Opiniones** Compara tu opinión sobre los siguientes temas (*topics*) con las de otros/as dos compañeros/as e informa después a la clase. ∎

MODELO   E1:   *Las materias que más me gustan son las ciencias y las matemáticas.*
           La escritora que más me gusta es J.K. Rowling…

       E2:   *Las materias que más le gustan a David son las ciencias y las matemáticas.*
           La escritora que más le gusta es J.K. Rowling…

	LAS MATERIAS…	**LOS/AS ESCRITORES/AS…**	**LAS PELÍCULAS (*MOVIES*)…**
	que más me gustan son:	que más me gustan son:	que más me gustan son:
YO	1.	1.	1.
ESTUDIANTE 1	2.	2	2
ESTUDIANTE 2	3.	3.	3.
	que menos me gustan son:	que menos me gustan son:	que menos me gustan son:
YO	1.	1.	1.
ESTUDIANTE 1	2	2	2
ESTUDIANTE 2	3.	3.	3.

17. Los deportes y los pasatiempos. Review the **Los deportes y los pasatiempos** vocabulary on pages 81–82 and then do the following activity.

B-25 to B-27

Workbooklet

 B-17 **Tus preferencias** Selecciona los **tres** deportes o pasatiempos **que más te gustan** y luego los **tres que menos te gustan.** Después de completar el cuadro, comparte la información con un/a compañero/a, según el modelo. ∎

MODELO   *Los deportes o pasatiempos que más me gustan son patinar, bailar y leer. Los deportes o pasatiempos que menos me gustan son el fútbol, el fútbol americano y nadar.*

LOS DEPORTES Y PASATIEMPOS QUE MÁS ME GUSTAN	**LOS DEPORTES Y PASATIEMPOS QUE MENOS ME GUSTAN**
1.	1.
2.	2.
3.	3.

• Capítulo 3 •
Describing homes and household chores

18. La casa. Review the vocabulary about **La casa** on page 98 and do the following activities.

B-28 to B-30

 B-18 **Las actividades** Túrnense para decir en qué parte o partes de la casa hacen las siguientes actividades. ■

MODELO E1: estudiar

  E2: *Estudio en la oficina, en el dormitorio y en la cocina.*

1. escuchar música y ver la televisión
2. organizar papeles
3. tomar una siesta
4. preparar tacos
5. tocar el piano
6. hablar por teléfono
7. tomar el sol
8. trabajar en la computadora

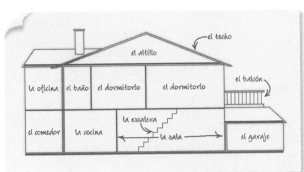

 B-19 **¿Y tu casa...?** Descríbele tu casa o apartamento, o una de las viviendas de las fotos, a un/a compañero/a. O si quieres, puedes describir tu casa ideal. Usa por lo menos **ocho** oraciones. ■

MODELO *Mi casa tiene dos pisos. Mi dormitorio está en la planta baja. No tenemos un altillo. Mi dormitorio está al lado del baño. La cocina es pequeña....*

19. Algunos verbos irregulares. Review the irregular verbs on pages 101–102 and then practice them with the following activities.

B-31 to B-32

 B-20 **Otras combinaciones** Túrnense para formar oraciones completas combinando elementos de las tres columnas. Formen una oración distinta con cada verbo de la columna B. ■

MODELO   *Nosotros hacemos la tarea todos los días.*

COLUMNA A	COLUMNA B	COLUMNA C
Uds.	(no) hacer	estudiar ciencias
el profesor	(no) oír	muchas películas
él, ella, Ud.	(no) querer	la tarea todos los días
nosotros/as	(no) salir	los libros a clase
ellos/ellas	(no) traer	temprano a la universidad
yo	(no) venir	los viernes
tú	(no) ver	tocar la guitarra
mamá y papá	(no) poder	ruidos (*noises*) por la noche

 B-21 **Entrevista** Túrnense para hacerse la siguiente entrevista. ■

MODELO   E1:   ¿Qué te dice tu mamá siempre?

            E1:   *Mi mamá me dice…*

1. ¿Qué deporte practicas?
2. ¿Cuándo haces ejercicio?
3. ¿Qué te dice tu mamá siempre?
4. ¿Qué traes a tus clases?
5. ¿Sales los fines de semana? ¿Con quién o quiénes sales?
6. ¿Qué quieres ser (o hacer) en el futuro?
7. ¿Conoces a una persona famosa?
8. ¿Qué pones en tu mochila los lunes? ¿Los martes?
9. ¿Qué días vienes a la clase de español?
10. ¿A qué hora sales para la clase?

Estrategia

Getting to know your classmates helps you build confidence. It is much easier to interact with someone you know.

20. Hay. What does **hay** mean? Review page 119 if you need help. Then do the following activity.

B-33 to B-34

B-22 **¿Qué hay en tu casa?** Descríbele tu casa a un/a compañero/a y averigua (*find out*) cómo es la suya (*his/hers*) usando **hay.** ∎

MODELO   E1:   *En mi casa hay un garaje. ¿Hay un garaje en tu casa?*

              E2:   *Sí, en mi casa hay un garaje. / No, en mi casa no hay un garaje.*

              E1:   *Mi casa tiene dos pisos. ¿Cuántos pisos hay en tu casa?*

B-35 to B-36

21. Los muebles y otros objetos de la casa. Review the **Los muebles y otros objetos de la casa** vocabulary on page 106. Then do the following activity.

B-23 **En mi casa** ¿Qué muebles y objetos tienes o no tienes en casa? Descríbeselos a un/a compañero/a. ∎

MODELO   E1:   *Yo tengo una cama y dos sillas en mi dormitorio. No tengo una televisión. ¿Qué tienes tú?*

              E2:   *Yo tengo un cuadro, una lámpara y una televisión.*

B-37 to B-38

22. Los quehaceres de la casa y los colores. Review the vocabulary dealing with **Los quehaceres de la casa** and **Los colores** on pages 109 and 111. Then, do the following activities.

Workbooklet

 B-24 **Responsabilidades** ¿Cuáles son tus responsabilidades? Túrnense para contestar las siguientes preguntas y explicar cuándo hacen estos quehaceres y cuánto tiempo dedican a hacerlos. ■

Estrategia

Group the rooms of the house with the verbs associated with each room. For example, match *comer* and *el comedor*, *bañarse* and *el baño*, *dormir* and *el dormitorio*, *cocinar* and *la cocina*.

MODELO
E1: mi dormitorio
E2: *Tengo que limpiar mi dormitorio los lunes. Necesito dos horas porque está muy sucio.*

1. mi dormitorio
2. el baño
3. la cocina
4. la sala
5. el garaje
6. el comedor

¿Cuándo? ¿Cuánto tiempo?

dormitorio
baño
cocina
sala
garaje
comedor

¿QUÉ TIENES QUE HACER?	¿CUÁNDO?	¿CUÁNTO TIEMPO?
limpiar mi dormitorio	los lunes	dos horas

B-25 La casa ideal ¿Cómo es tu casa ideal? ¿Y los colores? Descríbele tu casa ideal a un/a compañero/a en por lo menos **ocho** oraciones. ◾

MODELO   *Quiero una casa con una cocina amarilla…*

 23. Algunas expresiones con *tener*. Review the **tener** expressions on page 113 and then do the following activities.

B-39

 B-26 ¿Qué tengo yo? Túrnense para expresar cómo se sienten (*you feel*) en las siguientes situaciones. Usen las expresiones con **tener.** ◾

MODELO   E1: antes de comer
         E2: *Antes de comer tengo hambre.*

1. los lunes
2. los sábados
3. tarde en la noche
4. temprano en la mañana
5. antes de tener un examen
6. cuando ves una película de terror
7. en el verano
8. en el invierno
9. durante (*during*) la semana de los exámenes finales
10. cuando sacas "A" en un examen

 B-27 Datos personales Túrnense para hacerse esta entrevista. ◾

1. ¿Cuántos años tienes?
2. ¿Cuándo tienes hambre?
3. ¿Qué tienes que hacer hoy?
4. ¿Qué tienes ganas de hacer?
5. ¿En qué clase tienes sueño?
6. ¿En qué clase tienes mucha suerte?
7. ¿Siempre tienes razón?
8. ¿Cuándo tienes sueño?
9. Cuando tienes sed, ¿qué tomas?

24. Los números 1.000–100.000.000. Review the numbers on page 116 and then do the following activity.

B-40 to B-41

 B-28 **¿Cuál es su población?** Túrnense para leer las poblaciones de las siguientes capitales del mundo hispano en voz alta. ■

1. Buenos Aires, Argentina   12.988.000
2. La Paz, Bolivia   1.642.000
3. Bogotá, Colombia   8.268.000
4. La Habana, Cuba   2.141.000
5. San José, Costa Rica   1.416.000
6. México, D.F., México   19.319.000

CIA World Fact Book

• Capítulo 4 •

Identifying places in and around town
Relating things that happen and things that have to be done
Conveying what will take place in the future
Imparting information about service opportunities

 25. Los lugares. Review the **Los lugares** vocabulary on page 134 and then do the following activity.

B-42

 **B-29** **¿Dónde está?** Tus amigos y tú están muy ocupados. Túrnate con un/a compañero/a para decir dónde están. ■

MODELO   E1:   Mi amigo quiere mandar una carta.
          E2:   *Está en la oficina de correos.*

1. Marta quiere leer y necesita comprar un libro.
2. Dos de mis amigos necesitan dinero.
3. Julio tiene hambre y quiere comer algo (*something*).
4. Queremos ver una exposición de arte.
5. Ustedes quieren ver una película.
6. Jorge tiene sed y quiere tomar algo.
7. Vamos a jugar al golf.
8. Tienen que ir a una boda (*wedding*).

B-43 to B-44

26. *Saber* **y** *conocer* **and the personal** *a*. Make a list of when you use **saber** and when you use **conocer.** You can review the uses on page 137. Then do the following activity.

 B-30 **¿Lo sabes o lo conoces?** Completa cada una de las siguientes preguntas usando **sabes** o **conoces.** Después, túrnate con un/a compañero/a para hacerse y contestar las siguientes preguntas. ■

MODELO   E1:   *¿Conoces Buenos Aires?*

                   E2:   *Sí, conozco Buenos Aires. / No, no conozco Buenos Aires.*

1. ¿_____ un buen lugar para comprar un teléfono celular?
2. ¿_____ preparar tortillas?
3. ¿_____ cuál es el mejor café de esta ciudad?
4. ¿_____ San José, Costa Rica?
5. ¿_____ jugar al golf?
6. ¿_____ dónde están tus amigos ahora?
7. ¿_____ al presidente de los Estados Unidos?
8. ¿_____ el mejor restaurante chino de nuestra ciudad?
9. ¿_____ usar una computadora?
10. ¿_____ las películas de Will Smith?

Fíjate

For more information about the personal **a,** consult *Capítulo 5,* page 190.

B-45

27. ¿Qué tienen que hacer? What does **tener que + infinitivo** mean? Review page 140 if you have any questions before doing this activity.

 B-31 **Entrevistas** ¿Hacen tus compañeros/as cosas similares? ■

Paso 1   Usando las siguientes preguntas, entrevista a tres compañeros/as.

1. ¿Cuáles son las cosas que haces para prepararte (*prepare yourself*) bien para tus clases?
2. Generalmente, ¿qué tienes que hacer después de terminar con tus clases?

Paso 2   Comparte la información con otros compañeros/as de la clase. ¿Qué tienen ustedes en común?

MODELO   *Para prepararse bien para las clases, Jack y Sally tienen que estudiar cinco horas cada día. Sally tiene que ir a la biblioteca. Jack tiene que organizar sus apuntes. Después de terminar nuestras clases, nosotros tenemos que limpiar nuestros apartamentos...*

28. Los verbos con cambio de raíz. Review the stem-changing verbs on page 142 and then practice with the following activities.

B-32 **¿Quién es?** Digan a qué personas conocen que hacen las siguientes actividades. ■

MODELO   siempre perder la tarea

      E1: *Mi novia Carmen siempre pierde la tarea.*

      E2: *Mis primos siempre pierden la tarea.*

1. almorzar en Burger King a menudo
2. siempre entender al / a la profesor a de español
3. jugar al fútbol muy bien
4. preferir dormir hasta el mediodía
5. volver a casa tarde a menudo
6. nunca tener dinero y siempre tener que pedirlo
7. nunca encontrar sus cosas
8. querer visitar Centroamérica
9. pensar que Santa Claus existe
10. nunca mentir

B-33 **Un poco de mi vida** Escucha mientras tu compañero/a contesta las siguientes preguntas. Luego, repite la información a tu compañero/a. ¿Escuchaste bien? ¿Cuánta información puedes recordar? ■

1. ¿Qué clases tienes este semestre?
2. ¿A qué hora empieza tu clase preferida?
3. ¿Qué prefieres hacer si tienes tiempo entre (*between*) las clases?
4. ¿A qué hora vuelves a tu residencia / apartamento / casa?
5. ¿Qué coche tienes (o quieres tener)?
6. ¿Cuánto cuesta un coche nuevo?
7. ¿Cómo vienes a la universidad? (Por ejemplo, ¿vienes en coche?)
8. ¿Dónde prefieres vivir, en una residencia estudiantil, en un apartamento o en una casa?
9. ¿Dónde quieres vivir después de graduarte?
10. ¿Qué deporte prefieres?

Estrategia

Being an "active listener" is an important skill in any language. *Active listening* means that you have heard and understood what someone is saying. Being able to repeat what someone says helps you practice and perfect the skill of active listening.

29. El verbo *ir* e *ir + a + infinitivo.* What are the present tense forms of **ir**? How do you express the future with **ir**? Consult pages 146 and 147 if you need to do so and then do the following activities.

B-34 **¡Vámonos!** Completa las oraciones según el modelo. Después túrnate con un/a compañero/a para decir adónde van sus parientes (*relatives*) y sus amigos en las siguientes situaciones. ■

| MODELO | E1: | Cuando tengo que estudiar… |
| | E2: | *Cuando tengo que estudiar voy a la biblioteca.* |

Estrategia

When you write sentences that require more than one verb, as in **B-34,** make sure that your verbs match your subject throughout the sentence.

1. Cuando quiere comer, mi compañero de cuarto…
2. Cuando queremos hacer ejercicio, nosotros…
3. Cuando tienes ganas de bailar, tú…
4. Para almorzar muy bien, mis amigos…
5. En la primavera me gusta…
6. Cuando mi hermana quiere comprar música, ella…
7. Para ver una película, tú…
8. Cuando llueve, yo…
9. Cuando hace frío, mis padres…
10. En el verano prefiero…

B-35 **Nuestra agenda** ¿Qué van a hacer la semana que viene? Termina las siguientes oraciones con planes diferentes. Compara tus respuestas con las de un/a compañero/a. ■

lunes _____

martes _____

miércoles _____

jueves _____

viernes _____

sábado _____

domingo _____

| MODELO | E1: | El lunes, yo… |
| | E2: | *El lunes voy a devolver unos libros a la biblioteca.* |

1. El lunes, yo…
2. El martes, la profesora…
3. El miércoles, mis amigos…
4. El jueves, tú y yo…
5. El viernes, mis primos…
6. El sábado, tú…
7. El domingo, mi madre…

B-36 **Qué será, será...** ¿Qué tiene el futuro para ti, tus amigos y tu familia? Hagan **cinco** predicciones de lo que va a ocurrir en el futuro y compartan sus respuestas. ■

MODELO *Mi primo va a ir a la Universidad Autónoma el año que viene. Nosotros vamos a estudiar mucho para sacar buenas notas. Mis padres van a trabajar en Baltimore...*

B-51

30. Servicios a la comunidad Review the vocabulary **Servicios a la comunidad** on page 149 and then do the following activity.

 B-37 **Definiciones** Túrnense para leer las siguientes definiciones y decir a qué palabra o expresión corresponde cada una. ■

MODELO E1: personas que tienen muchos años
E2: *Las personas que tienen muchos años son los mayores.*

1. servir a las personas sin (*without*) recibir dinero a cambio (*in exchange*)
2. un lugar donde viven las personas mayores
3. acompañar a una persona a una cita (*appointment*) con el médico
4. dar un documento a las personas para obtener firmas
5. trabajar para un candidato político sin recibir dinero a cambio (*in exchange*)
6. una persona que trabaja con los niños en un campamento
7. salir en un barco (*boat*) para una o dos personas
8. disfrutar de (*enjoy*) un tipo de arte
9. "construir" una estructura portátil (no permanente) que se usa para dormir fuera de casa
10. un lugar adonde van los niños, generalmente en el verano, para hacer muchas actividades diferentes

31. Las expresiones afirmativas y negativas. Review the affirmative and negative expressions on page 151 and then do the following activity.

B-52

B-38 **El/La profesor/a ideal** Túrnense para decir si las siguientes características son ciertas o falsas en un profesor ideal. Usen las expresiones afirmativas y negativas en la página 151 para apoyar (*support*) sus opiniones. ■

MODELO Un/a profesor/a ideal… siempre da buenas notas.

E1: *A veces un profesor ideal da buenas notas.*

E2: *No, el profesor ideal no siempre da buenas notas. A veces tiene que dar malas notas.*

Un/a profesor/a ideal…

1. nunca falta (*misses*) a clase.
2. prepara algo interesante para cada clase.
3. siempre prefiere leer sus apuntes.
4. piensa que sabe más que nadie.
5. a veces organiza a sus estudiantes en grupos para discutir (*discuss*) ideas.
6. a veces llega a clase cinco minutos tarde.
7. jamás manda (da) tarea para la clase.
8. no pierde nada —por ejemplo la tarea, los exámenes, las composiciones, etc.
9. no habla con nadie después de la clase.
10. siempre está contento/a con su trabajo.

32. Un repaso de *ser* y *estar*. When do you use **ser** and **estar?** Write the reasons on a sheet of paper, and then check your list against the one on pages 154–155. Next, do the following activities.

B-53

B-39 **¿Qué tal?** Adriana le escribe un email a su familia. Llenen los espacios en blanco con las formas correctas de **ser** y **estar** para conocerla mejor. ■

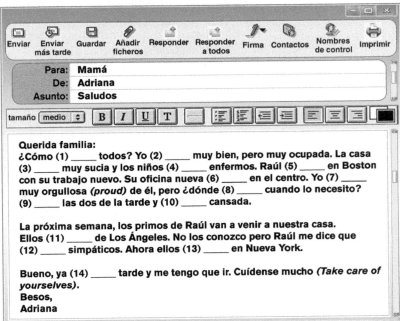

Para: **Mamá**
De: **Adriana**
Asunto: **Saludos**

Querida familia:
¿Cómo (1) _____ todos? Yo (2) _____ muy bien, pero muy ocupada. La casa (3) _____ muy sucia y los niños (4) _____ enfermos. Raúl (5) _____ en Boston con su trabajo nuevo. Su oficina nueva (6) _____ en el centro. Yo (7) _____ muy orgullosa (*proud*) de él, pero ¿dónde (8) _____ cuando lo necesito? (9) _____ las dos de la tarde y (10) _____ cansada.

La próxima semana, los primos de Raúl van a venir a nuestra casa. Ellos (11) _____ de Los Ángeles. No los conozco pero Raúl me dice que (12) _____ simpáticos. Ahora ellos (13) _____ en Nueva York.

Bueno, ya (14) _____ tarde y me tengo que ir. Cuídense mucho (*Take care of yourselves*).
Besos,
Adriana

B-40 **Así es** Ahora expliquen por qué usaron (*you used*) **ser o estar** en cada parte de **B-39**. ∎

MODELO   están: *physical condition*

 B-41 **A conocernos mejor** Túrnense para hacerse y contestar las siguientes preguntas. ∎

1. ¿De dónde eres?
2. ¿A qué hora son tus clases?
3. ¿Cómo es tu casa?
4. ¿Dónde está tu casa?
5. ¿Cómo es tu dormitorio?
6. ¿Dónde está tu dormitorio?

7. ¿De qué color es tu casa?
8. ¿Cuál es tu color favorito?
9. ¿Cómo es tu novio/a (esposo/a, amigo/a)?
10. ¿Dónde está él/ella ahora (*now*)?
11. ¿Cómo eres?
12. ¿Cómo estás hoy?

• Capítulo 5 •
Sharing information about different types of music, movies, and television programs, including your personal preferences

B-54 to B-55

33. El mundo de la música. Review the **El mundo de la música** vocabulary on page 172 and then do the following activities.

 B-42 **¿Qué quiere decir?** Lee las siguientes descripciones. Después, túrnate con un/a compañero/a para decir a qué palabra o expresión se refieren. ∎

MODELO   E1:   dar conciertos en varias ciudades
              E2:   *Dar conciertos en varias ciudades es "hacer una gira".*

1. ser muy popular y conocido entre muchas personas
2. las palabras que cantas en una canción
3. la música de Mozart y Beethoven, por ejemplo
4. una persona que canta
5. lo que usas para cantar y hablar
6. un instrumento de percusión
7. sinónimo de grupo
8. hacer sonido bonito con un instrumento
9. cuando haces algo muy bien, dicen que tienes mucha _____
10. la música de Jay-Z y Eminem, por ejemplo

B-43 **La música** Túrnense para hacerse esta entrevista. ■

1. ¿Cuál es tu grupo favorito?
2. ¿Cuál es tu cantante favorito/a?
3. ¿Cuál es tu instrumento favorito?
4. ¿Cuál es tu tipo de música favorito?
5. ¿Cuál es tu canción favorita?
6. ¿Sabes tocar un instrumento? ¿Cuál?
7. ¿Te gusta cantar? ¿Cuándo y dónde cantas?
8. ¿En qué tienes mucha habilidad o talento?

B-56

34. Los adjetivos y pronombres demostrativos. How do you say *this*, *that*, *these*, and *those* in Spanish? Review the demonstrative adjectives and pronouns on pages 175 and 177 and then do the following activities.

 B-44 **Comparando cosas** Tu mejor amigo/a te propone una cosa pero tú siempre prefieres otra. Túrnense para responder a sus comentarios usando una forma de **este, ese** o **aquel.** ■

MODELO   TU MEJOR AMIGO/A: ¿Quieres ir a este cine?

           TÚ: *No, no quiero ir a este. Quiero ir a aquel.*

1. ¿Vamos a ir a ese teatro?
2. ¿Tus hermanos tocan en aquel grupo?
3. ¿Quieres escuchar este CD?
3. ¿Piensan ustedes arreglar este cuarto para (*for*) la fiesta?
5. ¿Vas a comprar aquellas entradas?
6. ¿Entiendes la letra de esta canción?

 B-45 **En la universidad** Túrnense para hablar de lo que les gusta o no les gusta usando formas de **este, ese** y **aquel.** Hagan por lo menos **cinco** oraciones positivas y **cinco** oraciones negativas. ■

MODELO   *Me gusta esta clase. Nuestro profesor de español es interesante, pero aquel profesor de sociología es un poco aburrido. Este libro es bueno, pero ese libro de matemáticas es difícil…*

35. Los adverbios. In Spanish, how do most adverbs end? How are they formed? Check page 179 to verify your answers. Then do the following activity.

 B-46 **¿Qué ocurre en el concierto?** Vas a un concierto de varios conjuntos en el estadio de tu universidad. Para saber qué pasa, completa estas oraciones con los adverbios apropiados. Comparte tus respuestas con un/a compañero/a. ◼

MODELO   E1:   Vamos al concierto (rápido, cuidadoso).

E2:   *Vamos al concierto rápidamente.*

1. La gente espera a los conjuntos (paciente, lento).
2. El primer conjunto toca (triste, feliz).
3. Un grupo llega tarde y entra al estadio (seguro, nervioso).
4. Los otros músicos escuchan (cansado, atento).
5. El conjunto toca una canción romántica y la gente empieza a bailar (lento, rápido).
6. Terminan el concierto (inmediato, final).

36. El presente progresivo. How do you form the present progressive in Spanish (*I am* _____ *ing, We are* _____ *ing*, etc.)? Check your answer on page 180 and then do the following activity.

 B-47 **¿Qué están haciendo?** Túrnense para decir qué están haciendo las siguientes personas. ◼

MODELO   E1:   Son las siete y media de la mañana y mi papá está en su terraza.

E2:   *Está tomando café.*

1. A mi hermano le gusta hacer ejercicio para comenzar su día.
2. A mi prima le gusta la música folklórica y está en una tienda.
3. Mis abuelos van a tener una fiesta esta noche y no tienen comida en casa.
4. Nuestro/a profesor/a está en la computadora y resulta que tiene muchos mensajes de sus estudiantes.
5. Nuestros amigos quieren comer algo ligero (*light*) antes de ir a la fiesta.
6. Estamos con nuestros amigos en la fiesta y un grupo está tocando.

37. El mundo del cine. Review the **El mundo del cine** vocabulary on page 184 and practice it with the following activity.

 B-48 En mi opinión Termina las siguientes oraciones sobre las películas que tú has visto (*have seen*). Pueden ser películas viejas o nuevas, buenas o malas. Comparte tus respuestas con un/a compañero/a. ■

MODELO   E1:   La mejor película de terror…

              E2:   *La mejor película de terror es* Psycho.

1. La mejor película cómica…
2. Una película épica pésima…
3. La película de misterio que menos me gusta…
4. Mi actor/actriz favorito/a de las películas de acción…
5. La película animada más creativa…
6. La película más conmovedora…

38. Los números ordinales. How do you say *first, second, third*, etc. in Spanish? Check your answers on page 187 and then do the following activity.

 B-49 Orden de preferencia Asigna un orden de preferencia a las actividades de la lista: de la más importante (primero) a la menos importante (octavo). Luego compara tu lista con la de un/a compañero/a usando oraciones completas. ■

MODELO   *Primero, me gusta ver una película de mi actor favorito Johnny Depp. Segundo, me gusta visitar a mis parientes…*

1. ir a un concierto de un grupo fabuloso   _____
2. visitar a tus parientes   _____
3. ver una película de tu actor/actriz favorito/a   _____
4. leer una novela buena   _____
5. ir a un partido de fútbol americano   _____
6. estudiar para un examen   _____
7. viajar a Guatemala   _____
8. conocer a los presidentes de los Estados Unidos   _____

39. *Hay que + infinitivo.* What does **hay que + infinitivo** mean? Check your answer on page 188 and then do the following activity.

B-61

B-50 **¿Obligaciones?** Digan qué hay que hacer o cómo hay que ser para tener las siguientes profesiones. ■

MODELO   un pintor

E1: *Hay que pintar mucho.*

E2: *Hay que ser muy creativo.*

1. novelista
2. cantante
3. músico/a
4. actriz
5. director/a de cine
6. político/a

B-62

40. Los pronombres de complemento directo. What is a *direct object*? What is a *direct object pronoun*? What are the direct object pronouns in Spanish? Where do you place direct object pronouns? Review pages 189–190 and then practice with the following activities.

B-51 **¿Estás listo/a?** ¡Qué suerte! Vas al concierto del año en un anfiteatro. Revisa la lista de preparativos con un/a compañero/a usando **lo, la, los** o **las.** ■

MODELO   E1: ¿Tienes que comprar *las entradas* del concierto?

E2: *Sí, las tengo que comprar hoy. / Tengo que comprarlas hoy.*

1. ¿Vamos a preparar *una comida* (meal)?
2. ¿Llevamos *las bebidas* (beverages)?
3. ¿Vamos a invitar *a nuestros amigos*?
4. ¿Escuchan ellos *los CD del grupo*?
5. ¿Tengo que leer *la reseña* (review)?
6. ¿Vas a llevar *la cámara*?

B-52 **¿Hay deberes?** Siempre hay cosas que hacer. Usen **lo, la, los** y **las** para hablar de sus deberes. ◼

MODELO   ¿lavar los pisos todos los días?

         E1: *Sí, tengo que lavarlos todos los días. /*

              Sí, los tengo que lavar todos los días.

         E2: *No, nunca los lavo. / No, los lavo los fines de semana.*

1. ¿sacudir los muebles?
2. ¿poner la mesa por la tarde?
3. ¿limpiar la cocina los sábados?
4. ¿preparar la comida todos los días?

5. ¿lavar los platos cada (*each*) día?
6. ¿hacer las camas por la mañana?
7. ¿guardar tus cosas?
8. ¿arreglar tu cuarto?

• Ambiciones siniestras •

Depicting what has happened thus far to the protagonists:
Alejandra, Manolo, Cisco, Eduardo, Marisol, and Lupe
Hypothesizing about what you think will happen in future episodes

41. Ambiciones siniestras. Read and then view the synopsis of the first five text and video episodes of **Ambiciones siniestras.** Then do the following activities.

B-63

B-53 **¿Qué pasó?** Escribe un resumen de lo que ha pasado (*has happened*) en **Ambiciones siniestras.** Puedes describir a cada personaje o puedes escribir una síntesis de cada capítulo. ◼

B-54 **¿Qué va a ocurrir?** Escribe un párrafo sobre lo que tú piensas que va a ocurrir en los próximos episodios de **Ambiciones siniestras.** ■

Y por fin, ¿cómo andas?

	Feel confident	Need to review
Having completed this chapter, I now can . . .		
Comunicación		
• greet, say good-bye, and introduce others	☐	☐
• describe myself and others	☐	☐
• share information about school and life as a student	☐	☐
• offer opinions about sports and pastimes that I and others like and dislike	☐	☐
• describe homes and household chores	☐	☐
• identify places in and around town	☐	☐
• relate things that happen and things that have to be done	☐	☐
• convey what will take place in the future	☐	☐
• impart information about service opportunities	☐	☐
• share information about different types of movies, music, and television programs, including my own personal preferences	☐	☐
Ambiciones siniestras		
• depict what has happened thus far to the protagonists: Alejandra, Manolo, Cisco, Eduardo, Marisol, and Lupe	☐	☐
• hypothesize about what I think will happen in future episodes	☐	☐
Comunidades		
• use Spanish in real-life contexts (SAM)	☐	☐

Mar Caribe

OCÉANO ATLÁNTICO

Barranquilla
Cartagena
Maracaibo
Caracas
Barquisimeto

Medellín
VENEZUELA
Río Orinoco
Georgetown
Paramaribo
Cayenne
GUAYANA FRANCESA
(Francia)

Manizales
Salto Ángel
GUYANA
SURINAM

Cali
Bogotá
COLOMBIA
CORDILLERA DE LOS ANDES

Quito
ECUADOR
Ecuador

Guayaquil
Cuenca
Iquitos
Manaus
Río Amazonas
Belém

Islas Galápagos
(Ec.)
Fortaleza

Cajamarca
Río Madera

Trujillo
PERÚ
Río Branco
BRASIL
Recife

Lima
Machu Picchu
Cuzco
Salvador

Ayacucho
BOLIVIA

Arequipa
Lago Titicaca
La Paz

OCÉANO PACÍFICO

I. Pinta
I. Marchena
I. Fernandina
I. San Salvador
I. Isabela
Santa Cruz
I. Santa Cruz
Puerto Ayora
I. San Cristóbal
Puerto Villamil
Puerto Baquerizo Moreno

ISLAS GALÁPAGOS
(ECUADOR)

Cochabamba
Santa Cruz
Brasília

Arica
Sucre
Potosí
Belo Horizonte

Iquique
PARAGUAY

Antofagasta
Salta
Asunción
Salto Iguazú
São Paulo
Santos
Río de Janeiro
Trópico de Capricornio

OCÉANO PACÍFICO

Cabo Norte
Volcán Katiki
Cabo Cumming
Hanga Roa
Mataveri

ISLA DE PASCUA
(CHILE)

CHILE
San Miguel de Tucumán
Pôrto Alegre

Coquimbo
ARGENTINA
Córdoba
Rosario
Rivera
CORDILLERA DE LOS ANDES
Río Paraná
Río Uruguay

Valparaíso
Mendoza
URUGUAY

Santiago
Buenos Aires
Montevideo

Concepción
La Plata
Río de la Plata
OCÉANO ATLÁNTICO

Bahía Blanca

Puerto Montt

OCÉANO PACÍFICO

Estrecho de Magallanes
Islas Malvinas
(Br.)

Punta Arenas
TIERRA DEL FUEGO
Cabo de Hornos

América del Sur